PC4077 BUS

CONTRIBUCIÓN AL ESTUDIO
DEL
CULTISMO LÉXICO MEDIEVAL
(1140-1252)

ANEJOS DEL BOLETÍN
DE LA
REAL ACADEMIA ESPAÑOLA

ANEJO XXVIII

JOSÉ JESÚS DE BUSTOS TOVAR

CONTRIBUCIÓN AL ESTUDIO
DEL
CULTISMO LÉXICO MEDIEVAL

MADRID
1974

I. S. B. N.: 84-600-6234-1.

Depósito legal: M - 22.750 - 1974.

Imp. Aguirre - Gral. Álvarez de Castro, 38 - Teléf. 4465420 - Madrid-3.

A la memoria de mi madre

I
ESTUDIO

I

ESTUDIO

Capítulo I

El CONCEPTO DE CULTISMO

El estudio del cultismo en la lingüística española.—Concepto de cultismo.—Cultismos y semicultismos.—Los dobletes.—Criterios de selección de cultismos.—Períodos de introducción de cultismos.

La fuerte tendencia positivista que ha informado durante mucho tiempo la orientación seguida en los estudios lingüísticos ha hecho que los investigadores del lenguaje fijaran preferentemente su atención sobre las voces tradicionales, pues ofrecían el gran interés de una compleja evolución fonética. Como Menénrez Pidal ha señalado, "es en ellas donde se manifiestan en modo más completo las leyes fundamentales de la vida del lenguaje" [1]. Ahora bien, la lengua no es sólo producto de la creación popular, sino también consecuencia de la labor de creación de las clases intelectualmente más elevadas, y aun de las circunstancias histórico-culturales que condicionan la evolución del conjunto de la lengua y de cada vocablo en particular.

Es preciso tener en cuenta que la palabra posee un contenido conceptual o afectivo que nos habla en cada instante de las cir-

---

[1] Vid. R. Menéndez Pidal, *Manual de Gramática Histórica*, p. 14, Espasa-Calpe, 9.ª ed., Madrid, 1952.

cunstancias en que el vocablo se ha insertado a través de la historia de la lengua. La palabra es, ante todo, una realidad semántica que constituye una unidad significativa en la cadena hablada. Hasta ahora ha sido el elemento fónico el objeto más frecuente de la investigación filológica. Por el contrario, al enfocar el estudio del cultismo lo primero que observamos es la interdependencia de la evolución fonética y el contenido semántico. Menéndez Pidal ha explicado suficientemente este hecho al distinguir, dentro del caudal léxico de origen latino, entre voces tradicionales, cultas y semicultas. Hay que hacer observar, no obstante, que la existencia de un cultismo no se debe únicamente a la circunstancia de que su vía de introducción es distinta de la de los vocablos populares, sino que, en ocasiones, son otros los factores que explican su peculiar estructura fonética. Cuando el significado de un vocablo, por ejemplo, adquiere un prestigio especial por las realidades que evoca, es este contenido semántico el que frena la evolución fonética. El propio Menéndez Pidad, al explicar la índole de los semicultismos, utiliza el ejemplo de la voz *águila*, y afirma: "indudablemente *aquila* se usó siempre en el habla vulgar, pero por ser esa ave enseña de las legiones y emblema del Imperio que subsistió entre algunos caudillos bárbaros, se detuvo la evolución fonética y la voz tuvo un desarrollo anormal en los romances" [2]. Estamos, pues, ante un claro ejemplo de que no ha sido la vía de introducción —oral, como en las voces tradicionales—, causante del cultismo, sino el peculiar carácter evocador que el vocablo tenía entre los hablantes.

La influencia del poder evocador de la palabra sobre su estructura fonética no sólo se da en la época de orígenes, sino que también aparece en los casos en que el hablante ha de elegir entre variantes culta y popular del mismo vocablo. Los ejemplos son numerosos; baste, por ahora, citar el caso de la voz *púrpura*. La tenemos documentada por primera vez en el *Cantar del Cid*, en la forma semiculta *pórpola*, con una estructura fonética que haría prever una próxima **porpla, *porpra*. También aparece en la Primera Crónica General y en la Gran Conquista de Ultra-

---

[2] R. Menéndez Pidal, *op. cit.*, p. 14.

mar. En el siglo XIII, junto a *porpora* (Fuero Juzgo y Partidas), encontramos el culto *púrpura* (Berceo, Signos, 21; Alexandre, O., 1152c) con el significado de 'vestidos preciosos', lo que nos indica que la palabra pertenecía a un estrato social elevado. Como sabemos, es la forma culta la que se ha impuesto, y ello debido a dos circunstancias diversas. En primer lugar, porque el significado ('vestidos preciosos') era propio de un estamento nobiliario y eclesiástico de gran prestigio entre el pueblo; este prestigio es el que mantiene vigente la forma culta frente a la popular, indudablemente más arraigada en el hablante. El triunfo definitivo del cultismo ocurrirá por otra circunstancia de signo literario. En el Siglo de Oro, los escritores dedicarán su preferencia a *púrpura* por motivos estilísticos.

Ullman ha hecho notar el valor evocador de la palabra y el influjo que esto tiene sobre su propia estructura formal [3]. En nuestro siglo se han renovado considerablemente los estudios etimológicos con la incorporación de la Semántica a los criterios puramente fonéticos. E. Tappolet [4] lo ha puesto de manifiesto, y el mismo Corominas [5] lo ha señalado en el prólogo a su obra monumental. Wartburg [6] ha dicho: "Quien hoy quiera escribir la etimología de una palabra no debe contentarse con señalar la desaparición de un significado o la incorporación de otro nuevo. Debe preguntarse, además, qué vocablo es el feliz candidato que reclama para sí la nueva acepción o a qué otra palabra ha privado de ésta. Es requisito indespensable para todo ello una concepción exacta de la Semántica y del ambiente de una palabra. Esto es tan importante como lo sea el esclarecimiento de las condiciones fonéticas y morfológicas. Las generaciones futuras sonreirán seguramente ante el abandono actual de los hechos semánticos y de toda la vitalidad de una palabra

---

[3] S. Ullmann, *Introducción a la Semántica francesa*. Trad. de Eugenio de Bustos. Anexo de la R.F.E., Madrid, 1965, pp. 214 y sigs.

[4] E. Tappolet, *Phonetik und Semantik in der etymologischen Forschung*. Archiv für das Studium der Neuren Sprachen, VXC, 195, pp. 101-123.

[5] J. Corominas, *Diccionario Crítico Etimológico de la Lengua Castellana*, Gredos, Madrid, 1959.

[6] W. von Wartburg, *Problemas y métodos de la lingüística*. Trad. de Dámaso Alonso y E. Lorenzo, C.S.I.C., Madrid, 1965, pp. 190-91.

del mismo modo que lo hacemos hoy al considerar la ingenua manera de interpretar la fonética por parte de un Ménage". Si aplicamos esta concepción etimológica al problema de los cultismos, encontraremos una rica variedad de casos en que el contenido semántico ha influído sobre la estructura formal de la palabra. Esto es lo que quiero adelantar por el momento. Los cultismos lejos de ser únicamente palabras fosilizadas por su nula o escasa evolución fonética, poseen un extraordinario interés para el conocimiento de los factores histórico-culturales que han conformado el léxico de un idioma. El mismo Menéndez Pidal ha urgido en vano el estudio de estos vocablos cultos afirmando: "En el estudio histórico-cultural del idioma los cultismos tienen una importancia principalísima, siendo lamentable que su conocimiento esté hoy tan atrasado. La ciencia habrá de aplicarse cada vez más intensamente a investigar la fecha, causas de introducción y destinos ulteriores de cada uno de estos préstamos, para que la historia lingüística adquiera su pleno valor" [7].

El admirable progreso conseguido en los estudios sobre la historia de la lengua no ha suscitado excesivo interés por este tipo de palabras cultas. Hay que rendir homenaje a los investigadores que han logrado tan considerables progresos, y entre ellos a la escuela lingüística española de Menéndez Pidal, que ocupa un lugar preferente. Gracias a estos estudios estamos hoy en condiciones de intentar iniciar el trabajo sobre la historia del cultismo español. Hay que señalar la importancia de los estudios semánticos de Schalk y su escuela, publicados en la *Romanische Forschungen,* que han aclarado la historia semántica de algunos cultismos como *otium,* etc.

El tema es de considerable importancia. No ha sido únicamente el maestro de la Filología española quien lo ha puesto de relieve. Américo Castro [8] y Dámaso Alonso [9] han hecho notar que casi la mitad de nuestro léxico es de procedencia culta. Es decir, existe una gran parte del vocabulario español que no

[7] Vid R. Menéndez Pidal, *Manual,* pp. 14-15.

[8] Vid. A. Castro, *Glosarios latino-españoles de la Edad Media,* Centro de Estudios Históricos, Madrid, 1936.

[9] Vid. Dámaso Alonso, *La lengua poética de Góngora,* Anejo de la R.F.E., Madrid, 1950.

ha sido tratada sino esporádicamente por los lingüistas. Bien es verdad que esa proporción no indica de un modo absoluto la importancia de un determinado tipo de vocablos. En realidad, hay otros muchos factores que determinan su interés: frecuencia de empleo, estratos sociales y culturales que los utilizan, contenido significativo, mundo vital que evocan, etc., etc. Lo que da un especial interés a los cultismos es el hecho de ser precisamente estas voces las que recogen en su propia historia una buena parte de las más altas creaciones del espíritu. Estas palabras no han seguido, en general, las leyes fonéticas de evolución pero su existencia misma en el idioma está ligada a la historia de las más notables creaciones de la cultura humana.

Dificultades para el estudio de los cultismos.

Los problemas que nos plantea el estudio del cultismo no son fáciles de resolver, dada la complejidad de factores que confluyen en el tema. Cada sondeo que hacemos en el caudal léxico de una época, un autor o una obra, nos pone en contacto con un mundo nuevo en el que, a través de las palabras, se observan las tensiones culturales que están configurando el lenguaje, fuente siempre de una rica experiencia vital. Es el hombre mismo quien, sujeto y objeto de la historia, crea el lenguaje adoptando palabras nuevas que se incorporan al caudal léxico del idioma. En ocasiones, es una capa social concreta y determinada la que impone la existencia de una voz culta frente a la presión popular. La principal dificultad que encuentra, pues, el investigador es la de comprender las motivaciones individuales o colectivas que han obrado en favor de la palabra culta. Se necesita una fina labor de rastreo para explicar estos hechos en cada caso. Y, sobre todo, un conocimiento de los diferentes mundos culturales que se han ido escalonando a lo largo de la historia. Con este supuesto previo, es obvio que nuestra labor no pretende ser una explicación exhaustiva de la cuestión. Sólo intentamos esbozar el amplio haz de posibilidades que ofrece el estudio del cultismo y aplicarlo a una época concreta de la historia del español.

Claro es que hay campos semánticos en que siempre aparece una explicación clara y sencilla para la existencia del cultismo. Como estudiaremos detalladamente más adelante, no ha de extrañarnos que la preocupación moral típica de la Edad Media exigiera la utilización de una serie de voces que sirviera a esa finalidad didáctica. Como, por otra parte, este lenguaje moral había sido en los siglos inmediatamente precedentes exclusivo del latín, era lógico que hicieran su aparición los cultismos. Así nos encontramos con que los catecismos político-morales del siglo XIII *(Diez Mandamientos, El Bonium, Flores de Filosofía, Buenos Proverbios,* etc.) ofrecen un conjunto muy homogéneo de voces cultas pertenecientes al campo semántico de la moral.

La dificultad viene al intentar sistematizar. Es entonces cuando se revela en toda su plenitud la riquísima vida del lenguaje. La palabra es una unidad significativa que se conecta con un contexto, es decir, va íntimamente ligada a un campo de significaciones. Por ello —y no sólo por eso— las excepciones serán numerosísimas. Los matices, incluso terminológicos, para clasificar cada voz, abundantes. Nos hemos de situar frecuentemente en un terreno movedizo para intentar seguir con las máximas probabilidades de acierto la vida de un vocablo. He aquí, pues, la más importante dificultad que cualquier investigador encontrará al abordar la historia del cultismo.

Menéndez Pidal ha señalado el único camino posible: la documentación rigurosa. Es esto lo que hemos tratado de hacer y en la medida en que se haya logrado residirá el posible interés de este trabajo. Hemos evitado la tentación de aventurar teorías que no estén basadas en una observación directa de los textos que son fuente del presente estudio. En síntesis, los principales problemas que hemos encontrado pueden agruparse en tres apartados:

1) *Problemas textuales.*

Existen grandes lagunas en la edición de textos medievales y, dada la amplitud de la época estudiada, no siempre poseemos una edición crítica con las suficientes garantías para un estudio léxico. Junto a la investigación exhaustiva y definitiva sobre el *Poema del Cid*, nos encontramos con textos que nos han suscitado muy serias dudas sobre su autenticidad textual. La Biblioteca de Autores Españoles, que representa una obra monumental en la historia de la literatura española, no ofrece, en cambio, el rigor textual indispensable para un trabajo sobre léxico.

Hay que añadir otro problema no derivado de la edición. Se refiere a la existencia de más de un texto que presenta rasgos lingüísticos diferentes. Tal es el caso del *Libro de Alexandre*. La edición de la BAE sigue el texto de Osuna, mientras Morel-Fatio prefiere el de París [9 bis]. En casos como éste hemos procurado acudir a las investigaciones —cuando existen— sobre el problema textual. No podemos olvidar que este problema va ligado frecuentemente a otros de tipo dialectal, como ocurre con el ejemplo aducido del *Libro de Alexandre*. Hemos, pues, de adoptar una posición crítica ante cada una de las fuentes que nos proporcionan los materiales para este trabajo. Por supuesto, que no pretendemos llegar a conclusiones definitivas sobre la índole de cada texto. Únicamente nos ha sido necesario en diversas ocasiones adoptar decisiones, siquiera provisionales, que son modificables en cuanto una rigurosa crítica textual aclare los muchos problemas que aún tiene planteados la historia literaria de nuestros primeros siglos.

Claro es que con estas observaciones no pretendemos oscurecer el meritorio trabajo de nuestros filólogos. Junto a grandes lagunas, existen ediciones críticas que son verdaderos modelos de rigor científico y que, por eso mismo, hacen más notable el vacío cuando no existen. Las ediciones y estudios de Menéndez Pidal sobre *La disputa del alma y el cuerpo*, *La razón de amor* y el *Auto de los Reyes Magos;* de Lapesa *(Fuero de Madrid)*, de Alvar *(Libro de la Infancia y Muerte de Jesús)*, María Soledad de Andrés *(Vida de Santa María Egipciaca)*, Kasten *(Poridat de las poridades)*, etc., son modelos que desgraciadamente no siempre tienen suficientes continuadores.

---

9 bis. V. la ed. de R. S. Willis, en la que se confrontan los dos textos: *El Libro de Alexandre. Texts of the Paris and the Madrid, Manuscripts prepared with an introduction by...* Princeton, 1934.

Existe todavía un amplio campo a las ediciones críticas de nuestra literatura medieval. Otro tanto ocurre con los documentos de los primeros siglos. Bien es verdad que contamos con la prodigiosa obra investigadora de Menéndez Pidal y su escuela, y, lo que no es menos importante, con el método de investigación que él ha puesto en práctica. Los principales problemas que han afectado a esta investigación léxica son los siguientes:

a) Ediciones inseguras.—Afecta especialmente a los catecismos político-morales de la época de Fernando III el Santo. Aquí contamos con la inapreciable ayuda de H. Knust, con sus eruditas investigaciones sobre los fondos manuscritos de El Escorial. No obstante, hay que tener en cuenta que los textos publicados por Knust no están sometidos a una rigurosa crítica desde el punto de vista fonético e histórico-lingüístico, que es esencial para caracterizar los posibles cultismos —muy numerosos, por cierto— existentes en estos textos.

b) Pluralidad de textos.—Al punto anteriormente citado hay que añadir el hecho frecuente de que no siempre ha sido una única copia la que ha servido de base a la edición. En esta circunstancia caben dos actitudes: aceptar el texto crítico —si lo hay—, cuando la edición parece haber sido hecha con rigor científico; o intentar aclarar por nuestra parte los problemas léxicos que la obra presenta. No habrá que insistir en las dificultades que ofrece adoptar la segunda actitud. Lo que es un estudio histórico sobre cultismos se convertiría en un trabajo de amplitud inabarcable sobre crítica textual. De ahí que, sin soslayarlo cuando ha sido imprescindible, no hayamos tenido más remedio que aceptar las ediciones existentes cuando éstas ofrecen una base sólida. Este tipo de problemas afecta a textos que, como el *Libro de la Nobleza y Lealtad* o *Libro de los doce sabios*, ofrecen una varia o múltiple base manuscrita. En este caso, por ejemplo, son tres los manuscritos básicos, uno de la Biblioteca Nacional con letra del siglo xv, otro existente en la misma Biblioteca y letra del siglo xviii, que ha servido para la edición de Miguel de Manuel Rodríguez; y el tercer ejemplar corresponde a un códice de la Biblioteca de El Escorial, con letra del siglo xv. La pluralidad de fuentes exige, pues, una actitud

crítica —con todas las reservas, por supuesto—, que nos haga
elegir entre las varias posibilidades.

Un problema muy específico nos lo presentan los textos de
los Fueros que se han tenido en cuenta para este trabajo. Concretamente, los Fueros de Madrid, de Sepúlveda y de Soria. Los
primeros, no han ofrecido dificultades gracias a los ejemplares estudios paleográficos y lingüísticos de Millares Carlo y Lapesa, y
Alvar, respectivamente. Galo Sánchez, que ha estudiado el de
Soria, advierte que "los Fueros no se redactaban siempre de
una vez, sino que es frecuente la superposición de capas distintas,
paulatinamente acumuladas por una incesante labor legislativa.
Y ello debido al deseo permanente de mejorar los Fueros por
todos los medios imaginables" [10]. Es obvio que tal superposición
puede complicar notablemente su interpretación lingüística.

c)   Problemas dialectales.—Se derivan de la peculiar repartición lingüística de la Península Ibérica durante los siglos xi
al xiii. La fragmentación lingüística y la vitalidad cultural de
las regiones no castellanas —piénsese en el latín leonés, por
ejemplo—, obliga a considerar los problemas dialectales que presentan algunos textos. En el mismo Berceo hay rasgos dialectales que de no tenerlos en cuenta, nos harían caracterizar como
cultismos vocablos que no lo son. Uno de los factores positivos
que tiene la variedad de las obras consideradas es que casi
todas las voces están documentadas en más de un texto, y ello
ofrece la posibilidad de comprobar si una u otra forma se debe
a causas dialectales o si se trata, efectivamente, de palabras
cultas.

A veces, el problema del posible dialectalismo se combina
con la existencia de dos manuscritos. Tal es el caso del *Libro de
Alexandre*. Como más adelante estudiaremos, es imprescindible
entonces atender a ambas fuentes. No es raro el caso en que el
redactor del segundo manuscrito añade aportaciones personales
de origen culto al texto que copia. Esas innovaciones han de ser
tenidas en cuenta porque pertenecen de pleno derecho al marco
histórico-cultural en que un estado de lengua se inscribe. En
estados de lengua vacilantes —y la época estudiada lo es—,

---

[10]   Cfr. *Fueros castellanos de Soria y Alcalá de Henares*. Edición y
estudio de Galo Sánchez, Centro de Estudios Históricos, Madrid, 1919.

puede ser revelador, incluso, de las causas que hacen al copista
elegir entre dos posibilidades formales. De ahí el carácter más
o menos culto que pueden tener dos versiones diferentes de la
misma obra.

2. *Escasez de glosarios medievales y de diccionarios.*

Hubiera facilitado extraordinariamente nuestro trabajo la
existencia de un glosario medieval completo. El Centro de Estudios Históricos comenzó a elaborar uno que quedó muy incompleto y, como tal, inutilizable. Hemos tenido, pues, que va-
lernos de los trabajos parciales sobre textos medievales. Unicamente hay que señalar el estudio publicado por Américo Castro [11], quien ha subrayado la importancia decisiva que tiene para
el estudio de los cultismos el conocimiento de la enseñanza del
latín durante la Edad Media. Las palabras de Américo Castro,
publicadas en 1936, siguen teniendo vigencia para nosotros.
Si en algunos países de Europa, especialmente en Alemania, es
relativamente fácil encontrar estudios sobre las fuentes lexicográficas de la Edad Media, no sucede lo mismo en España. Por
ello se hace más notable la aportación de Américo Castro, que
nos ha facilitado fuentes lexicográficas muy anteriores a las más
antiguas de que disponíamos: el Vocabulario de Alonso de Palencia (1490) y el de Antonio de Nebrija (1492). Hemos de
tener en cuenta que el estudio del cultismo está íntimamente relacionado con el de la enseñanza del latín durante la Edad Media. Nuestras únicas fuentes para tal estudio son precisamente
estos glosarios. De ello nos ocuparemos más adelante; baste por
el momento indicar la trascendencia de este tema.

Bien es verdad que, con posterioridad al trabajo de Américo Castro, han aparecido algunos estudios de lexicografía medieval. Casi todos son de carácter monográfico, pero ya signi-

---

[11] Américo Castro, *Glosarios latino-españoles de la Edad Media.* Anejo de la R.F.E., XXII, 1936. Para la importancia que tiene el estudio de
estos Glosarios, y su influencia en la lengua de la Edad Media, véase el
Estudio preliminar y, especialmente, las páginas I-XI.

fican una valiosa aportación, de la que nos hemos servido. Cuando se intenta hacer un trabajo sobre léxico medieval, se observa la necesidad de un Diccionario Histórico como el que ha iniciado la Real Academia, sin duda el trabajo de más importancia en que está empeñada la Filología española. Por el momento, contamos con la obra de J. Corominas, verdadero monumento del esfuerzo individual, pero que no es suficiente para tener garantía absoluta en las documentaciones de los vocablos. Precisamente, es éste un dato esencial para determinar la historia de la palabra. En los préstamos lingüísticos —y como tales pueden considerarse los cultismos, según razonaremos más adelante—, tanto como la existencia de la voz en un momento determinado, interesa su suerte posterior. Es esto lo que nos explica el rendimiento en el sistema de la lengua, con los cambios y transformaciones a que obliga la integración del nuevo vocablo. La ayuda que para este punto supondría la existencia de un glosario medieval completo sería inestimable. Su ausencia hemos procurado sustituirla por los trabajos parciales existentes [12].

Si escasos son los glosarios de carácter general, más aún lo son los que estudian específicamente los cultismos. Puede afirmarse que no hay ningún glosario de cultismos, salvo los publicados por Dámaso Alonso en su *Lengua poética de Góngora* y, más recientemente, por A. Vilanova en su obra *Las fuentes y los temas del Polifemo* [13]. Ambos abordan un problema del cultismo en el siglo XVII, con valiosísimas observaciones, pero que no se refieren a la época que aquí analizamos. Entre los trabajos en que se estudia el léxico culto de un autor medieval es fundamental la obra de María Rosa Lida *Juan de Mena, poeta del prerrenacimiento español* [14]. Claro es que este

---

[12]   Entre estos hay que señalar los meritorios vocabularios de:
—Oelschläger, V.R.B., *A medieval spanisch word lits, a preliminary dated vocabulary of first appearances up to Berceo*, Univ. of Wisconsin, Madison, 1940.
—Boggs, R. S.; Kasten, L. I.; Keniston, H. and Richardson, H. B., *Tentative dictionary of Medieval Spanisch*, Chapel Hill, N. Carolina, 1946.
[13]   A. Vilanova, *Las fuentes y los temas del Polifemo*, C.S. de I.C., Anejo de la R.F.E., Madrid, 1957.
[14]   María Rosa Lida de Malkiel, *Juan de Mena, poeta del prerrenacimiento español*, N.R.F.H., México, 1950.

trabajo, ejemplar por tantas razones, no es de índole esencialmente lexicográfica, sino que trata del tema en cuanto constituye un aspecto más que debe ser considerado en la visión general de la obra de Juan de Mena.

Nos encontramos, pues, con un panorama en el que los antecedentes con que podemos contar con escasos. Convencidos de
que el progreso científico se basa en una suma de esfuerzos, no
pretendemos sino añadir uno más en esta parcela de la Filología
que es el estudio del cultismo. Afortunadamente, hemos podido
contar con un trabajo en avanzado estado de elaboración sobre
los cultismos del siglo XIV, lo que nos ha permitido documentar
muchos de éstos durante la citada centuria. Sería imprescindible
para completar este ensayo de historia del cultismo español disponer al menos de un vocabulario general de la obra gigantesca
de Alfonso X el Sabio. Sería ingenuo por nuestra parte intentar
abarcar en el presente estudio campo tan enorme como el que
presenta la obra alfonsí, pero no se puede dejar de señalar la necesidad de enlazar la historia del léxico español de los siglos XIII
y XV a través de la importante labor de creación lingüística
que representa la obra cultural de Alfonso X. Es, pues, éste un
aspecto más de la amplitud propia de cualquier investigación
sobre léxico medieval. El estado en que se encuentran los estudios alfonsíes, especialmente en lo que se refiere a los problemas textuales, aconseja un aplazamiento del estudio del cultismo en su obra.

Concepto de cultismo

Aún no poseemos un concepto claro de lo que es cultismo
seguramente a causa de la ausencia de un estudio sistemático
sobre el mismo. Alvar y Mariner [15] han señalado el hecho para-
dójico de que mientras se dispone de un diccionario de helenismos del castellano, no ocurre lo mismo con el de latinismos e
incluso, y de ello hablaremos más adelante, los cultismos no son

---

[15] Se refieren al *Diccionario etimológico de helenismos españoles*
de C. Eseverri Hualde, Pamplona, 1945.

considerados en toda su importancia por Corominas en su Diccionario Crítico Etimológico de la Lengua Castellana. Hasta se ha hablado del "prejuicio anticultista" de nuestro gran lexicógrafo.

La imprecisión del concepto de cultismo se refleja en las numerosas definiciones que se han dado del término [16]. Dámaso Alonso [17] y Rafael Lapesa [18] se han fijado especialmente en el primer elemento de caracterización de cultismos; es decir, su no sujeción a las leyes normales de evolución fonética. Hay que aclarar, sin embargo, que estos autores no se han limitado, como afirma Martínez Otero [19], a una visión negativa, puesto que su concepto de cultismo se completa inmediatamente al hacer notar el papel preponderante que este tipo de palabras juega en la lengua, considerada ésta como elemento de cultura. Cuando Lapesa afirma que "el influjo cultural impidió que se consumaran las tendencias fonéticas" no está sino señalando el hecho más notable que el cultismo ofrece desde el punto de vista formal. De ninguna manera está excluyendo otros factores que confluyen y participan del concepto de cultismo.

Menéndez Pidal [20], igualmente, observa las consecuencias fonéticas como esencialmente reveladoras de la existencia de un cultismo. Pero ello no significa, como en el caso de Dámaso Alonso y Rafael Lapesa, que ignore que otros elementos no fonéticos son constitutivos del concepto de cultismo. Cuando Menéndez Pidal lamenta la escasez de estudios sobre este tema, señalando la importancia que los cultismos tienen en el *estudio histórico-cultural* del idioma, está implícitamente haciendo la fundamental observación de que en los cultismos hay algo más que una mera excepción a las leyes de evolución fonética. Está aludiendo, indudablemente, al alma del concepto, y no sólo a su condición fonemática. El mismo sentido tiene la afirmación de Dámaso Alonso de que la historia del cultismo español se hará

---

[16]   Cf. R. Martínez Otero, «*Cultismos*», en Archivum, IX, 1959, pp. 189-215 y especialmente pp. 197-199.

[17]   Véase Dámaso Alonso, *La lengua poética de Góngora*, cap. I.

[18]   Véase Rafael Lapesa, *Historia de la lengua española*, p. 60.

[19]   Cf. R. Martínez Otero, *op. cit.*, p. 197.

[20]   R. Menéndez Pidal, *Manual*, p. 9.

cuando la consideración idealista del lenguaje complete el enfoque positivista.

Pensamos, pues, que no es exacta la pretendida contradicción que Martínez Otero cree encontrar en Menéndez Pidal. Lo que sí aparece en cuantos se han ocupado del tema es una cierta imprecisión en lo que se refiere a los límites del concepto. Efectivamente esto es así, porque al no haber hecho del "cultismo" el centro de una parte de la historia lingüística [21] era fácil eludir las fronteras, que no son nítidas por supuesto, entre voz culta y voz popular. Cuando Meyer-Lubke [22], apartándose del criterio fonético [23], ve en el cultismo "palabras tomadas de la lengua escrita", está señalando otro aspecto tan incompleto o más que el exclusivamente fonético. Y esto por varias razones. De una parte, porque hay vocablos que habiendo entrado por vía oral han conservado siempre un valor culto bien en su significado, o en su significante, o en ambas a la vez [24]. De otro lado, porque no aclara el hecho importante de cuál ha de ser la lengua prestataria para que el vocablo tenga carácter culto.

Estamos aquí planteando un problema al que han tenido que aludir cuantos han esbozado siquiera el estudio del cultismo. Me refiero al origen de las voces cultas. Normalmente, se entiende que proceden del latín clásico. Ello significaría una limitación injustificada en cuanto que descartaría las peculiares creaciones léxicas del latín medieval. Pienso en el hecho de que el latín,

---

[21] Como han señalado Dámaso Alonso, *op. cit.,* y el mismo Menéndez Pidal, *Manual,* p. 14.

[22] Cfr. W. Meyer-Lübke, *Introducción a la lingüística románica,* p. 64. Trad. de A. Castro, Anejo de la R.F.E., Madrid 1926.

[23] Véase más adelante «Criterios de selección de cultismos», pp. 38 y siguientes.

[24] Páginas más arriba hemos aludido al ejemplo propuesto por Menéndez Pidal para explicar la existencia de un cultismo que pertenece al idioma desde sus orígenes. Me refiero a la voz *águila.* No podemos sino asentir a la explicación que da Menéndez Pidal sobre la conservación de la vocal postónica. Pero, además, hay que añadir que esta voz es culta (o semiculta, para ser más exactos) no sólo por ese criterio fonético (consecuencia, al fin y al cabo de un hecho cultural, sino también porque estamos seguros de que en la conciencia de los primeros hablantes se conservaba el recuerdo de un contenido significativo de carácter culto o noble. Una prueba más de la inseparabilidad de significado y significante.

muerto como lengua hablada desde que el romance tiene entidad suficiente para ser considerado como idioma distinto, está vivo en la lengua escrita durante varios siglos. Y como tal lengua viva, aunque limitada en el número de los que la usan y en su empleo como lengua de cultura, está sometida a un dinamismo creador que obliga a elaborar nuevos términos. Albert Dauzat [25] ha señalado, por ejemplo, una serie de vocablos creados sobre base latina por la Escolástica. Lo mismo podría comprobarse en múltiples textos del latín medieval. Parece, pues, evidente que al menos por razones metodológicas, tengamos que relacionar de algún modo el concepto de cultismo con su origen latino, bien porque la palabra procede directamente del latín, bien porque éste haya sido su medio transmisor [26].

Esta cuestión nos lleva a plantear un problema de terminología y de concepto. Nos referimos al uso de *latinismo* y *cultismo* como sinónimos o, en todo caso, sin clara diferenciación. El hecho de que ambos términos hayan llegado a identificarse, empleándolos para expresar el mismo concepto, nos obliga a adoptar un criterio que utilizaremos en adelante.

Lázaro Carreter en su excelente Diccionario [27] acoge ambas denominaciones haciendo referencia a dos criterios fundamentales: procedencia latina y constitución formal condicionada por el influjo culto.

Ambos términos, pues, designan voces que conservan su aspecto latino y han sido introducidos por influjo culto. Creo que hay dos puntos que aclarar. El primero, adoptar una decisión sobre la lengua que proporciona los cultismos y, en este sentido, se puede aceptar en términos generales la proposición de Lázaro de que proceden de una lengua clásica. Inmediatamente surge la pregunta: ¿hasta qué punto es importante el griego como *fuente directa* de cultismos? La inmensa mayoría han entrado a través

---

[25] Albert Dauzat, *La filosofía del lenguaje,* El Ateneo, Buenos Aires, 1947, p. 115.

[26] Pensar *sólo* en un adstrato como fuente de cultismos nos llevaría a considerar como tales un considerable número de arabismos. El árabe es, en buena medida, una lengua sabia frente al naciente romance.

[27] V. F. Lázaro Carreter, *Diccionario de términos filológicos,* Gredos, Madrid, 1953.

del latín [28] y los modernos helenismos no contradicen esta afirmación, pues se trata de tecnicismos, cuyo concepto no debe confundirse con el de voz culta. Aparte quedan los contadísimos préstamos de la época bizantina, que, aunque sólo sea por necesidades metodológicas, podemos dejar aparte, como una parcela anexa al estudio del préstamo.

El segundo problema, más complicado, es el de explicar qué se entiende por "conservar su aspecto latino". La frase nos revela ya que se trata de un criterio fonético, insuficiente por sí solo para caracterizar el cultismo como hemos hecho notar más arriba. Además, se aplica por igual a los términos latinismo y cultismo.

Sin pretender llegar a conclusiones definitivas —que sólo será posible cuando se haga la historia completa del cultismo—, necesitamos adoptar una decisión sobre el problema. Pienso que sería conveniente reservar el término *latinismo* para las palabras que no han sufrido variación alguna; es lo que Américo Castro [29] ha llamado "latinismo en crudo". Este tipo de voces no se ha adaptado en absoluto a la morfología del español, y a él correspondería tanto vocablos como giros: *máximum, mínimum, quid, sine qua non,* etc. En cambio, *cultismo* nos servirá para designar las voces procedentes del latín que, habiendo sido introducidas por influjo culto, se han adaptado en mayor o menor grado a la morfología del español.

3. *El criterio fonético en la caracterización del cultismo.*

Hemos visto más arriba que en cuanto intentamos definir el concepto de cultismo surge como factor determinante el criterio fonético. Bien en sentido negativo ("palabra que *no* ha seguido las leyes fonéticas"), bien en forma positiva cuando se habla de su origen y de su forma. En esta segunda tendencia, se ha hecho

---

[28] Cfr. voces como *bárbaro, mitra, itrópico* ('hidrópico'), *escándalo,* etc., (todas ellas en el *Libro de Alexandre*), que han entrado a través del latín. Igualmente, hay que hacer notar que hasta la época de Alfonso X no es fácil encontrar ningún helenismo que haya penetrado a través del árabe.

[29] Cf. Américo Castro, *op. cit.*

hincapié en la vía culta de introducción, e, incluso, se ha observado si el vocablo pertenecía o no a un estrato culto de hablantes. Las dificultades de una caracterización de este tipo en un estudio sobre la lengua medieval son obvias y, en la medida de lo posible, son también insoslayables.

La caracterización del cultismo por razones de evolución fonética presenta diversos problemas. No seguir las reglas normales de evolución puede ocurrir por distintas causas. Cada una de ellas habrá de tenerse en cuenta cuando se trate de localizar un cultismo. Especialmente arduo será el problema en el caso de los semicultismos [30]. Por ejemplo, la presencia en castellano de un grupo latino sin evolucionar puede deberse a varias causas:

a)   Dialectalismo. Recuérdense ejemplos como *plata, pluvia, pleito*, etc. No siempre la determinación es fácil porque encontramos casos en que se produce una combinación de influencias de tipo dialectal y culto. Compárese *clamar/llamar*, etc.

b)   Extranjerismo.—Es un caso semejante. Hay veces en que la distinción es fácil, pero no en otros, especialmente cuando el extranjerismo es, a su vez, palabra culta.

c)   Cronología dudosa en la producción de los fenómenos de evolución fonética —Tal es el caso, entre otros, de los esdrújulos latinos con pérdida de la vocal final: *árbol, cárcel, orden*, etc. Menéndez Pidal [31] se inclina por considerarlos semicultismos, pero su caracterización no es tan clara. Si en el caso de *orden* podemos encontrar fácilmente una relación con el mundo cultural al que pertenece (de tipo eclesiástico), no ocurre otro tanto con *cárcel, árbol*, etc. Sería muy difícil encajar esos vocablos dentro del léxico culto. Más bien parece que el hecho, meramente indicativo, de haber conservado la vocal postónica se debe a una causa puramente fonética, sin mezcla de influjo cultural alguno, la pérdida anterior de la vocal final que obliga al mantenimiento de la postónica como necesaria apoyatura fonética para pronunciar el grupo consonántico.

---

[30]   Véase más adelante el apartado «Cultismos y semicultismos», pp. 33 y sigs.

[31]   Véase Menéndez Pidal, *Manual*, p. 78. Para explicación diferente véase D. Alonso, *Sobre las soluciones peninsulares de los esdrújulos latinos*, Suplemento de la E.L.H., págs. 55-60.

d) Influencia de las capas altas de la sociedad.—Corominas [32] explica frecuentemente la persistencia de determinados grupos latinos por influencia de las capas altas de la sociedad, (flaco,
flor, claro, etc.) sin reconocer en estos casos la existencia de cultismo o semicultismo. El concepto "influencia de las capas altas de
la sociedad" es ya borroso y vago. Más aún cuando no se da ninguna explicación a este tipo de caracterizaciones. Conocido es el
prejuicio anticultista de Corominas [33], pero lo que nos interesa
ahora es señalar un factor más que hace impreciso el criterio
fonético para definir el concepto de cultismo. Con ello, esto es
obvio, no pretendemos dejar de reconocer cuánto valor indicativo
posee este criterio. Pero sobre este punto se hablará más adelante.

Puede ocurrir además que el problema se enfoque prescindiendo del criterio fonético para definir el cultismo. En este caso,
habría que poner el acento en la influencia cultural que indica el
vocablo. Este se populariza a veces, incorporándose a la evolución
normal. Hay que tener en cuenta que incluso en voces de incorporación tardía, puede operar el cambio fonético gracias a lo que
magistralmente ha formulado Menéndez Pidal bajo el concepto
de "estado latente" en la evolución fonética. Es esto lo que nos
explica que muchas voces introducidas en el idioma por vía culta
hayan evolucionado hasta el semicultismo, afectándoles fenómenos
de evolución que se habían mantenido en estado latente a lo largo
de siglos. Es esto mismo lo que nos lleva a anunciar el planteamiento de un problema, del que habremos de tratar en el lugar
correspondiente. Nos referimos al tema de los dobletes y a la
matización, no sólo significativa sino especialmente expresiva, que
representan dentro de un idioma. Sobre todo en épocas que, como
la que se estudia en este trabajo, ofrecen un delicado sistema léxico y fonético, a punto de alcanzar una estructura consolidada.
Sería muy interesante hacer siquiera un esbozo de lo que repre-
sentaría para un hablante de los siglos XII y XIII la alternancia

[32] Véase Corominas, D.C.E.L.C.
[33] Véase M. Alvar y S. Mariner, op. cit. p. 5. Estos autores afirman
literalmente: «...incluso en una obra que hace época en la ciencia etimológica, como es el D.C.E.L.C., los latinismos no salen de su papel de telón
de fondo».

posible entre voz culta y popular, lo mismo que para uno actual la que ofrecen ejemplos como *rápido / raudo; capital / caudal,* etcétera.

Apuntemos, por último, otra posibilidad con la que hay que enfrentarse al intentar definir el cultismo desde nuestra situación de hablantes actuales. Nos referimos al caso de que el vocablo haya sido introducido por vía popular pero se inscriba en un sector culto de la sociedad, como voz específica de esta capa social. Esta inserción frenaría su normal evolución fonética, y no vemos razones para no considerarlo un cultismo. Es esto último, más o menos, lo que ha hecho Corominas en su Diccionario Crítico-Etimológico de la Lengua Castellana, aplicándolo a aquellas palabras que ofrecían sin evolucionar grupos iniciales como *cl-, pl-, fl-,* etc. Como se hacía notar en las primeras páginas de este trabajo, no sólo puede ocurrir esto, sino también que el vocablo, por la capacidad evocadora de su significado, por su prestigio cultural o político, esté preservado de los cambios fonéticos. Es el caso de *águila, gloria, paraíso,* etc., etc. En general, muchos de los vocablos que pertenecen al mundo espiritual predicado por el Cristianismo debieron trasmitirse por vía oral, y no evolucionaron completamente a causa del universo religioso-cultural que evocaban.

Con todo lo dicho hasta aquí intentamos dar idea de cuán estrecho se nos queda un criterio puramente fonético, visto desde hoy, para definir lo que es un cultismo. Es necesario enfocar el problema desde un ángulo que abarque a la vez, en una síntesis tan amplia como profunda, ese concepto tan movedizo donde se combinan los dos elementos constitutivos del lenguaje humano: un contenido espiritual en una formulación fonética. No olvidemos, además, que el cultismo no sólo es de tipo léxico, sino también semántico y aun morfo-sintáctico.

Lo que parece evidente es que, cuando intentamos limitar el concepto de cultismo, se nos escapan las fronteras concretas con que tratamos de definirlo, bien porque lo limitamos excesivamente, bien porque su horizonte lo ampliamos en demasía. Pienso que tales dificultades vienen dadas porque partimos frecuentemente de una base errónea. Lo estudiamos desde una perspectiva única y actual, cuando lo correcto sería considerarlo en función de la conciencia valorativa de tipo histórico-cultural que existe en cada época. Es decir, el concepto de cultismo está en relación con la especial valoración que en cada estado de lengua se da al hecho cultural. Nada menos estático que el concepto de cultismo, que representa, en suma, la conexión en la conciencia lingüística entre un estado de lengua y un estado de cultura. Sobre ambos —lengua y cultura—, se proyecta la creación individual o colectiva, generando una actividad que se traduce en la creación de nuevo léxico.

El cultismo como préstamo.

Abordemos el problema desde otra perspectiva. No pretendemos ser originales al afirmar que el cultismo es un préstamo con los mismos caracteres esenciales que poseen los préstamos realizados por lenguas vivas. El latín es al mismo tiempo que origen de las lenguas romances, superestrato permanente, puesto que sigue proporcionando a través del tiempo nuevas voces, cuando los nuevos hechos de cultura así lo exigen. Este fenómeno se produce, además, de una manera consciente. Responde a una conciencia lingüística, formulada explícitamente, por ejemplo, por Alfonso X cuando explica el origen de los neologismos que las nuevas nociones científicas demandan [34].

Ya Meyer Lubke tuvo presente la consideración del cultismo como préstamo que se hace a una lengua, desde el momento que lo concibe como "palabra tomada a la lengua escrita". Y lo mismo Bally [35] cuando habla de préstamos latinos no sólo de tipo léxico, sino también morfológico, lo que juega un importante papel en la formación y derivación de palabras. No está ausente esta concepción en la Escuela Lingüística Española. El propio

---

[34] V. A. García Solalinde, *Alfonso el Sabio,* prólogo y selección, Madrid, 1922.

Sobre el concepto de cultismo como préstamo vaése J. Malkiel, *Préstamos y cultismos,* Rev. de Linguistique Romane, XXI, 1951, pp. 1-61.

[35] V. Ch. Bally, *Linguistique générale et linguistique française,* p. 331.

Menéndez Pidal llama préstamos a los cultismos [36], y así lo encontramos formulado en el estudio de R. Martínez Otero [37].

La aceptación de esta noción de cultismo como préstamo —aunque, es preciso añadir, con caracteres específicos que lo diferencian de otros extranjerismos— nos plantea una serie de consideraciones previas sobre el carácter del propio préstamo lingüístico. Es preciso detenerse en ello, aunque sea brevemente, porque las observaciones que hagamos pudieran ser útiles para aclarar la noción misma de cultismo.

El préstamo es el medio más fácil y general de enriquecimiento léxico de una lengua. El préstamo puede realizarse de distintos modos [38]. La importación de palabras aisladas es el procedimiento que correspondería a la introducción normal de cultismos, tomados directamente del latín literario. Otro procedimiento es el de formación de palabras por composición o derivación, de tal modo que uno de los componentes léxicos sea un préstamo. A este sistema corresponde el cultismo morfológico, constituído a base de sufijos latinos, que tan amplia base de enriquecimiento léxico ofrecen. Un tercer medio consistiría en importar un determinado valor significativo. Esto es el calco semántico. También en el campo de los cultismos se nos ofrece esta posibilidad. Tal es el caso de los cultismos semánticos que aparecen en nuestra lengua a partir del humanismo latinizante del siglo xv [39]. Como señalaremos más adelante, esta posibilidad es de más infrecuente realización al exigir un estado de cultura relativamente avanzado, y por ello no suele aparecer con anterioridad a la obra de Alfonso X el Sabio.

Aún resta otra posibilidad; la de resucitar arcaísmos. Es éste un tema muy sugestivo porque ofrece tanto interés, al menos, como el hecho mismo de la introducción de cultismos. ¿Cómo viven éstos una vez entrañados en el sistema léxico? Este es asunto del que trataremos en el capítulo próximo. Adelantare-

---

[36] V. Menéndez Pidal, *Manual*, p. 14.

[37] Véase R. Martínez Otero, *Cultismos,* en Archivum, IX, 1959, páginas 189-215.

[38] V. S. Ullmann, *Précis de Sémantique française,* trad. de E. de Bustos, C.S.I.C., págs. 421-422.

[39] V. María Rosa Lida, *op. cit.,* págs. 242-45.

mos, no obstante, que el fenómeno se da ampliamente en la historia del cultismo desde Berceo a Juan de Mena, como ejemplificaremos en lugar oportuno.

S. Ullman [40] ha señalado para el francés las tendencias particulares que caracterizan su actitud ante el préstamo. Afirma que el francés es reacio a las importaciones [41]. No ocurre otro tanto con el castellano. Precisamente, lo que caracteriza a esta lengua es su capacidad para adoptar elementos y voces procedentes de dialectos laterales sin perder por eso su peculiar estructura, que lo individualiza poderosamente de las restantes lenguas peninsulares. Como afirma Amado Alonso, su carácter de lengua nacional viene dado en buena medida por esta facultad de asimilación de elementos extraños [42].

Los préstamos introducidos por vía oral suelen adaptarse a la fonética de la lengua que los importa. Pero no ocurre así cuando el medio de introducción es escrito. De ahí que en el caso de los cultismos, este préstamo tenga como una de sus características externas más frecuentes la ausencia de evolución fonética. Enlazamos, pues, en este punto con el criterio fonético de que hablábamos más arriba. La única pero importante diferencia es que tal criterio no es parte integrante de la noción de cultismo, sino precisamente una consecuencia de su carácter de préstamo importado generalmente por vía escrita.

El cultismo es, pues, un préstamo. Como tal, participa de los caracteres generales de cualquier préstamo. Ya hemos citado la fácil capacidad de asimilación que para tales vocablos posee el castellano. El préstamo culto tiene algo que lo individualiza de los restantes. En primer lugar, su procedencia. La fuente de este léxico no es una lengua similar a la que proporciona los otros préstamos, puesto que es la que ha dado el gran caudal léxico, morfológico y sintáctico al nuevo idioma. Así, el cultismo sólo tiene dificultades relativas para adaptarse al sistema de lengua. En términos generales es el mismo del que

---

[40] V. S. Ullmann, *op. cit.*, p. 421.

[41] Pero menos que el español y el italiano en cuanto a los anglicismos actuales.

[42] V. Amado Alonso, *Castellano, español, idioma nacional. Historia espiritual de tres nombres*, 3.ª ed., Buenos Aires, Losada, 1958.

procede [43]. Claro está que producirá desajustes o llenará vacíos de significación, segun los casos, pero sí puede señalarse como una peculiaridad de este préstamo su fácil entrañamiento en el sistema léxico en que se inscribe.

Existe otro factor que es preciso tener en cuenta. Me refiero al carácter típico que suele poseer el significado del cultismo [44]. No vamos a entrar de lleno en el problema de la inmotivación del significante, cuestión que nos llevaría muy lejos del tema central de este trabajo. Unicamente hemos de observar que partimos del planteamiento que hace S. Ullmann [45] y, especialmente, Dámaso Alonso [46]. El contenido significativo de un vocablo no es simple, sino complejo, y esa complejidad condiciona la evolución del significante. El lenguaje expresa algo más que "cosas". No podemos prescindir de su "alma". Y esta última tiene una importancia decisiva en la explicación de la génesis del cultismo. Aporta éste por su misma esencia un rico contenido humano y espiritual. La historia del cultismo es en buena parte la historia de la cultura. Cultura, parece necesario hacerlo notar, concebida como un plano en constante comunicación con la creación popular (fuente primaria y esencial de nuestra civilización medieval) y no como algo separado de nuestra espléndida literatura popular. Badía [47] ha hecho observar la tensión existente en toda la historia de la lengua española entre la tendencia popular y la culta. Ampliando esta observación, Alonso Zamora Vicente [48]

---

[43]   V. el capítulo II, en el que estudiamos las consecuencias lingüísticas de la introducción de cultismos.

[44]   Profundizando en este análisis, aún habría que tener en cuenta la na turaleza de las relaciones entre significado y significante. En última instancia, habría que basar en el carácter de esa relación la interdependencia que existe entre evolución fonética y palabra culta. El problema de la conexión entre significado y significante (relación artificial y arbitraria, segun Saussure) está magistralmente expuesto en el prólogo de Amado Alonso, al «Curso» de Saussure. Fundamental es también el estudio de Dámaso Alonso, en *Poesía española,* pp. 19-33 y 599-603.

[45]   V. S. Ullmann, *op. cit.,* pp. 133-170.

[46]   V. Dámaso Alonso, *op. cit.*

[47]   V. el sugestivo estudio de A. Badía, *Dos tipos de lengua cara a cara,* en «Studia Philologica», Homenaje a Dámaso Alonso, I, 1960, pp. 115-139.

[48]   V. Alonso Zamora Vicente. *Reflexiones sobre la nivelación artística del idioma, en Lengua, intimidad, literatura,* Taurus, Madrid, 1966.

ha señalado como una peculiaridad hispánica la íntima relación existente entre lengua literaria y lengua hablada. A este fenómeno se debe la intercomunicación de los dos planos, culto y popular, en el campo del léxico. No es raro encontrar ejemplos de cultismos utilizados por amplias zonas populares, mientras el derivado tradicional se emplea en capas culturales muy superiores [49].

Todo lo que antecede viene a delimitarnos el carácter especial de préstamo que posee el cultismo. Así se explica que Dámaso Alonso, como Vilanova [50], no hayan aceptado la noción de cultismo, entendido como "vocablo que habiendo dejado de emplearse en el lenguaje vivo, se tomara, en un momento dado, del latín de los libros". Y ello a pesar de que en el caso particular de los cultismos gongorinos, empleados de una manera consciente con intención claramente estética, podría convenir casi perfectamente tal noción. Vilanova señala que es preciso "un concepto más amplio y elástico". Badía —hacíamos notar más arriba—, hablaba de tensión entre lengua popular y culta. Alonso Zamora señalaba la intercomunicación de los planos popular y culto. Todas estas afirmaciones son señales de una realidad que apuntábamos más arriba. El cultismo, por ser un préstamo al sistema en un momento determinado de la historia de la lengua, es un concepto esencialmente dinámico. En el plano de intersección de lengua y cultura hallamos el cultismo. Sobre ambas se encuentra actuando la creación individual e, incluso, colectiva, aunque por motivaciones a veces diferentes: desde la simple necesidad léxica a la más depurada intención estética.

Cada vocablo culto anuncia un amplio horizonte histórico, lleno de las siempre sugestivas creaciones del espíritu. Toda palabra pertenece a un campo semántico y cuando se produce una innovación en el sistema, se alteran de una forma u otra las relaciones del conjunto de voces que constituyen el campo. El cultismo, como todo préstamo, establece relaciones entre vi-

---

[49] Cfr. el caso de dobletes como *bĭbĭtu* > *bebido, beodo.* Para el caso de los dobletes véase el capítulo III.

[50] V. Antonio Vilanova, *Las fuentes y los temas de Polifemo,* C.S.I.C., p. 807.

da, cultura y lengua no sólo en el momento de introducción, sino que las consecuencias van más lejos, en cuanto que significa un nexo permanente entre el universo comunicable y las formas lingüísticas. El cultismo refleja así la vida cultural enmarcada en muy determinadas y concretas circunstancias históricas.

El cultismo es, en conclusión, un préstamo más o menos adaptado al sistema de lengua [51]; este préstamo es culto cuando el hablante establece, o puede establecer, una relación de cualquier tipo (etimológico, semántico, morfológico, sintáctico, etc.) entre la palabra romance y su origen a través de las circunstancias culturales que lo han motivado. El carácter dinámico de esta noción viene dado en razón del tipo de relación que se establece. Es obvio, que la naturaleza de esas relaciones es cambiante porque no dependen del hablante, sino del marco histórico en que la actividad lingüística se inscribe. En esta, como en tantas ocasiones, la actividad individual está fuertemente condicionada por el proceso histórico. A una y a otro hemos de atender para investigar en la naturaleza del proceso de introducción de cultismos.

Cultismos y semicultismos: los grados formales del cultismo.

Se nos presenta ahora el problema de adoptar un criterio para distinguir los conceptos de cultismo y semicultismo. Ambos, por supuesto, entran dentro de la noción general de voz culta, pero su diferente aspecto formal demanda la distinción terminológica y conceptual. Los límites han sido siempre borrosos y de una vaguedad tal que en ocasiones la distinción ha quedado al arbitrio de cada investigador. Pero el problema no sólo se plantea en torno a la distinción cultismo / semicultismo, sino que aún se ha hilado más delgado y nos encontramos con que se habla de "freno culto" [52] sobre determinados fenómenos de evolución fonética, e, incluso, de influjo de la pronunciación de las

---

[51] La diferente adaptación, según la vida particular de cada vocablo, da lugar a la distinción entre cultismos y semicultismos. V. más adelante, el epígrafe que sigue.

[52] Ya nos hemos referido a este tema al tratar del llamado «prejuicio anticultista» de Corominas.

clases social e intelectualmente elevadas. Todo ello muy justifica-
damente porque, en efecto, son factores que influyen en la estructura fonemática de la palabra. El inconveniente es, para nosotros, que no se ha adoptado un criterio claro ni uniforme para
determinar el concepto de semicultismo.

Teniendo en cuenta estos hechos, creemos conveniente distinguir tres grados formales en el cultismo: a) cultismo propiamente dicho; b) semicultismo; c) influencia culta esporádica sobre determinados fenómenos de evolución fonética. Este último
punto por su propia falta de regularidad debe ser precisado en
cada caso concreto. En seguida veremos que la distinción precedente no se basa más que en un convencionalismo o, si se quiere,
en un formalismo fonético; la causa es siempre esencialmente la
misma: el influjo del espíritu y la cultura sobre la lengua.

Veamos algunos ejemplos: *colocar* es cultismo porque no ha
sufrido más modificaciones que las imprescindibles para su acomodación morfológica a la lengua (pérdida de la -e final del infinitivo); *siglo* (<saeculu) ha sufrido varios cambios (con formas
intermedias, como *sieglo*), pero no todos los que exigían las tendencias de evolución fonética; al ser de índole cultural la causa
de esta "anomalía", consideramos que se trata de un semicultismo. Por fin, un ejemplo en el que, según Corominas [53], no pode-
mso hablar de cultismo: *alto* conserva la *l* implosiva que normalmente debería haberse velarizado, como se puede comprobar por
restos arcaicos que han quedado en toponimia (*Montoto* 'monte
alto') o por derivados (*altariu* > *otero*), y como ocurre en casos
numerosos de carácter semejante. No obstante, la explicación que
da Corominas coincide con la noción de cultismo: "el desarrollo
fonético prueba que es forma influida por los estratos más cultos
del idioma".

Una vez formulada esta distinción, veremos las relaciones que
unen fuertemente a las voces que ofrecen uno u otro aspecto
formal.

---

[53] No se trata ahora de discutir sobre si éste o aquél es vocablo culto.
Unicamente tratamos de fijar conceptos.

Cultismo y semicultismo.

Cremos que la confusión arranca de un punto de partida erróneo. No se puede tomar como base única para distinguir el cultismo, y esto de hecho ocurre a menudo, lo que únicamente es su reflejo externo: el resultado fonético. Esto que aquí decimos, podemos observarlo cuando se define el término semicultismo, prescindiendo en realidad de todo carácter culto para fijarse sólo en el resultado formal, cualesquiera que sean las causas que lo condicionen. En cambio, para Rafael Lapesa[54], la diferenciación se basa en una mayor o menor intensidad del influjo cultural. Creo que a ello podríamos añadir otra circunstancia que confluye con la anterior: el hecho de que el vocablo encuentre pronto o tardío arraigo en la comunidad de hablantes[55]. No depende, pues, solamente de la intensidad del influjo culto, sino también de que el vocablo penetre en una época en que la vacilación idiomática esté aún vigente, con lo que la palabra recientemente introducida sufre la presión de las tendencias evolutivas existentes en el habla.

Aún existen más circunstancias que influyen en que el resultado fonético definitivo sea cultismo o semicultismo. En el siglo XIII, con la notable latinización de la lengua que supone la obra del mester de clerecía, muchos de los cultismos introducidos sufren importantes modificaciones que unas veces desaparecen, rehaciéndose según la forma latinizante, y otras persisten. Veamos un ejemplo: junto al cultismo pleno *báculo* existe el semiculto *blago* (compárese *século / sieglo,* en Berceo). Evidentemente se trata del mismo vocablo y es el mismo influjo cultural el que actúa sobre ambas formas. Siguiendo la historia posterior de la palabra, nos encontramos con el hecho de que ha sido la forma más pura la que ha perdurado, y ello a pesar de que durante los siglos XIII y XIV es la variante semiculta la predominante, hasta el punto de que es forma exclusiva en la obra del mester de clerecía; *báculo* no vuelve a surgir hasta el siglo XV,

---

[54] V. Rafael Lapesa, *op. cit.,* pp. 75-78.
[55] V. F. Lázaro Carreter, *Diccionario de términos filológicos,* p. 363.

con el movimiento humanista. Es decir, este ejemplo es un caso
en que la pervivencia del cultismo sobre la voz semiculta no depende de la influencia cultural que recibe el vocablo en su introducción, sino de las circunstancias históricas posteriores que
han confluido sobre él. Han sido estos factores posteriores los
condicionantes de su forma, puesto que la historia de la lengua,
como la de la cultura, no se mueve con intensidad homogénea sino
a impulsos intermitentes. En el caso de *báculo* podríamos hablar,
incluso, de una doble introducción, en cuanto que la fuerza cultural que restaura la forma latinizante es superior a la inicial.

De manera semejante, podríamos encontrar ejemplos relativamente abundantes del caso inverso. Entonces sí podemos afirmar que el semicultismo se produce cuando el influjo culto no
es suficiente para, aun actuando, conservar la plena forma latina.
En el ejemplo citado anteriormente de *século / sieglo,* hay una
doble presión, ambas contrapuestas, que son respectivamente culta
y popular, y que se han equilibrado en un resultado intermedio,
que forzosamente hubo de pasar por una época de inestabilidad.
El vocablo se encontraba fuertemente arraigado en el habla, como
lo prueba la variedad de acepciones en todos los estratos sociales.
Por eso mismo no ofrece cambios notables en el paso de la lengua
hablada a la lengua literaria. Ocurre que no se trata de un vocablo introducido exclusivamente por vía escrita, sino arraigado
desde los mismos orígenes del idioma en la lengua hablada. Su
pertenencia, en cambio, al latín eclesiástico le ha proporcionado
un "prestigio léxico" al que debe su forma semievolucionada.

La creación individual desempeña, igualmente, un importante
papel en la forma del cultismo. Puede afirmarse, en general, que
los cultismos introducidos gracias a la sensibilidad individual conservan su forma latinizante más pura. Lo contrario ocurre cuando
no hay una consciente fuerza latinizadora, o cuando ésta se halla
falseada por un deficiente conocimiento del propio latín. Recuérdese el seudolatín de ciertos notarios y clérigos, "lenguaje que
no sabe acercarse ni a los modelos escritos ni al habla del momento, jerga sostenida por una necesidad profesional de tecnicismo, que obligaba a acercarse a lo latino. Este lenguaje artificioso
sólo era vivo en cuanto reflejaba tendencias propias de la evolución latino-románica. Un análisis completo iría mostrando en

los documentos las palabras en que se cruza la forma tradicional con el intento de amoldarla —de vitalizarla— de acuerdo con las tendencias espontáneas del habla viva. Es éste un latín semievolucionado de acuerdo con las tendencias que permanecían vivas en el habla. Especialmente aparece en los documentos de transición al romance" [56].

La cita anteriormente transcrita nos revela una de las causas más importantes del semicultismo. En este caso, operando en el momento más desconocido de las relaciones entre latín y romance; es decir, en aquel en que, más que intercomunicación de dos lenguas, lo que se da es una vacilación idiomática que confunde en un mismo plano lingüístico lo que ya son dos individualidades idiomáticas.

Influencia culta esporádica.

Ofrece dos aspectos distintos. Menéndez Pidal [57] ha estudiado exhaustivamente los hechos que influyen en la evolución fonética. Entre ellos, hay que tener en cuenta la presión culta que retrasa o anula el cambio fonético. Cuando tal presión actúa sobre el fenómeno aislado no puede hablarse de cultismo, puesto que los sonidos aislados, por carecer de contenido significativo, no pueden ser portadores de tal influjo. Distinto es el caso en que se aduce la presión de las clases sociales culturalmente elevadas sobre determinados vocablos [58]. Es decir, se habla de que esta o aquella voz han pertenecido a una determinada esfera social o

[56] Américo Castro ha estudiado en un importante trabajo la situación de este seudolatín en la Edad Media. Véase *Glosarios latino-españoles de la Edad Media,* en especial las págs. LIX y LX.

[57] V. R. Menéndez Pidal, *Orígenes del español,* Espasa-Calpe, 5.ª ed., Madrid, 1964.

[58] En el DCELC, Corominas aduce repetidamente tal hecho para explicar voces como *flor, claro,* etc. Nosotros hemos preferido incorporarlas al índice de cultismos. Será un estudio semático y documental detenido el que nos haga rechazar unas voces y conservar otras, según sea revelador o no el conjunto de factores que han confluido en el origen y en la historia de cada palabra.

cultural que ha frenado su evolución fonética. Pero es que esto mismo entra dentro del concepto de cultismo. Si hemos rechazado como exclusivo el criterio de "voz tomada de la lengua escrita", por las razones expuestas en páginas precedentes, parece innecesario afirmar que en consecuencia, hemos de interpretar como cultismo la voz que ha sido frenada en su evolución por ser peculiar de las clases elevadas. Este freno será más o menos fuerte, pero hemos de repetir que el aspecto fonético es una consecuencia y la noción de cultismo está referida esencialmente a causas, no a efectos, por más que éstos sean importantes indicios de influjo culto.

Criterios de determinación de cultismos.

Se ha aludido antes a uno de los criterios que con mayor frecuencia se ha tenido en cuenta para caracterizar el cultismo. Nos referimos al criterio fonético. Entonces rechazábamos que fuera este factor el determinante de la noción de cultismo. Puede resumirse la cuestión haciendo notar que se han sguido fundamentalmente dos normas: una, el criterio fonético; otra, la consideración de la vía de introducción del vocablo. En ocasiones, a ambas normas se ha añadido el estudio de la índole del significado que proporciona la base necesaria para conocer si éste pertenecía o no a un estrato social culto.

Ya hemos dicho en el lugar correspondiente que ninguno de estos caracteres por sí solos delimitaban completamente el concepto de cultismo. Ahora bien, el problema nocional no puede ni debe hacernos olvidar que tales caracteres poseen un valor indicativo muy apreciable. En efecto, tanto el hecho de constituir, por lo general, excepciones a la evolución fonética como el estudio documentado del camino seguido por el vocablo para inscribirse en el léxico de idioma, son datos de gran valor para determinar la existencia de un cultismo. Lo que no servía para definir, cuando se tomaba como valor exclusivo, sí es útil para localizar y clasificar. Son aspectos diferentes que es preciso deslindar, pero interesantes ambos porque si necesario es llegar a una noción clara de cultismo no lo es menos determinar el caudal léxico que entra dentro de ese concepto.

Meyer-Lübke se encara con el problema de determinar los indicios o criterios más seguros para localizar el cultismo [59]. Es obvio que la consideración del material fónico de la palabra juega aquí un papel predominante, como ya hacíamos notar más arriba. En más del noventa por ciento de las voces el carácter culto se refleja en la constitución fonética del vocablo. Ocurre que este hecho nos obliga precisamente a prestar una atención especial a las voces que no ofrecen tal peculiaridad. Dámaso Alonso [60] aduce, entre otros, dos ejemplos: *bacanal* < *bacchanalem*, y *canoro* < *canorum*, de origen culto, aunque aparentemente no lo revele su estructura fonética. Sucede simplemente que no existe ninguna tendencia evolutiva que pudiera haberles afectado. Estos ejemplos no se limitan a la lengua culterana del siglo XVII. En el siglo XIII encontramos *barbaro* < *barbarus*. (Alex. P. 1169c); *fama* < *fama*, en el siglo XIII la conservación de f- inicial no puede ser indicio fonético de cultismo, aunque sí desde nuestra perspectiva actual (Berceo, S. Millán, 41a; Apol. 547d; y Alex. P. 758a) [61] etc., etc. En estos casos, al margen de su constitución fonética, lo relevante es la índole de sus significados respectivos y, en definitiva, la vía culta de introducción y la documentación posterior que nos muestra su adscripción a un ambiente cultural superior.

Hay que atender, por tanto, a diversos factores para poder asegurar que nos encontramos en presencia de un cultismo. Estos factores han sido señalados por Meyer-Lübke y podemos aceptarlos íntegramente, aunque con las precisiones que oportunamente se irán señalando y que han sido deducidas de la observación del fenómeno latinizante en los primeros textos de nuestra historia lingüística.

---

[59] V. Meyer-Lübke, *Introducción a la lingüística románica,* trad. de Américo Castro, Madrid, 1926. Véanse especialmente las págs. 65-71.

[60] V. Dámaso Alonso, *La lengua poética de Góngora,* Anejo XLV de la R.F.E., Madrid, 1950, 2.ª ed.

[61] Aunque en el siglo XIII esté documentado el vulgar *brauo* (V. Corominas, DCELC, *sub voce*).

Los factores a que acabamos de referirnos son, en síntesis, los siguientes:

1. *Criterio fonético.*

Ya se ha hablado ampliamente de él en las páginas precedentes. No obstante, hay que precisar, en cada caso, causas no cultas de la "anomalía" evolutiva. Como dice Meyer-Lübke [62], "es de suma importancia para apreciar la legitimidad de un cambio fonético el contestar afirmativa o negativamente a la pregunta de si una palabra pertenece o no al vocabulario patrimonial de la lengua". Es éste el problema que afecta a vocablos como *medio,* cultismo para Menéndez Pidal [63] pero no para Alvar y Mariner [64], quienes afirman que "no es fácilmente justificable su pertenencia a un ambiente culto o semiculto" [65].

Algún otro inconveniente ofrece el criterio fonético. No podemos olvidar el posible dialectalismo del vocablo. *Plata, pluvia, plazo,* etc. son ejemplos que muestran la necesidad de tener en cuenta este punto. También su posible extranjerismo, del tipo de *afeitar* coincidente con la forma culta *afectar* en Berceo, bien que con sentidos diferentes [66]. Este ejemplo nos hace pensar que puede darse un cruce de influencias coadyuvantes en la admisión de un nuevo vocablo por el sistema léxico, una de origen extranjero y otra culta; ambas condicionarían la estructura fonética de la palabra afectada.

---

[62] V. Meyer-Lübke, *op. cit.,* p. 67.

[63] V. R. Menéndez Pidal, *Cid. Vocabulario,* s. v.

[64] V. M. Alvar y S. Mariner, *op. cit.* Para esta cuestión véanse especialmente las páginas 65-71.

[65] Pero la forma *medio,* con su *dj* conservada contrasta notablemente con los topónimos *Meana, Miana, Peñamion, Vegamion;* con el apelativo *meanedo, mezanedo* (junto a *medianedo*). En este caso el criterio fonético adquiere suficiente relevancia (hasta el doblete *mezanedo / medianedo*) para considerar que la voz es culta.

[66] Cfr. en Berceo, Duelo 50c: «Tenien mal *afectadas* las colas e las clines». Milagros 515c: «Tenie *afeytada* la ondrada cortina». Para el problema que plantea esta palabra véase el índice comentado de cultismos, vol. II. Baste, por ahora, señalar las complejas circunstancias que es preciso tener en cuenta en la determinación de cultismos.

Aún podrían añadirse otros factores ajenos a la influencia culta, determinantes de una evolución fonética peculiar. Alvar y Mariner señalan "evoluciones anómalas que, a pesar de su apariencia, tienen muy poco de cultas",[67] debido a hipotéticas homonimias[68]. No sólo estas homonimias molestas pueden llegar a frenar la evolución. También pueden obligar a la desaparición del término, sustituyéndolo por un préstamo, como en el conocido caso de *oleu*>*ojo*, sustituido por el arabismo *aceite*.

En conclusión, es el criterio fonético el indicio primero y más llamativo. A él vienen a añadirse los factores que seguimos enumerando.

2. *Índole del significado.*

Muy útil es averiguar si el concepto, designado es de carácter popular o culto, y si con anterioridad a la entrada del neologismo existió otro término de igual o parecido significado. Parece innecesario insistir en la importante utilidad de estos puntos. Desgraciadamente, exige un estudio completo y exhaustivo del léxico medieval, acompañado de la correspondiente investigación de los problemas semánticos que tal problema comporta[69].

3. *Ambiente cultural y social de procedencia.*

Como los demás criterios, tampoco puede ser tomado en forma exclusiva. Es frecuente que si una palabra pertenece a la terminología cancilleresca, eclesiástica, escolar, científica, etc. siga una vía escrita de introducción y, normalmente, sea cultismo.

---

[67] V. M. Alvar y S. Mariner, *op. cit.*, p. 8, en especial nota 14.

[68] Para las «evoluciones anómalas» véanse los trabajos de Malkiel, en especial, *Weak Phonetik Change Spontaneous sound Shift Lexical Contamination*, en Lingua XI, 1962, pp. 263-75, incluido en su libro *Essays on linguistics themes.* También, *The interlocking of narrow sound change, broad phonological pattern, level of transmission, areal configuration, sound symbolism,* en Archivum linguisticum, vol. XV, fasc. 2 and vol. XVI, fasc. 1.

[69] El Diccionario Histórico que elabora la Real Academia será una fuente inapreciable de datos, que facilitará extraordinariamente todos los trabajos futuros de lexicografía.

4. *Campo semántico en que se inscriben.*

Va íntimamente unido al criterio anterior, y suele coincidir con él en numerosas ocasiones, a no ser que la incorporación neológica vaya acompañada de una variación de significado, bien por la propia dinámica que produce el trasvase, bien por colisión sinonímica o cualquier otro fenómeno semántico.

5. *Pervivencia de la voz culta a través de la historia.*

El estudio de la historia posterior de la palabra para averiguar si se mantuvo como tal cultismo o si se incorporó al léxico popular, es de sumo interés. Hay cultismos primitivos que no han dejado rastro, lo que nos revela que no se incorporaron nunca plenamente al sistema de lengua. Pero estos son casos extremos. Más interesantes son aquellos que se introducen en el siglo XIII y no vuelven a reaparecer hasta el período latinizante del siglo XV. Para afirmar que fueron aceptados por el sistema de lengua necesitamos la más amplia documentación. Siempre que nos ha sido posible así lo hemos hecho. Para ello hemos contado —referido al período medieval— con la inestimable ayuda de un trabajo inédito, y aún en fase de elaboración, sobre los cultismos en el siglo XIV. Es enormemente interesante observar cómo viven estos vocablos en el siglo que media entre Berceo y Juan Ruiz. Desgraciadamente, no ocurre igual con la segunda mitad del siglo XIII, por las lagunas existentes, tanto de tipo textual como lexicográfico, en la obra alfonsí.

Algunos de estos criterios fueron señalados por Meyer-Lübke, como hacemos notar más arriba. Hemos procurado ampliarlos y utilizarlos en la medida en que se pudiera obtener el máximo rendimiento metodológico. Para aplicarlos hay que tener en cuenta el peculiar carácter histórico-cultural de la época estudiada, en el que la inseguridad lingüística y ortográfica —hasta Alfonso X el Sabio hay una notable anarquía en el aspecto ortográfico—, hacen difícil tomar decisiones con base científica sobre la procedencia de los vocablos. No podemos olvidar, además, la fuerte influencia dialectal existente en los textos que sirven de base para nuestro estudio.

Períodos de introducción de cultismos.

Distinguir períodos perfectamente delimitados en la introducción de cultismos ofrece el claro peligro de esquematizar excesivamente la clasificación cronológica. Las épocas culturales se dan siempre en función de la precedente y de la posterior. Por ello creemos que cuanto haya de hacerse en este campo debe basarse en la ordenación cronológica establecida por Menéndez Pidal para la historia del español. Efectivamente, es relativamente fácil encuadrar en un campo de acción general la evolución de la lengua y el progresivo enriquecimiento de términos que tal evolución conlleva. A medida que se elabore la historia del cultismo se irá mostrando, sin duda, la unidad que posee el proceso evolutivo. Páginas más arriba aludíamos a la interdependencia de lengua y cultura. Pero tal relación no alcanza su plenitud en los resultados lingüísticos si no se tiene muy en cuenta el plano del habla. Los cultismos, como cualquier otro elemento de la lengua, no pueden ser considerados en un plano ideal, desligados de la realidad vital que el lenguaje expresa, sino en un contexto determinado por el conjunto de factores que caracterizan un período histórico en lo socio-cultural y lingüístico. Creemos, siguiendo los pasos de Menéndez Pidal, que es ésta una razón evidente para encuadrar la historia del cultismo dentro de la historia general de la lengua.

Partiendo, pues, de esta idea, hemos intentado establecer, con todas las reservas que la delicada cuestión requiere, un esquema de los diferentes períodos de penetración de cultismos. Recordemos, sin embargo, que la lengua renueva y aumenta su léxico constantemente, sin que pueda establecerse solución de continuidad. La entrada de cultismos no es exclusiva de unos períodos determinados y, en este sentido, no cabría hacer la distinción que aquí tratamos de realizar. No obstante, no es menos cierto que este movimiento permanente de enriquecimiento léxico recibe una aceleración intensificadora en determinados momentos, según sean o no favorables las circunstancias históricas. Esto se ha observado en numerosas ocasiones. Menéndez Pidal ha demostrado que determinados fenómenos evolutivos, apenas iniciados, se detienen hasta que por causas exógenas se reactiva la evolución, que se realiza ahora de una manera rapidísima. Es la teoría del "*estado latente*", tan útil y sugestiva que podemos considerarla como uno de los máximos hallazgos de la filología española. También, en ocasiones, la plena asimilación de un cultismo queda en *estado latente* durante largas épocas. Así hemos de explicar muchas voces que, aparecidas en Berceo y otros escritores del siglo XIII, no las documentamos sino de manera esporádica hasta el impulso latinizante del siglo XV, en que las vemos reaparecer en Villena y Mena. En otro sentido, Dámaso Alonso [70] ha mostrado un caso semejante al estudiar la obra de Góngora.

Los períodos en que se produce una especial intensidad en la corriente introductora de cultismos son los siguientes:

1.º   *Época de orígenes.*

Corresponde a los tres primeros períodos que distingue Menéndez Pidal [71] en sus *Orígenes del español.* El latín domina durante la época visigótica como lengua culta familiar. Es un latín escolástico propio de gentes doctas, que indudablemente influyó en el mantenimiento de ciertas formas cultas. Menéndez Pidal lo asemeja al latín vulgar leonés y, como en este caso, hay que pensar en que es el primer foco, aunque tímido todavía, de influjo culto. Comienza a entreverse ya un doble plano socio-cultural que se reflejará en los estados de lengua, especialmente en lo referente a los fenómenos de evolución fonética en un estrato elevado de hablantes. Esto ha sido tenido en cuenta por Corominas [72] para

---

[70]   V. Dámaso Alonso, *La lengua poética de Góngora*, Anexo de la R.F.E. Madrid, 1950.

[71]   V. R. Menéndez Pidal, *Orígenes*, 5.ª ed., Madrid, 1964, págs. 502 y siguientes.

[72]   V. las páginas de este trabajo dedicadas al concepto del cultismo.

explicar el mantenimiento de ciertos grupos consonánticos del tipo *fl-, cl-,* etc., en palabras como *flor, claro,* que pertenecerían al léxico propio de ese ambiente social.

Menéndez Pidal [73] ha hecho observar que la invasión árabe no supone la destrucción completa del núcleo cultural visigótico, sino que se produce un trasvase intelectual de Toledo a Oviedo, estableciéndose así "cierta continuidad multisecular en los rumbos del habla culta familiar desde los tiempos visigodos a través de los tres primeros siglos de la reconquista. Porque la influencia del Sur persiste mucho, debido a que al prestigio del pasado gótico se une el prestigio del presente mozárabe..." [74]. Habría, pues, que considerar que el retroceso cultural motivado por la irrupción de los árabes en la Península no significa interrupción absoluta y seguirían vigentes, aunque menos intensas, las mismas condiciones histórico-lingüísticas que en la época visigótica.

Más tarde, al constituirse el reino de León, que hereda la tradición política y cultural anterior, se reafirma el influjo docto. Muy interesante será tener en cuenta que es precisamente en León donde se mantiene durante largo tiempo un latín notarial peculiar, fuente de cultismos y, especialmente, de semicultismos de tipo cancilleresco [75].

En resumen, durante esta época los cultismos se emplean casi exclusivamente por una clase social docta, y su penetración en el estrato popular es escasa. Afecta más a los semicultismos porque el influjo culto se proyecta de forma asistemática, mientras que las tendencias evolutivas son muy intensas. En el complejo estado de lengua de esta época hay que buscar la explicación de muchos semicultismos que hallamos en épocas posteriores. El papel decisivo que desempeña el tipo de lengua representado por el latín notarial leonés nos explica que, en su mayor parte, los cultismos pertenezcan a dos campos semánticos: a) jurídico y de cancillería; b) eclesiástico y litúrgico.

---

[73] R. Menéndez Pidal, *Orígenes,* págs. 506-507.

[74] Son palabras de Menéndez Pidal, *Orígenes,* p. 506.

[75] Véanse las magistrales páginas que dedica M. Pidal en sus *Orígenes* al latín vulgar leonés.

2.º *Comienzo de la creación literaria.*

A fines del siglo XI un hecho viene a provocar un profundo cambio en la naturaleza de las relaciones entre el latín y el romance: la llegada de los cluniacenses con la consiguiente importación de elementos europeos. La sustitución del rito mozárabe por el latino no es más que un símbolo de los cambios, amplios y profundos, que se producen tanto en el mundo de las ideas como en el de la lengua y las costumbres. Los cluniacenses impulsan la restauración del latín puro en la liturgia y en los documentos, especialmente a partir de 1.086 en que Alfonso VI favorece la entronización de un cluniacense, Bernardo de Sedirac, como arzobispo de Toledo [76]. La reforma cluniacense representa una cuña cultural que parte en dos la normal evolución lingüística y literaria de la Península. Menéndez Pidal lo ha explicado certeramente: entre las dos corrientes de predominio de la lengua vulgar, "la reforma cluniacense restauró la latinidad y se abrió como barrera aisladora entre las dos direcciones señaladas. ¿Y qué ocurrió a fines del siglo XII para iniciar la segunda corriente? Pues un movimiento común a toda la Romania que llevaba a secularizar la cultura y por tanto a entronizar el romance como lengua oficial ordinaria, dejando el latín solamente como complemento para los actos más solemnes. Las dos corrientes se distinguían así bastante por su propio origen. La que se extinguía en el siglo XI venía de muy antiguo; arranca del latín vulgar de los primeros siglos medievales y refleja resueltamente ora arcaísmos de esa primitiva vulgaridad, que venían arrastrados por la tradición, ora neologismos del romance, todo en lucha con el latín eclesiástico, única norma literaria de entonces. Por el contrario, la corriente que empieza a fines del siglo XII, olvidada totalmente del latín vulgar por la interposición de un siglo entero de latín escolástico depurado, refleja solamente las últimas formas del romance, las más nuevas, apoyadas en la coexistencia de dos normas literarias que entonces ya se hallaban acatadas: la romance al lado de la latina" [77].

---

[76] V. Menéndez Pidal, *Orígenes*, págs. 439-72.

[77] V. Menéndez Pidal, *op. cit.*, p. VIII. No obstante, la idea de que,

Justificamos la larga cita de Menéndez Pidal por la importancia que adquiere la aguda observación del maestro en torno al nacimiento de dos normas literarias, y por tanto lingüísticas, a fines del siglo XII. Aunque estudiamos más arriba [78] el condicionamiento histórico-lingüístico de la penetración de cultismos, es necesario dejar constancia ahora de que existe un claro período de transición entre una situación arcaica, caracterizada por el latín vulgar leonés, y una época nueva de incorporación de las corrientes europeas y latinizantes a la lengua y la literatura españolas. Tal período de transición es de la mayor importancia porque supone una tensión entre dos concepciones distintas del romance y del latín que se refleja, por ejemplo, en la lengua de los cantares de gesta. De aquí que hayamos preferido subrayar este período, como pórtico de una nueva fase en la entrada de cultismos.

3.º Hasta la época alfonsí.

Las últimas palabras de Menéndez Pidal, arriba transcritas, nos dan la clave de este nuevo período que ahora establecemos. En efecto, lo característico será en este momento la coexistencia de dos normas literarias, latina y romance, que andando el tiempo, se transformará en una de las constantes de la literatura española: la dualidad entre lo culto y lo popular. Y este factor de carácter espiritual se refleja inmediatamente en la lengua. En el Cantar del Cid, en las obras de Berceo, en cualquiera de las primeras muestras de nuestra literatura primitiva observamos la

---

a fines del siglo XII se reflejan limpiamente las últimas formas romances no puede aceptarse como afirmación radical. Sucede eso en textos literarios como el *Cantar del Cid*, pero también observamos mezcolanza de latín y romance en documentos, en el *Fuero de Madrid*, *Fuero de Valfermoso*, etc. Lo que ocurre es que el latín y el romance están más diferenciados.

En el mismo *Auto de los Reyes Magos* encontramos algún ejemplo de cultismo no acomodado al romance, lo que señala la persistencia de dos niveles lingüísticos capaces de confundirse. De todos modos, la mezcolanza va desapareciendo a lo largo del siglo XIII.

[78] V. el capítulo II de este trabajo, «Proceso de introducción de cultismos».

tensión existente entre un lenguaje popular, transido por el mundo léxico de las gentes sencillas, que quiere ennoblecerse con el prestigio de un universo cultural ajeno a su vivir cotidiano, y una lengua culta que intenta penetrar, a pesar de sus contenidos intelectuales, en el área del habla popular. Muchos rasgos estilísticos de estos primeros monumentos literarios hay que explicarlos en virtud de esta dualidad. Utilizada sabiamente por nuestros poetas primitivos, proporciona a la lengua una expresividad nueva: la hace susceptible de transmitirnos el entrañable palpitar de la vida en el alma de unos hombres que nos dejaron para siempre el mensaje de su sensibilidad, plena de ingenua ternura. Porque atiende a los dos planos, la lengua primitiva es ya capaz de alcanzar la fuerza expresiva del cantar épico, con su ennoblecimiento del vivir del héroe, y la rica y espontánea humanidad del poeta al que "le sale afuera la luz del corazón".

Desde el punto de vista exclusivamente lingüístico, este período, que abarca desde el Cantar del Cid, como primer monumento de nuestra historia literaria, hasta la incorporación de la ciencia al patrimonio cultural romance en el reinado de Alfonso X el Sabio, comprende a su vez momentos diferentes y suficientemente caracterizados:

a) La lengua de los cantares de gesta.
b) La lengua de los catecismos político-morales.
c) La lengua del mester de Clerecía.

La simple enumeración de los puntos anteriores nos revela que no puede existir una uniformidad en el tipo de léxico empleado por cada uno de ellos, ni siquiera en las motivaciones para la creación neológica. No obstante, sí hay un hecho común a todos ellos, que ahora subrayamos: se impone como nueva norma literaria y lingüística la plasmada en las obras en romance. Los cultismos, al pasar definitivamente a manos poco doctas (así lo reflejan los Glosarios medievales estudiados por Américo Castro), aparecen frecuentemente alterados. Son abundantes los fenómenos de asimilación y disimilación, fenómenos de metátesis, aféresis y epéntesis, etc. etc. El hecho más importante, no obstante, es que la literatura se convierte en fuente primordial de cultismos. Berceo, en toda su obra, los autores de *Apolonio* y

Alexandre, etc., aportan un abundante caudal de cultismos de tipo eclesiástico, jurídico, y escolar. Además, y esto es muy importante, encontramos por primera vez un consciente empleo del neologismo culto como recurso estético y expresivo [79].

4.º *La época alfonsí.*

El nuevo impulso cultural que representa la obra del Rey Sabio y, sobre todo, el nuevo concepto que a partir de entonces se tiene de la lengua romance, facilita la incorporación de una buena cantidad de léxico, que corresponde al nuevo saber. Este período abarca hasta el siglo XIV, en que la pervivencia del mester de Clerecía proporcionará un carácter especial. La obra de la Escuela de Traductores de Toledo dio entrada a una gran cantidad de neologismos de varia indole. La época alfonsí se caracteriza por la fidelidad a la forma originaria de los cultismos, que en el siglo siguiente vuelve a alterarse como consecuencia de su difusión oral.

Los neologismos introducidos en esta época suelen ser de tipo científico y jurídico más que literario y eclesiástico. El Rey Sabio colaboró, pues, con el mester de Clerecía en su intento de enriquecer la lengua romance. Y ello sin olvidar lo que fue permanente norma lingüística de Alfonso X: su preferencia por la voz romance sobre cualquier neologismo.

5.º *El siglo XIV.*

Los cultismos utilizados durante el siglo XIV, como en todas las épocas, son consecuencia de las condiciones y circunstancias históricas en que se desarrolla la cultura. Una de sus caracterís-

---

[79] Sólo dejamos indicado el hecho primordial de que es en la escuela del mester de Clerecía donde aparecen los cultismos empleados por primera vez con intención estética o expresiva, al menos de una manera sistemática y consciente. El fenómeno es de capital importancia porque inicia toda una nueva perspectiva que se abrirá paso lentamente hasta surgir espléndida con el humanismo del siglo XV. Para la explicación del hecho, véase el cap. VII de este trabajo.

4

ticas, la mayor flexibilidad alcanzada por la lengua, trae como consecuencia la utilización de recursos distintos de los neologismos para el enriquecimiento léxico: la formación de palabras por composición y derivación, tal como había iniciado de una manera sistemática Alfonso X el Sabio.

Sería muy interesante contar con un estudio completo del cultismo en el siglo XIV. No hay que olvidar que nos encontramos con el primer escritor culto y conscientemente artista de la prosa castellana: don Juan Manuel. Ello supondrá indudablemente una selección en el léxico, pero al mismo tiempo, un más exacto empleo del término adecuado. Recuérdense las palabras de ese autor en la introducción al *Libro del conde Lucanor et de Patronio;* "Por ende, yo don Johan, fijo del Infante don Manuel, Adelantado Mayor de la frontera et del regno de Murcia, fiz este libro, compuesto *de las más apuestas palabras que yo pude,* et entre las palabras entremetí algunos exiemplos de que se podrían aprovechar los que los oyeren".

En general, durante este período disminuye considerablemente la entrada de nuevos vocablos cultos; incluso se pierden u olvidan muchos de los utilizados por Berceo. En cambio, puede observarse un empleo más consciente de ellos, tanto para conseguir que la obra literaria posea un carácter docto como para lograr efectos expresivos de naturaleza muy diferente, como, por ejemplo, humorística. Esto aparece evidente al leer determinados pasajes en que, incluso, se fuerza la rima con el neologismo sin ser absolutamente necesario. A guisa de ejemplo recuérdese el episodio del "pintor de Bretaña don Pitas Pajas", de Juan Ruiz. En el chapurreo de éste y su mujer, bajo un aspecto que pretende ser provenzal, lo que en realidad utiliza es una serie de latinismos que contribuyen a aumentar la gracia de la narración. Frente al esperable provenzalismo, que sólo se encuentra en algunas formas, la mayor parte de los neologismos son de carácter culto.

Carácter distinto adquiere en la obra de don Pero López de Ayala. Hombre letrado, el primer humanista castellano, nos ofrece con su obra un nuevo foco de latinismos. Su finalidad artística, abismalmente separada de la de Juan Ruiz, condiciona el tipo de léxico empleado. El cultismo se da tras una selección reflexiva del mismo. Si el propósito literario es de origen erudito parece razonable deducir que la utilización de cultismos va unida a un intencionado deseo de lograr un lenguaje elegante y docto. Su vocabulario representa un considerable avance con respecto al de Juan Ruiz; mucho más de lo que podría esperarse en el medio siglo, como máximo, que transcurrió entre la obra de uno y otro. Hay voces empleadas por el Canciller (*primitivo, plenamente,* etc.) que no volvemos a encontrar hasta los siglos XVI y XVII, según el DCELC de Corominas. Esto nos prueba que el *Rimado de Palacio* posee una relativa originalidad en cuanto al léxico empleado, y no sólo por la calidad de sus modelos sino también por la intuición estética que poseía el poeta. Claro está que no puede reducirse la historia lingüística del siglo XIV a don Juan Manuel, Juan Ruiz y el Canciller Ayala. Piénsese en la actividad de los letrados de la época de Enrique III, de los primeros poetas de Cancionero —de pedantesco lenguaje— que todavía no pueden considerarse humanistas, y que introdujeron un notable número de cultismos.

6.º   *La época humanista.*

Durante el siglo XV se intensifica en alto grado la presión culta. María Rosa Lida y Menéndez Pidal [80] han estudiado ampliamente las características de la lengua de esta época. El léxico y la sintaxis se inundan de latinismos que ahora se utilizan con plena intencionalidad estética. Los cultismos penetran en aluvión desde Villena a la Celestina, y el lenguaje docto contrasta con la rica verborrea popular del Corbacho. No obstante, conviene recordar con María Rosa Lida que ni siquiera Juan de Mena puede igualarse a Berceo como introductor de cultismos. Lo que ocurre, como hemos apuntado más arriba, es que, junto a los neologismos cultos recién introducidos, se vuelven a poner en circulación multitud de los que se hallaban en nuestra lengua desde el siglo XIII.

---

[80] Véanse María Rosa Lida, *Juan de Mena, poeta del prerrenacimiento español* NRFH, México, 1950, y R. Menéndez Pidal, *La lengua en tiempos de los Reyes Católicos* (*Del retoricismo al humanismo*), Cuadernos Hispanoamericanos, V., 1950.

7.º *Desde el Renacimiento al siglo* XVIII.

La madurez alcanzada por el romance permite que los cultismos se adapten al castellano con mínimas modificaciones morfológicas. A esto ayuda, como es natural, encontrarnos ya en una época de fijeza idiomática. Hay, a partir del siglo XVI, menos cultismos nuevos, pero su empleo se hace cada vez más intenso, a medida que el manierismo estético se impone al equilibrio renacentista, hasta culminar en la obra de Góngora. Muy importante es el cultismo estético. Rafael Lapesa y E. Buceta [81] han hecho notar el deseo de subrayar la semejanza entre el latín y el romance durante los siglos XVI y XVII. No obstante, el Renacimiento puede considerarse como una época de fijación idiomática. Así nos lo demuestra tanto el *Diálogo de la lengua* de Juan de Valdés [82], como el mismo criterio lingüístico de Fray Luis de León, o bien el tipo de prosa utilizado por Boscán en su traducción de *Il Corteggiano* de Castiglione, que puede servir como modelo de lengua de nuestro primer renacimiento.

El siglo XVII viene a desequilibrar la situación con el culteranismo gongorino. Su significación está exhaustivamente explicada gracias a los estudios de Dámaso Alonso y Antonio Vilanova, y nos releva de insistir sobre la misma.

8.º *Desde el siglo* XVIII *a nuestros días.*

Con la fundación de la Academia en 1713 se fija definitivamente la ortografía y se resuelve la vacilación al pronunciar diversos grupos consonánticos (*ct, pt, mn, gn*), todos ellos propios de palabras cultas. F. Lázaro Carreter [83] ha señalado la crisis del latín en el siglo XVIII. Con la Ilustración, las lenguas romances se convierten en el instrumento expresivo de una nueva manera de pensar y de saber. Por eso, la lengua española recurre para sus

---

[81] V. R. Lapesa, *op. cit.*, p. 202.

[82] Cfr. sus censuras a Juan de Mena.

[83] V. P. Lázaro Carreter, *Las ideas lingüísticas en España durante el siglo* XVIII, Anejo XLVIII de la R.F.E., Madrid, 1949, pp. 147-168.

necesidades neológicas a la lengua que en esa centuria era el eje de la nueva cultura. De ahí el aluvión de galicismos que inunda nuestra lengua. No obstante, hemos de recordar que frente a esa penetración de léxico, tan satirizada por escritores como Feijóo, Cadalso y Forner, existe también una corriente purista que cristaliza en la fundación de la Academia. El mismo Lázaro Carreter [84] aduce al testimonio de Feijoo, demostrativo de que, pese a todo, sigue vigente la consideración del latín como fuente de enriquecimiento léxico: "no tenemos voces para la acción de *cortar*, para la de *arrojar, ondear el agua* u otro licor, para la de *excavar*, para la de *arrancar*, etc. ¿Por qué no podré, valiéndome del idioma latino para significar estas acciones, usar de las voces *amputación, proyección, conmixtion, conmiseración, excreción, undulación, excavación, ovulsión?*" Como podemos comprobar, la mayor parte de los neologismos citados en el alegato de Feijoo han arraigado en español sin especiales dificultades [85].

En resumen, a partir del siglo XVIII, la preocupación por crear un lenguaje para la ciencia de nuestros días, obligó a utilizar de nuevo el latín y el griego. Lo específico de este período es que los cultismos son preferentemente de carácter científico y de alcance universal.

---

[84] Véanse F. Lázaro, *op. cit.*, p. 261 y M. Alvar, S. Mariner, *Elementos constitutivos del español: latinismos*, en E.I.H., II, p. 47.

[85] Claro está que el cultismo del siglo XVIII, principalmente científico, lo es también filosófico, político, económico, etc. Como ha mostrado Rafael Lapesa, las nuevas preocupaciones propias del espíritu ilustrado exigieron la creación de un léxico apropiado. Véase R. Lapesa, *Ideas y palabras: del vocabulario de la ilustración al de los primeros liberales*, en Asclepio, vols. XVIII-XIX, años 1966-67.

CAPÍTULO II

PROCESO DE INTRODUCCION DE CULTISMOS

El latín del Imperio y el cristianismo.—El latín medieval y el helenismo.—Las relaciones entre el latín y el romance primitivo.—Cultismos introducidos en la época de los orígenes.—Cultismos introducidos con posterioridad a la época de orígenes.—Cultismos introducidos a través del mundo árabe.

Si, como afirmábamos en el capítulo precedente, el cultismo es un préstamo, su existencia misma es producto de una comunicación entre dos lenguas: el latín y el romance. Parece, pues, necesario tratar de aclarar la naturaleza de esta comunicación antes de entrar de lleno en el estudio de una época determinada en la historia del cultismo. A esta tarea van dedicadas las páginas que siguen.

No se nos oculta la dificultad del tema ni la forzosa limitación que debemos imponernos. No se trata de establecer la índole de las relaciones latino-romances en una época aislada, sino de intentar ver claro en una cambiante situación entre dos planos lingüísticos que van diferenciándose progresivamente. De una parte, el latín que, al perder vigencia como lengua hablada, mantiene en cambio, su valor como lengua de cultura, función que conservará de manera exclusiva durante siglos. De otra, el romance, que reclamará para sí con el paso del tiempo el papel del propio latín. Lejos, por tanto, de ver en la relación latín-romance algo fosilizado en el sentido de considerar el latín como una lengua muerta frente al carácter vital del romance, creemos que nuestra perspectiva debe ser distinta. Ambos planos lingüísticos tienen una vida propia; aparecen con finalidades distintas, pero esta situación de origen no es estática.

La historia de la lengua no es, en definitiva, sino la historia del trasvase de una capacidad de expresión del latín al romance, lo que lleva a éste a su plenitud. En este sentido hay que interpretar el error de Nebrija cuando anuncia en 1492 que el romance ha llegado a su más alto grado. Este se alcanza cuando el Renacimiento impulsa a los escritores a establecer el último de los nexos esenciales entre el latín y el romance. Aludimos aquí tanto al aspecto lingüístico como al cultural y estético [1].

No es casualidad que a fines del siglo XV el padre de Garcilaso pronuncie un discurso que era a la vez latín y castellano [2]. Había plena conciencia de la afinidad cultural entre los dos ámbito lingüísticos. Y tampoco lo es que en el siglo XVIII, dos centurias despues de estudiar Nebrija el origen latino de las lenguas romances, un erudito, tan estimable por otros motivos, como Hervás y Panduro, hablara del origen de las lenguas refiriéndose a la "dispersión de la Torre de Babel". Por supuesto que no intentamos demostrar nada sirviéndonos de dos anécdotas como las que acabamos de recordar; únicamente pretendemos dejar constancia de dos detalles que pueden tener cierto valor simbólico.

Interesa subrayar que la comunicación entre el latín y el romance se basa en un concepto de afinidad. En este caso, la afinidad es de dos tipos; uno, genético, en cuanto que del latín se derivan directamente las lenguas romances; otro, de carácter cultural, al ser durante siglos el mundo latino el que monopoliza el patrimonio cultural del hombre de Occidente.

---

[1] La *Historia de la lengua española* de Rafael Lapesa es un ejemplo inmejorable de hasta qué punto se ha tenido en cuenta esta consideración de la historia de la lengua.

[2] V. E. Buceta, *La tendencia a identificar el español con el latín,* Homenaje a Menéndez Pidal, 1926, I, 85-108, y *Composiciones hispano-latinas en el siglo XVII,* R.F.E., XIX, 1932.

El concepto de afinidad cultural —Kulturelle Sprachverwandtschaft—, fue introducido por E. Schwyzer [3] y utilizado por otros lingüistas, como Terracini [4], Tagliavini [5], etc. Tal concepto de afinidad cultural es el que nos explica la continua afluencia de latinismos, después de formadas las lenguas romances. Curtius [6] ha puesto de manifiesto la unidad espiritual de Europa que se deriva de esta afinidad, e igual camino han seguido, otros como Bertoldi [7] y especialmente Leo Spitzer [8], quien ha insistido en el estudio de las formas comunes a la cultura latino-europea.

Aplicando este concepto al problema del cultismo, creemos que se plantea inmediatamente la necesidad de hacer una síntesis sobre la situación de cada uno de los dos movedizos planos entre los que se establece la comunicación idiomática. La lengua de la baja latinidad y, especialmente, el latín medieval han de ser tenidos muy en cuenta a la hora de establecer el mecanismo del préstamo culto. Mariner [9] ha indicado el papel que desempeña Tertuliano en la baja latinidad en cuanto a creación de léxico, relacionándolo con el momento histórico del mundo romano. Es a partir de este período cultural desde el que hemos de buscar nosotros la índole de la creación neológica, porque es entonces cuando empieza a gestarse la comunicación con las futuras nuevas lenguas, que aún se hallan en germen. La capacidad para asimilar cultismos depende de los dos factores que intervienen en la comunicación. En la

---

[3] E. Schwyzer, *Genealogische un Kulturelle Sprachverwandtschft*, en Festgabe der Universität, Zurich, Philosophische Fakultät, I, Zurich, 1914, pp. 135-146.

[4] B. Terracini, *Guida allo studio della linguistica storica*, I, Profilo storico-crítico, Roma, 1949, pp. 23-33.

[5] C. Tagliavini, *Il linguaggio e la classificazione delle lingue*, en «Le razze e i popoli della Terra», Turín, 1940, I, pp. 16-18, e *Introduzzione alla glottologia*, Bologna, 1949, pp. 188 y 192-96.

[6] E. Curtius, *Literatura europea y edad media latina*, trad. española de M. F. Alatorre y A. Alatorre, Fondo de Cultura Económica, México, 1955.

[7] V. Bertoldi, *Il linguaggio umano. Nella sua essenza universale a nella storicità dei suoi aspetti*, Napoli, 1949. pp. 176-78.

[8] L. Spitzer, *Essays in historical Semantics*, New York, 1948.

[9] V. S. Mariner, *El latín de la Península Ibérica*, en Enciclopedia Lingüística Hispánica, p. 199.

época de orígenes la entrada de cultismos depende sobre todo de
la presión cultural que irradia el latín. Se ha demostrado, por
ejemplo, la importancia de la monarquía carolingia en el intento
de reconstruir una unidad lingüística a base del latín [10]. Esta
misma lengua gana en calidad a medida que progresa la cultura
medieval y se hace más rico y complejo el mundo interior del
hombre. Es decir, durante los primeros siglos medievales el latín
pasa por distintas fases y parece natural que a cada una de ellas
corresponda diferente intensidad en su capacidad de influencia sobre los nacientes romances [11]. En España ocurre un fenómeno semejante, aunque más tardío. A los monjes de Cluny se debe una
profunda reforma de carácter latinizante, que inmediatamente se
reflejó en el romance, al mismo tiempo que se dejó de usar el latín
arromanzado de León [12]. Pero al mismo tiempo, la reforma cluniacense, que intentaba eliminar impurezas del latín, produjo un
efecto secundario, impulsar el desarrollo del romance. Al acentuar
las diferencias entre ambas lenguas nace una nueva necesidad: la
de que la predicación fuese entendida por el pueblo, y esto nos
explica la iniciación de una labor que lleva, en último término, a
la aparición de la obra del mester de clerecía. Aunque de ello trataremos más adelante, hemos de anunciar que el papel lingüístico
que juega Berceo está precisamente oscilando entre las presiones
culturales liberadas por la reforma cluniacense: de una parte, admiración y respeto a la lengua latina, lo que le lleva a utilizar innumerables cultismos; de otra, un humilde deseo de popularismo
que hace modificar esas voces doctas en diversas variantes semicultas. Dejemos apuntado por el momento que en el equilibrio

---

[10]   Véase K. Strecker, *Introduction à l'etude du latin médiéval*, traducción
francesa de P. van de 'Woestijne, Lille-Génève, 1948, pp. 19-20.

[11]   Recuérdese que es en el siglo VIII cuando aparecen Glosarios con la
finalidad de ayudar a traducir el latín («Glosas de Reichenau»), lo que
revela dos cosas: a) que el latín popular hablado se encuentra notablemente
separado del latín clásico; b) el deseo de la cultura carolingia de permanecer
fiel al sentido lingüístico latino. Hay que tener muy en cuenta las palabras
de F. Lot: «Carlomagno habría creído posible hacer renacer la lengua
latina en su pureza, como intentaba reanimar el Imperio Romano. No se
dio cuenta de que ambos habían muerto». V. F. Lot *A quelle époque a-t-
on cessé de parler latin?* en «Archivum latinitatis Medii Aevi», 1951.

[12]   Cf. M. Pidal, *Orígenes,* pp. 454-60 y R. Lapesa, *op. cit.,* pp. 111-112.

entre esas dos fuerzas creemos encontrar uno de los rasgos estilísticos más notables del poeta riojano.

Puede advertirse un cambio en esta situación a partir del siglo XII. De un lado, la literatura romance comienza a desarrollarse; los cantares de gesta constituyen un universo propio, con un lenguaje que expresa un horizonte vital nuevo. A este panorama corresponde un cambio de rumbo. Ahora el romance tensa sus posibilidades de asimilación de neologismos porque necesita crear recursos expresivos nuevos. La entrada de cultismos viene ya dada —en pie de igualdad— en función de los dos factores que intervienen en la comunicación: la capacidad del latín como lengua prestataria, y la del romance para asimilar los neologismos.

Parece, pues, necesario echar una rápida ojeada sobre el panorama que ofrece el latín en los siglos alto-medievales. Es preciso tener en cuenta que los redactores de documentos eran hablantes romances. Bastardas [13] ha puesto de manifiesto que el latín medieval era una lengua aprendida en las escuelas, y este escolasticismo demuestra la existencia de dos planos, cultural uno, pragmático el otro. En efecto, el escriba medieval se encuentra entre dos fuerzas que presionan con diferente y cambiante intensidad: su formación escolar y la necesidad de que el documento posea una utilidad práctica; para ello debe ser entendido por todos. De esta posición difícil surge la imprescindible comunicación entre la lengua culta (el latín) y la popular (el romance). Innecesario parece insistir en el hecho de que esta comunicación ha de convertirse en una corriente de influencia de doble sentido. Por un lado, romanceamiento de los documentos latinos, y de otro, préstamo de numerosas voces cultas a la lengua vulgar.

Bastardas ha indicado que en España podemos tomar como fecha de iniciación del latín medieval la del año 711 [14]. Pero el proceso de comunicación que supone la aparición de cultismos comienza antes, en la época visigótica. Menéndez Pidal ha señalado la influencia culta que reflejan los frecuentes casos de ultracorrección que se producen en el primer momento de formación de

---

[13] Véase J. Bastardas, en E.L.H., I, p. 251.

[14] V. J. Bastardas, *op. cit.*, págs. 251 y sigs. No obstante, Bastardas no parece tener en cuenta la *Documentación goda en pizarra*, de M. Gómez Moreno, donde se ofrecen muestras mucho más primitivas.

las lenguas romances[15]. Buena parte de los semicultismos proceden de esta época histórica. Tal es el caso de las voces que han entrado en romance con el fondo hereditario y han sufrido un freno en su evolución fonética por pertenecer al ámbito de las clases sociales elevadas (cfr. *siglo, Dios, medio* —quizás en este caso actúe el eufemismo, como apunta Alvar—, *reglar, flor*, etc). Es preciso tener en cuenta que el carácter culto de la monarquía visigótica —latinizada por muchos años de contacto con el Imperio Romano— salvó la posible ruptura entre el bajo latín y el latín visigótico. Ello justifica la fecha señalada por Bastardas para el comienzo del latín medieval en España.

El latín del Imperio y el Cristianismo.

El tema fundamental para nuestro trabajo en lo que se refiere a esta cuestión es el de las relaciones que existieron entre latín hablado y latín literario. La razón estriba en que existe sin duda cierto paralelismo entre este hecho y los que han de producirse después entre latín escrito y romance.

Meillet[16] ha señalado: "el carácter dominante de todo lo romano es la unidad, una flexible unidad que sabe escapar a un esquematismo rígido". Ahora bien, toda lengua hablada supone una diversidad, tanto en el plano social como en el geográfico. Los latinistas se inclinan a considerar el latín vulgar como un tipo de lengua ocasional, mera variante del latín literario, que, en cambio, permanecía muy homogéneo. Estas diferencias entre lengua escrita y hablada fueron ensanchándose hasta hacerse considerables durante el Imperio. Devoto[17] ha puesto de manifiesto que existe una clara relación entre la evolución política y la lingüística en tiempos del Imperio. La decadencia política de Roma produce, en buena parte, un debilitamiento del poder aglutinador de la lengua literaria. Aparece así el llamado proceso de "democratización" del

---

15 V. Menéndez Pidal, *Orígenes*, págs. 521 y sigs.

16 V. Meillet, *Esquisse d'une histoire de la langue latine*, París, 1937, 8.ª edición.

17 V. G. Devoto, *Storia della lingua di Roma*, Bolonia, 1928, p. 245.

espíritu, de la cultura y del latín. B. E. Vidos [18] aduce el testimonio de Quintiliano (Inst. Orat., XII, 1, 6, 9) sobre la consideración de pedantería que tenía para Augusto la pronunciación *calidus* en lugar de la sincopada *caldus*. La caída del Imperio Romano señala la ruptura del equilibrio entre lengua hablada y lengua escrita, al nivelarse el proceso en favor del llamado latín vulgar. Reflejo de esta tensión se halla en algunas voces semicultas que poseen tal carácter por conservar restos de la lengua escrita.

Sobre este estado de lengua viene a irrumpir un hecho histórico de capital importancia que tiene una influencia decisiva en la vida de determinados vocablos. Se trata de la aparición del Cristianismo. Su efecto fue doble; de una parte, hace del latín su medio de comunicación; de otro, incorpora al léxico latino un fuerte caudal de voces griegas, que constituyen una importante fuente de cultismos. Dejando de lado por el momento lo que representa lingüísticamente el primero de los hechos reseñados, importa fijar el segundo aspecto.

El cristianismo aporta una serie de factores nuevos al mundo espiritual romano que, es obvio, hubieron de reflejarse en la lengua. Sin entrar en el problema de si la nueva noción del mundo y de la vida influyó sobre determinadas estructuras lingüísticas [19], sí es fácil advertir su aportación al léxico. Los nuevos conceptos exigen voces nuevas y si en el campo de lo material tales vocablos se buscan en muy diversas fuentes, y son con frecuencia de tipo popular, en el ámbito cultural y espiritual el cristianismo favorece

---

[18] V. B. E. Vidos, *Manual de lingüística románica,* trad. de la edición italiana de F. B. Moll, Aguilar, Madrid, 1963, p. 199, nota 3.

[19] Tal como hacen Vossler y Muller al considerar que la nueva valoración de la personalidad humana que trae el cristianismo produce un fuerte quebranto a la estructura del latín. Esta es la explicación que se da a la sustitución de las formas sintéticas del futuro por las analíticas (toda la noción temporal del futuro era débil y se rompió). En realidad, aquí se debate una vez más la cuestión de hasta qué punto debemos tener en cuenta hechos extralingüísticos para explicar fenómenos de lengua. Véanse, no obstante, K. Volssler, *Neue Denkformen im Vulgärlatein,* Heidelberg, 1922; y H. F. Muller, *L'époque merovigienne. Essai de synthèse de philologie et d'histoire,* New York, 1945. Para la posición contraria puede verse el estudio de E. Coseriu, *Sobre el futuro romance,* en R.B.F., III, (1957), p. 118.

la utilización de vocablos que expresan nociones abstractas de índole moral y espiritual. Estos neologismos penetran en latín procedentes fundamentalmente del griego, y en mucho menor grado del hebreo. Se ha dicho que la inmensa mayor parte de los helenismos españoles ha penetrado a través del latín. Mariner afirma que la propagación del Cristianismo fue uno de los hechos de civilización que más variedades de léxico introdujo en el latín general. Entre otras cosas porque "sus textos sagrados eran traducidos de otras lenguas, especialmente del griego, de vocabulario mucho más extenso y flexible que el latino, sobre todo por su mayor capacidad de derivación y composición, y por ello más apropiado para la expresión de conceptos abstractos" [20].

Analiza Mariner en su importante trabajo la penetración del léxico religioso cristiano entre los hablantes y es notable observar la coincidencia entre fenómenos latino-cristianos y romances. Por ejemplo, en un estudio epigráfico, *sacerdos* aparece raramente y especialmente referido a *obispos* y un *abad,* seguramente por la evocación pagana que tal vocablo llevaba consigo. En romance, de igual modo, predomina en proporción elevadísima el uso del semicultismo *clérigo* sobre la voz *sacerdote,* que sólo hemos hallado aisladamente en textos del siglo XIII. Algo semejante ocurre con *templum,* que aparece siete veces en las inscripciones, y *ecclesia* en su doble sentido de 'edificio' y de 'comunidad de fieles', común a toda la Edad Media. También en el mester de clerecía del siglo XIII se observa esta distinción. Pueden verse en el mismo trabajo las referencias a *memoria, epistola, episcopo, missa, communio, titulo, gracia, gloria, siglo,* etc., que son todos ejemplos de cómo fenómenos del bajo latín se reflejan más tarde en las mismas voces utilizadas en romance.

El latín medieval y el helenismo.

El proceso de comunicación que estamos estudiando se concreta definitivamente una vez roto el vínculo centralizador de Roma. Se ha afirmado con razón que la causa se halla más en la decadencia

---

[20] V. S. Mariner, *El latín de la Península Ibérica,* en E.L.H., I, Madrid, 1959.

espiritual del mundo romano que en el hecho concreto de la desaparición del poder político que emanaba de Roma. El caso es que la fuerza aglutinadora del universo cultural latino se debilita a partir del siglo v. Desde este momento, la lengua y la cultura toman un sesgo distinto en cada una de las diferentes áreas de la Romania.

Interesa recordar el papel desempeñado por el llamado latín medieval, fuente primordial de los cultismos que estudiamos en este trabajo [21]. Bastardas ha señalado que uno de los caracteres del latín medieval es el de ser una lengua aprendida mediante el estudio y, a menudo, mal aprendida. Este hecho nos parece de capital importancia como se mostrará más adelante. Baste subrayar esta circunstancia porque el proceso de trasvase de cultismos se facilita justamente en ese vacilante estado de lengua. No puede extrañarnos que desde el punto de vista lexicográfico, el latín medieval ofrezca una serie de caracteres diferenciadores con respecto al latín imperial, tales como la diversificación de significado de una misma palabra de unos textos a otros, y, naturalmente, según la región de la Romania donde se emplea el vocablo. Es decir, el proceso de fragmentación no es sólo de índole romance, sino que afecta también a la propia semántica del latín medieval. Tampoco puede extrañar la importante incorporación de neologismos. El cristianismo continua actuando como fuente incorporadora o introductora de helenismos según el proceso que indicábamos en el anterior epígrafe [22]. Es curioso observar que el helenismo se

---

[21]   Para este punto pueden verse los estudios que enumero a continuación y que están recogidos en este trabajo:

K. Strecker, *Introduction a l'étude du latin médiéval,* trad. francesa de
    P. van de Woestjgne, Génève, 1948.

J. Bastardas, *El latín medieval,* en E.L.H., I, Madrid, 1959.

M. Díaz y Díaz, *Notes lexicographiques wisigothiques,* en Archivum latinitatis Medii Aevii.

M. Díaz y Díaz, *Rasgos lingüísticos del latín hispánico,* en E.L.H., I, Madrid, 1959.

S. Mariner, *El latín de la Península Ibérica. Léxico,* en E.L.H., I, Madrid, 1959.

A todos estos estudios me referiré en lo sucesivo para tratar el tema del latín medieval y del latín hispánico.

[22]   Véanse las págs. 61-62 de este trabajo.

convierte en un elemento ennoblecedor del lenguaje, y adquiere a menudo efectos estilísticos. La existencia del fenómeno se muestra igualmente en el mester de clerecía, especialmente en el *Libro de Alexandre,* que hubo de recogerlo del latín medieval. Aunque analizaremos más detalladamente esta circunstancia en el capítulo correspondiente [23], adelantaremos que la abundancia de helenismos en el *Libro de Alexandre* —de estilo brillante y culto— hay que atribuirla a la existencia de este hecho en latín medieval. No es una originalidad del poeta, sino la versión romance de un proceso latino.

Menéndez Pidal [24] afirma que el latín visigótico recibió una considerable influencia helénica, debido a la política expansionista de Justiniano, que llegó con sus tropas al sudeste de la Península Ibérica, estableciéndose allí. A ello se une al intenso comercio que tenía lugar con Oriente. Producto de estas relaciones serían una serie de grecismos como *goldre, abdega,* y *bodega,* etc., que con el tiempo se convirtieron en voces tradicionales. Otras, en cambio, quedarían enquistadas en el latín escrito y pasarían al romance en forma de cultismos [25].

En una cala efectuada en la obra del mester de clerecía del siglo XIII aparece un considerable número de helenismos. Puede observarse que todos ellos han penetrado a través del latín —es impensable un contacto directo de la literatura medieval con el griego—, consecuencia de las abundantes traducciones que se hicieron desde la época del Imperio y, especialmente, tras el triunfo del cristianismo, de textos sagrados y técnicos. Tal hecho confirma desde la vertiente románica el fenómeno advertido por Mariner para el bajo latín. Los helenismos anotados son los siguientes:

Absincio, (Berceo, Duelo, 45d); *abysso* (Berceo, Sto. Dom. 24b); *abtentico* (Berceo, Sac. 65b; Alex. 1228b, y no vuelve aparecer hasta principios del siglo XIV); *accidia* (Alex. 2365b); *acephalo* (Alex. 2459b); *alegoría* (Alex. 2599b, y no vuelve a aparecer hasta el siglo XV); *alimosna, almosna, limosna* (Berceo,

[23]   Véase el capítulo VII.

[24]   V. Menéndez Pidal, *Orígenes,* p. 506.

[25]   El dominio bizantino en el SE. peninsular duró unos setenta años, desde Atanagildo (551) hasta Suíntila (621).

Mil., 135c; Alex. 1596a; Apol. 132b); *alitropia* (Alex. 1453a); *ancora* (Apol. 513d, Alex. 253a); *angel* (Apol. 577); Fnán. Glez. 115a); *apóstol* (Fernán. Glez. 10c); *bálsamo* (Berceo, Mil., 39c; Apol. 297d; Alex. 1443c); *baptismo, batismo, bautismo* (Berceo, S. Lor. 91c; Fernán Glez. 23a); *baptizar* (Berceo, Sta. Oria, 9b); *báratro* (Berceo, Mil., 85d; Corominas no lo documenta hasta 1612); *barbaro* (Alexandre, 1169c); *bispo, obispo* (Berceo, Mil., 232a; Fnán. Glez. 13b) y sus derivados *obispado, bispado, bispalía,* con el sentido de 'obispo', frente al del latín clásico 'guardián, protector'; *blasfemia* (Berceo, Duelo, 192b); *cátedra* 'silla' (Berceo, Mil., 585c, 1.ª doc.; Alex. 2502c) *católico* (Berceo, San Mill, 396c; Alexandre 1222a) *catino* 'fuente de loza, crisol' (Berceo, Sto. Dom., 307b); *ceptro* (Berceo, Loor., 670; 1.ª doc.); *cimbalo* 'campanilla' (Berceo, Sto. Dom., 456a, 1.ª doc.); *ciminterio, cimenterio, cementerio* (Berceo, Mil., 110a, 1.ª doc.; Apol. 375b); *cítara, cítola* (préstamo culto del griego, atestiguado en el Appendix Probi; Berceo, Sto. Dom. 7b; Alexandre, 1525c; Fnán. Glez. 683d); *crónica* (Alex. 2269d en la usual ultracorrección *corónicas*); *cristal* (Berceo, Sto. Dom. 230c, aunque parece cultismo introducido a través del galorrománico); *Christo* y sus derivados *cristiano, cristianismo, cristiandad* (Berceo, Duelo 42d; Fnán. Glez, etc.); *demonio* (Berceo, S. Mill., 20d); *diácono* (Berceo, Sto. Dom. 269c); *eglesia, iglesia* (Berceo, Sto. Dom. 35d; Apol. 325b; Alex. 1204d; Fnán. Glez. 593a); *eclepsis, eclipse* (Alex. 120d); *elefante* (Alex. 99a) como préstamo muy antiguo, atestiguado desde Plauto y Ennio; *entecada* 'caer víctima de enfermedad crónica' (Berceo, S. Mill., 316d, 1.ª doc.) *epístola, epistolero* (Berceo, Sto. Dom., 44b); *escándalo* (Alex. 1126a, 1.ª doc.); *escoria* (Berceo, Sta. Oria, 97d, 1.ª doc.); *evangelio* y sus derivados *evangelista, evangelistero* (Berceo, Mil., 21c, 1.ª doc.; Fnán. Glez., 110 a, referido a San Juan); *exorcismo* y su derivado *exorcista* (Berceo, Sto. Dom., 691b y Sto. Dom., 697a); *fantasía* (Berceo, Sto. Dom., 70b, 1.ª doc.), atestiguado en la lengua popular latina desde la época imperial; *fantasma* (Berceo, Sto. Dom. 656c), atestiguado en la lengua popular latina desde la época imperial; *fénis, fénix* (Alex. 2453a); *filosofía* (Alex. O, 214c, 1.ª doc.) y su derivado *filósofo* (Berceo, S. Lor., 6); *física* (Apol. 198b); *físico* 'médico' (Berceo, Sto. Dom. 539b, 1.ª doc.; Alex. 884b);

gigante (Berceo, Mil., 34d, 1.ª doc.; Alex. 971c; Fnán. Glez. 488b)
gramática [26] (Apol. 305d; Alex. (O) 38a); *holocausto* (Alex.
(O), 499d; *hipocresía* (Berceo, S. Mill., 264d); *hisopo* (Berceo,
Sac. 87d, 1.ª doc.); *himno* (Berceo, Sac. 43b, 1.ª doc.); *idiota*
(Berceo, Mil., 221b); *ídolo* (Berceo, S. Lor., 38c; Apol. 96b; Fnán.
Glez. 20c); *itrópico* 'hidrópico' (Alex. 1903c); *jaspis* 'jaspe' (Alex.
1449c, 1.ª doc.); *mártir* (Berceo, S. Mill., 294b; Fnán. Glez. 10c);
malincónicos 'melancólicos' (Fnán. Glez. 418a); *mirra* (Berceo,
Loor., 32d); *misterio* (Berceo, Sac. 241a, 1.ª doc.; Apol. 585c;
Alex. 1110d); *mitra* (Alex. 1119b); *nigromancia* (Apol. 20d); *pa-*
raíso (Berceo, Sto. Dom., 219a; Alex. 2314c; Fnán. Glez. 32d);
paralítico (Berceo, Sto. Dom., 300c); *patena* (Berceo, Sac. 268b, 1.ª
doc.); *patriarca* (Berceo, Sto. Dom., 523a); *(e)pitafio* Alex. (O),
309a); *profeta* (Berceo, Sig., 22a; Alex. 1226a; Fnán. Glez., 12a)
y su derivado *profetar, profetizar* (Berceo, Sto. Dom., 284b;
Alex. 1319b; Fnán. Glez. 12a); *prólogo* (Berceo, Sta. Oria, 10a;
Alex. (O), 4a); *protomártir* (Berceo, Sto. Dom. 16a); *psalmo,*
salmo (Berceo, S. Mill., 193d; Apol. 575d); *púrpura* (Berceo,
Sig. 21c; Alex. (O), 1152c); *retórica* (Alex. (O), 337a), *retórico*
(Alex. 1594c), *salmodia* (Berceo, S. Mill.. 33a); *silogismo* (Alex.
P., 31c); *sofisma* (Berceo, Sto. Dom., 78c); *tapete* (Alex. 2101b),
parece préstamo antiguo en la forma *tapetum* (Ennio), pero los
poetas de la época imperial la sustituyen por *tapes, -etis;* las
formas románicas remontan a *tapetum,* pero no en el cultismo
español; *tumba* (Berceo, Sac., 273a, 1.ª doc.; Alex. 1771b).

De las ochenta y cinco voces arriba transcritas, el conjunto de
las que pertenecen al ámbito religioso-moral del cristianismo supera ligeramente el cincuenta por ciento, con cuarenta y cuatro
vocablos. Le sigue en importancia el grupo de los tecnicismos, con
más del veinticinco por ciento, y treinta y tres voces. Es decir,
la casi totalidad de los helenismos que encontramos en la obra
del mester de clerecía del siglo XIII pertenece al mismo ámbito
léxico en el que los grecismos se habían integrado al pasar al latín.
Su vía de introducción no puede ofrecer, pues, duda. Sí interesa
hacer notar que desde los primeros tiempos del idioma ya es el
griego, a través del latín, fuente de neologismos técnicos, como lo

---

[26] *Gramatgos* en el Auto de los Reyes Magos.

será siglos más tarde, a partir del Renacimiento con la floración de las ciencias modernas [27]. Sobre el papel expresivo que tales cultismos puedan tener en los textos que estudiamos aquí, señalamos las correspondientes observaciones al analizar cada uno de ellos.

Las relaciones entre el latín y el romance primitivo.

Díaz y Díaz [28] afirma que el latín peninsular era muy conservador y lo compara con el aspecto que ofrecía el latín merovingio, mucho más diferenciado del clásico. En cambio, no acepta que pueda hablarse del latín vulgar de Hispania en relación con capas sociales; claro está que no se excluye con ello una diferenciación entre capas cultas y populares. Menéndez Pidal [29] ha notado una situación sociolingüística exigida por el posterior desarrollo del romance. Mientras en ambientes muy cultos se seguiría hablando un latín aprendido en la escuela —tal como Bastardas señala para el latín medieval—, semejante al que escribían san Julián o san Isidoro, en otro estrato, sin estudios especiales, se hablaría un latín romanceado parecido al que después será latín popular leonés. En una capa inferior se utilizaría el primitivo romance.

Es importante esta división vertical porque con frecuencia el movimiento ennoblecedor del lenguaje —con su correspondiente exigencia de neologismos cultos— va unido a fenómenos de distribución socio-lingüística. No hay que olvidar que hasta la aparición literaria del romance, los ejemplos de deformación fonética y gráfica de palabras cultas son muy abundantes. Y, a la inversa, corrientes cultas procedentes de los estratos superiores penetran profundamente en los ambientes populares enriqueciendo el léxico tradicional. Son los documentos notariales el ejemplo más representativo de esta interpenetración latino-romance. En la nómina de

---

[27] Para los helenismos españoles existe el diccionario de Crisóstomo Eseverri Hualde, Imprenta Aldecoa, Burgos, 1945. V. también el estudio de M. Fernández-Galiano, *Los helenismos del español*, en E.L.H., II, Madrid, 1967.

[28] M. Díaz y Díaz, *op. cit.*

[29] V. Menéndez Pidal, *Orígenes*, p. 503.

cultismos hemos incluido voces que responden a este fenómeno: *orden, claro, flor,* [30] etc., son palabras cuya estructura fonética no tradicional obedece a hechos de influjo socio-cultural. También el triunfo de formas como *alto, albo,* etc., que coexistieron con otras plenamente tradicionales (*auto, oto; aubo; obo*), como nos atestigua la toponimia. Las ultracorrecciones son otra consecuencia inevitable de esta situación lingüística.

Otro hecho conocido es que la invasión musulmana no rompió la tradición cultural hispano-goda. No hay otra norma y ello obliga a intensificar el ya tradicional conservadurismo del latín hispánico. Menéndez Pidal [31] ha mostrado la continuidad del habla culta familiar desde los tiempos de la monarquía visigoda a los tres primeros siglos de la Reconquista. Es decir, hasta la aparición de una primitiva norma literaria romance.

Si el hecho histórico de la invasión musulmana no produjo de forma inmediata ruptura con el latín, sí obligó a adoptar una postura rígidamente conservadora. La decadencia cultural es uno de los caracteres más sobresalientes de la vida en los primitivos núcleos reconquistadores. Cuando la monarquía asturiana centra la capital en Oviedo se intenta reconstruir una tradición cultural que, forzosamente, había de apoyarse en la toledana. A ello se añade el conocido fenómeno de que los períodos históricos de pobreza cultural son conservadores, porque el escritor, vacilante en sus inseguros conocimientos del latín, se adapta rígidamente a los modelos. Es importante subrayar que este estado de lengua provoca, a su vez, una peculiar conciencia lingüística. Hay unos modelos que se sienten como cultos y, a la vez, lejanos en el tiempo [32]. Esta lejanía no evita que se sienta plenamente la correlación entre las dos lenguas. Fruto de esa correlación es la

---

[30] No entramos por ahora en el problema de evolución fonética que plantean las palabras en las que la pérdida temprana de la vocal final ha impedido la desaparición de la vocal postónica. No creemos que *césped, huésped, cárcel,* etc. sean cultismos.

[31] V. M. Pidal, *Orígenes,* p. 506.

[32] Esto explicaría la existencia de verdaderas fórmulas para la redacción de documentos, tal como se ha señalado en numerosas ocasiones. Fórmulas latinas que van siendo deformadas por la creciente penetración romance, aunque bien es verdad que los formularios de documentos son arcaizantes en todos los tiempos.

penetración latinizante, a veces muy intensa, que se refleja en la conservación del latín popular leonés, además de la frecuente latinización de formas romances e, incluso, la adopción de conjuntos léxicos y formas etimológicas que se sienten como más cultas porque se acercaban más al latín.

Podemos concluir este tema afirmando la existencia, ya desde los primeros siglos de la Reconquista, de una dualidad idiomática, existente aún en la lengua escrita : el latín como modelo y fórmula, y el romance como tendencia cada vez más fuerte en la conciencia del que escribe. En este primer estadio de la dualidad latino-romance se va perfilando un léxico propio del latín y un léxico popular. Ambos se encuentran en constante intercomunicación y, por ello mismo, no siempre es fácil distinguir la citada dualidad. La consecuencia es una gran abundancia de préstamos cultos a la lengua popular, tal como lo reflejan los documentos notariales y los primeros monumentos literarios.

A partir del siglo XI se acelera el proceso de diversificación latino-romance. El fenómeno se produce en dos direcciones y sus causas son de distinto tipo. La restauración cultural va acompañada por un enriquecimiento del mundo espiritual del Medioevo, lo que supone una mayor sensibilidad, leve al principio pero cada vez más intensa. En una palabra, se inicia una cultura genuinamente medieval. Resulta ocioso resaltar la importancia del hecho. La restauración de la capacidad creadora por el hombre medieval va ligada al dominio del instrumento de expresión [33]. El renacimiento de la vida que esto supone en todos los órdenes va acompañado curiosamente de una definitiva delimitación de la zona de confluencia latino-romance. Una vez más hechos de vida y de cultura son determinantes de hechos de lenguaje. Menéndez Pidal ha mostrado [34] la naturaleza del proceso. Para nuestro trabajo es interesante subrayar que la diversificación latino-romance se realiza en las dos direcciones posibles. El latín registra un proceso de

---

[33] Naturalmente, no vamos a plantear aquí la debatida cuestión de las relaciones entre lengua y cultura. Véanse las obras fundamentales de K. Vossler, *Lengua y cultura de Francia*; CH. Bally, *El lenguaje y la vida*, en trad. de Amado Alonso, y G. Rohlfs, *Lengua y cultura*, en traducción de Manuel Alvar.

[34] V. Menéndez Pidal, *Orígenes*, pp. 520-21.

purificación de los elementos romances en él introducidos como consecuencia de siglos de postración cultural. El papel que en tal proceso desempeña la llegada de los monjes de Cluny es de sobra conocido. Desaparece incluso el arraigado latín popular leonés, como, en otro aspecto, el rito mozárabe. Se trata de una auténtica restauración de la latinidad. En cuanto al plano romance, también las circunstancias cambian radicalmente. Nace una norma nueva y autóctona, la constituida por las primeras obras literarias. Menéndez Pidal supone con fundamento una primitiva literatura castellana desde fines del siglo X.

Desde este momento, el proceso de comunicación, tantas veces señalado en estas páginas, entre el latín y el romance ha de cambiar forzosamente de signo y de consecuencias. Por ello, se impone una bifurcación de nuestro estudio en dos fases. Una, referida a las consecuencias lingüísticas de la introducción de cultismos en la época de orígenes, y otra, dedicada a estudiar los introducidos con posterioridad. La inserción de tales neologismos en un estado de lengua vacilante y familiar, o en un momento en que comienzan a forjarse las estructuras léxicas en la lengua literaria, ha de ser forzosamente distinta.

Cultismos introducidos en la época de orígenes.

Menéndez Pidal ha dedicado unas páginas magistrales al estudio de la época de orígenes. Poco o nada es preciso añadir, pero sí podemos confirmar su observación de que el latín, por ser de uso general, no es únicamente una lengua de minorías sino que tiene profundas raíces en el habla popular. Ello se traduce en una enorme presión del latín sobre el romance, con el consiguiente préstamo de léxico culto. Cultismos que en muchísimas ocasiones no son sentidos como tales, dada la correlación entre los dos planos lingüísticos que describíamos más arriba. El mismo Menéndez Pidal [35] observa que esta presión culta se efectúa en todos los planos de la lengua: fonético, léxico, semántico y morfosintáctico. Este amplio influjo, que abarca a todos los niveles de la lengua,

---

[35]   V. Menéndez Pidal, *Orígenes,* p. 506.

se irá delimitando con el tiempo, hasta hacerse casi exclusivamente léxico.

A nosotros nos interesa hacer notar lo que se refiere al último punto. El romance, sin una estructura léxica determinada, sin una norma literaria, tiene abierta sus puertas. Se puede hablar de la falta de una suficiente configuración lingüística que le dé personalidad propia. En estas circunstancias los elementos latinos penetran espontáneamente. Cabría preguntarse entonces sobre el papel que representa la entrada de cultismos, que en raras ocasiones podrían ser considerados como tales en la conciencia del primitivo hablante. Veamos unos ejemplos de voces cultas o semicultas cuya introducción puede remontarse a los primeros siglos de vida del romance. No pretendemos dar una lista completa, pero sí ofrecer unas cuantas observaciones deducidas de la existencia de vocablos que, siendo cultos o semicultos, han coexistido con las voces tradicionales. Entre estos cultismos primitivos selecciono los siguientes [36]:

adevinanza,	apreciar	clérigo
adivinanza	bautizar	comediar
adevino, adivino	bendición	copla
adorar	bestia, vistia	christiandat
adversario, aver-	biltança	christianismo
sario	(o)bispo	christiano
afirmar	(o)bispalia	Christo
águila	(o)bispado	criminal
altar	cárcel	cruz
alto	caridad	deliçio
anima	católico, gathólico	desafiar
angel	çiclaton	digno, dinno
aniversario	claro	Dios
apóstol, apóstolo	claridad	divino

---

[36] Las voces que se conservan debieron de ser de uso bastante generalizado, al menos en ambientes semicultos, ya en el siglo XI. Es decir, debieron de sentirse ya en ese fecha como voces romances, aunque en buena medida adscritas a determinados estratos sociales y profesionales. Para suponerlo, me apoyo en la gran frecuencia con que aparecen documentados a partir de tal fecha, lo que revela una larga tradición. Véase la nómina de cultismos, en el volumen II de este trabajo.

domingo, domen-   latinado   preçioso
    go   laudar   presente
dulce   libro   proprio
eglesia, iglesia   mártir   pugna
encarnación   mediar   púrpura, pórpora,
enfierno, infierno mediano   pórpola
engendrar   medio   quitar
entención   memoria   rabia
escriptura   miráculo, miraclo, ración
espacio   miraglo   rapaz
espiritual   misa   redención
falsar   mitra   regla
falsedad   monesterio   reliquia
falso   monumento   resucitar
farmario, farmalio mundo   salto
fidel, fiel   natura   sancto
figurar   natural   sanctidat
fin   notar   santiguar
firmar   ocasión   serviçio
firme   offrenda   sieglo, siglo
fruto   orden   sinar
ganançia   palaçio   tilde
gente   paraíso, paradiso título, título
gentil   paria   trinidat
gesta   partición   vanidat
glera (?)   pensar   vigilia, vegilia
gloria   pérdida   virgen, virgin,
glorificar   perjurar   virgo
glorioso   piedad   vocación
gracia   poridat   voluntad
homillar   preçiar
juizio, (ju(u)izio preçio

En esta lista se observa, en primer lugar, la abundancia de
semicultismos. Esto es debido a diversas circunstancias conver-
gentes. Menéndez Pidal ha mostrado que el influjo culto opera
intensamente sobre fenómenos aislados de evolución fonética.
Esto explica la existencia de semicultismos por conservación de

grupos latinos o de vocales postónicas, aun en voces cuyo contenido semántico no evoca de ningun modo adscripción a un estrato de hablantes cultos: *alto, engendrar, gente, glera, medio, ocasión, orden, salto,* etc. Por otra parte, aun introducida la voz culta por vía escrita, su rápida y primitiva integración en romance hizo que estas voces recibieran una intensa presión por parte de las fuerzas evolutivas que operaban sobre la lengua. Es preciso pensar que en el siglo XII aún no están consumadas ninguna de las más importantes tendencias de evolución fonética. Por tanto, estos primeros cultismos sufrieron —o estuvieron expuestos a sufrirlo—, un desgaste fonético semejante al de las voces tradicionales [37].

Consecuencia del mismo hecho que acabamos de reseñar es la vacilación formal frecuente: *abiltar-biltar, adevinanza-adivinanza, adversario-aversario, apóstol-apóstolo, bautizar-baptizar* (junto al popular *batear*), *bestia-vistia, bispo-obispo, católico-qathólico, domingo-domengo, enfierno-infierno, fidel-fiel, juizio-judizio, miráculo-miraclo-miraglo, paradiso-paraíso, púrpura-pórpola-pórpora, sieglo-siglo,* etc. Supuesta la correlación latino-romance, se vacila entre el más o menos vago recuerdo de su origen latino (téngase en cuenta que muchas de estas voces debieron de penetrar por vía oral), y la fuerte tendencia niveladora con las estructuras léxicas románicas. Lo que ocurre es que en el triunfo definitivo de una forma juegan no sólo los factores que determinan su introducción, sino también los que posteriormente confluyen en concretos campos de significación léxica. Podría hablarse de reiteradas introducciones de un mismo vocablo, como mostraremos más adelante. Lo cierto es que en el largo camino que va desde la época de orígenes hasta el siglo XVI (por ceñirnos exclusivamente al mundo medieval), se producen diversos movimientos —reforma cluniacense, mester de clerecía, humanismo latinizante—, que rescatan del olvido voces que existieron en los primeros siglos o, más frecuentemente,

---

[37] Seguramente habría que matizar esta observación en el sentido de que en el siglo XI muchas tendencias se habían consumado pero *seguían activas,* con capacidad de obrar sobre nuevas voces.

Cfr. las Glosas, que dan ya *-ero, au < o,* etc., y que en 1044 hay ya *peggare* (ct > ĉ), *mortagga* (ly > ẑ), etc.

restauran la forma más latinizante [38]. La existencia misma de
numerosas ultracorrecciones en los primeros tiempos es una prueba más de la tensión entre lengua culta y lengua popular.

Es también el enraizamiento del elemento latino en el romance lo que favorece la inserción espontánea de las nuevas voces
en el sistema léxico. Prueba de ello es la rápida posibilidad de
derivación que muestran estas palabras: *abiltar-biltanza, ángel-
angelical-angélico, bautizar-bautizo, obispo-obispalía-obispado, fir-
me-firmemientre-firmar-afirmar, gloria-glorificar-glorioso, medio-
mediar-mediado-mediano, natura-natural, palacio-palaciano, pre-
cio-preciar-precioso*, etc., etc. En relación con el mismo hecho
se halla la existencia de prefijos y sufijos cultos: *bendición, encarnación, entención, farmario, ganancia, partición, perjurar*, etc.

Observamos, pues, que desde el punto de vista morfológico
ya están presentes en las primeras voces cultas los mismos caracteres de composición y derivación de las palabras tradicionales.
Me parece que el hecho más significativo es el de las ricas posibilidades de derivación; ello revela la larga existencia del vocablo en la lengua de uso general. Esto lo veremos confirmado
en seguida al hacer el análisis semántico de estas voces. El punto
de enlace entre forma y significación se halla en la posibilidad
de enriquecer el vocabulario mediante sufijos, lo que revela una
perfecta adaptación al sistema léxico y una notable flexibilidad
en cuanto que es capaz de matizar su significado por medio de
derivados [39].

La última observación nos lleva a la caracterización semántica de ese conjunto de cultismos. Como puede advertirse fácilmente, pertenecen en su inmensa mayoría a dos campos semánticos: eclesiástico y jurídico. Sobre un total de 142 voces nos

---

[38] No puede escapársenos el dato importante de que entre el mester
de clerecía y el humanismo latinizante hay que tener en cuenta como
introductores de cultismos a Alfonso X en el siglo XIII, y a los letrados
del s. XIV (Fr. Juan de Castrogeriz, etc.). Incluso los poetas y retóricos
del Cancionero de Baena no son todavía humanistas.

[39] Y no sólo de matizar su significado, sino que lo principal es vincu-
larlo a categorías y funciones gramaticales que el primitivo no tenía, con
la correspondiente variación nocional: *precioso* adjetiva el contenido de
preçio; preçiar lo verbaliza.

encontramos con las siguientes proporciones: el cuarenta por ciento pertenecen al mundo eclesiástico; el veinte por ciento al campo jurídico, y el resto, más que voces introducidas por vía escrita, responde a un contenido significativo no específico de las voces cultas, sino de las tradicionales. Son palabras que han entrado a través de la lengua hablada y que, como se ha señalado más arriba, han recibido un influjo culto que se revela formalmente en la conservación de determinados rasgos fonéticos.

Creo que nos interesa hacer alguna consideración sobre ese sesenta por ciento de voces. Nos revela ante todo que la penetración del latín en el romance durante los primeros siglos se hace en dos direcciones: eclesiástica y notarial. Ya habíamos visto cómo el cristianismo fue un importante factor modificador del latín. De igual modo lo será desde los primeros tiempos del romance. Si nos fijamos en el tipo de conceptos evocados veremos que todos ellos pertenecen al mundo espiritual y moral, y son precisamente nociones abstractas sin nominalizar en romance, salvo excepciones. Nacen, pues, estas voces al mismo tiempo que las tradicionales, puesto que el nacimiento y desarrollo del romance se realiza en el universo religioso del cristianismo. Parece lógico pensar que cuando el feligrés asistía a los oficios litúrgicos empleara la expresión *ir a la eglesia* [40], donde estaba el *altar*, y se *adoraba a Dios*, se *bautizaba*, se recibía la *bendición* del *bispo*, que predicaba la *caridad*, la *omildat*, prometía la *gloria* y amenazaba con el *enfierno*. Era en la iglesia donde se oía hablar de *Christo* en la *cruz*, que *resuçitó* para la *redençión* del hombre. Se recomendaría, en fin, huir de la *vanidat*, rezar a la *Virgen*, imitar a los *sanctos* y *apóstolos*, *repentirse* de los pecados, respetar a los *clérigos*, *pensar* en los *miraglos* y ayudar al *monesterio*. Todo un mundo nocional que está presente desde antes del nacimiento del romance y que, forzosamente, había de tener una

---

[40] El término *eglesia* tenía el sentido de 'congregación de fieles', y también el de 'edificio donde se congregan los fieles'. La bimatización de significado procede del mismo latín que, tras el triunfo del cristianismo había sufrido la interdicción de términos que evocaban el recuerdo de pagano, como *templo*. Es éste un fenómeno semántico que se dio con cierta frecuencia como consecuencia del cristianismo. Para más detalles, véase Corominas, DCELC, s. v.

nominalización primitiva y antiquísima. Concepto y palabra surgen a la vez por necesidad de delimitación nocional. Son escasísimos los ejemplos en que cultismos de época primitiva pertenecientes a este campo semántico producen fenómenos de colisión homonímica. Esto último exige un desarrollo notable de la lengua.

Efectos semejantes a los apuntados los ofrece el campo jurídico. Aunque nos ocuparemos más detenidamente del tema al estudiar los documentos notariales, cabe hacer ahora la observación de que tales voces son propias de un estrato mucho más reducido de hablantes. La fuente de este léxico se encuentra en los formularios latinos. El problema se plantea desde el momento en que el redactor equivoca la fórmula o no la entiende. También, cuando el hombre del siglo x que compra o vende una *bestia* desea saber el *preçio* o hacer la *partiçión* del terreno. Se ha dicho acertadamente que a partir del siglo xi se produce sobre la lengua de los documentos notariales una presión del romance que lo invade todo. Pero el redactor no poseía un vocabulario romance utilizable; lo único que tenía era un léxico latino fuertemente erosionado, a veces, por siglos de uso por manos iletradas. Este léxico erosionado, de significado jurídico, es el que constituye el conjunto de cultismos que aquí hemos tratado. Su integración en el romance se debe más que a la labor individual, a la necesidad de la colectividad, por generalización de tecnicismos. Aunque de una manera más restringida que en el caso del latín eclesiástico, también puede establecerse un paralelismo con la historia de las voces tradicionales. Como en el caso anterior, existe cierta coincidencia entre la necesidad de expresión nocional y el romanceamiento de la forma latina. Nos lo atestigua el hecho mismo de estar también este grupo constituído muy mayoritamente por semicultismos.

Creemos necesario aludir a un último punto que prueba que la existencia de estos cultismos primitivos se debe a una correlación lingüística sentida plenamente por los primeros hablantes romances. Una atenta observación de la lista de cultismos incluída más arriba nos lleva a realizar una importante deducción. No son sólo palabras aisladas las que aparecen; son verdaderas estructuras etimológicas las que se incorporan al romance: *Dios-adevinanza-adevino; ángel-angélico; gloria-glorificar; medio-mitad;* etc. Estos conjuntos léxicos se integran por una necesidad nominalizadora que arrastra, a partir del término primario, a toda la serie.

En cualquier caso, el análisis formal y semántico nos lleva a una conclusión. Los cultismos introducidos en la época de orígenes no modifican el estado de lengua en que se inscriben, salvo raras excepciones. Son, en cambio, el resultado de una convivencia idiomática que tiene lugar más que entre dos lenguas, entre dos planos de la lengua: la que está naciendo a partir de la lengua hablada y la que está estructurada en la escasa labor escrita o, en todo caso, está reducida a un pequeño círculo de hablantes. Necesitaríamos conocer muy a fondo la naturaleza de las relaciones entre ambos planos para concluir con certeza el proceso de integración de cultismos. Lo que sí nos parece claro es que esa integración tuvo que hacerse de una manera espontánea, como un lento ajuste del sistema léxico y sin que en ningún caso pudiera sentirse el cultismo como un neologismo extraño al propio sistema.

Cultismos introducidos con posterioridad a la época de orígenes.

Planteamiento distinto exige el estudio de los cultismos introducidos con posterioridad a la época de orígenes. A fines del siglo X comienza la creación literaria romance [41], que alcanzará durante el siglo XII, y muy posiblemente desde la segunda mitad del siglo XI, un desarrollo considerable. Esto tiene unas consecuencias decisivas. Como ha mostrado Menéndez Pidal [42], la aparición de la literatura romance supone la sustitución de la

---

[41] No ignoramos que, como ha mostrado Menéndez Pidal (*Poesía juglaresca y orígenes de las literaturas románicas*), épica y lírica tradicionales hubieron de existir desde los primeros tiempos del romance, hubieron de nacer con él, las jarchyas nos lo dicen.

[42] Dice literalmente Menéndez Pidal: «El romance, falto de personalidad, vive en servil dependencia respecto del latín, semejantemente a los dialectos modernos incultos que en todo momento están influidos por la lengua literaria... el romance en las épocas de orígenes, aunque continuamente invadido, está en su proceso ascensional, se va haciendo cada vez más robusto y acabará por eliminar a la lengua de cultura, que es en este caso la decadente». V. *Orígenes,* pág. 521.

norma. Carente de ella en los siglos precedentes, el hablante románico dependía exclusivamente de los documentos redactados
en una lengua "que quería ser latín". Desde el instante mismo
en que nace la primera obra literaria romance, se produce una
corriente progresivamente más intensa, que lleva a la sustitución de las fórmulas latinas. Esto se ve claro en los documentos publicados por Menéndez Pidal, de los que se trata en
otra parte de este trabajo [43]. El mismo don Ramón ha advertido,
claramente diferenciados, los hechos fundamentales que marcan el
cambio de rumbo. Entre ellos, el de la reforma cluniacense que
"al restaurar el latín en su pureza clásica, constituye una barrera
entre dos corrientes de vulgaridad, la que termina a fines del
siglo XI y la que se inicia en el XII, común a toda la Romania
y que llevará a secularizar la cultura" [44]. En conclusión, a fines
del siglo XI nos encontramos con los suficientes hechos diferenciadores, tanto en lo que se refiere al latín como al romance;
ello nos obliga a advertir nuevos problemas en la transmisión de
voces cultas.

No puede olvidarse tampoco que la lengua es producto de
un proceso histórico, con todas las circunstancias de muy diverso
tipo que intervienen en la realidad histórica de una comunidad.
Entre ellas hay que citar la cambiante estructura social, que tanto
influye en los hechos de lengua. La comunidad nacional se va
gestando a lo largo de la Reconquista y posee una específica estructura socio-cultural en cada período histórico. Vida y cultura
sufren grandes mutaciones entre los siglos XI y XIII. Se produce,
por ejemplo, una diversificación de capas sociales a medida que
avanza la Edad Media, diversificación que afecta tanto al número e
índole de capas sociales constitutivas del mundo medieval, como
a la naturaleza de las relaciones entre ellas, y esto último es
sumamente importante en la historia de la lengua. Podemos preguntarnos inmediatamente hasta qué punto la norma lingüística
depende de la creación literaria en sí o del contorno socio-cultural que la genera. Es evidente que existe una relación entre ambos. En el Renacimiento, por ejemplo, la norma lingüística es

---

[43] Véase el capítulo IV.
[44] V. Menéndez Pidal, *Orígenes,* p. VIII.

un aspecto coincidente con el arquetipo humano al que se aspira [45]. Relaciones de tal índole influyen en la comunicación lingüística de todas las épocas, y, especialmente, cuando tal comunicación genera un léxico culto que por el especial mundo evocado es notablemente sensible a cualquier transformación. Importa subrayar esto; hay épocas en que las capas social y culturalmente altas influyen intensamente en los hábitos lingüísticos, provocando una tendencia ennoblecedora del idioma, frente a otras en que el proceso es de signo contrario, con el consiguiente envilecimiento de ciertas formas lingüísticas.

Los procesos sociales y culturales no se dan aisladamente. Muy al contrario; a una elevación del nivel cultural corresponde la hegemonía social de los estratos más refinados de la sociedad, y esto se da desde el primer renacimiento cultural de la Edad Media. Cuando Alfonso VI emprende su obra de renovación cultural, basada en la protección a los cluniacenses, el hecho tiene inmediatas consecuencias de tipo social y lingüístico. En lo idiomático ya hemos hablado de la depuración del latín y la consiguiente potenciación de la capacidad receptiva de cultismos por parte del romance. No se trata sólo de que la creación individual tenga mayores posibilidades de incorporar cultismos, sino también de que adquiera una notable importancia la valoración que de esa obra realiza el contorno social, que, juez definitivo, admitirá o rechazará el nuevo vocablo.

Veamos un último punto. La peculiar estructura de cada lengua receptora influye en el caudal de cultismos que afluye a ella. Américo Castro [46] ha insistido en la facilidad del español para tal enriquecimiento léxico. Trasladando la cuestión a las lenguas romances peninsulares, nos encontramos con que el impulso innovador castellano, que deslatiniza más que nadie la fonética, lleva implícita una mayor facilidad para asimilar neologismos. El revolucionario vigor castellano lo hace capaz

---

[45]   Por supuesto que no es sólo en el Renacimiento cuando se produce tal coincidencia. Se trata de un fenómeno general que aparece en el idioma desde el Poema del Cid al habla actual.

[46]   Véase la nota de Américo Castro en la *Introducción a la lingüística románica* de W. Meyer-Lübke, p. 66.

de aprovechar el latín para llenar la cada vez mayor necesidad nominalizadora que lleva consigo el desarrollo literario.

Asistimos en definitiva a un notable cambio en la naturaleza de las relaciones entre latín y romance. Hechos lingüísticos, culturales y sociales confluyen en la formación de un universo nuevo y más complejo. El latín será desde ahora al mismo tiempo adstrato, en cuanto que proporciona materia léxica en campos muy concretos (escolástico, eclesiástico, cancilleresco, etc.), y superestrato, como expresión de una cultura superior a la que se aspira durante siglos, primero de un modo vago e impreciso, luego aproximando el espíritu de los hombres a los que tocó alumbrar un nuevo mundo de amplias perspectivas: el Renacimiento. Veamos ahora qué consecuencias tiene para la lengua la inserción de neologismos cultos.

1. *Incorporación del cultismo.*

El proceso osmótico que caracteriza el trasvase de cultismos exige señalar el límite más exacto posible que separa el uso del préstamo en la lengua original y su integración en el romance. Esto va unido a una cuestión de motivación subjetiva. Un cultismo, como cualquier otro préstamo, no pertenece al habla común mientras no se adapta a la morfología léxica de la lengua a la que va destinado. Sin prescindir —a pesar de la dificultad para comprobarlo— de la intención del introductor, sea éste individual o colectivo, debemos establecer unas bases mínimas indicadoras de que el cultismo se ha integrado en la lengua [47]. Alvar y Mariner han señalado tres puntos, indicadores de que la voz no ha sido asimilada:

a) Mantenimiento de una sintaxis latinizante no acorde con la exigida por el romance.

---

[47] En el citado estudio de M. Alvar y S. Mariner, *Elementos constitutivos del español: latinismos,* se establecen una serie de condiciones para aceptar como voz introducida el préstamo culto. Puede verse también el trabajo de R. Benítez Claros, *La integración del cultismo,* en Archivum, VI, págs. 235 y sigs. Recogemos en buena parte los puntos señalados en tales estudios.

b) Resistencia a adquirir los accidentes propios del romance.

c) Empleo de morfemas no habituales en romance.

La primera puede referirse a locuciones de tipo *nulla res* que encontramos en Alex. (O), 61c: "al que ferir podieres *nulla res* nol defiendas". Me resisto a creer que el autor del poema de Alexandre quisiera evocar un ambiente latinizante con tal expresión, cuyo contenido significativo es por lo demás muy de interés general. Más bien se debe pensar en la utilización de un latinismo que sonaría bastante familiar por emplearse frecuentemente y que tendría, por tanto, el mismo valor de una expresión romance.

También en Berceo encontramos sintagmas semejantes, casi siempre de procedencia eclesiástica. Veamos un ejemplo que estimamos notablemente revelador. Escribe Berceo en Sac. 17c: "Dizen *Sancta-Sanctorum* al rancón apartado". Nos encontramos aquí con una estructura léxica morfológica y sintáctica extraña al romance pero ligada, en cambio, a un contenido semántico de tal arraigo popular que ha persistido hasta nuestros días sin modificación formal alguna.

Hay más. Encontramos con cierta frecuencia en el siglo XIII —y no sólo en el mester de clerecía, sino también en documentos y obras moralizantes—, voces como *actoritas* (Alex. 1177a), *beneficite* (Alexandre, 1631c), *scola* (Alexandre, O., 84a), *sex* (Berceo, Sac. 8), *uxor* (Berceo, Alex., docs.), cuya contextura formal nos revela que se trata de lo que Américo Castro llama "latinismos en crudo"[48]; en unos casos por empleo literal del término litúrgico (*benedicite*); en otros por regresión latinizante de un término acuñado ya en romance (*escuela-scola*), sin que tal relatinización tenga posibilidad alguna de éxito por lo arraigado de la forma popular[49]. En conclusión, junto a las condiciones examinadas por Alvar y Mariner hay que tener muy en cuenta, al menos para la época medieval, el grado de adaptación formal al castellano. A ello habría que añadir consideraciones de tipo semántico, más los correspondientes factores fun-

---

[48] V. Américo Castro, *Glosarios latino-españoles de la Edad Media*, Centro de Estudios Históricos, Madrid, 1936.

[49] Téngase en cuenta, no obstante, que *scola*, en el ms. O. del Alexandre, puede ser leonesismo.

cionales y sintácticos. Estos elementos, considerados aislados y en su conjunto, nos permitirán concluir si la voz ha sido asimilada o no por la lengua.

2. *Adaptación formal al castellano.*

La constitución morfológica del cultismo es el resultado de dos presiones opuestas: el medio de introducción y el influjo de la lengua viva que, como veíamos más arriba, le obliga a adaptarse a la estructura morfológica del castellano. Nos interesa por igual hacer un análisis de cuáles son los procesos evolutivos frenados por su naturaleza culta y, en cambio, qué otros fenómenos de evolución fonética les han afectado al integrarse en el romance [50].

Fenómenos de conservación [51]. Benítez Claros [52] llega a la conclusión de que la pervivencia de una forma vulgar a medio evolucionar facilita la consolidación del cultismo; también la larga duración de un proceso evolutivo, en cuanto que amplía las posibilidades fonemáticas del idioma. Para analizar este hecho, establecemos una clasificación de los cultismos que atiende a los rasgos conservados. El mismo Benítez Claros, en otro artículo [53] ha esbozado tal clasificación referida a los cultismo en general. La clasificación que proponemos se adapta mejor, pensamos, a los caracteres que ofrecen los cultismos medievales.

---

[50]   Recuérdese lo dicho en el primer capítulo de este trabajo. (*Los tres grados formales del cultismo*): la constitución formal de la voz culta es un resultado. Por ello nos interesa tanto el cultismo como el semicultismo, que ofrece un máximo de adaptación. Alvar y Mariner hablan incluso de latinismos deformados por una relatinización. Se trata de ultracorrecciones efectuadas sobre verdaderos latinismos. Es fenómeno relativamente frecuente en épocas de vacilación idiomática, como se ha dicho en repetidas ocasiones. (V. Alvar y Mariner, *op. cit.,* p. 23).

[51]   Hay que advertir, no obstante, que los signos externos del cultismo no son forzosos; es decir, *fésigo* por *físico,* es cultismo, como *cabildo* junto a *capítulo.*

[52]   V. R. Benítez Claros. *La integración del cultismo.*

[53]   Benítez Claros se ha ocupado en repetidas ocasiones del tema de los cultismos, aunque siempre muy superficialmente. A este propósito responde su artículo *Clasificación de cultismos,* en Archivum, pp. 216 y sigs.

1) *Vocalismo*:

Desde las primeras documentaciones el hecho fonético más característico de la voz culta es la conservación del timbre vocálico latino. Puede afirmarse que más del cincuenta por ciento de los cultismos comentados en nuestro glosario ofrecen esta particularidad. Veamos ejemplos de los distintos casos:

a)   Mantenimiento de i, u: *culpa* (Sta. M.ª Egipciaca, 1267; Fuero de Madrid, 55.1; Berceo, etc.); *mundo* (Cid, 351; Reyes Magos, 40, etc.); *dubda* (Cid, 1131; Sta. M.ª Egipciaca, 1248, etc.); *publica* (docs. de 1127); *delicio* (Cid, Berceo, etc.); *digno* (Cid, Berceo, Apol., Alex., etc.); *misa* (Cid, Berceo, Alex., etc.); *piedad* (Sta. M.ª Egipciaca, 182); *virgen* (desde los orígenes), *familia* (Berceo, etc.).

b)   Conservación de -i, -u finales: *espíritu* (El Bonium, Berceo, Alex.); *fénix* (Alex.).

c)   No diptongación de ĕ, ŏ: *bello* (Berceo, Alex.); *offrenda* (Cid), *apóstol* (Cid, Sta. M.ª Egipc.); *talento* (Sta. M.ª Egipc.); *templo* (Sta. M.ª Egipc.); *convento* (doc. de 1185); *stola* (doc. de 1243); *nota* (Fuero de Soria, etc., etc.).

d)   No inflexión por yod: *bestia* (Cid, Disputa, etc.); *bestiario* (doc. de 1194); *testimonio* (Fuero de Madrid, etc.).

e)   Conservación de la vocal intertónica: *pérdida* (Cid, 2320); *capítulo* (doc. de 1186); *roborar* (docs. antiguos y de 1250); *corroborar* (docs. lingüísticos); *décima* (doc. de 1187); *diácono* (doc. de 1209); *espíritu* (Berceo, Alex.); *límite* (doc. de 1250); *manifestar* (doc. de 1244; Fuero de Soria); *sanidad* (doc. de 1210; Fuero de Soria); *caridad* (Cid 709); *monumento* (Cid, 358); *poridad* (Cid, 104); *castidad* (Sta. M.ª Egipc.).

f)   Conservación del diptongo, au: *laudare* (Cid, 335); *auditor* (doc. del siglo XII; doc. de 1269); *claustra* (doc. de 1241; Berceo); *recaudar* (doc. de 1245); *laude* (Apol., Berceo); *restaurar* (Berceo, Alex.).

g)   Sufijo -ario: *fornicario* (Berceo); *falsario* (Alex.); *rosario* (Alex.).

h)   Conservación de -e final, tras r, s, n, l, d, z; *laude* (Apol., Berceo).

i) Conservación de ciertos hiatos y diptongos: *piedad* (en Cid, trisílabo, según Menéndez Pidal; Reys d'Orient, en lucha con *piadad); criador* (Cid, Reys d'Orient); [54]; *criatura, creatura* (Berceo, Apol., Alex.); *perpetualmientre* (doc. de 1249); *cualidad* (Alexandre); *santuario* (Berceo, Alex., etc., etc.).

2. *Consonatismo*:

A.—Conservación de consonantes iniciales simples.

a) g- ante e, i: *gente* (Cid, Apol., Berceo); *gentil* (Alex.); *gemido* (Berceo); *generación* (Berceo, Alex.); *general* (Apol., Alex.); *genuflexión* (Berceo, Alex.); *gigante* (Berceo, Alex., etc.).

b) F-inicial: *falso* (Cid, 3387); *fama* (Apol., Berceo, Alex.); *familia* (Berceo); *fantasía,* (Berceo); *fantasma* (Berceo); *fariseo* (Berceo); *femenina* (Alex.); *figura* (Apol., Berceo, Alex.); *firme* (Cid, Apol., Berceo, Alex., etc.).

B.—Conservación de iniciales agrupadas.

a) GL-: *gladio* (Berceo, Apol., Alex.); *gloria* (desde los orígenes), *glera* [55] (Cid, Berceo).

b) PL-, CL-, FL-: *placer* (Cid, 2.149); *planta* (Alex); *pluma* (doc. de 1185, Alex.); *clamor* (Cid, Berceo, Apol., Alex.); *claro* (Cid. Berceo, Alex.); *clamar* (Berceo); *flabello* 'abanico' (Berceo); *flaco, flaqueza* (Berceo, Fernán González); *flor* (Glosas Emil.; Sta. M.ª Egipc.); *flamear* (Alex.); *flumen* (Sta. M.ª Egipciaca, Berceo, Alex.).

C.—Conservación de consonantes interiores.

a) Sordas intervocálicas: *capítulo* (doc. de 1186); *mérito* (Berceo); *física* (Apol., etc.).

b) -F- intervocálica: *defensa, defender, defensor* (Berceo, Apol., Alex.); *pacífico* (Berceo, etc).

D.—Conservación de grupos consonánticos interiores latinos·

a) -RS-: *persona* (Berceo); *perseverar* (Berceo, etc.).

---

[54] *Criador* puede resultar del apoyo de *criar, crio, crias,* con hiato.
[55] *Glera* es cultismo dudoso, quizás aragonesismo.

b) -NS-: *pensar, pensamiento* (Berceo, Apol., Alex.); *consolar* (Cid); *consolación* (Berceo); *consistorio* (Berceo, Alexandre), etc.

c) -MB-: *tumba* (Berceo, Alex.).

d) -MN-: *columna* (Berceo, Apol., Alex.); *omnipotente* (Berceo, Alex.).

e) -NG-. *ángel* (desde los orígenes).

f) -RG- *virgen* (desde los orígenes).

g) -PS-, -PT-, -CS-: *capseta* (Berceo); *capsa* (doc. de Sahagún de 959); *escripto* (docs.; Apol., Berceo, Alex.); *escriptura* (desde las Glosas); *exilio* (Berceo); *exaltar* (Berceo); *exorcista* (Berceo).

h) -GN-: *digno* (Cid); *signo* (docs., Berceo, Apol., Alex.).

i) -CT-: *actor* (fuero de Avilés, Alex.); *doctor* (Alex.); *octavo* (Berceo); *dictar, dictado, dictador* (Berceo).

j) Consonante más CT, PL: *inclinar* (Berceo, Apol., Alex.); *enclin* (Berceo); *cumplir* (Cid).

k) -NST-: *instrumento* (Alex.).

E.—Conservación de consonante más yod.

a) -DY-: *medio* (desde orígenes): *homicidio* (docs. de los siglos XI-XII, Apol.); *remedio* (Berceo).

b) -GY-: *privilegio* (Berceo); *religión, religioso* (Berceo. Alex.).

c) -BY-: *rabia* (Berceo, Alex.).

d) -LY-: *concilio* (Berceo); y en forma semiculta *maravilla* (Sta. M.ª Egipc., Berceo).

e) -RY-: *falsario* (Alex.); *armario* (Berceo, Apol., Alex.); *notario* (Berceo, Alex.).

f) -SY-: *pasión* (Berceo).

g) -NY-: *testimonio*.

h) -TY-: *ración* (Cid, 334); *paciencia* (Berceo).

i) -CY-: *novicio* (Berceo, Alex.).

F.—Conservación de grupos especiales.

a) -ALT-: *altar* (Cid).

b) -ULT-: *vulto* 'rostro' (Alex.).

G.—Conservación de grupos interiores romances.

a) --C'L-; -G'L-; -T'L-; *siglo sieglo* (Cid); *miraglo, milagro* (Cid); *cabildo* (docs., Berceo); *copla* (Cid, Apol.).

b) Consonante más -C'L-: *maslo* 'macho' (Berceo).

H.—Consonantes finales.

a) -m: *Jerusalem; Belleem* (Cid, 3338).

b) -c: *Isaac* (Fazienda de Ultramar).

Hemos procurado dar entre paréntesis la documentación más antigua de cada ejemplo porque si comparamos la clasificación que acabamos de establecer con la que ofrece Benítez Claros, referida a los cultismos en general, sin limitación cronológica, advertimos que la totalidad de los fenómenos de conservación fonética detallados por ese autor se daban ya antes de 1252. Ello nos muestra que están consolidadas todas las posibilidades fonemáticas que los cultismos proporcionan al sistema y, por tanto, revela la madurez alcanzada por el romance ya en la primera mitad del siglo XIII. Pensemos que esta plenitud es la que permitió a Alfonso X el Sabio su gran labor de enriquecimiento idiomático, al poner a su disposición todas las posibilidades formales que se habían gestado a lo largo del siglo XII y primera parte del XIII.

Cultismos introducidos a través del mundo árabe.

Integran una buena parte de este grupo un considerable número de cultismos y semicultismos usados entre los mozárabes[56]. La mayor parte de ellos son de tipo eclesiástico-litúrgico y coinciden en líneas generales con los documentados en los primeros

---

[56] Para los problemas de PL-, CL-, FL- véase Jacob Malkiel, *The interlocking of narrow sound change. bread phonological pattern, level of transmission, areal configuration, sound symbolism, diachronical studies in the hispano-latin consonant clusters ci-, cl-, pl-, fl.* En Archivum linguisticum, vol. XV, fasc. 2 and vol. XVI, fasc. 1.

[57] Véase F. Simonet, *Glosario de voces ibéricas y latinas usadas entre los mozárabes,* Amsterdam, Oriental Press, 1967.

testimonios escritos en castellano: *acólito, águila, anathema, antifhona, baxélica, capitholio* 'templo pagano', *cathecúmeno, cathólico, caxulla, cleriquí* 'clérigo' *cleriquía, conchilio, chemiterio, defensor, diácono, diaconía, eclexia, eglesia, ecónom* 'tesorero o administrador de bienes', *eixorchixta, epifanía, eucarixtía, excarlath, feria, hoxanna, idolatría, imno, indulyenxia, letanía, mártir, marthirio, methropol, metropolith, miraclo, misterio, neofitho, obispo, octubar, octuber, pallio* 'capa usada por los varones devotos y ascéticos', *paraclitho, paraclit, patriarch, presbítero, prexbítero, rexponxorio, xacrario, xacristería, xacro, xalmixthe* 'psalmista', *xaltherio, xantuario, xecretario, ximbolo, xinodo, xubdiácono*.

Como puede comprobarse en nuestra nómina general de cultismo, casi todas las voces están documentadas en textos castellanos. Se advierte, no obstante, la existencia de algunos tecnicismos eclesiales *(anathema, baxelica, methropol, neofitho, paraclith, xinodo)* no documentados por nosotros. Hemos de pensar que tal originalidad hay que atribuirla al carácter de la fuente utilizada, el Código Canónico Escurialense, cuyos usos pertenecen a un ambiente extremadamente restringido.

En el mismo Glosario de Simonet encontramos voces de tipo científico, tan poco frecuentes antes del siglo XIII en castellano: *amoníaco, arithmética, bígamo, chometría* 'geometría', *filacteria,* 'antídoto', *furfura* 'púrpura', *lathin, mathemática, mirra, música, tapeth, thoxico, vithrico, vithrio, vidrio.* Salvo *filacteria,* las restantes voces han pasado al habla general, integrándose sin especiales dificultades.

Habría que citar, por último, un grupo numeroso de cultismos y semicultismos en los nombres de plantas, que ofrece interesantes particularidades. Exigirían un estudio pormenorizado que nosotros no podemos realizar aquí, pero queremos dejar constancia de su existencia. Nos sirven de fuentes, además del citado Glosario de Simonet, el de Asín [58] y el estudio de Gili y Gaya [59].

---

[58] Véase M. Asín, *Glosario de voces romances registradas por un botánico anónimo hispano-musulmán,* Madrid, Granada, 1943.

[59] V. S. Gili y Gaya, *Cultismo y semicultismo en los nombres de plantas,* RFE, XXXI, 1947.

Nota Gili y Gaya que los tratados árabes fueron conocidos a través de traducciones latinas y, como consecuencia, en pocas ocasiones el nombre árabe se convierte en nombre científico general. Ordinariamente éste es de origen árabe, griego o latino [60]. Remitimos al citado estudio donde se detallan las modificaciones y fenómenos que afectan a estas voces: alteración fonética, cambios de terminación, latinización o adaptación del nombre vulgar al griego o al latín, etimología popular, etc.

Creemos útil, no obstante, ejemplificar la existencia de estos cultismos y semicultismos de época tan primitiva. Sin pretensiones de exhaustividad podemos ofrecer los siguientes testimonios: *achicoria, aloe, amoníaco, apio, bálsamo, baxilixco* 'nombre español de la planta llamada en latín gentiana', *buglossa, colofonia, dictamón* y *dicthamós, halania, holonia,* 'especie de calidonia', *ixcamonia* 'escamonea medicina', *lepidión* 'el mastuerzo silvestre', *lilio, malvaviscus, papirella, pulpodia, purpodia, rapónthico, ruponthico, vinza-thóxicox, vithriaira, vithriera, ximphito, xemphito,* 'sinfito, consuelda'.

Muchos de esos cultismos se han consolidado, integrándose en el habla general. Otros, en cambio, han conservado su carácter más o menos técnico, y entre ellos se encuentran aquellos que tenían cierto valor medicinal. Una pequeña parte, en fin, se han perdido por completo sin dejar rastro.

---

[60] S. Gili y Gaya, *op. cit.,* p. 4.

Capítulo III

PROBLEMAS SEMANTICOS DEL CULTISMO

Problemas semánticos del cultismo.—No concurrencia.—Concurrencia con otro vocablo.—Concurrencia sinonímica.—Concurrencia con un par románico.—Concurrencia con un sinónimo de diferente origen etimológico.—Ambiente de procedencia de los cultismos.—Campos nocionales en que se inscriben los cultismos.

La penetración de cultismos en una lengua provoca difíciles problemas semánticos que es preciso dejar planteados en este intento de historia de cultismo. Tales problemas se relacionan directamente con el enfrentamiento de dos sistemas léxicos. Más arriba hemos aludido al hecho de la tensión entre lengua popular y lengua culta. Si hasta ahora hemos atendido preferentemente al estudio de la integración del cultismo en el sistema fonemático del romance, no podemos aplazar ya la consideración de sus consecuencias semánticas. Se ha dicho que el vocabulario "es la imagen lingüística del Universo", y tal afirmación se apoya naturalmente en el carácter semántico de la palabra. En efecto, el lenguaje evoca un universo en el que, como tal, se abarca lo conceptual y lo afectivo, lo exterior al hablante y lo subjetivo. El entramado del vocabulario está constituido por una delicada red de relaciones significativas, en donde juega un papel a veces esencial la matización expresiva. Cualquier modificación del sistema por penetración de un término nuevo provoca el necesario

reajuste en todo el sistema. E. Coseriu ha puesto de manifiesto
la complejidad del sistema léxico al hablar de un léxico estructurable y de otro que no lo es. La misma observación puede deducirse de los trabajos de F. Rodríguez Adrados[1]. En el estado
actual de los trabajos de lexicología estructural no pueden con-
cretarse las fronteras entre ambos tipos de léxico. Más bien se
trata de intentos de penetración en el estudio de las estructuras
léxicas primarias que, indudablemente, existen en la lengua.

Las consideraciones anteriores nos remontan a un problema
lingüístico básico. La lengua es algo más que un sistema. Es la
versión de la psiquis humana completa. Como tal, hay que tener
en cuenta tanto el enfoque estructural del hecho lingüístico como
su consideración estético-expresiva. Especialmente relevante es
el último en el tema que tratamos, pues el préstamo culto depende en gran medida de la creación individual.

En ocasiones, la preferencia por el latinismo introduce una
matización expresiva que provoca una diferenciación respecto
del término popular[2]. Pero no es esto todo. La obra de creación
léxica provoca una tensión entre dos posibilidades lingüísticas
—y, claro es, expresivas—. que ha sido esencial a lo largo de
toda nuestra historia literaria, como repetidamente ha sido puesto
de manifiesto.

Los problemas semánticos que motiva la aparición de cultismos son, pues, de dos tipos:

1) Modificación del sistema léxico por la introducción de
un neologismo culto. 2) Reajuste de las relaciones léxicas por
la penetración de cultismos que tenían ya un par románico del
que les separa, o puede separarle, bien una distinción significativa central, bien lo que podríamos llamar su "entorno semántico"[3].

---

[1] Véase F. Rodríguez Adrados, *Estructura del vocabulario y estructura de la lengua,* publicado en *Problemas y principios del estrutcuralismo
lingüístico,* C.S.I.C., 1967.

[2] La concepción estilística de Dámaso Alonso apoya esta interpretación. Véase además el criterio aducido por Carmelo Gariano, *Análisis
estilístico de los Milagros de Nuestra Señora de Berceo,* que ejemplifica
el fenómeno.

[3] Entendemos como «entorno semántico» el conjunto de notas signi-

Más arriba se ha hecho una diferenciación entre las distintas circunstancias en que se introduce el cultismo en la época primitiva de formación de las lenguas romances, y las que aparecen después cuando son dos lenguas consolidadas definitivamente las que se relacionan entre sí. También ahora ha de tenerse en cuenta tal distinción. Si los problemas de adaptación formal —que son hechos de índole externa—, eran tan diferentes que obligaban a adoptar un concepto esencialmente dinámico, igualmente importante será tener en cuenta el específico carácter semántico de los cultismos integrados en esos primeros siglos de relación latino-romance.

Observando nuevamente la lista de cultismos que dábamos más arriba [4] resalta un hecho importante desde el punto de vista significativo: apenas hay voces que posean un equivalente semántico popular. Es decir, se trata de vocablos que han venido a llenar preferentemente casillas vacías en el conjunto léxico del romance en formación. Cuando en el mismo lugar [5] deducíamos algunas consecuencias de la integración formal de estas voces, veíamos como nota común la preponderancia de semicultismos sobre los cultismos puros. De aquí se puede deducir: *el relleno semántico de casillas vacías en la época de orígenes va unido a una más intensa adaptación formal al romance del término correspondiente.* ¿No puede tratarse en definitiva de una prueba más de la interdependencia entre significado y significante, tal como ha defendido la escuela lingüística española? Al menos creemos que debe aceptarse como indicio importante de que así sucede en la realidad del hecho lingüístico.

Parece innecesario insistir en que este hecho no es una mera coincidencia. No se trata de una casualidad estadística, sino que está en perfecta concordancia con el desarrollo de la historia de la lengua. En las primeras páginas del capítulo anterior [6] hablábamos de que el proceso de introducción de cultismos no era sino un trasvase entre dos planos lingüísticos que, arrancando

---

ficativas laterales que individualizan un vocablo en relación con los demás de su misma clase semántica.

[4] V. capítulo II, pp. 71-72.
[5] V. Capítulo II. p. 73.
[6] V. capítulo II, pp. 55-60.

del mismo nivel, se van separando en direcciones divergentes hasta convertirse en planos paralelos. Cuando ambos planos han roto el punto común de convergencia, podemos hablar de los sistemas lingüísticos diferentes. Pues bien, la interdependencia fono-semántica está en relación con la "naturalidad" del trasvase idiomático entre dos lenguas que aún no se han independizado. De aquí derivan en último extremo la espontánea adaptación formal y la escasa alterabilidad de las estructuras léxicas por inserción en el sistema en formación de neologismos cultos [7].

El problema cambia en cierto modo de signo a partir de los primeros monumentos literarios romances. De un lado, la comunicación se establece no entre un sistema lingüístico estático —el latín— y hechos del habla —el naciente romance—, sino entre dos sistemas suficientemente caracterizados ya, aunque el segundo posea sólo estructuras primarias en desarrollo. Pero además, se da el hecho que anunciábamos en las primeras líneas de este epígrafe: entre ambos planos actúa la creación individual. Hay, pues, un hecho nuevo que debe ser tenido muy en cuenta: el hombre modificador del sistema. La complejidad de los nuevos factores que entran en juego anuncia también la complejidad —traducida a lo largo de la historia literaria en germen de creación estética, no lo olvidemos—, de los problemas semánticos derivados de la introducción de cultismos.

"La moderna semántica sitúa la palabra en un entramado poliédrico de significados, de tal modo que cualquier modificación en uno de sus ángulos (semas) altera la posición del vocablo en el sistema" [7 bis]. Esto ha llevado a señalar las diversas causas que condicionan la penetración de neologismos y entre ellas, además de la necesidad de términos nuevos para nuevos conceptos, destaca la imprecisión del significado. Piénsese, por ejemplo, en las circunstancias que ponen en movimiento el significado de la estructura léxica *cadera, coxa, fémur*, en el que

---

[7]   En realidad, estos problemas de adaptación al sistema en formación no serán vistos con entera claridad mientras no dispongamos de estudios completos de lingüística estructural diacrónica. Como nos hallamos muy lejos de esta situación, no está de más advertir la provisionalidad de todo juicio sobre el tema que tratamos en este punto.

[7 bis]   V. Rodríguez Adrados, *op. cit.*, p. 227.

una voz popular (*cadera*) viene a llenar un vacío semántico que le es ajeno etimológicamente. A su lado, el cultismo *cátedra* actúa a la vez como condicionante y condicionado por la estructura léxica.

Por ser el vocabulario la imagen lingüística del universo, su naturaleza es demasiado fluida para dejarse estructurar con una precisión aceptable científicamente. El mismo Rodríguez Adrados [8] afirma literalmente: "...todo sistema lingüístico implica una dinámica y viceversa. No hay mayor error que describirlo en forma de estructuras cerradas, y este error sería aún mayor por lo que hemos dicho si se aplicara al léxico. O por mejor decir, lo así descrito no sería más que una abstracción por cuyas mallas se escaparía la mayor parte de su contenido". Y más adelante añade: "una aplicación al léxico de los métodos estructurales basada en una concepción formalista que prescinde de la Semántica y que trate de resolverlo todo mediante unos cuantos tipos de oposición más bien abstractos, dará una imagen totalmente borrosa de lo que es el léxico y prescindirá en absoluto de su dinámica..." [9]. En parecido sentido se han manifestado investigadores estructuralistas como B. Pottier [10], E. Coseriu [11], etc. Este último ha señalado bien —como ya se ha dicho— la necesidad de distinguir entre léxico estructurable y el que no lo es. En definitiva, de lo que se trata es de que el sistema léxico de una lengua sufre modificaciones debidas a causas de muy distinta índole. Unas proceden de alteraciones en el sistema mismo:

---

[8] V. Rodríguez Adrados, *op. cit.*, p. 229.

[9] Obsérvese la insistencia en el término «dinámica» que nos advierte sobre el fácil espejismo de ver estructuras cerradas al encararnos con el hecho lingüístico. Ya hacíamos observar en las primeras páginas de este estudio (véase, cap. I, «Concepto de cultismo») la necesidad absoluta de adoptar un criterio flexible al estudiar problemas de léxico, ya que fáciles esquematizaciones suelen chocar con la realidad lingüística.

[10] V. B. Pottier, *Vers une sémantique moderne*, en «Travaux du Centre de Philologie et Littérature romanes», Estrasburgo, II, 1, 1964, pp. 107-137.

[11] Puede verse el estudio de E. Coseriu, *Pour une sémantique diachronique structurale*, en Trav. du Centre de Phil. et Litt. romances, I, 1964, pp. 139-186. Para el español, véase el importante estudio de Ramón Trujillo, *El campo semántico de la valoración intelectual en español*, Universidad de La Laguna, 1970.

otras, de "incitaciones" externas. De aquí los fenómenos de ampliación. modificación, sustitución, etc., que hacen del sistema léxico un conjunto de elementos en equilibrio dinámico.

Sobre el vocabulario así concebido vienen a incidir los préstamos cultos, produciéndose dos tipos de fenómenos: a) que no concurran con otra forma y, por tanto, vengan a llenar casillas vacías correspondientes a lagunas de significado; b) que concurran con otra forma. En este caso, se plantea una compleja situación dada la tendencia de la lengua a eliminar la analogía sinonímica. De cualquier modo el conflicto puede resolverse a base de una coexistencia que proporcionará a la lengua matices diferenciadores o polarizaciones de significado, o bien resolverse en forma de colisión, lo que llevará consigo la eliminación de uno de los términos o su diferenciación semántica.

Reduciendo todo lo dicho hasta aquí a un esquema que nos sirva de base para estudiar el problema semántico de la introducción de cultismos, nos encontraríamos con lo siguiente:

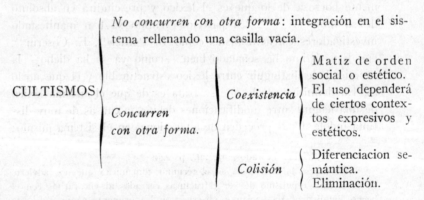

CULTISMOS

No concurren con otra forma: integración en el sistema rellenando una casilla vacía.

Concurren con otra forma.

Coexistencia — Matiz de orden social o estético. El uso dependerá de ciertos contextos expresivos y estéticos.

Colisión — Diferenciacion semántica. Eliminación.

A.—*No concurren con otra forma.*

El hecho semántico más notable que presentan estos cultismos sin par románico es la ausencia de motivación y, como dice Ullman [12], el no ser analizables para el que no sabe latín. No conocemos hasta qué punto puede caracterizarse la lengua medieval (al menos hasta 1252) por la incorporación de este tipo de léxico culto. Nos parece, no obstante, que puede establecerse

---

[12]　V. S. Ullmann, *op. cit.,* p. 174.

una clara diferenciación a partir de la obra de Berceo. En el siglo XII, los textos consultados ofrecen series de cultismos que evidencian su plena integración en el plano del habla. No podía ser de otro modo, dado el carácter no libresco de la literatura de este período. En el aspecto semántico, que es el que ahora consideramos, el valor significativo de estas voces (caracterizadas en el plano formal por tratarse de semicultismos) reflejan en su inmensa mayoría referencias nocionales familiares al oyente[13]. No ocurre igual desde la aparición de una literatura sabia como es la del mester de clerecía. Entonces, los cultismos no concurrentes con otra forma —que son la mayoría—, polarizan un entorno léxico nuevo; es decir, su integración en las estructuras léxicas (no consolidadas aún, por otra parte) modifican tanto el sistema de lengua como el horizonte mental del hablante y, a su vez, estos dos factores son nuevos modificadores del léxico, en el sentido de crear una dinámica expresiva que es fuente de enriquecimiento idiomático[14].

Hay abundantes ejemplos que pueden servirnos de muestra. Cultismos como *pensar* (1.ª doc., Cid), *pérdida* (1.ª doc., Cid), *aclamar* (1.ª doc., Fuero de Peralta, 1144), *adorar* (1.ª doc., Cid), *altar* (1.ª doc., Cid), *apóstol* (Glosas y Cid), *bispo, obispo* (1.ª doc., Cid), *caridad* (1.ª doc., Cid), *católico* (1.ª doc. en 959, en la forma *cathólico*), *clérigo* (en todas las épocas), *copla* (1.ª doc., Cid), *Christo* y sus derivados (1.ª doc., Gl. Emil. 89), *cruz* (1.ª doc., 960), etc., etc., están documentados todos ellos antes del siglo XIII, y pertenecen a un universo intelectual común a una masa considerable de hablantes. Será raro encontrar en el siglo XII cultismos que no pertenezcan a un mundo objetivo y externo al hablante. Aunque trataremos más adelante del papel que representa el cultismo en el Cantar del Cid, no exento de valores estilísticos, adelantaremos que el número de voces cultas

---

[13] Para comprobar lo que decimos, creemos que basta con repasar la lista de cultismos existentes en el *Poema del Cid,* como obra más representativa de la época.

[14] Una vez más, se establece la relación entre significado y significante, en el sentido de que un estudio lingüístico como el nuestro debe tener muy en cuenta tanto hechos de lengua como la realidad del horizonte vital e intelectual del hablante.

cuyo campo semántico pertenece al de los valores de la afectividad o a nociones culturales novedosas es insignificante. La inmensa mayoría de estos préstamos cultos están dentro del lenguaje eclesiástico o jurídico que de una forma u otra era familiar a los primitivos hablantes [15]. Incluso voces que fonéticamente habían de tener para los oyentes de los primeros cantares de gesta resonancias muy cultas (cfr., Cid, 2667: "un moro *latinado* bien ge lo entendió"), evocan un contenido popular.

Aspecto diferente adquiere el problema a partir de la obra del mester de clerecía. Aparte de un decidido propósito latinizador que estudiaremos más adelante, sucede algo más que es preciso subrayar. Se trata de la efectiva ampliación del universo conceptual, provocada por la culminación de un proceso cultural a fines del siglo XII. La reforma cluniacense no viene a traer únicamente, desde el punto de vista lingüístico, la restauración de las formas latinas, sino que significó realmente una vitalización sabia que rompió los estrechos moldes en que se desarrollaba la vida cultural por entonces. Claro es que este fenómeno no se refleja de modo inmediato en toda su amplitud e intensidad. Vive al principio recluido en los monasterios y utiliza la suerte de esoterismo que le proporciona el uso del latín. Pero tal estado de cosas cambia a principios del siglo XIII, con la escuela del mester de clerecía. En tal coyuntura, el alud de cultismos que entra con la nueva escuela no obedece sólo al afán de latinizar. Más aún, lo que obliga en muchas ocasiones a esa labor de latinización es llenar los vacíos léxicos que normalmente aparecen en una lengua que empieza a ser vehículo expresivo de contenidos culturales amplios. Por eso, es bien fácil encontrar innumerables vocablos que obedecen a tal necesidad léxica. Podría apuntarse, incluso, el proceso intelectual que encarna en un momento crítico el mester de clerecía, en el sentido de que se llega a una mayor objetivación de la realidad, consecuencia de la madurez cultural que adviene en el siglo XIII. Tal objetivación, exigida además por un deseo de precisión significativa, agrupa neologismos en campos semánticos existentes

---

[15] Véase en el capítulo IV el estudio específico del cultismo en el siglo XII.

anteriormente, que se ensanchan así en un movimiento expansivo. Esta ampliación significa nada menos que la primera revolución en el sistema léxico del español medieval. Veamos algunos ejemplos [16]:

a) Conceptos abstractos: *abenencia* (1.ª doc. 1206); *accidia* (1.ª doc., Alex. 2365b); *acción* (1.ª doc., Alex. 1123d); *adulterio* (Apol., Berceo, Alex.); *affliction* (Berceo); *alegoría* (1.ª doc., Alex. 2599a); *ambición.* (1.ª doc. Alex.); *aquilón,* (1.ª doc. Berceo); *artículo* (Alex., 1605d); *asçensión* (Berceo); *audiencia* (Berceo, Mil., 93); *aurora* (Berceo, Sta. Or., 23); *auténthico* (Berceo, Sac., 65; también en el Fuero Juzgo); *avaricia* (Berceo, Alex.); etc., etc.

b) *Nombres concretos:* *alotropia* (Alex., 1453a); *amito* 'vestido' (Berceo, Sto. Dom., 306); *arcángel* (Berceo, Sac., 81); *arçiagnado, arçidiano, arçiagno* 'arcediano' (Berceo, S. Lor. 4 y Mil., 700); *arbolario* (Alex., 920c); *architriclino* (Berceo, Sto. Dom., 247), etc.. etc.

Las voces arriba transcritas corresponden únicamente a la inicial A-, y su abundancia creemos que puede servir para mostrar el enriquecimiento semántico-cultural en el siglo XIII.

B.—*Concurren con otra forma.*

La concurrencia con otra forma léxica puede ser de dos tipos: concurrencia sinonímica y homonímica. Ambos plantean modificaciones comunes en el plano del habla y en el de la lengua, en tanto que la incorporación del cultismo exige en el hablante una capacidad de diferenciación del estado de lengua, especialmente cuando la penetración de léxico adquiere carácter de verdadero aluvión con la obra del mester de clerecía.

---

[16] Nuevamente llamamos la atención sobre el hecho de que no tratamos de dar estadísticas; únicamente ejemplificar un fenómeno histórico-cultural que estimamos muy claro. La nómina de cultismos —base fundamental de nuestro trabajo— es suficientemente expresiva de lo que aquí decimos. Para ejemplos anteriores puede verse Oelschläger, *op. cit.*

Concurrencia sinonímica.

Sin entrar a fondo en el grave problema semántico de la sinonimia, sí parece necesario adoptar un criterio ante las actitudes contrarias que se han formulado. Ullmann [17] ha señalado las diferentes posibilidades de influencia en el léxico de las asociaciones sinonímicas:

1.º) Los términos sinonímicos pueden influirse recíprocamente.
2.º) Sus acepciones y empleos pueden repartirse por un proceso de diferenciación.
3.º) Su concurrencia puede llevar a la desaparición de las dos palabras rivales.

De hecho, la influencia recíproca entre términos sinónimos, cuando uno de ellos es un cultismo, se produce en cuanto que la elección de uno u otro en la lengua literaria se debe fundamentalmente a condicionamientos de tipo expresivo o estético. El juglar exclama en una ocasión: "Ixíe el sol, Dios qué fermoso apuntava". En este verso la palabra más expresiva, en el centro del grupo melódico, es un vocablo plenamente popular, con un valor evocador surgido del mundo de la realidad cotidiana; *fermoso* es una palabra de uso muy amplio en la lengua medieval, casi único, diríamos, como adjetivo expresivo de la belleza. Pero más tarde, en el siglo XIII, aparece *bello;* se halla en Alex. 2263b y en Berceo, quien dice, en Sto. Dom. 234d:

"Nunqua omne de carne vio tan *bella* cosa".

Se establece así una concurrencia sinonímica, que no siempre repugna a la lengua, entre *fermoso-bello.* Se puede comprobar en seguida que hay entre ambas voces una diferencia de selectividad semántica. No se puede olvidar que la sinonimia es un valioso factor estilístico, intensificado en este caso por el peculiar contenido significativo de los cultismos, evocadores de un mundo de notable prestigio cultural.

---

[17] V. Ullmann, *op. cit.,* p. 252.

Se ha dicho [18] que en estos casos los términos literarios han sido desplazados casi siempre por sus rivales del habla familiar. No siempre ha ocurrido esto. Sirve el ejemplo puesto anteriormente, pero además los hay abundantes. Piénsese en combinaciones semánticas del tipo *caudal-capital-principal* (Berceo y Alex.); *romero-peregrino* (Berceo, Alex., Santa M.ª Egipciaca); *mester-oficio-ministerio* (Berceo. Apol. y Alex.); *nueva-noticia* (Berceo); *morar-habitar; maldaa-malicia* (Apol., Alex.), etc. Claro que también existen ejemplos en que el término popular no sólo se ha impuesto, sino que ha borrado a la voz culta: *alegría-leticia* (Apol., Berceo, Alex.); *pereza-accidia* (Alex.), etc.

A veces la concurrencia sinonímica se establece entre cultismos [19]: *monumento* (Cid, Berceo, Apol.); *lápida* (Berceo); *sepulcro* (Apol., Berceo, Alex.); *sepultura* (Apol., Berceo, Alex.); *tumba* (Berceo, Alex..); *túmulo* (Berceo). He aquí toda una serie de voces cultas que pueden ser consideradas sinónimas en ciertos contextos. Cuando el juglar dice:

"... En el *monumento* oviste a resuçitar" (Cid, 358).

es evidente que el sentido es sinónimo de las voces *sepultura, sepulcro* y *tumba,* que aparecerán más tarde. Se puede observar, además, que todos estos cultismos se han conservado con plena vitalidad hasta nuestros días. Pensamos entonces que en el caso de la sinonimia, más que oposición entre término elevado o literario. y popular, hay que buscar las causas de predominio o pervivencia de una voz determinada en factores puramente histórico-lingüísticos, además de los específicamente semánticos. Cuando un neologismo penetra en el idioma se producen, en primer lugar, las modificaciones significativas correspondientes, en virtud de la famosa "ley de distribución", formulada por M. Bréal [20]. El reajuste afecta en primer lugar al vocablo con mayor amplitud de significado. Así ocurre que *monumento* sufre una restricción de significado que le aleja tanto de *lápida* como de *sepulcro,* aproximándole en cambio a *túmulo.* Con ello desapa-

---

[18] V. S. Ullmann, *op. cit.,* p. 256.

[19] Y también con las formas populares *luziello* que desaparecerá más tarde, y de *huessa*<fŏssa.

[20] V. M. Bréal, *Essai de Sémantique,* 5.ª ed., París, 1925, cap. II.

rece la concurrencia *monumento-lápida,* unida antes en el significado 'lápida sepulcral', que lo ligaba a ambas series sinonímicas. Quedan, de esta manera, establecidas tres series: *lápida-*
monumento; túmulo-sepultura y sepulcro-tumba. Tras esta primera reducción, operada por el mismo sistema léxico, la concurrencia afectará únicamente a la tercera serie, sobre la que
actuará una nueva motivación: matices diferenciales de orden
social y estético, que están relacionados con el contexto. Veamos
las correspondientes documentaciones:

a) *monumento y lápida,* Berco, Sac. 271a, b:
    "Vinien al *monumento* a Christo balsamar,
    asmaban que la *lápida* non podrien levantar".

b) *sepulcro,* Berceo, S. Mill., 316a.
    "Sanaron al *sepulcro* muchos demoniados".   (2)
       Alexandre, 1219c:
    "Debuxo el *sepulcro* en un mármole preçiado".   (3)

c) *sepultura,* Berceo, S. Mill., 312d:
    "Por darli *sepultura* e ferli proçesión".   (4)
       Alexandre, 1235c:
    Fizoli *sepultura* rica e mucho bella".   (5)

d) *tumba,* Berceo, Sac., 273a:
    "Vidieron de la *tumba* la lápida redrada".   (6)
       Alexandre, 1771b:
    "La *tumba* de primero, después la cobertura".   (7)

e) *túmulo,* Berceo, Sac., 270b:
    "El *túmulo* significa do Christo fue echado".   (8)

La documentación aquí reseñada indica un hecho primario:
el empleo de algun término, como *sepultura* con un doble valor
semántico, 'enterramiento' en (4), y 'monumento sepulcral' en
(5), bivalencia que sigue conservando actualmente. Igualmente
podemos realizar una segunda observación: la forma *túmulo* (8)
es extemporánea en la serie sinonímica. La utiliza Berceo, pero
será rechazada por la lengua y no arraigará hasta más tarde. Es

evidente que debió sonar en la conciencia lingüística de los oyentes con tanto valor de cultismo como las otras voces consideradas en la serie, pero prueba de que era ajena a esa conciencia lingüística es el contexto mismo en que está empleada. ("El túmulo significa do Christo fue echado") y lo escasamente testimoniado del término, tanto en Berceo como en la literatura inmediatamente posterior. Para que la lengua incorpore definitivamente tal vocablo será necesario un vigoroso impulso latinizador de signo distinto al que encarna Berceo, que tiene lugar en el siglo XVII. En efecto, esta centuria acuña definitivamente el término, que queda así integrado en el idioma.

Lo que nos interesa ahora es señalar la aguda percepción de Berceo para observar la interdependencia de una forma nueva y su contenido semántico. Cuando su intención es latinizar el "roman paladino" no explica el significado del término [21]; éste se halla suficientemente explicado en el contexto, con lo que su inserción en el sistema se realiza sin ruptura del sentido lingüístico. Verdad es que, de este modo, la lengua adquiere un tono de prestigiosa solemnidad, pero no tanto que suene como algo ajeno al idioma romance. Quizás resida en este hecho el éxito de la "latinización" de Berceo, en contraste con lo que ocurrirá siglos más tarde, con el gongorismo, cuando el propósito es precisamente producir efectos expresivos no existentes en el propio idioma [22].

Queda reducida así la serie a tres términos sinónimos. A partir de este momento, su uso dependerá exclusivamente de motivaciones expresivas. Dada la índole de su contenido significativo, es indudable que la función expresiva, evocadora de un universo afectivo, ha de jugar un importante papel. En los ejemplos aducidos más arriba no apreciamos matización estilística alguna, lo que nos lleva a pensar en intentos confluyentes de

---

[21] Véase por el contrario cómo explica un término cuando no existe intención de integrarlo:

«Dizen Sancta-Sanctorus al rancón apartado», (Berceo, Sac. 17).

[22] Dejamos aparte toda una serie de factores extralingüísticos que pueden haber determinado la diferente función latinizadora desempeñada por Berceo y por Góngora. Unicamente, nos limitamos a señalar un hecho que indica la distinta naturaleza del proceso.

adaptación léxica, triunfantes todos ellos. Será después cuando
cada uno de los términos adquirirá una especial matización, en
el sentido de responder a una mayor o menor solemnidad expresiva, matización semejante a la que antes observábamos en la
pareja *fermoso-bello*. Esto viene a confirmar alguna de nuestras
primeras observaciones, en el sentido de que el concepto de cultismo no puede estar basado en un *resultado,* sino que se trata
de una *creación* en la que la estructura fonética y el valor semántico son interdependientes [23].

C.—*Concurrencia con un par románico.*

El problema es más complicado en el caso de los dobletes. Se ha hablado del carácter patológico de la sinonimia
en cuanto que es una negación del principio de las oposiciones
léxicas. Pero esta posible consideración patológica de la sinonimia es válida aplicada al *sistema;* ocurre, en cambio, que
la existencia de derivado culto y popular es un hecho de *habla;*
como tal nace y es a posteriori cuando podemos realizar el análisis de si alteró o no el sistema de la lengua. Parece innecesario
hacer subrayar que la abundancia de dobletes muestra sobrada-
mente que no es posible considerarlos como excepciones o fran-
jas de ruptura del sistema. Están en la realidad lingüística y
juegan un papel expresivo de primer orden en la vida del lenguaje.

Ullman [24] establece para la homonimia la distinción entre homonimia absoluta y relativa, según puedan figurar o no los homóni-
mos en el mismo tipo de contextos. En realidad, tal distinción puede establecerse en un momento muy posterior al de la entrada del
vocablo. En el momento de la inserción no pueden establecerse
limitaciones contextuales, entre otras cosas porque el neologismo
carece de contexto. Cuando lo posea estará integrado plenamente
y el vocablo habrá de ser considerado junto a lo que más arriba
llamábamos "entorno semántico" [25].

---

[23] Véase el cap. I de este trabajo.
[24] V. S. Ullmann, *op. cit.,* p. 302.
[25] V. p. 90, nota 3.

Partiendo de esta consideración, conviene fijar el origen de los dobletes. Benítez Claros [26] ha esbozado un intento de explicación que sólo en parte podemos aceptar. Distingue entre fenómenos de ascendiente latino y de ascendiente romance, pero la realidad semántica viene a ser la misma.

Son ya numerosos los ejemplos de dobletes en la lengua medieval: *adorar-aorar-orar* (Cid, Berceo, Reyes Magos); *áncora-ancla* (Apol., Alex.); *alnado, añado-antenado* (Berceo); *ánima-alma* (Berceo); *eje-ax* (Berceo); *batear-baptizar, bautizar* (Berceo, Alex.); *bendicho-bendito, benedicto* (Berceo, Alex.); *bicha-bestia* (Glosas, Cid, Berceo); *caudal-capital* (Apol.); *cabillo-cabildo-capítulo* (Fuero Juzgo, Berceo); *llamar-clamar* (Berceo); *concejo-concilio* (Berceo); *deceno-décimo; deño-dinno, digno* (Cid, Berceo); *ducho-docto* (Alex.); *frucho-fruto* (Glosas, Berceo) [27]; *hostal-hospital* (doc., de 1.145 Oelschl., Berceo); *ladino-latino* (Alex.); *loar-laudar* (Cid, Berceo); *lumbrera-luminaria* 'luces, estrellas, astros' (Berceo); *mancha-mácula* (Berceo); *macho-maslo* (Berceo, don Juan Manuel); *madera-materia* 'materia, asunto' (Berceo), pero *material* 'no espiritual' (Berceo); *meje-médico* (Alex.); *ochavo-octavo* (Berceo, Alex.); *pesar-pensar* (Cid, Berceo); *llaga-plaga* en la acepción 'llaga, herida' (Berceo); *ración-razón* 'participación en un asunto', (Cid. 3388); 'porción en un reparto' (Cid, 2467; Berceo, Alex., Apol.); *rezar-recitar* (Berceo); *reja-regla* (doc. de 967, 1.122 de Oelschl.; Berceo, Alex.); *seña-signo* (Berceo, Alex., Apol.); *tilde-título* (Apol.) en el sentido 'título, letrero'; *treudo* (ant.) *tributo*.

En esta larga serie de ejemplos, que no pretende ni mucho menos ser exhaustiva, la naturaleza de las relaciones sinonímicas es de muy distinta índole. Ateniéndonos exclusivamente a los dobletes documentados en este trabajo, podemos esbozar un principio de clasificación de las relaciones semánticas entre derivado popular y derivado culto. El esquema de tal clasificación podría ser el siguiente:

---

[26] V. R. Benítez Claros, *La integración del cultismo*. Archivum, VI, pp. 235 y sigs.

[27] Según Américo Castro *fruto* era la palabra eclesiástica igual a 'diezmo', que sustituye a *frucho*, forma empleada por el labrador que lo entregaba.

1.—Identidad de significado sin matización expresiva. Son del tipo que documentan los siguientes ejemplos:

antenado-alnado, añado	laudar-loar
ax-eje	maslo-macho
bautizar-batear	médico-meje
bendito. benito-bendito	octavo-ochavo
daño-dinno, digno	tributo-treudo

2.—Identidad de significado con matización expresiva:

áncora-ancla	mácula-mancha
capital-caudal	íntegra-entera
docto-ducho	signo-seña

3.—Matización de significado por ampliación, reducción o desplazamiento.

bestia-bicha	materia-madera
capítulo-cabildo, cabillo	pensar-pesar [28]
concilio-concejo	plaga-llaga
décimo-diezmo	ración-razón
fruto-frucho	recitar-rezar
hospital-hostal	regla-reja
latino-ladino	título-tilde
luminaria-lumbrera	

Esta clasificación obedece a criterios semánticos de significado actual. De las parejas sinonímicas formadas por dobletes que acabamos de transcribir, no todas habían alcanzado el grado de diferenciación semántica que ahora poseen. Los problemas que plantean son, además, muy diversos. Refiriéndonos al punto tercero, en el que la oposición significativa es ahora nítida, nos encontramos con graves problemas semánticos no aclarados aún. Por ejemplo, la voz *bestia* (cfr. *bicha*) parece especializada desde muy antiguo en la acepción de 'animal en que se puede cabalgar'. Así está documentada en un testamento catalán de 1046 (San Cugat del Valles II, doc. 587): "concessit ad Sunucio, sacer, bestia I e ad Libro, bestia I; ad Filia sua Adalet uedel I et Truia I". Me-

---

[28] V. Corominas, D.C.E.L.C., s. v.

néndez Pidal [29] la atestigua en el sentido de 'cuadrúpedo': "a las *bestias* fieras e las aves del mont" (Cid, 2946). Con este sentido genérico aparece en Berceo (Loor., 27b): "En pesebre de *bestias* posiste la criatura". En cambio, se halla claramente documentada con el sentido específico de 'animal para cabalgar, caballo' en *Alexandre* (607c): "Prisieron dos cavallos, dos *bestias* tan ligeras". Ninguna de estas acepciones coincide con la de *bicha,* lo que nos atestigua su diferenciación semántica, no extraña si se tiene en cuenta que *bestia* es un cultismo muy antiguo, con lo que la incorporación de *bestia-bicha* a la lengua se ha consolidado a base de una clara especialización de significado [30].

Caso exactamente contrario nos lo ofrece el doblete *recitar-rezar.* La única documentación que poseemos se halla en Berceo (*Milagros,* 262c: "Mándote cada día un salmo *recitar*"), y nos muestra una identidad de significado con *rezar.* Su empleo hemos de atribuirlo, pues, a un deseo del poeta de solemnizar la lengua. Tal actividad creadora individual tendrá una influencia decisiva en las modificaciones del sistema, en cuanto que obliga a éste a establecer la correspondiente oposición significativa entre el par culto y la voz popular.

De este somero análisis semántico, que un estudio más pormenorizado debe ampliar, podemos deducir alguna conclusión. El especial contenido semántico del cultismo actúa sobre el conjunto del léxico del idioma de dos formas. Una, en cuanto que la voz culta recoge un significado etimológico perdido en el tránsito de la evolución fonética. Por ejemplo: *luminaria-lumbrera,* en la acepción culta 'luces, estrellas, astros' (Berceo, Lor., 81b) *materia-madera,* en la ac. 'materia, asunto' (Apol., 585c, Berceo, Loor., 5); *título-tilde: regla-reja,* etc. Otra, en cuanto la repugnancia del sistema a la sinonimia, exige una polarización de significado que afecta al derivado culto o al popular. Lo que ocurre es que esta polarización no actúa, pese a todo lo que se ha dicho, de un modo automático y por pura dinámica interna de la lengua, sino condicionada por las especiales circunstancias histórico-culturales que cada vocablo vive a partir de su inserción en el idioma. Muchos

---

[29]   V. R. Menéndez Pidal, *Cid, Vocabulario,* s. v.

[30]   En las Glosas Silenses (312) aparece *vistia,* traduciendo a *pecodis.* Véase también nuestro Glosario de cultismos.

cultismos introducidos por Berceo vivieron en precario, pero vivieron, durante dos siglos, hasta que la labor latinizadora del humanismo cuatrocentista y del Renacimiento engendraron las condiciones espirituales necesarias en la comunidad hablante para que ésta pudiera integrar definitivamente el neologismo [31]. Fue esta fuerza cultural la que actuó no de una manera aislada sobre la voz culta, sino también sobre su par popular para permitir la inserción definitiva del cultismo, una vez diferenciados semánticamente por las distintas circunstancias vividas por cada uno de los dobletes [32].

De otro lado, la clasificación apuntada más arriba nos muestra un nuevo hecho. En los dobletes en los que no se ha podido establecer una matización expresiva, se ha producido la inevitable colisión, con la consiguiente eliminación del término más débil, fonética o semánticamente. Nos parece significativo que en los ejemplos documentados durante la época estudiada en este trabajo, ha sido la voz culta la triunfante en general, salvo en el caso del par *ax-eje*, fenómeno que debemos atribuir a un rechazo de tipo formal y fonemático del extraño *ax*. Contra la frecuente eliminación de la voz popular, nos quedan otras dos posibles soluciones, documentadas ambas: a) la pervivencia de los dos términos, reducidos a un ámbito socio-lingüístico restringido (cfr. *loudar-loar*, sustituidos por *alabar* comúnmente), o la eliminación de ambos y consiguiente sustitución por uno nuevo (cfr. *antenado-alnado, añado*, sustituido por *hijastro*).

Bien es verdad que las colisiones no se resuelven fácilmente. (A veces sí; cfr. *tributo-treudo*, forma popular esta última perdida muy pronto). En ocasiones han quedado rastros de una lucha por diferenciarse semánticamente: contienda que, fallida, ha obligado a la desaparición de uno de los términos. Tal es el caso de

---

[31]   Véase en el capítulo VII de este trabajo, el estudio pormenorizado del cultismo en Berceo, a quien tomamos como modelo para el siglo XIII.

[32]   Hablamos de neologismo incluso después de dos siglos de vida del vocablo porque no lo consideramos definitivamente integrado. El proceso de integración culminará o no según las especiales circunstancias histórico-culturales que acabamos de citar. Cfr. lo dicho por Menéndez Pidal, sobre el «estado latente» de algunos cambios fonéticos. Con las naturales diferencias entre problemas fonéticos y léxicos podemos observar cierto paralelismo en este hecho.

fruto-frucho, antes citado. En los textos estudiados en este trabajo no aparecen huellas de esa distinción, lo que revela una temprana solución a favor de la forma culta y la acepción latinizante.

D.—*Concurrencia con un sinónimo de diferente origen etimológico.*

Intencionadamente hemos dejado aparte este caso. En primer lugar, porque los problemas de concurrencia sinonímica son semejantes, quizás con la salvedad de que los casos posibles son mucho más escasos al no actuar el vínculo etimológico ni el formal. De otro lado, porque las motivaciones para el uso de la voz culta o de la popular, cuando existen, son siempre una cuestión de matización expresiva o significativa. Si los problemas lingüísticos que presentan estos casos son menos interesantes para nuestro propósito, en cambio tienen una gran importancia estilística. Carentes de la relación formal, la diferenciación estilística va ligada al valor evocador de una u otra palabra.

No es sólo esta diferenciación estilística, con sus múltiples posibilidades de elección, lo que favorece la multiplicación de sinónimos, sino que es también el ambiente cultural y espiritual específico de cada época el que engendra la integración de parejas sinonímicas culta-popular en los campos semánticos peculiares de las inquietudes culturales de cada momento. Remitimos para ello a los capítulos IV y V del presente trabajo, en que se estudia este fenómeno con cierto detalle. Adelantaremos por el momento que tal tipo de sinonimia es rica en el campo de la sociedad guerrera en la primera mitad del siglo XII; va cambiando de signo y desplazándose hacia el mundo de los valores morales a fines de la centuria. Los catecismos político-morales son una riquísima fuente de voces sinónimas pertenecientes a este universo nocional.

El proceso que indicamos va ligado a la valoración del cultismo como recurso neológico. Ullmann [33] ha precisado que tal valoración varía según las épocas. Y no sólo eso. La pendular valoración histórica del elemento culto en español es una constante estilística. Es evidente que la valoración que del cultismo realiza el juglar no es la misma que la de Berceo, ni la de éste coincide

---

[33]   V. S. Ullmann, *op. cit.,* pp. 239 y sigs.

con la de Alfonso X el Sabio. Por otra parte, la valoración de este recurso léxico se refleja inmediatamente en el poder evocador del cultismo. De aquí que sea posible estudiarlo en su conjunto o en una época concreta; es decir, en cuanto que vocabulario culto se opone a léxico popular, y en el uso que un autor determinado hace de él. Tales problemas los abordamos en los capítulos IV y V [34]. Berceo, por ejemplo, se *somete* gustoso al uso ("Quiero fer una prosa en roman paladino"), aunque enriqueciéndolo con elementos tomados de su saber erudito. En cambio, Góngora [35] quiere *imponerse* al uso, y hace de tal intención un rasgo capital de su estilo. La valoración del cultismo es radicalmente distinta [36].

Ambiente de procedencia de los cultismos.

Poco hemos de añadir a lo dicho sobre este punto. De lo anteriormente expuesto se deducen fácilmente las fuentes principales de voces cultas para el español. Al estudiar las causas por las que la lengua busca en la introducción de cultismos un medio de enriquecimiento léxico, han quedado configuradas las bases fundamentales sobre las que ahora podemos establecer el ambiente cultural del que proceden. Bien es verdad que tal determinación exige citar, aunque muy superficialmente, cuáles son los reductos culturales de la edad media latina. H. Bechtoldt [37] ha estudiado el vocabulario intelectual en la literatura religiosa y didáctica de la alta edad media. Observamos a través de su estudio algo realmente importante: el tesón de los clérigos en su lucha

---

[34] Sobre la tensión entre lenguaje culto y popular, puede verse el hermoso estudio de A. Zamora Vicente, *Reflexiones sobre la nivelación artística del idioma,* en *Lengua, intimidad y literatura.*

[35] Y antes Villena, Santillana, Mena, etc.

[36] Los magistrales trabajos de Dámaso Alonso, *La lengua poética de Góngora,* y de A. Vilanova, *Las fuentes y los temas del Polifemo,* nos relevan de un análisis más detenido.

[37] Véase H. Bechtoldt, *Der französische Wortschaft im Sinnbezirk des Verstandes. Die geitsliche und lehrhafte literatur von ihren Aufängen bis zum Ende des 12. Jahrhunderts,* en Romanische Forschungen, XLIX, 1935, pp. 21-180.

por dominar un léxico distinto al vocabulario del romance. Más aún, su esfuerzo por adaptar las formas latinizantes y hacerlas susceptibles de expresar un universo nocional abstracto del que el romance no poseía las voces necesarias. También H. Hatzfeld [38] se ha ocupado del influjo del mundo espiritual en el vocabulario medieval.

Es evidente que las fuerzas motoras que provocan el tránsito de las voces cultas al romance dependen exclusivamente de las circunstancias históricas específicas de cada época. En general, podemos establecer unas cuantas fuentes latinizantes, que operan con variable intensidad a lo largo de la historia. Las que nos ofrece nuestro trabajo son las siguientes [39]:

1. El latín eclesiástico.

El latín de la Iglesia es el vehículo expresivo fundamental de la espiritualidad medieval. Suponía en realidad el único instrumento de comunicación de una serie de campos semánticos: teológico-filosófico, litúrgico, moral, etc. Es verdad que el romance había acuñado ya, popularizándolos, términos pertenecientes a este ambiente socio-cultural, pero esas voces expresaban nociones primarias. A medida que se enriquece el horizonte mental del hombre de la edad media, se hace más apremiante la necesidad de un léxico que únicamente puede proporcionarle el latín eclesiástico. Menéndez Pidal ha señalado repetidas veces la presión del latinismo sobre el romance en la época de orígenes, más intenso aún que la existente en épocas posteriores de la vida de la lengua. Fenómeno normal si tenemos en cuenta, como dice Menéndez Pidal, que el latín no es sólo un modelo lleno de prestigio, sino verdadera y única norma válida para el romance.

En virtud de esas circunstancias histórico-culturales que he-

---

[38] V. H. Hatzfeld, *Linguistic Investigation of Old French High Spirituality*, P.M.L.A., LXI, 1946, pp. 78-331.

[39] Benítez Claros ha esbozado las diversas fuentes generadoras de cultismos. Estimamos su formulación excesivamente general, aunque útil como punto de partida para un análisis más detallado, labor ésta que ha de ir forzosamente unida a la recopilación de la nómina de cultismos. V. Benítez Claros, *Integración*, pp. 235 y sigs.

mos señalado repetidamente, se pueden establecer tres momentos capitales en la influencia del latín eclesiástico:

a) Antes de la reforma cluniacense, época caracterizada por la existencia de un latín arromanzado (*pauper, tágula,* etc).

b) La reforma cluniacense, tal como se muestra en la época de Alfonso VI. Menéndez Pidal ha señalado cómo contribuyeron los monjes cluniacenses a restaurar la gramática latina y los demás estudios entre el clero español.

c) La obra del mester de clerecía, que muestra una extraordinaria abundancia de cultismos eclesiásticos, fruto del espíritu religioso medieval y de la concreta temática religiosa de las obras de la escuela.

2. *Ambiente jurídico.*

A esta fuente se debe un abundante número de voces, que en la agrupación en campos semánticos que intentamos en el punto siguiente, englobamos bajo el título genérico de cultismos de Cancillería. Ha sido también Menéndez Pidal quien ha caracterizado perfectamente el ambiente jurídico en estos primeros siglos altomedievales, y la tensión producida en la lengua notarial entre corrientes popularizadoras y movimientos latinizantes. Es evidente que tales oscilaciones permitieron alternativamente el enriquecimiento léxico del idioma [40].

3. *Ambiente escolar.*

El ambiente escolar estaba relacionado con el latín eclesiástico. Pero la posibilidad de integración de las voces pertenecientes a este ambiente era mayor que la del latín específicamente eclesiástico. Cuando tratamos de explicar la existencia de cultismos científicos en época anterior a la de Alfonso X el Sabio, hemos de recurrir a la índole del latín escolar y de su conexión con la lengua hablada. Los estudiantes poseían gran capacidad de romanización de voces latinas, debido al bilingüismo que estaban obligados a utilizar. A este mismo mundo escolar pertenecen los modelos literarios y las traducciones que se hicieron muy

---

[40] V. R. Menéndez Pidal, *Orígenes,* p. 481.

frecuentes a partir del siglo XIII, y que nos explican la presencia de voces pertenecientes a la tradición cultural-greco-latina.

Quedan así formados los tres grandes grupos en que podemos englobar la procedencia de la mayor parte de los cultismos que se utilizan antes de 1252. Bien es verdad que no quedan agotadas las fuentes —no olvidemos la importantísima base latina que está presente desde los orígenes del idioma—, pero sí nos es útil esta primera caracterización para clasificar los cultismos en campos nocionales, factor éste esencialmente revelador del estado lingüístico-cultural de un período histórico o de una obra concreta de nuestra literatura.

Campos nocionales en que se inscriben los cultismos.

La integración del neologismo depende —aparte factores externos—, de su capacidad para establecer relaciones de significado con las voces conexas. Configurada la noción de campo semántico a partir de los trabajos de Trier [41], por su aplicación a términos concretos del alto alemán, parece necesario incorporar a este trabajo un planteamiento semántico: la consideración no de la palabra aislada, sino integrada en conjuntos conexos. Para nosotros el mero planteamiento de la cuestión obliga a señalar el cuadro de los principales campos nocionales en que viven los cultismos desde el momento de su introducción. Nos limitamos ahora a esbozar un esquema de clasificación que nos servirá de molde para establecer las relaciones entre el contenido significativo de los campos y el mundo cultural de la época específica en que nacen los textos donde aparecen los citados cultismos [42].

Tras una detenida revisión de la nómina de cultismos y prescindiendo de ejemplos sueltos que diversificarían excesivamente una clasificación exhaustiva, nos ha parecido que la mayor parte

---

[41] V. Trier *Der deutsche Wortschatz im Sinnbezirk des Verstandes. Die Geschichte eines sprachlichen Feldes;* Heidelberg, 1931. En esta monografía y en otros estudios aplica Trier la noción de campo lingüístico a los términos del entendimiento y la sabiduría del alemán antiguo y medio.

[42] V. capítulos V y VI de este trabajo.

de las voces pueden incluirse en torno a los siguientes grandes campos semánticos:

1.º) Términos eclesiásticos y religiosos.
2.º) Conceptos teológico-filosóficos.
3.º) Moral.
4.º) Voces jurídicas.
5.º) Cultismos escolares y científicos.

La amplitud de cada uno de estos campos es distinta. Con objeto de indicar la variable proporción en que se configuran esos campos, ofrecemos la ejemplificación que sigue. No pretendemos que cada uno de los campos ofrezca límites cerrados. Muy al contrario, uno de los hechos inmediatos de la integración del cultismo es la de ofrecer los mismos fenómenos de rendimiento semántico que las voces tradicionales (ampliación y reducción de significado, deslizamiento, etc.) [43].

1. *Términos eclesiásticos y religiosos.*

Absolución, absolver (Berceo, Apol.); *abstinencia* (Sta. María Egipciaca); *abysso* (doc. ling., Berceo); *acenso, encenso* (Reyes Magos); *aclamar* (Berceo); *adivino, adevino* (Berceo); *adorar* doc. 1184, Sta. María Egipc.); *aleluya* (Berceo); *altar* (Cid); *amito, anniversario* (Berceo); *apóstol* (Cid); *arçebispado, arçobispal* (Liber Regum, Fernán González, documento de 1220); *arciagnado, arcidiano, archidiacono* (Berceo, doc. 1220); *Ascençion* (F. Soria) *architriclino* 'escanciador' (Berceo); *bautismo, bautizar* (Sta. María Egipc., Liber Regum); *bendiçion* (Cid); *blago* (Berceo); *beneficiado* (Fuero de Soria); *brevario* 'breviario' (Alexandre); *capítulo, cabildo* (doc., 1223); *canción* (Berceo); *candelabro* (Berceo); *canon* (Berceo); *canónigo* (doc., 1227); *cántico* (Berceo); *cardenal* (Berceo); *católico* (doc., 1185); *circuncidar* (Liber Regum); *cirio* (Berceo); *ciliçio* (Alexandre); *cimbalo* (Berceo); *cimenterio* (Berceo); *circunçision* (Fuero de Soria); *clamar* (Reyes Magos); *clamor* (Cid); *claustro* (doc., 1241); *clereçia clérigo* (Berceo, Sta. M.ª Egipc.); *concilio* (Berceo); *confesar, con-*

---

[43] Para la ejemplificación se han tenido sólo en cuenta los cultismos incluidos en la nómina de la A a la C, con objeto de que la proporción se mantenga uniforme.

fessión, confessor (Berceo, Sta. M.ª Egipc., Buenos Proverbios);
congregación (Berceo); *consagración* y *consagrar* (Berceo); *consignar* 'signar, santiguar' (Berceo); *consistorio* (Berceo); *constitución* (Berceo); *convento* (doc. de 1185); *convivio* (Berceo);
Christianismo y derivados (Cid); *crucificar, crucifixo, cruz* (R.
Orient, Berceo, Cid).

2.   *Teológico-filosófico.*

Açidente (Buenos Proverbios); *angel* (Cid); *ánima* (Fernán
González, El Bonium); *arcángel* (Berceo); *credençia, creencia*
(Bonium); *criatura* (Sta. María Egipciaca); *cualidad* (Alexandre).

3.   *Moral.*

Abenençia, avenençia (doc. de 1206); *abitar, habitar* (Berceo);
ábito, hábito (Berceo); *abitamiento* (Fernán González); *abortar*
(Berceo); *accidia* (Alexandre); *acucia* (Alexandre); *adulterio*
(Berceo); *adversidad* (Berceo); *affliction* (Berceo); *almosna, limosna, alimosna* (Berceo); *ambición* (Alexandre); *amistad* (Cid);
amonestar (Berceo); *arrepentir* (Berceo); *avaricia* (Sta. María
Egipciaca); *benignidad* (Alexandre); *blasfemia* (Berceo); *bolliçio,
bullicio* (Berceo); *caridad* (Cid); *castidad* (Santa María Egipc.);
clemençia (Berceo); *cobdiçia, cobdiciar, cobdicioso* (Sta. María
Egipc., Bonium); *collaçion* (Berceo); *concordia* (Berceo); *condiçion* (doc. de 1219, Oelschl. y Berceo); *conformar* (Berceo);
confusión, confuso (Berceo, doc. de 1220); *conservar* (Berceo);
consolación, consolar (Berceo. Cid); *continençia* (Berceo); *contraria* 'infortunio' (Liber Regum); *contrario* 'enemigo' (Bonium);
contrieçion, contrecçion (Berceo); *controversia* (Berceo); *conveniençia* (Berceo); *corruption* (Berceo); *crimen, criminal* (Cid,
Berceo); *culpa* (Sta. María Egipc, Bonium); *custodia* (Berceo).

4.   *Cultismos jurídicos.*

Abténtico, auténtico (Alex., Berceo, etc.); *acción* (Alex.);
acusacción (F. Soria); *adiutorio* (Berceo); *afirmar* (Fernán
González); *allegation* (Alex.); *antecessores* (documentos lingüís-

ticos); *antenado* (Berceo, Alex.); *apreçiar* (Cid, Berceo.); *apreçiadura* (documentos lingüísticos); *asignar* (Berceo, docs. lings.); *atorgar* (Cid); *audiencia* (Berceo); *auditor, audidor* (docs. lings.); *beneficio* (docs. lings.); *cancellario* (Berceo); *cartelario* (Berceo); *certificar* (Berceo); *cláusula* (Berceo); *confirmador* (docs. lings.); *confirmar* (docs. lings.); *composición* 'acuerdo' (docs. lings., F. de Soria); *curia* (Santa María Egipciaca); *condiçión* (F. de Soria); *contracto* (docs. lings.); *corroborar* (docs. lings.); *contraria* 'deseo de perjudicar' (F. de Madrid).

5. *De ambiente escolar y científico.*

Absyncio (Berceo); *acéphalo* (Alex.); *acoplar* 'combinar en coplas' (Berceo); *actor* 'autor' (Alex.); *alegoría* (Alex.); *alfabeto* (docs. lings.); *alitropía, alotropia* 'piedra preciosa' (Alex.); *almática, almátiga* (Berceo); *apropinquada* (Santa María Egipciaca); *ángulo* (docs. lings.); *aquilón* (Berceo, Fernán González); *arábigo* (Buenos Proverbios); *argumento* (El Bonium, Buenos Proverbios); *aresmética* (Buenos Proverbios); *artículo* (Alexandre); *auctoridat, actoridat* (Santa M.ª Egipc., Berceo); *ax-* (Berceo, Alex.); *Babilonia* (Liber Regum); *bálsamo* (Santa M.ª Egipc.); *barbaro* (Alex.); *bello* (Santa M.ª Egipc.); *capítulo* (B. Proverbios; *cátedra* (docs. lings.); *catino* 'crisol, fuente de loza' (Berceo), *causa* (El Bonium); *centurión* (Berceo); *ceptro* (Berceo); *ciclaton* (Cid); *ciencia* (El Bonium, F. de Soria); *citara* (Berceo); *columna* (Berceo); *conplexion* (Buenos Proverbios); *comparación* (El Bonium); *composición* (Berceo); *concluir* (Berceo); *conclusión* (B. Proverbios); *conjunción* [de las estrellas] (El Bonium); *connoscer* (Santa María Egipc.); *conoscencia* (B. Proverbios); *cónsul* (Liber Regum); *copia* (Berceo); *copla* (Cid); *coronica* (Berceo); *curso* (Berceo); *apóstota* 'apóstata' (Liber Regum); *Africa* (El Bonium); *(e)clipse* (Buenos Proverbios).

CAPÍTULO IV

LOS CULTISMOS EN EL SIGLO XII

Los cultismos en el siglo XII.—*La vida y la cultura en el siglo* XII.—*Las corrientes literarias.—La lengua en el siglo* XII. *Los cultismos en el Cantar del Cid.—Los cultismos en el Auto de los Reyes Magos.*

La vida y la cultura en el siglo XII.

Sería vano el intento de caracterizar una época histórica teniendo en cuenta un único aspecto del existir humano, por muy profundo que pretendiera ser el análisis. En los capítulos precedentes hemos insistido en la interdependencia entre lengua y cultura, pero ello no autoriza a extraer consecuencias muy alejadas de las de un estudio específicamente lingüístico. Parece necesario advertir, por tanto, que no intentamos en las líneas que siguen invadir una parcela de la ciencia ajena al campo del idioma. Nos vemos, no obstante, precisados a referirnos a hechos históricos que son fundamentales para este estudio porque condicionan modos de vida que han influido —e incluso moldeado— en estados de lengua concretos. Nos hallamos así entre dos peligros: ignorar la historia, ciñéndose a la pura estructura de la lengua o acudir cómodamente a explicaciones que son ajenas a una metodología de la ciencia lingüística, pero que no pueden ser desconocidas para el filólogo. Afortunadamente, la escuela de Menéndez Pidal —y más directamente mi maestro, Rafael Lapesa— nos ha enseñado a sortear tal peligro. Creo firmemente que el "denostado" historicismo está lejos de haber sido superado definitivamente, al menos, en lo que a los estudios sobre el español se refiere. Los nuevos horizontes abiertos por la lingüística estructural y por la generativa no se oponen de ningun modo a la continuación de los estudios históricos sobre nuestro idioma. Es más, tener en cuenta la realidad histórica del habla no puede hacer otra cosa que ayudarnos a comprender mejor las estructuras lingüísticas que han ido evolucionando a medida que se creaba y enriquecía el léxico romance.

Hablando de los cantares de gesta y su relación con la democracia guerrera de Castilla, ha dicho Sánchez Albornoz: "el Cantar del Cid y los otros cantares de gesta nacieron en una nación donde el pueblo era un factor esencial en la dinámica social y política" [1]. Vida y literatura van siempre íntimamente unidas. No podemos renunciar a uno de los mayores valores del arte; aquel que hace de la obra artística un medio de comunicación por el que el mensaje es potenciado expresivamente. Viene esto a propósito de unos contenidos literarios que, por lo mismo, son materia histórica. No en menor medida es producto histórico la forma sobre la que se han moldeado esos contenidos; es decir, el estado de lengua reflejado en esas obras sobre las que el hombre ha ido dejando la huella de su diario existir. Nuestro trabajo sobre los cultismos no es otra cosa que un intento más en busca de las fuentes que han definido nuestro acontecer como comunidad humana.

Estas consideraciones justifican que hagamos en seguida una introducción muy breve sobre las condiciones en que se desarrolló la vida de Castilla en los albores de su nacimiento como comunidad social y, por tanto, idiomática. Es el marco imprescindible para proyectar nuestras indagaciones lingüísticas.

El primer punto que atrae nuestra atención es el de un hecho

---

[1] C. Sánchez Albornoz, *España, un enigma histórico*, Ed. Sudamericana, Buenos Aires, 1956.

que no podemos considerar mera coincidencia. Como señalan la mayor parte de los historiadores [2], durante el siglo XI se produce un vigoroso despertar del letargo en que se hallaba sumido el hombre de la Edad Media. Vicéns Vives observa que "el desarrollo de la sociedad alto-medieval acusa una línea descendente en su primer período (siglos VIII al X) para emprender de nuevo una marcha ascendente en su segunda etapa (siglos X al XIII), que habrá de enlazarse fácilmente con los siglos de la Baja Edad Media" [3]. A este desarrollo histórico corresponde en la Península Ibérica la evolución y hegemonía del castellano como idioma de una comunidad que, elevándose sobre su localismo primitivo —de limitado horizonte, por tanto—, se convertirá en lengua nacional. Es una prueba más de que la lengua vive dentro de un acontecer histórico. Menéndez Pidal lo ha estudiado definitivamente y nos releva de más comentarios. Nosotros, sin embargo, necesitamos tener presente el panorama histórico para integrar el estudio del cultismo en la historia de Castilla y de España.

Las formas de vida van cambiando lentamente a lo largo del siglo X. Las Glosas nos revelan la penosa andadura de nuestro romance en esta época, sometido a la presión cultural del latín. Lo mismo que las Glosas nos muestran el hecho vivo de un idioma nuevo, también las formas de vida van evolucionando en el sentido de posibilitar la formación de comunidades urbanas sobre las que recaerá pronto el papel de "hacedoras" de cultura. Es decir, mientras las condiciones materiales del vivir humano se mantienen en unos niveles ínfimos, no aflora un nuevo modo de sentir el mundo. Se vive inmerso en unas estructuras socio-culturales residuales de un tiempo pasado. La potenciación de las facultades creadoras del hombre se produce cuando éste toma conciencia del mundo que le rodea. Es decir, cuando comienza a sentirse protagonista de su realidad histó-

---

[2]   Pueden verse: R. Menéndez Pidal y otros, *Historia de España,* Luis G. de Valdeavellano, *Historia de las Instituciones españolas,* Rev. de Occidente, Madrid, 1968. J. Vicéns Vives y otros, *Historia social de España y América.* Ed. Vicéns Vives, Barcelona, 1957.

[3]   V. J. Vicéns Vives, *op. cit.,* p. 260.

rica⁴. La hegemonía castellana —política, lingüística, cultural— obedece a este hecho.

La transformación de las condiciones de vida a lo largo de los siglos XI y XIII posibilita el contacto con la cultura. La economía varía sustancialmente. Frente a un horizonte económico reducido y pobre durante los siglos XI y XII, viene a ocurrir la llamada *revolución comercial,* que conduce a una economía urbana. En España la transformación coincide con la difusión de las peregrinaciones a Santiago, que provocó una corriente comercial importante y, lo que es decisivo en el orden cultural, hizo posible el contacto con el extranjero. Consecuencia de este comercio es la aparición del *burgo* medieval, de distinta naturaleza que la antigua *civitas romana.* Es aquél obra de los comerciantes que se establecieron a la sombra de los castillos o de los monasterios. Nuestras ciudades norteñas han conservado abundantes huellas de la influencia que ejercieron los extranjeros en este aspecto. Las colonias de francos fueron en muchas ocasiones base y fundamento del desarrollo ciudadano. La propia ciudad de Burgos, "cabeza de Castilla", alcanzó su apogeo en el siglo XII, coincidiendo con el auge de la influencia francesa.

La transformación histórica comienza a prefigurar un tipo humano nuevo, que corresponde a ese medio urbano recientemente descubierto. El cambio se advierte en el nacimiento de una primera esperanza: la confianza en los propios valores. Es un hombre relativamente libre —la libertad nacida del esfuerzo— el que irrumpe en el marco histórico. Por supuesto que empleamos el concepto de libertad con todas las cautelas y más bien en un sentido cultural que político. Consiste el hecho, más que nada, en un lento, pero progresivo descubrimiento de las posibilidades individuales. En España este proceso se ve favorecido por las peculiares condiciones con que se desarrolla la vida en Castilla a lo largo de los siglos XI y XII. La ausencia de un señor protector hace pronto al hombre protagonista de su historia. La "fazienda" es el hombre mismo; el hombre con-

---

⁴ Nos limitamos a señalar un hecho, que parece incontrovertible. Para cuál sea esa realidad histórica, véase la polémica entre Américo Castro y C. Sánchez Albornoz, en sus obras *La realidad histórica de España, y España, un enigma histórico,* respectivamente.

vertido en acción liberadora al hacerle tomar conciencia de sí mismo. Y en seguida la comunidad social adquiere la misma conciencia. La aparición de las cartas o fueros de población son una consecuencia de tales factores históricos [5]. Dentro de este proceso histórico se halla la evolución de la lengua y el descubrimiento de la cultura, por donde el hombre encontrará su verdadera liberación al final de la Edad Media.

Sánchez Albornoz ha querido caracterizar este proceso y atribuye al espíritu democrático de Castilla tres conquistas decisivas: 1) saltar por cima de la lengua docta de los clérigos, oponiendo enérgico aliento de advenedizos al espíritu conservador de León; 2) despreciar las crónicas de la clerecía cortesana en latín; 3) elevar el romance pronto a lengua de cultura. En este sentido —el que más interesa a nuestro propósito— llega a afirmar textualmente: "la temprana adopción del romance como lengua literaria, en una agrupación histórica carente de poderosas fuerzas señoriales y clericales, contribuyó a la igualitaria nivelación espiritual de la nación" [6]. No sé hasta qué punto se puede asentir ante tan radicales afirmaciones. Es cierto que el espíritu innovador de Castilla fue revolucionario. Lapesa lo ha puesto de manifiesto con absoluta nitidez al hablar del castellano primitivo como de un islote excepcional [7]. No debe olvidarse que el desarrollo del castellano y la profunda transformación del mapa lingüístico peninsular tuvieron lugar durante los siglos XII y XIII. Y es en esta época, en la que el romance castellano se convierte realmente en lengua de cultura, cuando las relaciones franco-españolas alcanzan su máximo nivel y la llegada de los cluniacenses marca una época nueva en la historia de la cultura, al restaurar una tradición latinizante. Creemos, pues, que la elevación del romance a lengua de cultura es producto de dos fuerzas; innovadora una —que proporciona la ener-

---

[5] Estudiamos más adelante el problema de los Fueros de Madrid, Soria y Sepúlveda, tomados como muestra de lengua jurídica, a fin de caracterizar este importante aspecto de la lengua culta.

[6] V. C. Sánchez Albornoz, *op. cit.* Recuérdese, no obstante, que la Crónica Silense, la Historia Roderici, la Najerense, la de Alfonso VII, la del Arzobispo don Rodrigo, son castellanas y están en latín.

[7] V. Rafael Lapesa, *Historia de la lengua española*, págs. 131 y sigs.

gía creadora—, latinizante, otra, que al rechazar impurezas es separadora de dos entidades idiomáticas con plena personalidad lingüística. La relativa abundancia de cultismos en una poesía popular como la épica se halla en el contexto de este proceso. Más que ruptura con el latín, hemos de hablar de conciencia de la propia personalidad y, por tanto, de descubrimiento de sus posibilidades creadoras. Como consecuencia, se valora de una forma nueva al elemento latino, que adquiere para el hombre medieval una nueva dimensión. De ahí, la penetración de cultismos en esta primera centuria de nuestro quehacer literario.

Las reflexiones anteriores nos han alejado un poco de nuestro propósito inicial, que era bosquejar un cuadro de la vida española en el siglo XII. Volviendo al tema, hemos de recordar que la historia medieval española careció en buena medida de un tipo de sociedad feudal, al menos con la organización y sentido que ésta tuvo en el resto de Europa. Si existió en nuestro país, fue, más que un sistema, una serie de manifestaciones más o menos aisladas, especialmente intensas en la segunda mitad del siglo XI. Por eso no hay, sino de manera excepcional, en nuestra literatura de la Edad Media, lo que F. Lot ha definido como una "fraseología erótica de naturaleza enteramente vasallática". Nuestra lírica del *amor cortés*, además de ser extranjerizante, aparece tardíamente en castellano, aunque hay castellanos de los siglos XII y XIII que escriben en gallego. Lo determinante en Castilla es la valoración del esfuerzo individual y el sentido de comunidad creado en torno a la idea de defensa del territorio. Pero pronto tal concepto se quebrará, concretamente en el siglo XIII, justo cuando el existir histórico del pueblo cambia de signo. De ello nos ocuparemos en el próximo capítulo de nuestro estudio.

Nos referíamos antes al renacimiento mercantil y urbano de fines del siglo XI. Ello produce un cambio en la estructura social de nuestro país, pero tal cambio no tuvo las consecuencias que en otras comunidades políticas. En Castilla, por ejemplo, el artesanado fue muy escaso y apenas adquirió relieve. Los Gremios no aparecen en España hasta mediados del siglo XII y, en todo caso, su nacimiento estuvo vinculado a las colonias de francos que se establecieron en numerosos lugares del país. El sentimiento castellano de libertad no nace, pues, de una liberación económica; nace de una poderosa valoración del propio esfuerzo. Recordemos como ejemplo, que vale por todo un símbolo, el momento emocionante en que el Cid recibe a su familia en Valencia y desde el alcázar les muestra la vega. Estremece sentir con el juglar la emoción y el orgullo de las damas ante la verde y luminosa campiña mediterránea ("desta buena ganançia cómo es buena e grand"). En seguida aparece el rey Yusuf de Marruecos con nutrida hueste, y he aquí la alegría del Campeador:

"...mis fijas e mi mugier veerme an *lidiar*;
 en estas *tierras agenas* verán las *moradas cómmo se fazen*
 afarto verán por los ojos *cómmo se gana el pan*".

Por los subrayados puede observarse en qué consiste el homenaje del padre de familia. El esfuerzo ha culminado y están ante la vista sus frutos, pero es menester sostenerlo, porque, como señalábamos más arriba, la vida es fundamentalmente *fazienda,* y así se gana la honra. Toda la historia de Castilla durante los siglos x y xi es un esfuerzo para hacer propias las "tierras agenas". Esto tiene valor no sólo para los *defensores,* entendidos éstos como nobles y señores, sino para el pueblo todo que durante años y años vive en la extremadura de la Reconquista. El obispo don Jerome reclama para sí los primeros golpes de la *lidia* y, como él, toda la hueste cidiana se halla empeñada en la misma *fazienda.*

Hay que decir, sin embargo, que el acusado individualismo que esta toma de conciencia provoca no se halla en pugna con un intenso sentido de la unidad hispánica. Más importante que la pervivencia del título de emperador nos parece algo que late como una constante histórica a lo largo de siglos de reconquista en lo que podríamos denominar, con Ortega, "tálante humano" del español. Es verdad que el título de emperador que se atribuían los reyes de León enlazaba vagamente con un sentimiento de unidad nacional. La idea aparece ya clara en el reinado de Alfonso VI (1072-1109) con el sentido 'rey superior a otros reyes'. Alfonso VI cambia el poco definido título de *Imperator*

por el de *Emperador de toda España* o el de *Emperador insti-
tuido sobre todas las gentes de España* o, incluso, el de *Emperador de las dos religiones,* denominaciones que nos podrían hacer
meditar sobre el verdadero sentido de unidad nacional para el
hombre de la Edad Media. De todos modos, la idea imperial
sufrió un ocaso inmediato tras la muerte de Alfonso VII (1157),
que había sido coronado como *Emperador de España* en León,
en 1135.

El sentido de comunidad nacional se halla, pues, más en la
intrahistoria hispánica que en meros hechos aislados como el
que acabamos de recordar. Más que hechos externos lo que observamos es una íntima unicidad del vivir. Una vez más es la
acción lo determinante y caracterizador de la colectividad humana que se está formando. A ella van referidos los rasgos peculiares de la historia del siglo XII.

El panorama de la Reconquista durante los siglos XI y XII
puede resumirse en la repoblación de los extensos territorios del
Duero al Tajo y al Guadiana en la parte sur del reino toledano.
El enérgico impulso reconquistador de Alfonso VI transforma
por completo el mapa político de la Península, como en el aspecto cultural lo causan las intensas relaciones con Francia y
la influencia de los cluniacenses. Entre 1072 y 1212, y a pesar
de las sucesivas invasiones norteafricanas, se produce el notable
cambio. Los sucesos políticos fueron acompañados de la correspondiente evolución cultural. La necesidad de repoblar los nuevos territorios obligó a los monarcas a conceder abundantes privilegios que multiplicaron los hombres libres en Castilla [8].

Lo característico de esta época es la actividad repobladora de
Castilla que, como Vicéns Vives ha señalado, ofrece dos aspectos diferentes que conformarán la estructura político-social
de los siglos siguientes. Uno, a base de la constitución de concejos, sobre la agrupación de numerosos pequeños propietarios
que van a desempeñar en gran medida papeles decisivos de la
historia castellana. Otro, inaugurado en la colonización de la

---

[8]   Con su penetración habitual, trata del tema el historiador Vicéns Vives al hablar de la distinta situación social de los campesinos castellanos
en comparación con los de Aragón y Cataluña. V. J. Vicéns Vives, *Historia social de España y América,* Ed. Vicéns Vives, Barcelona, 1957.

Mancha, a base de grandes territorios otorgados a las Ordenes Militares, como nos lo atestigua hoy, además de una rica documentación, la abundancia de topónimos subsistentes en las provincias de Cuenca, Toledo, Albacete y, sobre todo, Ciudad Real.

La descrita situación socio-política castellana durante los siglos XI y XII es esencialmente cambiante. El carácter dominante en lo castellano es, como se ha dicho repetidas veces, el dinamismo. En parte por su espíritu innovador; en parte, también, impuesto desde fuera por las especiales circunstancias de su existir histórico. Pero hay un factor que nos interesa subrayar por el influjo que tiene en la aparición de las primeras manifestaciones literarias. Nos referimos a que cualquiera que fuera la forma de poblamiento, el signo más característico de la presencia castellana es el castillo, en torno al cual se agrupan los pequeños núcleos de población, a la vez civil y militar, lo que nos explica el éxito general de los cantares de gesta y su rápida y extensa difusión. El *vico*, agrupado en torno al castillo, hacía del hombre que lo poblaba a la vez un guerrero y un campesino. Su espíritu heroico nace de la tensión bélica en que vive y "será más tarde —en el siglo XIII—, alejado para siempre el peligro de las aceifas musulmanas, cuando se produzca la separación radical entre el campesino *(laborator)* y el militar *(defensor)* [8] bis.

El monasterio representa en Castilla papel menos relevante, al menos antes del siglo XIII [9]. Cierto es que constituye en ocasiones una forma característica de poblamiento; a veces tal agrupación se asemeja en mucho a la formada en torno al castillo, en especial antes de la conquista del valle del Tajo. La vida monástica castellana adquiere verdadera importancia pasados los siglos difíciles de la reconquista, es decir, a partir del reinado de Alfonso VI. Su influencia decisiva se dará con la reforma cluniacense. Esto no quiere decir que podamos olvidar el papel del elemento eclesiástico *(oratores)* en la organización social anterior. El monasterio fue siempre un factor esencial para la conservación de la tradición latinizante. Como veremos en el epígrafe siguiente, los monasterios norteños fueron centros de enlace con

---

[8] bis V. J. Vicéns Vives, *op. cit.*

[9] V. Fr. Justo Pérez de Urbel, *El monasterio en la vida española de la Edad Media*, Barcelona, Labor, 1942.

la cultura europea, al recibir la fuerte corriente de viajeros camino de Santiago. No obstante, su incorporación a la cultura expresada en lengua romance no se realiza plenamente hasta el siglo XIII. Las escuelas monacales desempeñan una función importantísima, en cuanto centros únicos de difusión cultural .

En conclusión, el marco histórico-político durante los siglos XI y XII se caracteriza por el enorme impulso reconquistador, que transforma por completo la distribución territorial de los reinos peninsulares. Tal impulso cambia extraordinariamente muchas formas del vivir hispánico. Se impone el espíritu castellano. Se inicia una liberación del hombre en todos sentidos: político, porque se le reconocen una serie de derechos derivados, sobre todo, de la proliferación de fueros y cartas pueblas; económicos, porque la difusión del comercio y la progresiva disminución de las expediciones de saqueo musulmanas aumentan considerablemente el bienestar; espirituales, en fin, porque el hombre comienza a sentirse dueño de una forma de expresión propia, elevada al rango de valor estético.

El arte de las iglesias y catedrales refleja la peculiar espiritualidad de una comunidad sumida durante siglos en una difícil coyuntura histórica.

Las corrientes literarias.

El comienzo de la literatura castellana se sitúa habitualmente en las historias de la literatura hacia 1140. La conocida tesis de Menéndez Pidal anticipa esta fecha porque supone con fundamento que hubo de existir una épica anterior —fines del siglo X, principios del XI— representada por cantares de gesta sobre los siete infantes de Lara y el conde Fernán González. No entramos en la polémica con Curtius sobre el nacimiento de nuestra literatura [10]. Ello sin hacer referencia a la literatura no cas-

[10] V. E. R. Curtius, *Literatura europea y edad media latina*, Fondo de Cultura Económica, México, 1.ª ed., 1955; el artículo del mismo autor, *Antike Rhetorik und vergleichende Literaturwissenchaft*, y la réplica de Menéndez Pidal, *Fórmulas épicas en el Poema del Cid, Cuestión metódica*, en *Romance Philology*, VII, 1953-54, págs. 261-67.

tellana de los orígenes de la lírica, tras el descubrimiento de las jarchyas por Stern y su estudio por Menéndez Pidal, Dámaso Alonso y Emilio García Gómez.

Más nos interesa el posible enlace de la primitiva literatura castellana con la literatura latino-medieval. Curtius [11] sostiene que España apenas tuvo un papel en el renacimiento latino del siglo XII, basándose en la superioridad de la cultura islámica sobre la cristiana. Menéndez Pidal por su parte afirma que nuestra literatura debió de comenzar no después del siglo X, con poemas épicos, hoy perdidos, que debieron de ser coetáneos, como él mismo supuso, antes de que la aparición de las jarchyas confirmara su tesis, de una primitiva lírica tradicional. Como quiera que sea, aparecen dos grandes cauces para la creación literaria. Una, popular, que enlaza con la tradición de los cantos visigóticos, épicos o líricos. Esta lírica primitiva, siempre según Menéndez Pidal, significaría el enlace entre la poesía árabe y la poesía latino-medieval, con lo que las más antiguas muestras de nuestra literatura representarían nada menos que el enlace de dos culturas, la latina y la islámica. Y todo ello con proyección europea [12].

La otra corriente, de carácter culto, depende ya de influencias extranjeras, especialmente de origen francés, y alcanzará su máximo auge en el siglo XIII, con el desarrollo de la escuela de clerecía, aunque ya desde el XII poseemos obras cultas, que como en el caso de *La Vida de Santa María Egipciaca*, suponen una importante contribución al enriquecimiento del léxico romance a base de cultismos.

Nos hemos fijado en las más importantes tendencias litera-

---

[11] V. E. R. Curtius, *op. cit.*, págs. 552-55. Realmente Curtius tiene razón. España apenas contribuyó al renacimiento de la literatura latina europea ni del pensamiento europeo del siglo XII. Pero eso no se opone a que poseyera una literatura en lengua vulgar, como muestra Menéndez Pidal en su *Poesía juglaresca y orígenes de las literaturas románicas*, Madrid, 1957.

[12] V. R. Menéndez Pidal, *Poesía árabe y poesía europea*, Col. Austral, Espasa-Calpe, 4.ª ed., Madrid, 1955, págs., 13-71. V. también del mismo *Poesía juglaresca y juglares*, Col. Austral, Espasa-Calpe, 5.ª ed., Madrid, 1962.

rias del siglo XII como base de nuestro trabajo. Tales tendencias podemos resumirlas en los siguientes puntos :

a) *Literatura épica.* Es la primera expresión de la literatura castellana con personalidad relevante. Personalidad por dos razones : por la calidad intrínseca de las obras más representativas, y, en segundo lugar, por ser testimonio vivo y directo de un modo de sentir la vida y el arte, como ha puesto de manifiesto Menéndez Pidal [13]. En efecto, no es casualidad que haya sido Castilla la cuna de nuestra poesía épica. Podríamos afirmar, incluso, que hubo de ser necesariamente así. Cierto es que el nacimiento de la épica es un fenómeno integrado en el modo de ser medieval de los países del occidente europeo, pero no lo es menos que su preferente localización en Castilla tiene un indudable valor testimonial, prueba de su peculiar formación como comunidad humana [14].

Dado lo limitado de nuestro estudio, hemos centrado el análisis en el aspecto puramente lingüístico-cultural. No vamos a adelantar las observaciones realizadas más abajo. Unicamente interesa señalar, por el momento, que la literatura épica es, naturalmente, la más representativa del siglo XII. Sobre ella actúa la capacidad creadora del individuo y de la comunidad. Ningún espectáculo literario como éste puede ofrecernos un ejemplo más auténtico del sentido y forma de la integración culta en la creación popular. Es verdad —y más adelante lo ponemos de relieve— que no es de esta literatura de donde procede el caudal léxico que nutre nuestro primitivo vocabulario culto. Son los documentos notariales el punto de contacto entre romance y latín. Pero esos documentos obedecen a una necesidad primaria y no poseen valor estético. En cambio, el valor expresivo de los primeros cultismos —lo que podía ser decisivo para que determinado tipo de voces lograra su integración en el sistema léxico— ha de estudiarse forzosamente sobre estas primeras obras épicas.

Los cantares de gesta nos ofrecen, además, otros rasgos in-

---

[13] V. R. Menéndez Pidal, *La España del Cid*, Madrid 1929.
[14] V. Dámaso Alonso, *La epopeya castellana a través de la literatura española, por Menéndez Pidal, en De los siglos oscuros al de Oro,* Madrid, 1958. Recuérdese, no obstante, que Menéndez Pidal admite leyendas épicas astur-leonesas y mozárabes (Covadonga, El rey Rodrigo).

teresantes para un estudio léxico. Menéndez Pidal ha demostrado que la épica castellana no es de origen francés, entre otras razones porque las prosificaciones revelan la existencia de una épica castellana anterior al inicio de las relaciones literarias entre España y Francia, que comienzan con las peregrinaciones compostelanas. Es más; al lado del influjo francés hay que tener en cuenta otro tipo de influencias que, como la árabe, fue muy intensa, sin cambiar por ello el carácter peculiar de nuestra épica.

Desde el punto de vista léxico, la épica refleja dos tensiones lingüísticas operantes sobre el romance. Lo popular y lo culto se hallan ya confluyendo en una lengua que comienza a ofrecer sus primeros frutos literarios. Nuestro estudio se basa fundamentalmente en el Poema del Cid y lo ha hecho fácil la labor exhaustiva de Menéndez Pidal, que ha aclarado casi todos los problemas que nuestro viejo Cantar planteaba.

b) *Poesía lírica.* Perdida la primitiva lírica popular, nos han quedado unas pocas obritas de influjo provenzal o francés. Aunque de escasa entidad, pueden ofrecer el interés de ser las únicas y primeras obras en que se expresa un mundo literario nuevo: el de la subjetividad. Bien es verdad que tanto en la única muestra del siglo XII (*Disputa del alma y el cuerpo*) como en las que aparecen en los albores del siglo XIII (*Razón de amor y Denuestos del agua y el vino*), el material lingüístico posee poca relevancia. La hemos tenido en cuenta, no obstante, para no dejar una parcela de la creación literaria fuera de nuestro estudio léxico.

Por lo que se refiere a una rápida caracterización de este tipo de poesía, es bien conocido que adoptaba la forma de "debates". Significaba en gran medida un juego de ingenio, en el que los poetas ejercitaban su habilidad formal y dialéctica.

c) *Poesía narrativa de origen culto y extranjero.* Se difundió por toda Europa una poesía narrativa de tema religioso que no entra en las características del mester de clerecía. Difícil es deslindar lo que estas obras (*Libre dels tres reys d'Orient y Vida de Santa María Egipciaca*) tienen de elementos populares y cultos. Ateniéndose a los datos que poseemos hoy, es evidente que esta poesía se halla entre las dos corrientes fundamentales de la literatura primitiva; es decir, entre lo juglaresco y lo docto. Menéndez Pidal [15] ha aludido a estas obras como poemas juglarescos y ha llegado a citarlas como ejemplos de la característica más relevante de la poesía popular: su irregularidad métrica. Afirma textualmente: "...el metro es irregular siguiendo los hábitos de la poesía juglaresca española". En el mismo sentido se ha expresado Henríquez Ureña [16].

Esta poesía ofrece, aun con todos esos rasgos juglarescos, un abundante léxico culto, que puede mostrar bien su carácter de creación docta. [16 bis]. Es un tipo de literatura que se halla indudablemente en la confluencia de lo culto y lo popular. Es verdad que la mayor parte de los cultismos pertenecen al ambiente eclesiástico [17] y deben de hallarse en buena parte en las fuentes extranjeras a las que siguen fielmente, pero no es menos cierto que el tono juglaresco de la obra nos revela la actuación de elementos populares. Se trata, una vez más, de la convivencia entre dos fuerzas, de cuya tensión nace una energía creadora. El modelo literario se vivifica precisamente de esta manera. Muy interesante será, por ejemplo, observar el grado de integración del cultismo en este tipo de poesía.

d)   *El teatro*. Oscuros y debatidos son los orígenes del teatro medieval. Más grave aún es el problema por lo que respecta al teatro castellano. López Estrada ha escrito: "El teatro medieval en Castilla tiene un escaso desarrollo si se lo compara con el que alcanzó en Cataluña, Aragón y en Europa occidental. Hay gran pobreza de datos y obras sobre el mismo, que si bien pudo ser azarosa, no deja de tener su significación" [18]. En vir-

---

[15] V. R. Menéndez Pidal, *Poesía juglaresca y juglares,* Madrid, 1924, pp. 347-48.

[16] V. P. Henríquez Ureña, *La versificación española irregular,* 2.ª ed., Madrid, 1933, p. 26.

[16 bis] Para la caracterización de este tipo de poesía son esenciales los importantes estudios de Manuel Alvar, *Libro de la Infancia y muerte de Jesús (Libre dels tres reys d'Orient),* Clásicos Hisp., Madrid, 1965, y *Vida de Santa María Egipciaca,* I, Clásicos Hisp., Madrid, 1970.

[17] Véanse más adelante las páginas dedicadas a los cultismos en estas obras.

[18] V. P. López Estrada, *Introducción a la Literatura Medieval Española,* Madrid, 2.ª ed., 1962, p. 217. V. también la distinta posición mantenida por F. Lázaro Carreter, *Teatro medieval,* Castalia, 2.ª ed., Ma-

tud de esta "significación" no hemos querido dejar fuera de nuestro análisis un estudio del léxico del *Auto de los Reyes Magos*.

Hay otra circunstancia que da mayor relieve a esta nuestra única pieza del teatro primitivo. Me refiero a las influencias litúrgicas de la primitiva poesía dramática. Díaz-Plaja [19] se ha referido a las sugerencias dramáticas de una buena parte de actos litúrgicos: diálogos de la misa y los oficios, antífonas, responsos, etc. No parece irrazonable pensar que este origen religioso fuera acompañado, desde el punto de vista literario, de un fuerte influjo idiomático, en especial del léxico de la lengua litúrgica. Sería muy interesante determinar, además, qué tipo de colaboración prestaba el pueblo en la función religiosa. La evolución posterior nos muestra que los fieles llegaron a ser participantes activos en las celebraciones litúrgicas. Nos preguntamos si no podría ser este hecho lo que explique una cierta "familiaridad" con voces latinas que, con el tiempo, se integrarán en el romance.

Intentaremos precisar más. Nos permitimos apuntar que el género de los diálogos litúrgicos en latín —núcleo del teatro primitivo— pudo ser un elemento importante en el sentido de facilitar la integración de cultismos procedentes del latín de la Iglesia. Aún más; no parece descabellado pensar que la atracción popular por estas funciones litúrgicas, celebradas en latín, ayudó a integrar en el romance voces plenamente latinas de procedencia no eclesiástica. En resumen, pudo servir para mantener como propias unas posibilidades de morfología léxica en una lengua que ya no era romance.

Es lástima la escasez de materiales literarios para estudiar la hipotética extensión de ese fenómeno. Hemos incluido el *Auto de los Reyes Magos* en este capítulo atendiendo a dos factores. Uno, cronológico, puesto que el *Auto* debió ser escrito a fines del siglo XII; otro, por representar la iniciación de un género li-

---

drid, 1965, y R. López Morales, *Tradición y creación en los orígenes del teatro castellano*. Ed. Alcalá, Madrid, 1968.

[19] V. G. Díaz-Plaja, *Historia general de las literaturas hispánicas*, vol. I, Barcelona, 1949, p. 410.

gado, como acabamos de hacer observar, a la naturaleza misma de las relaciones latino-romances en la época primitiva.

e) *Los comienzos de la prosa.* Es obvio que un estudio léxico como el nuestro exige un análisis de los documentos primitivos. Hemos preferido unir en un mismo grupo el estudio de los cultismos de los documentos, aunque su cronología corresponda a los siglos XI, XII y XIII. Desde el punto de vista literario no puede hablarse de prosa romance hasta el reinado de Alfonso X, época que queda fuera de nuestro trabajo. No obstante, hay algunas manifestaciones en prosa que nos interesan en alto grado. Me refiero a los doctrinales y catecismos político-morales que comienzan a aparecer a finales del siglo XII y se hacen muy abundantes en el reinado de Fernando III el Santo: *Diez Mandamientos, El Bonium, Flores de Filosofía, Poridat de las Poridades, Buenos Proverbios, Nobleza y Lealtad,* etc.

Aunque alguno de ellos, como los *Diez Mandamientos,* fue redactado probablemente a fines del XII, hemos preferido agruparlos, debido a que todos obedecen a una misma concepción de forma y contenidos. Se trata de un tipo de literatura didáctico-moral que enlaza con redacciones latinas precedentes y son, por tanto, una importante muestra de la conexión entre literaturas y lenguas latino-romances.

También aplazamos a próximos capítulos el estudio de las obras jurídicas como los Fueros de Soria, de Madrid y de Sepúlveda, aunque algunos de ellos proceda del siglo XII. Las razones son parecidas. Nos parece más útil estudiar en un conjunto el léxico de las obras jurídicas. Como dice Galo Sánchez, los fueros no se redactaban frecuentemente de una sola vez, sino que eran producto de la acumulación sucesiva de la actividad legislativa [20]. Por eso nos interesa ver en su conjunto el resultado lingüístico de tal actividad, más que las particularidades individuales de cada uno de ellos, que ya están perfectamente estudiadas, como hacemos observar en el lugar correspondiente [21].

---

[20] V., *El Fuero de Soria.* Introducción de Galo Sánchez.
[21] V. el capítulo V de nuestro trabajo.

La lengua en el siglo XII.

Menéndez Pidal [22] ha señalado que el hecho caracterizador de las épocas preliterarias es, más que la falta de una norma, la convivencia de muchas normas que contienden entre sí, con varia y diversa fortuna. Esto se traduce en una tensión de la que el idioma sale enriquecido. No vamos a repetir aquí los razonamientos de Menéndez Pidal. Sí nos interesa tener muy en cuenta sus conclusiones y, en especial, la idea de que entre varias formas que actúan en la conciencia del hablante triunfa una en cada circunstancia concreta. Ello depende de los condicionamientos inmediatos que definen el acto de habla. Más que el resultado, nos interesa subrayar aquí el proceso mismo que tiene lugar. Menéndez Pidal lo explica con su claridad habitual: "En la desconcertante variedad de formas que ofrecen nuestros documentos no hemos de ver un revoltijo del azar, sino un sordo combate de tendencias, el cual, aunque lenta y oscuramente, traerá en definitiva una victoria y una derrota, y cada victoria irá afirmando con un rasgo más el carácter del romance" [23].

El fenómeno descrito por Menéndez Pidal puede aplicarse perfectamente a lo que ocurre en los siglos XI y XII entre el latín y el romance. Por eso interesa aquí recordar los rasgos esenciales que caracterizan el estado de lengua en los comienzos mismos de la creación literaria. Menéndez Pidal y Lapesa lo han señalado con claridad [24]. Muy brevemente lo resumimos aquí, con un rápido comentario sobre lo que representa la introducción de cultismos.

1. El latín era la lengua de uso culto, opuesto al "rusticus sermo". Pero había un latín intermedio hablado por gentes que, de un lado, querían imitar el habla de los doctos y, de otro, desempeñaban la importante función de adaptar a la morfología romance las voces latinas. Se delinean así tres niveles de lengua coexistentes. Uno, de minorías, refugiado probablemente en los

---

[22] V. Menéndez Pidal, *Orígenes*, p. 256.

[23] V. Menéndez Pidal, *Ibidem*.

[24] Seguimos lo estudiado por Menéndez Pidal, *Orígenes*, y Rafael Lapesa, *Historia de la lengua española*, pp. 111-164.

monasterios y, quizá, en las cancillerías, que tenía por norma
el latín, con desprecio de toda innovación romance. Un segundo
nivel es el que reflejan ciertos documentos notariales; su ejemplo más ilustre es el que ofrece el latín popular leonés, que data
del final de la época visigótica. Resta, por último, el nivel lingüístico caracterizado por su variabilidad y por la ausencia de una
norma, siquiera vacilante. A partir de este estado de cosas, la
historia del romance no es más que la de un esfuerzo por con-
solidarse, lo que sólo se alcanzará al convertirse en lengua escrita y poseer entonces una norma. Esto se logra precisamente
en la época en que comenzamos nuestro estudio: el siglo XII.

2. Siglo XI. Se produce un hecho capital en la evolución
de las relaciones latino-romances: la llegada de los cluniacenses a San Juan de la Peña, con la protección de Sancho el
Mayor de Navarra. Con ello se abre definitivamente una nueva
fase en la historia española, al integrarse nuestro país en las
corrientes europeas. Por lo que se refiere a la lengua, las consecuencias serán dobles: renacimiento del elemento latino y entrada masiva de galicismos.

El hecho capital es en el siglo XI la aparición del castellano
con esa extraordinaria fuerza innovadora y absorbente de que
ha hablado Menéndez Pidal. Ha sido Porzig quien ha señalado
las causas del nacimiento de una lengua nacional procedente de
un dialecto o habla local. En síntesis son las siguientes: a) necesidades del tráfico y la administración; b) hegemonía política
del territorio dialectal; c) prestigio cultural del dialecto; d) capacidad por parte del dialecto para eliminar sus peculiaridades
más extrañas y adquirir, en cambio, los rasgos generalmente ex-
tendidos en los otros dialectos.

Es evidente que de los rasgos señalados más arriba el castellano adquiere pronto —consecuencia de su dinámico vitalis-
mo— el último de ellos; es decir, la flexibilidad indispensable
para ir más allá en los cambios fonéticos y, al mismo tiempo,
ofrecer soluciones asimiladoras de los rasgos peculiares de las
lenguas laterales. Aunque este punto es esencial, como ha señalado repetidamente Menéndez Pidal, a nosotros nos interesa
ahora llamar la atención sobre el tercer punto, el que se refiere
al prestigio cultural del dialecto.

El castellano nace de humilde origen, como nos recuerda el poeta del siglo XIII:

> "Entonçe era Castyella un pequeño rincón,
> era de castellanos Montes d'Oca mojón
> e de la otra parte Fitero el fondón,
> moros tenían Caraço en aquella sazón".

(Fernán González, vs. 170-174)

La conciencia de su humilde origen se halla igualmente expresada en el refranero: "Harto era Castilla pequeño rincón, quando Anaya era la cabeça y Hitero el mojón" [25].

Recordando el modesto origen del castellano, el problema podemos plantearlo en los siguientes términos: Castilla nace en difíciles circunstancias históricas; esas mismas dificultades son las que sirven para explicar el carácter revolucionario de su lengua. Por otro lado, el elemento tradicional y latinizante se ha refugiado en la corte leonesa. ¿Cómo explicar entonces el hecho de que los cultismos abunden en los primeros textos literarios castellanos?

De este problema tratamos en el capítulo III de nuestro trabajo, al hablar del proceso de introducción de cultismos. El latín coexiste durante varios siglos con el naciente romance, cualesquiera que sean las circunstancias de su historia. No existía una división horizontal absoluta entre hablantes latinos y desconocedores de esa lengua, sino que el latín penetraba todos los estratos socio-culturales, con mayor o menor intensidad. Menéndez Pidal afirma: "el romance, falto de personalidad, vive en servil dependencia respecto del latín, semejantemente a los dialectos modernos incultos que en todo momento están influidos por la lengua literaria. Hay, sin embargo, una diferencia esencial entre los dos casos. El bable moderno decrece en vigor; la lengua literaria lo va absorbiendo cada vez más y acabará por hacerlo desaparecer. Por el contrario, el romance en las épocas de orígenes, aunque continuamente invadido, está en un proceso ascensional, se va haciendo cada vez más robusto y acabará por eliminar a la lengua de cultura, que es en este caso la decadente" [26].

---

[25] V. R. Menéndez Pidal, *Documentos lingüísticos*, p. 2.

[26] V. Menéndez Pidal, *Orígenes*, p. 521.

Hemos transcrito la larga cita porque describe magistralmente la naturaleza del proceso. La ósmosis latino-romance [27] actúa plenamente sobre un habla que ha nacido en muy estrechos límites, pero con gran ambición histórica. Ocurre, además, que ese proceso ascensional de que habla Menéndez Pidal está marcado indefectiblemente por los primeros albores de la creación literaria. Esto es decisivo porque, como advertíamos ya en el capítulo II, significa la aparición de una norma propia que transforma paulatinamente el carácter de la relación entre el latín y el romance.

No puede olvidarse tampoco que hay otros factores externos que influyen poderosamente en los profundos cambios producidos a partir del siglo XI. Lapesa los ha enumerado, fijando el carácter exacto de cada uno de los hechos históricos y sus consecuencias idiomáticas [28].

El alejamiento de Toledo en la época visigótica y las repoblaciones vascas en la Reconquista proporcionan condiciones favorables a un dialecto innovador e independiente. A su lado, el comienzo de la influencia francesa es de capital importancia cultural como se ha señalado repetidas veces. Esta influencia adquiere un significado muy importante si tenemos en cuenta el rico comercio léxico que se establece, por primera vez, entre francés y castellano. No es descabellado suponer que este hecho potenciaría la capacidad del castellano para adquirir léxico no patrimonial, precisamente en el momento decisivo de su historia, cuando, en palabras de Américo Castro, asistimos al nacimiento de "los modos en que la lengua literaria se hace presente en la vida de quienes la entienden" [29]. No puede ser casualidad que el decidido desarrollo de la literatura castellana coincida con la normalización de las relaciones ultrapirenaicas. Aunque de origen germánico, según Menéndez Pidal, y con fuertes influencias arábigas, según Ribera, nuestra épica recibió una corriente vivificadora de origen francés.

El mismo Lapesa [30] indica el prestigio de los inmigrantes en el ambiente señorial y eclesiástico a partir del siglo XII. Sus con-

---

[27] V. M. Alvar y S. Mariner, *op. cit.*, p. 5, § 5.
[28] V. Rafael Lapesa, *op. cit.*, pp. 142-144.
[29] V. Américo Castro, *España en su historia*.
[30] V. Rafael Lapesa, *op. cit.*, p. 144.

secuencias idiomáticas tuvieron que ser importantes, y no sólo por la aportación de galicismos —lo cual sería un hecho puramente externo— sino por la aparición de otros "modos" culturales. No olvidemos que la cultura medieval es esencialmente producto de una comunidad europea. Los "topoi" estudiados por Curtius serían la plasmación literaria de ese sentido de comunidad cultural, herencia de la comunidad espiritual latina.

Por su parte, el latín medieval presenta un estado de lengua sometido a dos presiones contrapuestas. Como ha señalado Bastardas [31], la influencia mozárabe va siendo sustituida por la europea y, especialmente, por la francesa. Esta tendencia se consumará con la reforma cluniacense.

Menéndez Pidal ha notado [32] que el autor de la *Historia Roderici* muestra el dominio de un latín fluido y suelto, pero sin gran formación gramatical. A medida que avanza el siglo XII, la balanza se va inclinando hacia una más rigurosa formación escolar y, por tanto gramatical, de los redactores de latín. Los estudios sobre las Crónicas han mostrado el dominio, cada vez más intenso, del latín escolar sobre el espontáneo e irreflexivo uso precedente. C. Sánchez Albornoz [33] ha dado noticias sobre el autor de la *Historia Silense*, al que imagina bien introducido en el movimiento latinizante de origen cluniacense. El carácter de ese latín apunta a una reforma de tipo literario, como lo demuestran las reminiscencias clásicas en la misma *Historia Silense* [34].

La fuerza de signo opuesto a que nos referíamos más arriba es el romance, potenciada su vitalidad creadora tras sus vacilantes pasos primerizos. Los documentos muestran claramente la naturaleza del fenómeno [35]. También los mismos cronistas ofrecen

---

[31] V. J. Bastardas, *El latín de la Península Ibérica: el latín medieval*. Enciclopedia Lingüística Hispánica, p. 259.

[32] V. Ramón Menéndez Pidal, *La España del Cid*, II, Madrid, 1929, pp. 901 y sigs.

[33] V. C. Sánchez Albornoz, *Sobre el autor de la llamada Historia Silense*, en C.H.E., XXIII-XXIV, 1955, pp. 308-316.

[34] Véanse: M. Gómez Moreno, *Introducción a la Historia Silense con versión castellana*, Madrid, 1921; J. M. Pabón, *Salustio, Catilina y Jugurta*, vol. I, Barcelona, 1954, p. XL, n. 3.

[35] V. el estudio sobre los documentos castellanos, en el cap. V de este trabajo.

ejemplos de penetración del romance en el latín, especialmente
en el léxico. El nuevo impulso de la vida de Occidente hace necesarias voces que no tenían correspondencia y que han de ser
"latinizadas". Especialmente intensa es esta penetración en el latín no literario. Los documentos se redactaban casi siempre siguiendo formularios. Sobre el modelo va entrando una corriente
de vida que se realiza en dos direcciones: latinización de formas
romances y romanceamiento de formas latinas. Menéndez Pidal [36]
ha documentado ampliamente el fenómeno. Bastardas llega a afirmar que hasta fines del siglo XI "toda palabra latina por culta
que fuera era susceptible de ser deformada por presión del romance" [37].

Parece que lo específicamente caracterizador del latín del siglo XII es el establecimiento de unas fronteras claras entre el
latín literario y el que quedaba como resto de un uso convencional, escrito por gentes que no lo entendían. Es natural entonces que el préstamo culto de esta época se deba a dos fuentes
distintas. Una, la semitradicional, que estaría representada no sólo
por los cultismos de los documentos, sino también por el conjunto de voces que se van integrando en el romance como consecuencia del contacto entre el pueblo iletrado y los estratos más
cultos. Piénsese, por ejemplo, en el ambiente litúrgico. El pueblo
adoptó voces aprendidas en la iglesia que hizo suyas, pero conservando su valor evocador docto, consecuencia de su origen. Más
tarde, en el siglo XIII, el latín literario, recobrada su vitalidad y
pureza, prestó muchas palabras directamente al romance literario.
Se trataría de una comunicación idiomática a niveles superiores
que los hasta entonces establecidos.

Voces como *adorar, altar, apóstol, bendición, caridad, christiano, cruz, gloria, obispo, ofrenda,* etc., etc., se integraron gracias al contacto directo con la lengua de la Iglesia. Otras eran
familiares a los hablantes por hallarse constantemente en las fórmulas de compraventa: *ocasión, atorgar, apreciar, bestia, fin,
falso, firme,* etc., etc. Pero también encontramos préstamos cul-

---

[36] V. Menéndez Pidal, *Orígenes*, pp. 95 y 106.
[37] V. J. Bastardas, *op. cit.*, p. 279.

tos de tipo literario: *copla, mundo, palacio, poridad, presentar, visión, voluntad,* etc., etc. Menéndez Pidal nota que el mismo Cid ayudó al renacimiento eclesiástico y cultural trayendo a su corte a uno de esos cluniacenses, Jerónimo de Perigord, elogiado en el Poema como bien entendido en letras [38].

En síntesis, los específicos estados de lengua del latín y del romance se caracterizan por una progresiva delimitación de sus diferencias. Esta delimitación supone no la interrupción de la comunicación entre ambas, sino muy al contrario una intensa influencia del primero sobre el segundo, aunque de distinto signo que en tiempos pasados. Producto de esta nueva corriente es la penetración de voces cultas, ya en el *Poema* del Cid y, sobre todo, en la *Vida de Santa María Egipciaca.* Las condiciones para la integración de este caudal léxico culto son favorables. El romance necesita palabras nuevas al convertirse en lengua de cultura. El latín puede proporcionárselas, tras el proceso restaurador de la reforma cluniacense y el consiguiente contacto con textos literarios escritos en un latín más depurado. Bien entendido que no podemos hablar todavía, a fines del siglo XII y principios del XIII, de una delimitación cerrada, sino de un proceso fortalecedor de esos límites. Lentamente primero, durante el siglo XI, más rápidamente después, van ahondándose las diferencias. La cultura del siglo XIII significará, como estudiaremos en el lugar correspondiente, el extrañamiento definitivo de las dos lenguas. Es entonces cuando el cultismo adquiere su pleno valor de préstamo. Hasta entonces, sólo un pequeño número de cultismos debieron sentirse como voces ajenas al fondo patrimonial.

Muy significativa es la diferencia que ofrecen los textos de los siglos XII y XIII. Mientras en aquellos aparece frecuentemente una mezcolanza de latín y romance, en el XIII apenas encontramos el fenómeno. Obsérvese por ejemplo, lo dicho para los documentos lingüísticos y el *Fuero de Madrid* en el capítulo V de este trabajo. Y la misma mezcolanza ofrecen textos —no estudiados aquí— como el *Fuero de Valfermoso, las Fazañas de Palenzuela,* etc.

---

[38] V. R. Menéndez Pidal, *Orígenes,* p. 481.

1. *Los cultismos en el Poema del Cid.*

Enfrentarse con el estudio de nuestra poesía épica medieval es enormemente sugestivo. Los trabajos de Menéndez Pidal han sido luminosos y, sin ignorar el peligro que tiene poner nuestro análisis sobre estas obras, nos atrevemos a dedicarle las páginas que siguen y, si algo añadimos, ofrecerlo como homenaje al maestro de los filólogos españoles.

La naturaleza de la poesía épica española está condicionada genéticamente. La tradición germánica, arraigada en el pueblo castellano, ofrecía unas posibilidades creativas que viven latentes durante siglos en la conciencia de las generaciones. Tal potencialidad encontró su realización ante unos hechos históricos capitales —los de la Reconquista—, que desencadenaron esa serie de obras épicas estudiadas por Menéndez Pidal. Aparece así un rasgo esencial en nuestros cantares de gesta: la historicidad. No entramos ahora en la comprobación histórica de los sucesos narrados en el Poema del Cid. Apuntamos en otra dirección. Los primitivos cantos épicos germánicos eran un modo de expresar la actitud de un pueblo ante la vida. De la misma forma, a la luz de los estudios pidalianos, la gesta castellana se nos aparece como el fruto necesario y espléndido de una realidad histórica. Es ésta la que actúa como desencadenante de la creación literaria, dormida en la tradicionalidad. El Poema del Cid es así el fruto, granado ya, de la primavera épica.

Además de las concluyentes pruebas aportadas por Menéndez Pidal, hay otros indicios que pueden acercarnos a una comprensión total del fenómeno épico. El mismo nacimiento de la literatura narrativa castellana está influido por elementos procedentes de su realidad histórica. Sabemos que el destino histórico de Castilla —la Reconquista— no aisló a ésta de los restantes reinos cristianos ni aún de los territorios musulmanes. Por eso actúan complejas influencias sobre la creación épica. Sería muy interesante abordar un estudio de nuestra épica discerniendo lo que es en ella "plasmación hacia afuera" y lo que es creación coincidente con el "hacerse como ser histórico". Me parece indudable que de ambas cosas hay en el Poema del Cid y sospecho que encontraríamos datos más concretos aún en los primeros cantares de gesta desaparecidos.

El otro aspecto que no debe olvidarse es que la literatura es eso, literatura, y, como tal, tiene naturaleza artística. Ese carácter lo adquiere plenamente cuando el poema, como dice Lapesa, "con el transcurso del tiempo se convierte en poesía del pasado" [39]. Este factor condiciona intensamente la creación literaria, que debe poseer por propia naturaleza elementos de índole netamente estética, reflejados tanto en la forma como en el contenido [40]. El carácter de literatura oral es decisivo y condicionante de muchos rasgos de la poesía épica, como ha hecho notar Menéndez Pidal [41]. El juglar tiene muy presente que las reacciones de su auditorio son decisivas y a lograr un efecto favorable van dirigidas muchas formas peculiares de los cantares de gesta. Alfonso Reyes [42] ha estudiado las consecuencias de la especial tensión poética que supone la literatura oral, en cuanto que el oyente plantea al autor unas exigencias que afectan tanto al plano del contenido como al de la expresión. El arte juglaresco fue el arte medieval por excelencia porque supo atender a esas exigencias fundamentales: realismo y, a la vez, mitificación del héroe; equilibrio entre la tensión dramática y el escape humorístico; ahincamiento en la circunstancia concreta e inmediata y sentido de misión histórica. Un abanico, en fin, de centros de interés para el público al que iba dirigido [43].

---

[39]   V. Rafael Lapesa, *La lengua de la poesía épica, en los cantares de gesta y en el romance viejo*, en «*De la Edad Media a nuestros días*», Gredos, Madrid, 1967.

[40]   V. E. de Chasca, *El arte juglaresco en el Cantar de Mio Cid*, Gredos, Madrid, 1967.

[41]   V. R. Menéndez Pidal, *Poesía juglaresca y orígenes de las literaturas románicas*, Instituto de Estudios Políticos, Madrid, 1957.

[42]   V. Alfonso Reyes, *La experiencia literaria*, Buenos Aires, 1942, pp. 10 y sigs.

[43]   V. Américo Castro, *Poesía y realidad en el Poema del Cid*, Tierra Firme, I, Madrid, 1955.

El lenguaje épico.

A esta poesía corresponde un tipo de lenguaje perfectamente analizado ya [44]. Su carácter fundamental se basa en la libertad del juglar. Se trata de un lenguaje "abierto", en el sentido de que admite una serie de posibilidades que afecta a múltiples aspectos de la realidad idiomática: expresión ennoblecida, giros coloquiales, arcaísmos léxicos y fonéticos, gran libertad en la estructuración sintáctica, etc. Claro es que estas considerables posibilidades de comunicación no se emplean caprichosamente, sino en virtud de muy claras intenciones expresivas [45].

Se ha discutido si el lenguaje épico responde a los gustos de un público caballeresco al que iba destinado el poema. Menéndez Pidal [46] ha señalado que aunque el auditorio preferido por los juglares era de tipo aristocrático, no por eso dejaban de cantar para el pueblo. Asimismo, su lenguaje fluctúa entre el uso familiar y el giro solemne que da gravedad a la expresión. Esta fluctuación proporciona una cierta flexibilidad idiomática y, aunque el juglar evita cuidadosamente cualquier tipo de frase grosera o tosca, su expresión no está nada lejos del lenguaje popular.

Se plantea así un tema interesante: el sentido y la forma de la integración culta en la literatura popular. El estudio de los cultismos en el Poema del Cid supone ya una cierta manera de abordar ese tema. Estudiaremos para ello la proporción en que aparece el cultismo, su grado de adaptación formal, la pervivencia de ciertas voces en textos posteriores y, por fin, el papel estilístico y expresivo que puede cumplir el empleo de voces cultas.

---

[44] V. R. Menéndez Pidal, *Cantar de Mio Cid. Texto, Gramática y Vocabulario,* Espasa-Calpe, Madrid, 3 vols. y R. Lapesa, *op. cit.*

[45] V. el importante estudio de Dámaso Alonso, *Estilo y creación en el Poema del Cid,* en *Ensayos sobre poesía española,* Buenos Aires, 1944.

[46] V. R. Menéndez Pidal, *La Chanson de Roland y el Neotradicionalismo* pp. 448-49.

Proporción del cultismo.

Parece que hacer un recuento estadístico de la proporción numérica de cultismos no ofrecería un especial significado. Como mostraré en seguida, más que la proporción absoluta —fácil de establecer, por otra parte, sobre el vocabulario de Menéndez Pidal— interesa buscar la posible relación entre el tipo de léxico empleado y la naturaleza temática del fragmento considerado. He seleccionado, por tanto, una serie de fragmentos atendiendo a su carácter dialogado, descriptivo o narrativo, y un tercero de naturaleza más específicamente culta por pertenecer a ambientes de clara influencia docta, como puede ser la oración de doña Jimena (vs. 325-365) o la demanda del Cid ante el rey (vs. 3250-3300).

Intentaré ejemplificar cada uno de esos tipos en las tres partes del Poema, por las posibles diferencias advertidas. Menéndez Pidal [47] ha mostrado las diferencias lingüísticas existentes a lo largo del Cantar. Creemos útil tener en cuenta también el distinto carácter —y quizás autor— de cada una de sus partes.

a) *Cantar del destierro.*

1. El encuentro del Cid y su familia en el monasterio de Cardeña ofrece un buen ejemplo de fragmento dramático. En los versos 242 a 284 sólo encontramos los siguientes cultismos: *abbat* (3 veces), *Dios* (2 veces), *gracias* y *monesterio*. Es decir, cuatro voces cultas en un fragmento en el que domina intensamente el contenido afectivo; dramático en cuanto que a través de la expresión dialogada se expresa no sólo el dolor de la ausencia, sino la duda misma sobre la honra del Cid, puesta en entredicho.

2. La batalla de Alcoçer (vs. 693-757) es seguramente el fragmento de contenido bélico que el juglar canta con mayor detenimiento. Encontramos los siguientes cultismos: *caridad* (2 veces), *falssar* (2 veces), *cristianos* (2 veces), *medio, firme, cristiandat.* En sesenta y cuatro versos aparecen únicamente seis

---

[47] V. R. Menéndez Pidal, *En torno al Poema del Cid,* Barcelona, 1963.

cultismos y algunos de ellos de tan escaso contenido culto como *medio,* que, indudablemente, ya no eran sentidos como tales.

3. Oración de doña Jimena (vs. 325-365). En cuarenta versos se emplean los siguientes cultismos: *matines, eglesia, altar, Dios* (3 veces), *glorioso, encarnación, Belleem, voluntad* (5 veces), *glorificar, laudar, Arabia, adorar, Melchior, Gaspar, Baltasar, mirra, Jonás, Daniel, cárcel, falso, criminal, spirital, miraclo, resucitar* (2 veces), *Lázaro, Calvario, cruz* (2 veces), *Golgotá, paradiso, vertud, Longinos, monumento, infiernos, mundo.* A pesar de que el fragmento es más breve que los anteriores, la diferencia en la proporción y tipo de cultismos es enorme. Obsérvese, por ejemplo, la abundancia de nombres propios, de tradición bíblica. Estos cultismos tienen caracteres específicos porque obedecen a unas fuentes muy bien definidas.

b) *Cantar de las bodas.*

1. El rey y el Cid se avistan a orillas del Tajo. En una escena tensamente dramática, se produce la reconciliación entre señor y vasallo. El rescate de la honra se ha logrado. En este momento central del Poema, encontramos los siguientes cultismos: *natural, gracia, omillar,* (2 veces), *maravillar, claro, obispo* y *missa.*

2. Asedio y conquista de Valencia. (Vs. 1167-1220). En cincuenta versos encontramos los siguientes cultismos: *consolar, ganancia* (2 veces), *gentes* (2 veces), *christiandad, Valencia* (3 veces) y *cristianos.* En total, seis voces diferentes. Como en el caso anterior, también este trozo narrativo ofrece escasa proporción de cultismos.

3. Las huestes de Marruecos ante Valencia. (Vs. 1610-1656). El humano orgullo del Campeador alcanza su momento culminante en estos versos. Impresiona al lector la honda verdad que hay en la actitud del héroe cuando muestra a su mujer e hijas la heredad ganada. Valencia, desde el alcázar, es "ganançia buena e grand". De pronto, la intimidad familiar del héroe castellano se quiebra. El rey de Marruecos viene a cercar Valencia, y he aquí la reacción del Cid:

"Venídom es deliçio de tierras d'allent mar"

El fragmento pertenece, por tanto, a uno de esos instantes que nos aclaran la auténtica personalidad del protagonista. Pues bien, a este trozo corresponden los siguientes cultismos: *Valencia* (4 veces), *Dios* (3 veces), *ganançia, Jesu-Cristo, virtos, gentes, espiritual* (2 veces), *delicio, maravillosa, presend* y *palaçio.*

Como en el *Cantar del destierro,* obsérvese la diferente proporción en que se usa el cultismo. Aunque no hay tanta diferencia entre unos y otros fragmentos —la oración de doña Jimena era todo un sermón eclesiástico—, sí se mantiene la distinción.

c) *Cantar de la afrenta de Corpes.*

1. Burla de los Infantes de Carrión (vs. 2278-2337). Elegimos ahora un fragmento humorístico en que alterna lo narrativo con lo coloquial. Sobre sesenta versos, los cultismos son: *Valençia* (3 veces), *medio, maravilla, palaçio, ganançia* (2 veces), *pérdida, poridad, ración* y *Dios.*

Otra vez aparece escasa la proporción de cultismos, aunque el trozo ofrece una rica expresividad que alcanza a una variada gama de sentimientos: el tranquilo valor del héroe, la cobardía de los yernos, las burlas de las huestes cidianas y, en fin, la socarronería del Cid:

"Yo desseo lides, e vos a Carrión" (vs. 2334).

2. Presentación del Cid en Toledo (vs. 3060-3115). Es éste un texto de carácter muy diferente. Es uno de los pocos fragmentos en que el juglar se detiene con cierta morosidad en la descripción de las vestiduras del Cid y de sus caballeros. He aquí los cultismos: *matines, missa, ofrenda, obispo, cumplir, ciclaton* (?) y *medio.*

Es curioso hacer notar que en la descripción propiamente dicha sólo aparece un cultismo *ciclaton* (?); los restantes se hallan en los versos complementarios y son meramente ocasionales. Si se compara esta descripción con la que aparece en el *Libro de Alexandre,* se observará el profundo cambio cultural que media entre ambas épocas [48].

---

[48] V. el capítulo VII de este trabajo.

3. Desafío del Cid a los infantes de Carrión (vs. 3250-3300). Es uno de los pocos fragmentos de este Cantar en que los cultismos aparecen con relativa abundancia: *apreçiadura, penssar, caridad, juyizio, Valencia, bestias, natura* (2 veces), *preciar* (2 veces), *Dios, delicio* (2 veces), *cristiana*. Once cultismos en cincuenta versos.

En conjunto, se puede afirmar que la proporción con que aparece el cultismo en el Poema es escasa. El autor prefiere utilizar otros recursos que la acumulación de voces doctas para provocar un efecto solemne. Para su público hubo de ser más significativo el uso de arcaísmos léxicos y fonéticos. El hecho se halla plenamente de acuerdo con el carácter de literatura oral de la poesía épica. El arcaísmo, por ejemplo, se halla en el lenguaje oral y no tiene por qué ser de fuentes literarias. Así lo advierte el juglar. Por otro lado es muy difícil establecer nexos entre el oficio de juglar y el de conocedor de fuentes latinas.

Sí puede advertirse, en cambio, una diferente repartición de los cultismos según el tipo de contenido del fragmento. Mientras que en lo puramente descriptivo o narrativo se usan los cultismos con menor intensidad, hay determinados trozos en que parece ocurrir lo contrario. Es ése el caso de la oración de doña Jimena. Dada la excepcionalidad del ejemplo, hemos de atribuir la abundancia de cultismos al hecho de tratarse de la llamada "oración de los agonizantes", que se encuentra repetidamente en textos medievales (Fernán González, Juan Ruiz, Ayala, etc.), tal como han mostrado los estudios de Lecoy, Gimeno Casalduero, etc.

Con la salvedad anterior, no hemos encontrado un solo fragmento en que pueda hablarse de acumulación de cultismos. Ni siquiera son especialmente abundantes en la demanda civil del Cid en la Corte, a pesar de que sospechamos que este tipo de léxico jurídico debía de ser relativamente familiar a un numeroso círculo de oyentes. El fragmento revela un profundo conocimiento de la práctica jurídica de la época[49]. Pero apenas hallamos algún cultismo: *apreçiar, biltar, entençión, iuizio* y alguno más sin especial relieve.

---

[49] V. E. de Hinojosa, *El derecho en el Poema del Cid*, en *Estudios sobre la Historia del Derecho español*, Madrid, 1903.

Como veremos en seguida, el intenso grado de adaptación formal de los cultismos se corresponde con el no excesivo número en que éstos aparecen.

Grado de adaptación formal.

Una ojeada sobre la lista de voces cultas que aparecen en el Cantar del Cid nos revela el enorme predominio de los llamados semicultismos sobre los cultismos puros. Estos últimos no llegan a una tercera parte del total, y se hallan, además, completamente adaptados al sistema formal del romance. Hay alguna excepción, como *Christus,* que es preciso considerar latinismo litúrgico. Los abundantes semicultismos nos revelan la incorporación de estas voces a las transformaciones fonemáticas de las voces tradicionales. En conjunto, podemos establecer el siguiente cuadro de adaptación formal de los cultismos:

1. *Vocalismo.*

—Conservación de ĭ: *criminal.*
—Conservación de ŭ: *cruz, monumento, mundo,* etc.
—Conservación de -i, -u finales: No hay ningún ejemplo, salvo la forma *Christus* (no integrada).
—No diptongación de ĕ, ŏ tónicas: *ofrenda,* pero *sieglo.*
—Pérdida de la intertónica: *abiltar, miraclo,* etc., pero conservación en *pérdida, caridad, pórpola, resuçitar,* etc. Es más frecuente la conservación que la pérdida.
—Conservación de los diptongos ai, au: *laudare.* Los ejemplos son escasísimos. Los hay también de evolución: *morisca.*
—Pérdida de -e final, tras r, s, n, l, d, z: *adorar* y la mayor parte de las voces, pero *laudare* y *Trinidade.*
—Evolución de hiatos y diptongos: *Orient, piedad* (trisílabo), *Criador,* etc.

2. *Consonantismo.*

—Conservación de consonantes iniciales simples: *gente, gentil, gesta.*

—Conservación de consonantes iniciales agrupadas: *glera, clamar, plazo.*

—Conservación de consonantes simples interiores: *Apóstol, espirital, vocaçión, glorificar, vigilia, vigor,* etc.

—Conservación o distinta evolución de grupos interiores latinos: *pensar, angel, sinar, cumplir.*

—Consonante más yod: *medio, mediado, Arabia, vigilia, maravilla, monasterio, eglesia, ocasión, Daniel, apreçiar,* tec.

—Conservación de grupos consonánticos especiales (L+cons.): *altar.*

—Conservación de grupos consonánticos interiores romances: *copla, miraclo, sieglo.*

—Conservación de consonantes finales: *Belleem.*

A la vista del esquema precedente pueden hacerse algunas observaciones. Si lo comparamos con el establecido en capítulo II de este trabajo, se ve que se hallan presentes casi todos los fenómenos de evolución fonética; unos, evitados por la presión culta; otros, que han afectado a los semicultismos. En cambio, es curioso comprobar que se hallan ausentes, en un sentido o en otro, determinadas tendencias evolutivas, especialmente las que más chocarían con el sistema fonemático del romance. No encontramos ningún caso de conservación de -i, -u finales, lo que nos indica la ausencia de tal posibilidad fonemática, que no se hará realidad hasta el gran empujón culturalizante del mester de clerecía, y aun entonces, en forma harto infrecuente.

Otro caso digno de subrayarse es la ausencia de cultismos con el grupo CT conservado, que, en cambio, aparecerán en cierta cantidad a partir del siglo XIII. De modo paralelo, se produce el mismo fenómeno en el caso de otros grupos, como RS, PT, PS, CS, ULT; es decir, aquellos grupos consonánticos más extraños al estado de lengua de la primera mitad del siglo XII.

Aparecen ya consolidadas las posibilidades fonemáticas más frecuentes, tanto vocálicas como consonánticas. Algunas ofrecían vacilación semejante a la del habla no literaria, por ejemplo, en la inflexión por yod o en la simplificación de los grupos -NS-, -MB-, etc.

Puede concluirse, en fin, que los cultismos del Poema se

hallan dentro del sistema fonemático formado con anterioridad a la creación literaria. El autor viene a consagrar, más que a innovar, un estado de lengua preexistente, dándole el prestigio de instrumento de expresión literaria. El hecho más importante es convertir en norma, aun con sus vacilaciones. un sistema fonemático producido por la lengua popular. La herencia culta se mantiene en un tono menor, que aflora excepcionalmente sin atreverse todavía a abrir nuevas posibilidades formales ni, apenas, léxicas. El aspecto formal de estos cultismos, carente de atrevidas novedades, armoniza perfectamente con los hechos ya señalados. Era perfectamente lógico que todavía los cultismos fueran fácilmente erosionados por la evolución fonética, intensamente viva en la lengua oral. De ahí, la abundancia de semicultismos.

Comienza así a delinearse un rasgo fundamental del lenguaje épico en lo que se refiere al uso de cultismos: se trata de un empleo consciente de aquellos que se hallaban integrados en la conciencia lingüística de los hablantes. Lo contrario es, como hemos visto, lo excepcional. Ni por su número ni por su aspecto formal pretende asombrar el juglar. Es una prueba más de la identificación idiomática que hay en la literatura oral entre el poeta y su auditorio.

Pervivencia de los cultismos.

Se conoce el auténtico valor significativo y expresivo de un cultismo cuando se sigue su historia a través de los textos en que aparecen. Por eso hemos hecho del índice comentado de cultismos, donde todos ellos se hallan documentados en su contexto, el objeto fundamental de este trabajo. De su análisis, hemos deducido unas cuantas observaciones:

1.ª)   Más del noventa por ciento de las voces cultas o semicultas utilizadas por el juglar han llegado con plena vitalidad a nuestros días, a través de una tradición que llena la mayor parte de los textos literarios de la Edad Media. No alcanzan la docena los que han desaparecido en la lengua actual: *abiltar* (?) 'afrentar' (y sus derivados *biltar, biltança* (?), *ciclaton* 'tela de seda', *entençión* 'alegación en juicio', *glera* 'arenal', *poridad* 'secreto, reserva', y *virtos* 'hueste'.

Ciertamente, algunos otros han sufrido cambios semánticos, pero se han conservado como tales palabras, y la transformación significativa no es ni más ni menos la misma que ha afectado a otro tipo de palabras tradicionales.

2.ª) De esas escasas palabras no conservadas solo una, *virtos,* tiene un uso muy restringido y no literario. Es la única no documentada en alguno de los restantes textos analizados en este trabajo. Las demás voces son típicamente medievales; se encuentran frecuentemente en los textos literarios y poseen referencias nocionales muy concretas, que demuestran su adscripción a una realidad histórica más amplia que la de la pura creación literaria.

Estas observaciones deben darnos el significado exacto de su primera documentación en el Poema del Cid. No se trata de una introducción de neologismos debida a la actividad creadora del juglar, sino que es el espejo de una situación idiomática. El poeta —o los poetas— de la obra emplea ese caudal léxico porque existía en los distintos niveles socio-culturales como algo vivo, y no libresco. El préstamo se había gestado en el período histórico que culmina con el Poema del Cid. Como en otros aspectos ha mostrado Menéndez Pidal, también en éste el Poema se nos revela no como el inicio de una corriente, sino como la culminación de una tradición en lo lingüístico y en lo literario. No hay deseos de novedad en el uso del cultismo, sino plasmación de una madurez lingüística. De ahí el éxito y la pervivencia de unas voces que apenas podemos llamar neologismos cuando aparecen ya en el Poema.

Campos semánticos.

En el capítulo III de este trabajo decíamos que la integración definitiva del cultismo depende en parte de su capacidad para establecer relaciones de significado con las voces conexas. También allí establecíamos cinco grandes campos nacionales en los que pueden englobarse la mayoría de los cultismos estudiados en nuestro trabajo. Tales campos son: 1) Términos de la liturgia y la devoción; 2) Conceptos teológico-filosóficos; 3) Moral; 4) Voces jurídicas; 5) Cultismos escolares y científicos.

Se aplica ahora aquella clasificación semántica al Poema del Cid. Con ello tratamos de analizar cuáles son los centros de interés que obligan al uso de cultismos. Habrá que distinguir, como es natural, aquellas voces que se usan con clara intención expresiva y que indican, por tanto, una selección, de aquellas otras exigidas por necesidades significativas. De ello trataremos más adelante. El cuadro semántico obedece al siguiente esquema:

1. Términos de la liturgia y la devoción: *altar, apóstol, Beleem, bendición, cristiandat, cristianismo, cristiano, Cristus, cruz, Daniel, eglesia, encarnación, Gabriel, Golgotá, laudar, miraclo, missa, monesterio, monumento, obispado, obispo, offrenda, oración, resuçitar, sanctidad, santidad, santiguar, sieglo, sinar, vigilia, visión, vocaçión.*

2. Términos teológico-filosóficos: *angel, espirital, glorificar, glorioso, mundo, natura, natural, voluntad, Criador, criatura, penssar, Trinidad.*

3. Moral: *alto, amistad, caridad, consolar, delicio, digno, dubda, enssiemplo, espacio* 'solaz, consuelo', *falsso, falssedad, firme, gentil, gracia, ocasión, piedad, vanidad.*

4. Voces jurídicas: *abiltar, biltar* (?) 'afrentar', *apreçiar* 'tasar', *atorgar, biltança* (?), *criminal, serviçio, entençión, ganançia, gente, iuizio notar* 'contar', *omillar, partición, pérdida, perjurar, poridad, podestad, preciar, precioso, presentar, presente, raçión, virtos, palaçio, palaçiano.*

5. Términos escolares y científicos: *bestia, ciclaton, copla, gesta, latinado, libro, orient, pórpola, maravilla, maravilloso, morisca.*

6. Varios: *clamor, départición, glera, medio, mediano, vigor.*

El análisis del cuadro anterior nos permite hacer algunas observaciones. En primer lugar, notaremos que la repartición semántica de los cultismos varía sustancialmente con respecto al cuadro general establecido en el capítulo III [50]. No extraña que el grupo más numeroso sea el de las voces litúrgicas y devotas, pero sí destaca, en cambio, la escasez de términos procedentes

---

[50] V. cap. III, pp. 111-114 de este trabajo.

del mundo escolar y científico. Incluso los términos de ambiente eclesiástico pertenecen a un universo significativo muy limitado. Podría afirmarse que estos cultismos son los menos "doctos", en el sentido de que apenas hacen referencia a nociones de carácter *intelectual*. La ausencia de tecnicismos es absoluta [51]. Las voces integradas en el grupo de términos escolares y científicos son todas semicultismos, lo que revela, una vez más, que no se trata de un uso libresco.

Algo semejante ocurre con las voces jurídicas. Más que de términos de Cancillería, se trata de palabras que de los documentos notariales habían pasado al habla común o casi común, al menos a un cierto nivel de público aristocrático, al que iba dirigido preferentemente el cantar de gesta.

El mundo de la moral, tan rico en cultismos en el siglo XIII, aparece también pobremente representado. Poco más de una docena de términos que están dentro, igualmente, del habla general. Esto nos anuncia que el gran caudal de voces de este tipo penetra gracias a los catecismos político-morales de tiempos de Fernando III.

En conjunto, el cultismo ofrece en el Poema una escasa representación si lo comparamos con los textos de la centuria siguiente. Representa, en cambio, la consolidación de un tipo de vocabulario de origen culto ya existente. Su diversificación semántica no debe hacernos olvidar que las voces son de procedencia casi exclusivamente eclesiástica. El juglar se limita a recoger lo que se hallaba en la lengua de su época. En verdad no necesitaba otra cosa puesto que su arte estaba al servicio de la comunidad.

Papel expresivo y estilístico del cultismo.

Las consideraciones anteriores nos llevan a abordar un último punto: el posible papel expresivo y estilístico del cultismo. Repetidas veces se ha afirmado que al estilo llano y sencillo de la poesía épica medieval acompaña, en ocasiones, una solemne elevación del tono expresivo a fin de dotar de cierta grandio-

---

[51]   Para *virtos,* v. R. Menéndez Pidal, *Cid, Vocabulario,* s. v.

sidad algunos pasajes de la narración. Esto lo realiza el juglar gracias al arcaísmo fonético, al uso de fórmulas rituales, al empleo de formas estilísticas procedentes de la épica francesa, que era su modelo literario más próximo, etc. [52]. En cambio, como hemos visto, se resiste a emplear formas léxicas no usuales, seguramente por hallarse este recurso fuera de la técnica juglaresca.

Teniendo en cuenta lo anterior, hemos de pensar que la función expresiva del cultismo en el Poema ha de ser forzosamente limitada. Esto no excluye la posibilidad de que un término culto sea el centro de atención de los oyentes en un momento determinado y cumpla con ello un papel expresivo. No puede negarse que un término con una estructura formal no usual y con un contenido significativo de carácter culto o, simplemente, propio de las clases elevadas, puede ser un toque de atención hacia la frase o el contexto en que se halla empleado. De Chasca, en su importante libro sobre el Poema [53], advierte que en la experiencia literaria del oyente la percepción del significante es anterior. El cultismo puede impresionar la atención del oyente potenciando su significado —ya de por sí más rico en contenidos culturales— por ser su significante no usual.

Todo esto nos lleva a considerar el posible valor expresivo del cultismo aun en la literatura oral, especialmente en determinados contextos. Los efectos serán muy diferentes según el campo semántico al que pertenezcan. También según las posibilidades sinonímicas que permitan establecer. Servirán, en fin, para "latinizar" el lenguaje o, sencillamente, para situar la narración en un ambiente determinado, de carácter religioso, por ejemplo. Sería inútil buscar por más caminos, ya que nada en los cantares de gesta apunta hacia una tradición libresca, sino a un saber popular de carácter colectivo.

A modo de ejemplo, se analizan a continuación algunos pasajes en los que pueden observarse efectos expresivos conseguidos gracias al uso de cultismos.

---

[52] V. R. Menéndez Pidal, *La forma épica en España y en Francia*, RFE, XX, 1933 y R. Lapesa, *La lengua de la poesía épica*.

[53] V. E. De Chasca, *op. cit.*, pp. 44 y sigs.

Al estudiar la proporción de cultismos se aludió a un pasaje —la oración de doña Jimena— en que la acumulación de cultismos es máxima. No parece haber duda de que tal acumulación, además de mostrar su dependencia del lenguaje litúrgico, produce un efecto expresivo ennoblecedor y tiene consecuencias expresivas. La intensificación cultista es considerable:

"...prisist *encarnaçión* en Santa María madre,
en *Belleem* apareçist commo fo tu *veluntade,*
pastores te *glorifficaron,* ouieron te a *laudare,*
tres reyes de *Arabia* te vinieron *adorare,*
Melchior e Gaspar e Baltasare,
oro e *tus* e *mirra* te offrecieron de *veluntade.*"

Obsérvese que junto a la acumulación de términos cultos, el pasaje ofrece el arcaísmo de la -e paragógica, con lo que la "latinización" del lenguaje adquiere mayor relieve.

El texto aducido es seguramente el único que ofrece un ejemplo tan claro de latinización consciente. Lo normal es que el papel del cultismo sea mucho más modesto. Por ejemplo, el uso de *christianismo,* con valor ponderativo:

"Si lo que digo fizieredes, saldredes de cativo;
si non, en todos vuestros días non veredes *cristianismo*"

(vs. 1026-27).

El mismo valor ponderativo alcanza con frecuencia la combinación de *ganançia* y el adjetivo *maravillosa:*

"Ido es el comde, tornós el de Bivar,
juntóse con sus mesnadas, compeçós de alegrar
de la *ganançia* que han fecha *maravillosa e grand*"

(vs. 1083-85).

A veces el cultismo ocupa el centro expresivo de la frase. Así ocurre en el altercado entre Garci-Ordóñez y el Cid. La altanería de la respuesta del Conde se centra en dos cultismos, *natura* y *preciar:*

"Los de Carrión son de *natura* tan alta,

. . . .

Quanto él dize non gelo *preçiamos* nada."

El escaso *aprecio* deriva de la *natura tan alta* de los Infantes de Carrión, "mucho orgullosos" (vs. 1938), como dice el poeta [54].

No faltan ejemplos en que el cultismo sirve para establecer matizaciones expresivas en una enumeración. La voz *palaçio* aparece con los significados 'residencia del rey' y 'sala, aposento principal y común de una casa' [55]. Cuando el Poema habla de la "ira del Rey" dice:

"Dexado ha heredades e casas e *palaçios*."

(vs. 115).

Evidentemente, el cultismo señala el término más alto de la gradación, la culminación del sacrificio del desterrado al dejar sus heredades.

Aunque leve, no falta el elemento mítico en el Poema. La onirisis aparece en un verso esmaltado de cultismos. El tranquilo sueño del Campeador es inundado por la visión angélica:

"...un sueño priso *dulce*, tan bien se adurmió.
El *ángel Gabriel* a él vino en *visión*."

(vs. 406-407).

El Poema, poco dado al brillo descriptivo, ofrece alguna vez muestras de ello. La fastuosidad del marco en que se celebrarán las bodas se expresa así.

"Penssaron de adobar essora el *palaçio*
por el suelo e suso tan bien encortinado,
tanta *pórpola* e tanto *xámed* e tanto paño *preçiado*."

(vs. 2205-7).

---

[54]   Como ha notado Menéndez Pidal, en el Poema late un profundo problema social. La hostilidad del espíritu democrático que representa el Cid contra la nobleza cortesana encarnada por los Infantes de Carrión, que tan mal parada sale en el Cantar. V. R. Menéndez Pidal, *La España del Cid* y *En torno al Poema del Cid*, EDHASA, Barcelona, 1970.

[55]   V. R. Menéndez-Pidal, *Cid, Vocabulario*, s. v.

El ponderativo *tanto* descansa sobre tres términos. Es curioso comprobar que el mismo papel magnificador del cultismo (*pórpola*, *preçiado*) lo posee un helenismo arabizado (*xamed*). Es decir, las dos lenguas de gran prestigio cultural proporcionan efectos semejantes, en cuanto evocadoras de un mundo superior en esplendor y boato. No olvidemos que *morisco* es un cultismo y aparece también con valor ponderativo:

"Una piel vermeia, *morisca* e ondrada."

(vs. 178).

No falta tampoco el cultismo en expresiones formularias. Por ejemplo, *caridad*, usada en exclamaciones o aseveraciones:

"Dixo el Campeador: non sea por *caridad*."

(vs. 709).

Espiral, referido siempre al sustantivo *Padre*:

"Grado al Criador e al Padre *espiral*."

(vs. 1633).

Gentil en el sintagma *Castiella la gentil* (vs. 672).

Gloriosa, nombre antonomásico de la *Virgen*:

"Vuestra vertud me vala, *Gloriosa* en mi exida."

(vs. 221).

Véase, en fin, un ejemplo en que el cultismo moral subraya el tono despectivo con que se habla del Conde de Barcelona:

"El conde es muy foilón e dixo una *vanidat*."

(vs. 960).

Del análisis efectuado en páginas anteriores podemos concluir algunas observaciones. La proporción de cultismos no es elevada. Desde luego mucho menor que la que encontramos hoy en obras sin pretensiones cultistas de ninguna clase. Apenas existe de modo excepcional una acumulación intensificadora.

Existe un alto grado de integración del cultismo en el habla general, revelado por la adaptación formal y por el predominio de semicultismos. No hay intención innovadora, sino máxima asimilación de las posibilidades idiomáticas preexistentes. Esto está de acuerdo con el carácter de creación colectiva de la poesía épica. La creación individual de léxico es peculiar de un estadio más avanzado de la historia cultural.

La documentación reunida en el índice comentado de cultismos, que incluimos en el volumen II, corrobora lo afirmado hasta ahora. Casi todos los cultismos utilizados por el juglar han pervivido a lo largo de la historia de la lengua. El hecho de que muchos de ellos estén documentados por primera vez en el Poema del Cid no es más que el resultado de ser el viejo Cantar la culminación de una tradición literaria anterior de la que no han quedado textos. Su conservación demuestra el arraigo que el lenguaje épico tenía en el habla general. La pervivencia de los cultismos lo prueba en el estrato idiomático más noble y elevado.

Los campos semánticos establecidos hacen girar los cultismos en torno a las dos esferas con las que el hablante establecía —o podía establecer— un contacto cultural derivado del natural fluir de la vida: los actos litúrgicos a los que el pueblo asistía, y la lengua de los documentos de compraventa, fueros, cartas-puebla, etc. La escasez de cultismos exclusivamente librescos confirma lo anterior.

Por último, hemos mostrado que, en ciertos casos, el cultismo reclama para sí una función expresiva: el contraste, la ponderación cualitativa y cuantitativa, la evolución de un ambiente de magnificencia, la construcción de frases formularias, etc. Todas ellas son muestras de un uso artístico del léxico culto, que puede ser considerado como el tímido inicio de una técnica que alcanzará su desarrollo pleno con la obra del mester de clerecía, a partir del siglo XIII.

Los cultismos en el Auto de los Reyes Magos.

Sobre la edición de Menéndez Pidal hemos realizado nuestro estudio del cultismo en el Auto de los Reyes Magos [56].

Como se sabe, el texto es fragmentario; son unos doscientos

---

[56] V. R. Menéndez Pidal, *Disputa del alma y el cuerpo y Auto de*

versos que abarcan desde el monólogo de los tres reyes a la consulta de Herodes a sus sabios cortesanos. Literariamente, el texto es interesante porque revela un intento de caracterización psicológica de personajes y situaciones. Es conmovedora la ingenua vacilación de Gaspar, Melchor y Baltasar ante la estrella que anuncia la llegada del Mesías:

"Es, non es?
cudo que verdad es" (vs. 44-45).

Vacilación que se expresa también con plásticas fórmulas populares consolidadas con valor ponderativo.

"Non es verdad, non sé qué digo,
todo esto non *vale uno figo*" (vs. 7-8).

Es de notar que los tres monólogos son casi idénticos, tanto en su contenido como en su extensión: dieciocho versos el de Gaspar, catorce el de Baltasar y diecinueve el de Melchor. Estructuralmente, tal paralelismo revela la necesidad de insistir, casi machaconamente, en el valor dramático de la duda. El eje temático del fragmento es la expectación ante la llegada del Mesías. La morosidad de la espera provoca reacciones psicológicas distintas en los personajes: la gozosa espera de los Reyes, el temor de Herodes y la hipocresía de los rabinos. Esto es todo lo que nos dice el texto.

A este desarrollo temático corresponde un lenguaje en el que se ha advertido la procedencia francesa de su autor. También se han estudiado las rimas [57] y la versificación. Sin entrar ahora en el problema del autor, aceptamos como fecha del Auto los últimos años del siglo XII [58]. Corresponde, pues, a un momento

---

los *Reyes Magos,* Revista de Archivos, Bibliotecas y Museos, IV, pp. 453-62. Se reseña allí la más importante bibliografía sobre el texto.

[57] V. Rafael Lapesa, *Sobre el Auto de los Reyes Magos: sus rimas anómalas y el posible origen de su autor.* Homenaje a Fritz Krüger, II, Mendoza, 1954, pp. 591-99.

[58] Para Menéndez Pidal la letra del manuscrito del *Auto* es de principios del siglo XIII y se halla en el mismo códice en que se publican dos obras con letra del XII.

de transición cultural: paso de la literatura oral a la literatura escrita. Como se ha hecho notar en las primeras páginas de este capítulo, la transición del siglo XII al XIII se caracteriza culturalmente por dos hechos: la incorporación de España a las corrientes europeas, consecuencia de los contactos con Francia desde el reinado de Alfonso VI, y por el triunfo definitivo de la reforma cluniacense de signo latinizante.

Es posible que el *Auto de los Reyes Magos* sea precisamente una muestra dramática de esa influencia. Para nosotros el texto tiene el gran inconveniente de su brevedad, por lo que los cultismos, además de ser escasos, tienen poco valor representativo. Exactamente, son veinte las voces documentadas, a las que podría añadirse algún cultismo meramente gráfico como *nocte* y *vita,* que no creo sea posible interpretar como formas cultistas vivas en el habla.

La lista de cultismos, de la que exceptuamos los nombres propios, nos revela dos tipos de esferas de influencia: eclesiástica y escolar. A la primera pertenecen palabras como *acenso, encenso, adorar, caridad, Criador, clamar, gente, mirra, profecía, seglo.* Junto a este grupo hay ya cierta abundancia de términos escolares: *celestial, escripto, escriptura, gramatgos, humano, maravilla, mundo, occidente, retórico.*

Aunque el texto es demasiado breve para deducir conclusiones de tipo estadístico, obsérvese la nivelación cuantitativa que ofrecen las dos esferas semánticas en que hemos incluido los cultismos. Es significativo también que mientras los pertenecientes a la primera están documentados en el *Poema del Cid,* salvo alguna excepción *(profecía),* los otros revelan la proximidad de su nacimiento. Esto nos hace pensar que la obra debió estar integrada en la corriente cultista que, arrancando del siglo XII, llega a su plenitud en la centuria siguiente.

Otro hecho que hemos observado es la distribución de los cultismos a lo largo del texto. No encontramos un empleo conscientemente expresivo del cultismo ni por uso específico de este tipo de voces ni por acumulación de ellas en algún pasaje. Pienso, entonces, que la presencia de estos cultismos obedece a una corriente de escuela literaria, y no a un uso subjetivo y con voluntad estilística de su autor. A ello responden, por otra parte, las continuas referencias a textos escritos, en las que reside todo criterio de autoridad. Recuérdese la insistencia del rey Herodes en consultar fuentes escritas para salir de dudas:

"dezir m'en la verdad, si iaze in escripto".

(vs. 125).

en lo cual insiste más adelante

"Y traedes vostros escriptos?
Los Sabios. Rei, sí traemos
los meiores que nos auemos".

(vs. 128-130).

Incluso, se da la referencia de la fuente escrita con el deseo de subrayar la autoridad:

"Non entendedes las profecías,
las que nos dixo Ieremías".

(vs. 140-141).

En conexión con la incorporación de cultismos se halla otro aspecto interesante del Auto de los Reyes Magos. Nos referimos a la latinización del romance, en ejemplos como *december, in, pace,* etc., lo que nos confirma en la idea de que el texto se halla dentro de una creación de escuela literario-eclesiástica. El tipo de cultismos empleados revela un avance considerable en el proceso de culturalización de la literatura de la segunda mitad del siglo XII. Se trata del desarrollo de una corriente francófila y latinizante —presente ya en el Cantar del Cid— que adquiere variedad a partir de la centuria posterior.

Capítulo V

LOS CULTISMOS DEL SIGLO XIII

Los cultismos a comienzos del siglo XIII.—La literatura en el siglo XIII.—Los cultismos en la literatura de debates.—La Disputa del Alma y el Cuerpo.— La Razón de Amor.—La poesía narrativa.—La vida de Santa María Egipciaca.—Libre dels tres Reys D'Orient.—El poema de Roncesvalles.—La prosa jurídica.—Los documentos anteriores a 1252.—El Fuero de Soria.—El Fuero de Sepúlveda.—El Fuero de Madrid.

La literatura en el siglo XIII.

En repetidas ocasiones hemos hablado de que es exigencia de nuestro estudio integrar en el marco idiomático general el léxico culto correspondiente a cada época. El estudio del siglo XIII intensifica aún más esta exigencia. La dinamización de las formas de vida y de las corrientes culturales que se producen paralelamente así lo demandan. Importa, por tanto, recordar cuáles son las direcciones fundamentales de la creación literaria y, por ende, de la creación idiomática de la que depende la introducción de neologismos cultos [1].

El profesor Lapesa en su magnífica *Historia de la lengua*

---

[1] Así lo hemos expuesto en el capítulo II de nuestro estudio.

española ha trazado el cuadro en que se inscribe la lengua y la literatura del siglo XIII [2]. En síntesis, creemos resumir suficientemente cuáles son los momentos decisivos de la creación idiomática si nos atenemos a los siguientes puntos:

1. La literatura de debates, casi toda ella de influjo francés, consecuencia de las relaciones ultrapirenaicas, intensas desde la centuria anterior.

2. La juglaría culta, que representa la confluencia a fines del siglo XII y principios del XIII de las dos tendencias fundamentales de la literatura medieval.

3. La pervivencia de la épica, cuya única muestra conservada ha de ser tenida en cuenta dada la escasez de textos.

4. La prosa jurídica pre-alfonsí, estudiada a través de los documentos lingüísticos y de los fueros castellanos.

5. Los catecismos político-morales de tiempos del rey san Fernando. Constituyen una manifestación importantísima de la prosa didáctica, cuyo escaso valor literario no se opone a su valor idiomático para el estudio del léxico del siglo XIII.

6. La obra del mester de clerecía. Es la manifestación cultural más importante a partir de 1230 y de ella tratamos en el lugar correspondiente.

7. Biblias romanceadas. De ellas aquí recogemos la llamada *Fazienda de Ultramar*.

Pensamos que el panorama ofrecido por las precitadas manifestaciones culturales es suficientemente amplio y representativo de la variedad y riqueza de la vida en el siglo XIII. Desde el lenguaje propio de la vida cotidiana, reflejado en los documentos lingüísticos, hasta el habla de esa minoría intelectual de la que tan clara conciencia tiene el autor del *Poema de Alexandre,* todas las variedades lingüísticas de interés para nosotros han sido incluidas. Esperamos ofrecer con ello un repertorio amplio y completo de los cultismos que se integran en el romance en un período histórico tan denso en fenómenos culturales y tan decisivo en la vida del idioma como es el siglo XIII.

---

[2] V. Rafael Lapesa, *op. cit.,* págs. 139-178.

I. *Los cultismos en la «Disputa del Alma y el Cuerpo».*

La edición utilizada ha sido la de Menéndez Pidal[3]. El texto fragmentario responde a una intención moralizante y puede afirmarse que se trata de una verdadera reconvención del alma condenada al cuerpo, culpable de desenfreno, avaricia y ambición.

El poema, de fines del XII o principios del XIII, traduce el texto francés *Débat du corps et de l'âme*[4]. Se halla transido de un tono trágico que sus elementos alegóricos no bastan a suavizar. Se trata de una visión —recurso tan característico del arte medieval—, pero se mantiene un intenso sentido de la realidad, con recursos expresivos que potencian ese realismo. Piénsese, por ejemplo, en la reiteración de *maldezir* y *duelo* intensificando la terrible imprecación del alma al cuerpo:

"...e guisa (du)n jfant fazie *duelo* tan grant.
Tan grant duelo fazie el cuerpo al cuerpo *maldizie*,
fazi (ta)n grande duelo e *maldizie* al cuerpo;
al cuerpo dixo el alma: de ti lievo mala fama,
tot siempre *maldizre*, ca por ti penaré...

(vs. 9-13).

Se trata de un lenguaje directo, en el que la afectividad brota impulsiva, con repeticiones que resuenan una y otra vez hasta impresionar la conciencia de los oyentes.

La fuerza acusadora se remansa despues, al recordar los pe-

---

[3] R. Menéndez Pidal, Revista de Archivos, Bibliotecas y Museos, IV, págs. 449-543. Se citan allí las principales ediciones.

[4] Existe un estudio de A. G. Solalinde. Hispanic Review. I, 1933, págs. 196-207, en el que se compara el texto de la *Disputa* con su modelo francés. En nota hace una referencia a la lengua del manuscrito rechazando su posible origen leonés. Piensa G. Solalinde que el juglar siguió literalmente el poema francés en una tercera parte y en otra tercera parte se limitó a cambiar los versos en que halló dificultades para la rima. Insiste sobre temas que eran especialmente gratos, como los relativos a los adornos de caballos y mulas. También moraliza sobre excesos dentro de la Iglesia.

cados del cuerpo, para reanudar el tono imprecatorio en la exclamación acusatoria.

> "...T'a mal ora fust nado!
>
> (vs. 5).

que enlaza con una larga interrogación melancólica, lo cual no puede menos que hacernos recordar el *ubi sunt?* manriqueño, con lo que se interrumpe el fragmento [5].

Los cultismos se acumulan —y ello es muy significativo— en el trozo más objetivo (vs. 15-24). No es de extrañar si tenemos en cuenta que estas voces son de carácter religioso: *altar, apóstol, domingo, mártyr, oración, penitençia, primiçia* y *visión*.

Las restantes —muy pocas— corresponden a origen diverso: *bestia,* a traducciones medievales de la Biblia, *fama,* a clases sociales elevadas, etc. A ese trozo objetivo hay que atribuirle, por tanto, un origen claramente eclesiástico y a influjo "profesional" la acumulación de cultismos de ese carácter.

El poema se interrumpe, en un momento interesante desde el punto de vista litrario y lingüístico, con la descripción de adornos y vestiduras evocadora de una magnificencia pasada. Sólo contamos con ocho versos, que no son suficientes para establecer conclusiones de tipo lingüístico. Unicamente dejaremos constancia de que en esos ocho versos solo hay un cultismo, *fino,* en el sintagma *oro fino,* que es la construcción en que casi exclusivamente encontramos el adjetivo culto durante los siglos XII y XIII, como perteneciente a una capa social aristocrática. La escasez de cultismos en este trozo descriptivo contrasta con la abundancia y colorido que alcanzan las descripciones del *Libro de Alexandre,* medio siglo más tarde. Es una prueba más de que la entrada en el siglo XIII anuncia un cambio profundo de tipo cultural y, por ende, lingüístico. El poeta se mueve aún dentro de unos límites estrechos, en los que se halla condicionado por la ausencia de una tradición cultural. Su léxico está integrado en el de los diversos estratos sociales y profesionales y no puede ir más allá. Para avanzar se necesita un impulso cultural del que aún se carece, pero ya se vislumbra.

---

[5]   A ello alude la nota 16, p. 203, del estudio de A. G. Solalinde.

2. *Los cultismos en la «Razón de Amor con los denuestos del Agua y el Vino».*

Se ha seguido la edición de Menéndez Pidal[6] y tenido en cuenta las correcciones de la versión publicada en la *Crestomatía del español medieval*[7].

El poema, compuesto hacia 1205, se halla justamente en el amanecer del siglo XIII. Ofrece desde múltiples ángulos el carácter de transición entre dos épocas. Se halla inmerso en la corriente literaria del debate poético que hemos analizado en la *Disputa del alma y el cuerpo,* pero hay algo que le separa profundamente de ese poema: el sentimiento de gozosa alegría que corre por el poema todo. Se percibe un tono de optimista desenfado, inédito hasta entonces en la literatura medieval española pero frecuente antes en la provenzal. Los primeros versos son ya un anuncio espléndido:

"Qui triste tiene su coraçon
benga oyr esta razón".

(vs. 1-2).

Es la primavera lírica que despierta en el alma ilusiones primerizas. Es el mismo impulso que hace cantar a Juan Ramón Jiménez:

"Vámos al campo por romero,
vámonos, vámonos por romero y por amor..."
(*La cruz de primavera*).

Asistimos, por tanto, a una exaltación amorosa culta que ofrece por primera vez la incorporación de esa frescura típica de la lírica popular primitiva. Poesía rimada por un hombre culto. Bien se cuida de hacerlo presente:

---

[6] R. Menéndez Pidal, en Revue Hispanique, XIII, 1905, pp. 602 y sigs. Acompaña reproducción facsímil.

[7] V. R. Menéndez Pidal, R. Lapesa y M. Soledad de Andrés, *Crestomatía del español medieval*, I, Madrid, 1965, pp. 92-98.

"Un escolar la Rimo
que siempre duenas amó;
mas siempre ovo crianza
en Alemania y en Françia,
moró mucho en Lombardía
pora aprender cortesía".

(vs. 5-10).

El enlace entre lo culto —europeo— y lo popular es un ejemplo
más de que la separación entre ambas corrientes no fue nunca
absoluta [8].

El poema está lleno de aciertos: la descripción del paisaje
que, aun obedeciendo a un lugar común medieval (el prado, la
fuente maravillosa, las hierbas, las flores, etc.), se ofrece lleno
de plástica frescura; el retrato de la doncella, que inmediatamente
nos recuerda la doña Endrina de Juan Ruiz, aun teniendo en
cuenta el contraste entre una descripción estática y objetiva en
la primera, y la descripción dinámica y subjetiva, llena de expresividad, personalizada, de la segunda; el tono, incluso, que
destila el poema se halla dentro de la zona de contacto entre lo
escolar y lo juglaresco, que alcanzará su plenitud en el arte de
Juan Ruiz.

Por lo demás, las influencias literarias de origen extranjero
parecen claras en el poema. Los debates poéticos medievales constituyen una corriente europea de la que es representativa la obra.
En suma, el texto ofrece dos partes bien diferenciadas, y quizás
artificiosamente trabadas: el tema amoroso, lleno de jugosidad y
expresión directa, y el tópico debate intrascendente entre el agua
y el vino, juguete verbalista de escuela que carece de la lozanía
de la primera parte.

El léxico y los cultismos.

Los cultismos ofrecen cierta variedad significativa. Es verdad
que abundan los de tipo eclesiástico: (*batismo, bautizar, caridad,*

---

[8] Hemos de citar, una vez más, el libro fundamental de Menéndez
Pidal. *Poesía juglaresca y orígenes de las literaturas románicas.* Sobre el
enlace de las dos partes Menéndez Pidal responde allí a Spitzer y Jakob.

clérigo, cristianismo, Dios, divinidad, escripto, Jesucristo, resucitar, virtud), pero no son menos abundantes los procedentes del ambiente escolar. Creo que es el primer texto que nos ofrece un campo relativamente amplio de cultismos escolares: *Alemania, bella, emperador, enfermar, enfermo, festino, Francia, liryo, mundo, organar, pensar, perenal, rosa, salvia, Sansóm, viola*. No faltan voces a las que Corominas caracteriza como típicas de las clases elevadas de la sociedad: *claro, fino, flor...* e, incluso, voces jurídicas, aunque sin carácter alguno de tecnicismo: *entençión, preçiar*, etc.

En conjunto, el léxico es el propio de un poema culto por más que existan numerosos recursos juglarescos. Los cultismos se utilizan preferentemente en los *Denuestos del agua y el vino*, en armonía con las implicaciones religiosas que el elogio alternativo del agua y del vino proporcionan. En los versos 249-250 anotamos nada menos que nueve cultismos, alguno de ellos repetido tres o cuatro veces (*Dios y bautizar*). Esto obedece a la naturaleza eclesiástica del fragmento más que a una intención estética determinada.

3. *Los cultismos en el «Libre dels Tres Reys d'Orient».*

El magnífico estudio de Manuel Alvar sobre la obra [9] nos releva de un detenido análisis de los problemas que el texto ha suscitado. Sintetizaremos, por tanto, las conclusiones de esta investigación que es imprescindible para un estudio del léxico.

Alvar sitúa el texto entre 1228 y 1250, basándose, entre otras cosas, en que le parece indudable la influencia de los *Loores* de Berceo sobre el poema. Lapesa lo había situado anteriormente entre 1200 y 1220. En cualquier caso, la obra se halla inserta en un momento literario tan interesante como es el de la madurez del mester de clerecía. El problema de la anterioridad o posterioridad a Berceo podría afectar a la relación entre los cultismos

---

[9] M. Alvar, *Libro de la Infancia y muerte de Jesús* (*Libre dels tres reys d'Orient*), Clásicos Hispánicos, C. S. de I. C., Madrid, 1965.

que aparecen en una u otra obra, pero una primera ojeada a la lista de estas voces no parece arrojar mucha luz sobre el problema.

Coincidiendo con Lapesa, que ya había advertido el fondo lingüístico castellano [10], Alvar postula el castellanismo del libro que un desacertado título no puede ni debe confundir.

Por su contenido la obra constituye un típico ejemplo de poema hagiográfico en el que se plasma el proceso característico de la formación de leyendas [11]. Pertenece, pues, a una literatura religiosa no canónica. Alvar caracteriza el poema, afirmando que constituye "algo así como la contraversión del Poema de Fernán González", con lo que ejemplifica muy gráficamente el sentido de esta creación literaria, arte popular y sabiduría culta fundidas en la exaltación mariana, eje de la devoción religiosa medieval. Se trata de ese "desplazamiento del interés hacia la Virgen" de que se habla en el trabajo de Alvar.

Es el mismo autor quien halla el sentido exacto del poema al estudiar la fusión de fórmulas juglarescas con otras peculiares del mester de clerecía. Otro ejemplo del enlace entre la literatura culta y la popular que tan insistentemente ha sido observado por Menéndez Pidal [12].

Al estudiar el léxico se nos hacen presentes las palabras de Alvar: "el libro es muy popular como obra de arte, pero muy culto en cuanto a los elementos que lo han constituido". En efecto, el número de cultismos confirma tales palabras. Hemos documentado cuarenta y ocho voces, lo que representa ya una proporción notable, aunque sin llegar a la intensidad que se alcanzará posteriormente con la obra de Berceo y de los demás poetas del mester de clerecía. La influencia de las Loores, si la hubo, es más bien literaria y, desde luego, mariana. El léxico, en cambio, no se halla dentro de la plenitud que muestra la obra de Berceo. No se ha logrado aún la madurez en el uso de neologismos cultos que revela la literatura posterior. Por ello centramos la obra, junto con la Vida de Santa María Egipciaca,

---

[10]   Raafel Lapesa, *Historia de la lengua española*, p. 145.

[11]   V. A. van Gennep, *La formation des légendes*, París, 1910.

[12]   V. R. Menéndez Pidal, *Poesía juglaresca y juglares*, pp. 272 y sigs.

en el momento de acercamiento de literatura culta y literaria popular, sin precisiones cronológicas que desbordarían los límites de este trabajo.

Hemos hablado antes del número total de cultismos hallados en el texto. Pero tanto o más que esa cifra son significativos otros datos: escasa variedad de campos semánticos, raro uso expresivo del cultismo, aparición casi nula o excepcional de nuevos cultismos, etc. La mayor parte de las voces pertenecen al campo litúrgico y devoto: *adorar, angel,* los nombres de los Reyes Magos: *Melchor, Gaspar y Baltasar, Belleem, caridad* (como en el Poema del Cid, sólo en exclamaciones), *Criador, Cristo y Jesucristo, crucificado, cruz, Dios, divina, ençienso, escripto, gloria, gloriosa, infierno, Jerusalén, martiriar, miraglo, mirra, paraíso, piadat y piedat, Pilato, potestad, Rachel.* Es éste el único campo semántico con suficiente entidad caracterizadora, sin añadir ningún nuevo elemento léxico. Basta con observar que todas las voces están documentadas muy anteriormente.

Los restantes cultismos se agrupan en torno a diversos campos. Los términos morales son escasos por la índole misma de la obra: *humildoso, lágrima, vertud.* Y lo mismo ocurre con las demás voces: *bestia, cristal, despreçiar, dulçor, Egipto, festino, fin, maravilla, partición, pelegrino, pensar y regnado.*

Obsérvese que de todas esas voces nos llaman la atención dos: *cristal* y *festino* [13]. De ellas sólo *cristal* ofrece un contenido significativo claramente culto, pero no se trata de la primera documentación, sino que ya lo encontramos en un documento de 1043 en la forma *crystallo.* El vocablo se integrará definitivamente en el siglo XIII. *Festino* es un adverbio, probable contagio del ambiente escolar, que no prosperó pese a estar documentado en varias obras del siglo XIII (*Reys d'Orient, Santa María Egipciaca* y Berceo) y en otras posteriores.

El último punto a que hacíamos referencia era el escasísimo uso expresivo del cultismo. Si acaso, podemos encontrar alguna frase ponderativa realzada por el empleo de voces poco familiares, como son los cultismos:

---

[13]   En el Indice comentado de cultismos damos la documentación necesaria.

"En el Agua ffincó todo el mal
tal lo sacó com un *xristal*".

(vs. 181-182).

También el uso del verbo *martiriar* para intensificar la valoración del sacrificio:

"Por quien fueron *martiriados*
suso al çielo levados".

(vs. 73-74).

El mismo sentido tiene el empleo del sintagma *divina potestas,* magnificador del nombre de Jesucristo con que termina el poema:

"...Dimas e Gestas
medio *divina potestas*".

(vs. 241-242).

En conclusión, los datos señalados nos hacen pensar que el *Libro* se halla, efectivamente, en el marco de una literatura de sentido integrador de lo culto en lo popular, y viceversa. Lo que ocurre es que los elementos cultos son claramente prestados y, carente de capacidad asimiladora, el poeta no sabe, ni apenas intenta, sacar partido de ellos. Por eso no se atreve a innovar. Conoce unos elementos cultos —entre los que se encuentra el léxico— que se hallaban realtivamente cerca del romance, y ésos son los que utiliza.

Ahora bien, el intento no puede darse por fallido. La tosquedad que se advierte en muchos momentos de la obra no es obstáculo para que el *Libro* signifique un paso más —relativamente importante— en el desarrollo de la literatura culta. Se puede incluso afirmar que el poema está cumpliendo una función necesaria e inevitable; la consolidación de los elementos cultos preexistentes, como paso anterior a unas mayores posibilidades de utilización de recursos reveladores de una nueva época cultural. El neologismo latinizante de Berceo y de los autores del *Libro de Apolonio* y del de *Alexandre* exigía este tributo de las obras de transición.

Podríamos plantearnos una vez más un problema muy debatido: ¿de dónde procede el movimiento de acercamiento de lo culto a lo popular? ¿Se trata de un intento cuyo origen está en la minoría culta o es, más bien, una exigencia de la literatura popular? Como piensa Menéndez Pidal, hay que tener en cuenta que las dos corrientes confluyen una y otra vez en la creación literaria. *El Libre dels tres reys d'Orient* con esos abundantes elementos cultos de que habla Alvar "ha construido una historia que se hallaba muy cerca de las exigencias espirituales y afectivas de sus oyentes".

4. *Los cultismos en la «Vida de Santa María Egipciaca».*

Pobablemente, el texto más interesante de la época de transición que estamos estudiando sea la *vida de Santa María Egipciaca*. El manuscrito, que contiene también el *Libro de Apollonio* y el *Libre dels tres reys d'Orient*, se conserva en la Biblioteca del Monasterio de El Escorial, con letra aragonesa del siglo xiv.

El Poema ha sido objeto de varias ediciones. Hemos seguido la de María Soledad de Andrés Castellanos [14], basada en el manuscrito escurialense. El texto ha sido confrontado con las versiones francesas [15], lo que nos ofrece la garantía de las correcciones y de la fidelidad a la tradición literaria hagiográfica transmitida por el juglar. La obra contiene 1452 versos y se halla perfectamente estructurado en su desarrollo temático. Seguimos la distribución que ha hecho su editora. Comienza con una invocación juglaresca enlazada con una reflexión sobre el pecado y el perdón. En este primer fragmento encontramos el mayor número de cultismos, de carácter moral preferentemente. En el resto del texto los cultismos aparecen uniformemente repartidos,

---

[14] V. María Soledad de Andrés Castellanos, *La Vida de Santa María Egipciaca traducida por un juglar anónimo hacia 1215*, Anexo XI del Boletín de la Real Academia Española, Madrid, 1964.

[15] Manuel Alvar tiene anunciada una edición y estudio de la *Vida*, no aparecida en el momento de redactar estas líneas. Sí se ha tenido en cuenta su versión aparecida en *Poemas hagiográficos de carácter juglaresco*, Madrid, 1967.

sin que advirtamos acumulación excesiva en ningún momento. Excepcionalmente aparecen con mayor intensidad en las palabras de María a Gozimás (vs. 1037-1056), seguramente por las referencias de María al ministerio sacerdotal y la necesidad de léxico eclesiástico que ello implica.

Un caso semejante lo encontramos en la larga oración recitada por María (vs. 483-607) en su conversión. En realidad, la oración es una verdadera narración evangélica, hasta el punto de que la expresión lírica está ahogada por el contenido narrativo, claramente fiel a una tradición escrita. Influye más el deseo de recordar los méritos de la Virgen que el dramatismo del proceso de conversión de la santa. Es un ejemplo más de los que Alvar ha llamado "desplazamiento del centro de interés hacia la Virgen". Tal corriente mariana es común a toda Europa y en España a'canza su plenitud con los *Milagros* de Berceo.

El valor conmovedoramente dramático de la obra hay que buscarlo en otros veneros. El más importante de todos es el desnudo realismo con que el juglar describe el perfil moral y físico de la santa; especialmente hay que subrayar el pasaje que corresponde al coloquio entre ella y el monje Gozimás, en el que no falta tampoco un atisbo del juego conceptista propio del debate medieval.

Los dos momentos culminantes de la obra son, sin duda, los dos retratos de María, antes y después de su conversión. Estructura'mente constituyen los goznes sobre los que gira el eje temático. El primero comprende la descripción física, externa y moral de la santa (vs. 205-260) y abarca cincuenta y cinco versos. La expresión se hace plástica y nítida. En alguna ocasión el término ponderativo es un cultismo, voz poco usual que ennoblece la expresión:

"...braços e cuerpo e todo lo al
blanco es como *cristal*".

(vs. 226).

Predomina la expresión directa, vigorosamente plástica, de la poesía juglaresca:

"La faz tenje colorada,
como la rosa quando es granada".

(vs. 217-218).

O, bien, la comparación tópica:

"su cuello e su petrina
tal como la flor del espina;
de sus tetiellas bien es sana,
tales son como maçana".

(vs. 221-224).

La descripción de las vestiduras es relativamente pobre, a pesar del intento de magnificar el aspecto de la protagonista. Y lo mismo pasa con el léxico correspondiente. En cambio, se advierte la maestría del juglar en la descripción realista. El lenguaje se hace seco, cortado, exacto. Cada pareado corresponde a un matiz en que el nuevo perfil de la santa cobra intenso ascetismo. No cabe duda de que el léxico correspondiente a estos contenidos era dominado perfectamente por el poeta. Y todo ello sin que se pierda la profunda humanidad del personaje. Veamos algunos ejemplos:

"La boca era empeleçida,
derredor la carne muy denegrjda".

(vs. 730-731).

"La barbiella e el su grinyon
semeia cabo de tizon".

(vs. 734-735).

"Braços luengos e ssecos dedos
quando los tiende assemeian espetos".

(vs. 740-741).

En toda la descripción no hay un solo cultismo. Parece evidente que el sentido de la realidad se impone sobre cualquier tipo de elaboración más o menos artificiosa o culta. El retrato nos impresiona por su miseria física, elemento de contraste para resaltar su grandeza moral. Técnica paralela e inversa a la utilizada en el primer retrato de la santa. Pienso que este realismo confirma la idea de María Soledad de Andrés de que el poema posee "valores genuinamente hispánicos, tanto en lo estético como en lo técnico" [16].

La misma autora advierte como aportación original del traductor el milagro de los panes endurecidos y la intervención angélica en el pasaje de la muerte de la santa [17]. Ambos son muy breves y ofrecen pocas posibilidades para el análisis lingüístico. El primero (vs. 760-769) no posee ningún cultismo; el segundo (vs. 1320-1339), muy pocos: *oración, visión, ángel* y *diablo*. No sé hasta qué punto estas dos aportaciones del juglar son creación personal o, más bien, interpolaciones procedentes de la tradición hagiográfica. No se aprecia fidelidad especial a una fuente escrita de carácter culto, como atestigua precisamente la escasez notoria de cultismos. En el fragmento de la muerte de la santa domina, sobre todo otro elemento, la inspiración directa ante la imagen real de la plácida muerte con que termina la agitada vida de María Egipciaca.

El léxico y los cultismos.

Ya se ha aludido antes a la repartición del cultismo. En conjunto, el total de voces cultas constituye casi el veinte por ciento del léxico, proporción notable que nos haría pensar en una obra con ciertas pretensiones cultistas. Pero esa proporción no puede ocultarnos el verdadero sentido que lo culto tiene en el poema. Como decíamos en el análisis del *Libre dels tres reys d'Orient*, recogiendo una idea de Alvar, esta poesía juglaresca está tejida sobre elementos cultos, pero no es poesía docta.

Puede arrojar luz sobre el problema observar cómo se reparten semánticamente los cultismos documentados. El predominio corresponde al campo eclesial y litúrgico: *abad, abadía, abstinencia, açension, Adam, adorar, altar, amen, ángel, apóstoles, Ave María, bautizar, bendición, clérigo, comendación, confessión, Corpus Christi, cruz, christiano, diablo, Dios, domingo, escriptura, Gabriel, graçia, iglesia, imagen, Jerusalem, magestat, mar-*

---

[16] V. María Soledad de Andrés, *op. cit.*, p. 80.
[17] V. María Soledad de Andrés, *op. cit.*, p. 80.

*tirio, ministerio, miraglo, misa, misacantano, monesterio, omni-
potente, oración, paraíso, pasión, penitençia, peregrino, piedad
potestad, processión, quiaresma, ressuçitar, sacrifiçio, sagramento, Salomón, salmo, salterio, salvaçión, santiguar, sieglo,
templo, transida, virginidat, virgo.* En total, cincuenta y ocho
cultismos, pero más que el número importa subrayar la riqueza
semántica del campo léxico. Algunas palabras no las hemos documentado hasta ahora: *omnipotente, imagen, magestat, sagramento, transida,* etc. Casi todas ellas —excepto algún latinismo
puro, como *Corpus Christi*— ofrecen un alto grado de adaptación
formal, incluso con soluciones que no prosperarán como *sagramento* (<*sacramentum*). Hay también algún caso de vacilación
vocálica (*Salamón,* en el vs. 1286).

La precedente lista de cultismos nos sugiere dos observaciones:

1) Por primera vez en la historia de la literatura española
estamos ante un intento serio de acercamiento a un tipo de léxico
culto, según nos lo atestigua la variedad de términos con este
carácter.

2) No obstante, el poeta procura que su lenguaje no se
aparte excesivamente del que era familiar a sus oyentes, como
nos lo señala la abundancia de semicultismos. El léxico no es
exclusivamente docto, aunque sí reservado en su mayor parte a
una esfera muy concreta de hablantes.

Las observaciones que apuntamos se confirman al analizar el
resto de las voces. Así como el campo litúrgico y devoto muestra
una gran riqueza léxica, también encontramos variedad de campos con suficiente entidad. Los cultismos morales son abundantes:
*arrepentirse, ásperas, avaricia, caridat, castidat, cobdiçia, confor-
tar, culpa, culpar, deliçio, enbidia, enfermo, enxemplo, falso, falss-
sedat, fin,* (?), *finar, lágrimas, luxuria, luxurioso, manso, omildosa, perdiçión, perdurable, periglo, postremería, restaurar, saludar, salud, tentaçión, tristicia, vicio, visitar.* Son treinta y tres
cultismos que ofrecen la misma particularidad de adaptación formal que las anteriores. Salvo algunas (*luxuria, luxuriosa, restaurar* y *visitar*), todas las demás son semicultismos. Es decir, los
dos campos semánticos de más entidad en el poema ofrecen una
extraordinaria abundancia de semicultismos, mientras que los cultismos plenos son escasísimos.

En los demás campos semánticos ocurre algo semejante. Veámoslo:

Cultismos jurídicos: *actoridat, curia, curiar, defender, deny-tat, entençión, gente, iuyzio, pecunia, preçiar, preçio propiedat, regno, serviçio, talento, uxor.* Disminuye considerablemente el número de voces cultas.

Cultismos escolares y científicos: *apropinquada, bálsamo, bella, beltat, bestia, egipçiana, Egipto, fantasma, figura, figurada, flumen, forma, formada, fruto, general, glera, maravilla, melezina, melezinable, meretriz, mundo, nasçençia, Oriente, pergamino, tempestad, ultramar, ungüento* y *visión.* La particularidad más notable de este grupo es precisamente su número, considerable en relación con los que habíamos encontrado hasta ahora.

Del análisis del contenido léxico de estos campos parecen desprenderse dos conclusiones fundamentales: 1) enriquecimiento muy notable del léxico culto, comparado con los textos analizados con anterioridad; 2) diferente grado de adaptación formal según la naturaleza del campo semántico: predominio del semicultismo en las voces litúrgicas y devotas, así como en las del mundo de la moral; en cambio, cultismo pleno en los restantes: jurídico y escolar-científico.

Por último, hay muy escaso número de voces teológico-filosóficas, pero abundantes cultismos plenos: (*connoscer, creyencia, criatura, creatura, espirital, natura, natural, umanidat, voluntat.*

Hasta ahora se trata de una comprobación del estado de lengua revelado por la presencia de cultismos. Cabría preguntarse en seguida el sentido que estas voces poseen en el carácter de la obra. Es decir, debemos preguntarnos qué posición ocupa la *Vida de Santa María Egipciaca* en el difícil engarce entre literatura juglaresca y poesía culta que se está realizando en ese momento crítico que es el primer tercio del siglo XIII.

Con todas las reservas que un tema tan delicado debe suscitar, nos atrevemos a sugerir que los datos señalados inducen a pensar que el poema está precisamente en el último eslabón de la cadena que anuncia la aparición, plena ya, del mester de clerecía. Bien es verdad que se trata de la traducción de un texto devoto. Pero creemos que hay algo más; nos parece advertir en el léxico la influencia de una escuela no alejada de los ambientes doctos. Lo más significativo es la presencia de cultismos nuevos, que deberían chocar violentamente en los oídos de su público: *apropinguada, bálsamo, fantasma, pergamino, tempestad,* etc. No pueden ser considerados meras excepciones, dado el número en que aparecen.

Se sitúa, por tanto, la *Vida de Santa María Egipciaca* en una difícil e inestable posición cultural. De un lado incorpora a su léxico una notable cantidad de voces cultas, cuyo grado de adaptación formal revela la raíz juglaresca de su arte, con el público presente en la creación literaria. De otro, se escapa por todas partes la presencia de una conciencia culta reveladora de un fuerte enlace con la escuela docta. La voluntad artística consiste, en definitiva, en introducir los elementos cultos en un contexto popular. No siempre consigue el juglar su propósito, pero con el intento —que ofrece en ocasiones muy granados frutos— abre ya una puerta al sendero que conduce al espléndido florecer cultista del mester de clerecía. La diferencia consiste en que Berceo, por ejemplo, sí sabe distinguir muy bien lo que pertenece a uno u otro terreno, con lo que los recursos expresivos que proporciona el uso de un léxico amplio se convertirá en instrumento predilecto de su intención artística.

5.   *Los cultismos en el Poema de Roncesvalles.*

El magistral estudio de Menéndez Pidal [18] ha resuelto por completo los problemas textuales que podrían presentársenos. El ha demostrado que el fragmento conservado pertenece a un poema largo en el que se imitaba la *Chanson de Roland,* pero sin seguirla fielmente. Muy al contrario, muestra en múltiples detalles su personalidad discrepante de la del poema francés.

El mismo Menéndez Pidal [19] ha conjeturado el contenido del poema completo y llega a la conclusión de que "la gesta abarcaba también la batalla de Roncesvalles". Debió de ser un poema más

---

[18]   V. R. Menéndez Pidal, *Roncesvalles, un nuevo cantar de gesta español del siglo* XIII, Revista de Filología Española, IV, 1917, pp. 105-204.
[19]   V. R. Menéndez Pidal, *op. cit.,* p. 169.

extenso que el del Cid. La observación más penetrante de Menéndez Pidal se refiere a la estructura literaria; afirma que "la escala de la narración estaba aumentada, y la de la exposición poética estaba disminuida"[20].

El fragmento es muy breve e incompleto para deducir conclusiones de tipo léxico. Evidentemente se perciben diferencias con el Poema del Cid. El tono es más elevado, más solemne. En ocasiones, las palabras adquieren una intensa carga emocional. Impresiona, por ejemplo, la desesperación del emperador ante el cadáver de Oliveros:

"El emperador andava catando por la mortaldade;
vido en la plaça Oliveros o yaze,
el escudo crebantado por medio del braçale;
non vio sano en ell quanto un dinero cabe;
tornado yaze a Orient, como lo puso Roldane.
El buen emperador mando la cabeça alçare,
que le limpiasen la cara del polvo e de la sangre.
como si fuese biuo, començelo de preguntare:
"Digádesme don Oliveros, cavallero naturale,
¿dó dexaste a Roldán, digádesme la verdade".

. . . .

"Dizímelo, don Oliveros, dó lo iré buscare?

(vs. 10-24).

La originalidad no se halla en la técnica de invocar a un cadáver como si aún conservara la vida. Recuérdese el *Poema de los Siete Infantes de Lara,* cuando el padre habla a las cabezas de sus hijos y, mucho más tarde, la técnica aplicada por Juan de Mena en el momento culminante de la lamentación de Lorenzo Dávalos ante el cadáver de su hijo. Responde por tanto este recurso a una tradición literaria de la que el Poema de Roncesvalles es un eslabón muy importante.

El fragmento conservado tiene un contenido esencialmente dramático. Lo narrativo está reducido al mínimo. Como ha

---

[20] V. R. Menéndez Pidal, *op. cit.,* p. 194. Véase también J. Horrent, *La Chanson de Roland dans les littératures françaises et espagnoles au Moyen Age,* París, 1951.

observado Menéndez Pidal, el poeta gusta de resaltar expresivamente una situación; en este caso, la angustia del emperador Carlos ante la "mortaldade" de Roncesvalles.

El momento central del texto conservado es la culminación del proceso psicológico que se opera sobre Carlomagno:

"El rey quando esto dixo, cayó esmortecido".

(vs. 82).

El juglar se abstiene de describir, objetivándolo, el desastre. Lo que hace es reflejarlo en la impresión producida sobre el ánimo del emperador, con lo que la tensión dramática se intensifica:

"Con vuestra rencura el coraçón me quiere crebare".

(vs. 63).

El léxico debe responder, naturalmente, a este carácter dramático. Por eso el tono solemne y elevado de que hablábamos más arriba no se consigue a través de un lenguaje convencional o cultista, sino de la honda verdad humana que encierran las reacciones de los personajes. De esta manera, los cultismos no son numerosos y no añaden voz nueva alguna. Casi todos los que aparecen están dentro del ambiente eclesiástico: *apóstol, arcebispo, Criador, Jerusalem, Jordan, Jesuchristo* y *martirio*.

Los restantes se hallaban integrados con anterioridad en la lengua general: *finar, medio, natural, orient, periglo, prescio*. Obsérvese que casi todos son semicultismos. Encontramos, por último, nombres geográficos como *Francia, Roma* y *Turquía*.

El grado de adaptación formal es en todo semejante al que se ofrece en los textos coetáneos. No hay ninguna forma anómala ni arcaica, pese a que el poema ofrece en el texto conservado la -e paragógica que da sabor arcaizante al lenguaje épico [21]. En cambio los cultismos están dentro del grupo integrado con relativa antigüedad en el romance. Ello nos revela el carácter plenamente

---

[21] V. R. Menéndez Pidal, *La forma épica en España y en Francia*, RFE, XX, 1933; y Rafael Lapesa, *La apócope de la vocal en castellano antiguo*, en Estudios dedicados a Menéndez Pidal, II, 1951.

popular del poema, dentro de la más pura escuela juglaresca.
Por lo que al léxico se refiere no hay nada que indique su hipotético enlace con ambientes cultos de tipo monástico.

6. *Los cultismos en la prosa jurídica.*

La prosa jurídica primitiva ofrece datos que pueden ser de
gran interés. Como ha advertido Rafael Lapesa [22], estas obras
están directamente integradas en el vivir cotidiano de la Edad
Media. No se trata de una elaboración literaria culta como la del
mester de clerecía o plenamente popular como la de los cantares
de gesta. Nos encontramos ahora con una prosa directamente
orientada hacia el interés general. Sin embargo, es esta misma
prosa la que arrastra una notable técnica de escuela, arcaizante
muchas veces, la propia de la lengua notarial. El problema que
se configura así es el de analizar el sentido específico que adquieren los cultismos en unos contextos de interés general e intención no estética.

La perspectiva debe ser distinta de la adoptada hasta ahora.
Por una parte, nos interesa observar lo que hay de vivo y actual en los textos, y de qué manera esa autenticidad de un vivir
real puede ser reflejada por el léxico. De otro lado, conviene
separar lo que hay de técnica notarial, de falsilla fosilizada, en la
redacción de documentos y de fueros.

Para su estudio hemos escogidos los documentos castellanos anteriores a 1252, publicados por Menéndez Pidal [23] y los fueros
de Madrid, Soria y Sepúlveda, publicados respectivamente por
Galo Sánchez, Agustín Millares y Rafael Lapesa, el primero;
por Galo Sánchez, el segundo; y por Emilio Sáez, Rafael Gibert
y Manuel Alvar, el último [24]. Con ellos creemos tener base suficiente para que queden registrados la mayor parte de los cultismos jurídicos en textos que no ofrecen dudas de castellanismo.

---

[22] V. Rafael Lapesa, *Fuero de Madrid*. Ayuntamiento de Madrid, Madrid, 1962, p. 162.

[23] V. R. Menéndez Pidal. *Documentos lingüísticos de España*. I. Reino
de Castilla. Centro de Estudios Históricos, Madrid, 1919.

[24] Véanse las oportunas referencias bibliográficas en el estudio detallado de cada uno de los textos.

Además, contamos respecto de esos textos con ediciones críticas de absoluta garantía, lo que nos permite tener resueltos problemas tan delicados como los textuales.

Hay que advertir el desigual valor lingüístico de los documentos y de los fueros. Navarro Tomás [25] señaló ya el relativo valor lingüístico de los documentos notariales, y lo hemos podido comprobar en el aspecto léxico. En efecto, el caudal de voces empleadas está condicionado por la índole misma de los contenidos de los documentos: heredamientos, donaciones y compraventas. En cambio, sus cultismos ofrecen un gran interés para observar hasta dónde ha llegado en cada momento el grado de adaptación formal y las vacilaciones que las épocas de evolución idiomática producen. Es decir, vamos a encontrar escasa variedad en los campos de significación, pero gran vacilación formal. Con ello, los documentos se convierten en una fuente insustituible para ver la tensión entre el latín y el romance y la naturaleza de sus relaciones en épocas preliterarias.

Alvar [26] a su vez señala el superior interés de los Fueros en razón de "la mayor libertad de lengua, aunque estén redactados por notarios cultos". Se basa para ello en el sistema de redacción de algunos Fueros, descrito por Tilander [27], que indica la existencia de borradores romances anteriores a las versiones latinas. Este mayor interés de los Fueros se observa también en el léxico, que refleja el rico contenido de estos textos: fianzas, juramentos, el campo, los ganados, las casas, la honra, la muerte, las razas, las religiones, el matrimonio, etc. La variada gama, en suma, de la vida medieval.

6.1. *Los cultismos en los documentos lingüísticos anteriores a 1252.*

Como se advertía en la nota preliminar, los cultismos de los documentos lingüísticos publicados por Menéndez Pidal [28] ofre-

[25] V. T. Navarro Tomás. *El perfecto de los verbos en -ar en aragonés antiguo*, R.D.R., I, 1909.

[26] V. Manuel Alvar, *F. de Sepúlveda*, p. 580.

[27] V. G. Tilander, *Fueros de Aragón*, pp. XXVIII-XXIX.

[28] V. R. Menéndez Pidal, *Documentos lingüísticos de España, I, Reino de Castilla*, Madrid, 1919.

cen un extraordinario interés, no ya por su número o por su variedad semántica, sino por constituir la zona de confluencia de las dos corrientes, popularizadora y latinizante, que están conformando un estado de lengua. Recuérdese que Menéndez Pidal ha hecho notar la importancia de estos documentos en la introducción de cultismos léxicos, fonéticos, y morfológicos [29].

El fenómeno observable más interesante es el proceso de penetración del romance en las estructuras léxicas y sintácticas del latín. Este fenómeno es de doble sentido; es decir, se produce también a la inversa: penetración del latín en las estructuras léxicas romances, con lo que se posibilita la entrada e integración de voces cultas; por eso precisamente la extraordinaria abundancia de semicultismos. La erosión fonética actúa intensamente sobre los neologismos como un fenómeno paralelo al de la ultracorrección, que Menéndez Pidal ha señalado como característica esencial de la lengua de los documentos.

Hay, además, otros dos temas que atraen nuestra atención. Uno de ellos es fijar el grado de integración del cultismo, que no depende sólo de su acomodación formal, sino también de la intensidad con que se establezcan nexos semánticos. Ha de tenerse en cuenta que la lengua de los documentos es, como nos ha explicado Menéndez Pidal, una lengua en desequilibrio, llena de dinamismo porque está oscilando entre normas distintas. Por eso está fuertemente sometida a los vaivenes de los movimientos culturales. Es muy susceptible de ser influida por éstos, pero también muy insegura y vacilante en las soluciones que adopta. Así, podemos encontrarnos con algún cultismo, incluso repetido, que ha desaparecido después sin dejar rastro.

El léxico culto de los documentos gira en torno a unos campos de significación muy bien definidos, puesto que el mundo nocional que les es propio es muy limitado. Voces eclesiales, jurídicas y rurales constituyen su vehículo de expresión. Lo reducido de tal ámbito se compensa por la gran abundancia de voces cultas que contienen.

Seguramente el centro de interés de los cultismos en los documentos está constituido por la posibilidad de observar su pro-

[29] V. R. Menéndez Pidal, *Orígenes*, págs. 250 y sigs.

gresiva integración formal y semántica dentro de esa zona de confluencia de lo culto y lo popular. Muy significativa es la multiplicidad de variantes de estas voces, cualquiera que sea el campo semántico al que pertenecen. Tal variedad formal es consecuencia de la movilidad del estado de lengua. Véanse unos ejemplos:

Arçobispo (127, 1220, Burgos); *arzobispo* (274, 1221); *archobispo* (209, 1214); *arçebispo* (266, 1206); *archiepiscopum* (171, 1224).

Archidiagno (57, 1244); *archidichno* (27, 1195); *arcidiagno* (80, 1199); *arcidiano* (86, 1227); *arquidiagno* (150, 1179); *arcidigno* (82, 1206).

Clérigo (19, 1201); *clerico* (110, 1147); *clergo* (82, 1206).

Convento (11, 1185); *convent* (5, 1220); *conviento* (41, 1202).

Eglesia (13, 1174); *ecclesia* (13, 1147); *igleia* (28, 1273); *eglesia* (8, 1229).

Elemosina (48, 1225); *alimosina* (171, 1224).

Escomulgado (155, 1200); *exconmulgado* (176, 1226); *excomulgado* (179, 1226); *descomulgado* (183, 1229). Todas estas formas alternan con el latinismo puro *excomunicatio*.

Evangelios (57, 1244); *evangelia* (80, 1199). Se trata, como puede verse, de una alternancia morfológica latino-romance.

Fratres (15, 1186); *fradres* (2, 1202).

Fructero (2, 1205); *frutero* (46, 1223).

Generación (208, 1212); *generacione* (40, fines del siglo XII); *generation* (45, 1215); *generatio* (147, 1100).

Iudizio (44, 1214); *iudicio* (82, 1206); *iudicio y iudicium* (147, 1100); *yuicio* (161, 1209); *iuditio* (28, 1223); *judiço* (327, 1219).

Maldito (183, 229); *maleito* (209, 1214); *maledicto* (179, 1227); *maldicto* (223, 1233). Junto a estas variantes cultas o semicultas encontramos el popular *maldicho* (194, 1243). Lo mismo ocurre en Berceo con *bendito*.

Metad (86, 1227); *meatad* (266, 1206); *meetate* (260, 1181); *meatade* (84, 1209); *meitad* (84, 1209).

Monesterio (15, 1186), junto al latinismo puro *monasterium* (14, 1185).

Obispo (28, 1223); *bispo* (26, 1220); *episcopo* (12, 1156).

Patrimonio (54, 1231); *padrimonio* (113, 1212).

Pertenençias (3, 1205); *pertinencias* (2, 1202); *pertinentias* (88, 1229); *pertinentias* (88, 1229).
Redención (86, 1227); *redemption* (305, 1184, 1.ª doc.); *sacristán* (19, 1201); *sacristiano* (91, 1237); *sagristiano* (7, 1232).
Voluntad (305, 1184); *voluntade* (158, 1207); *volontad* (270, 1212); *voluntad* (276, 1228).

Obsérvese que la diversidad de formas no puede atribuirse a distintos estados de lengua, dada la fecha que corresponde a cada una de ellas. Si acaso, las más latinizantes suelen ser las anteriores. Sí interviene el grado de romanceamiento general del documento, consecuencia de la yuxtaposición de normas distintas. En definitiva, la vacilación y diversidad formal de los cultismos citados es una preciosa muestra de la tensión lingüística que revelan los documentos. El triunfo de una u otra forma se halla determinado por una serie de factores —culturales principalmente, claro está— que van confluyendo a lo largo de la historia. También interviene la vigencia o no de algunos fenómenos de evolución fonética que pudiera afectarles (sonorización: *fratres-fradres; patrimonio-padrimonio*, etc.). Pero, en general, la relatinización hubo de ser muy intensa, como nos lo revela en esos ejemplos la pervivencia de la forma más culta.

Junto a la vacilación formal analizada, ha de señalarse otro rasgo muy característico del léxico de los documentos. Me refiero a la existencia de voces plenamente cultas que no vuelven a aparecer hasta fecha muy tardía. Su aparición excepcional no debe ser menosvalorada. Pienso que nos revela una tradición latinizante que no alcanza suficiente fuerza integradora hasta el humanismo del siglo xv. Es el mismo fenómeno reflejado por algunos cultismos de Berceo, que no pueden considerarse integrados en la lengua general hasta el siglo xv. Véanse ejemplos como *cenobio* (148, 1146), que Corominas no documenta hasta 1250; *contracto* (255, 1239), tecnicismo jurídico que no se documenta hasta 1490 (APal.); *confuso* (250, 1220), documentado por Corominas en 1438; *destinar* (309, 1206), que documenta Corominas en el segundo cuarto del siglo xv; *donativo* (335, 1235); *electo* (200, 1272); *famulario* (48, 1225); *subscriptiones* (277, 1235); etc.

No ignoramos que podría tratarse de un uso crecientemente latinizante, pero no lo interpretamos así por tres razones: 1) por ser empleados en un contexto plenamente romanceado [30]; 2) por aparecer casi todos ellos en otros textos, en las mismas circunstancias de romanceamiento que en los documentos; y 3) por ofrecer en general un grado de adaptación formal que nos indica conciencia integradora.

En síntesis, podemos afirmar que el léxico culto de los documentos lingüísticos es muy interesante, tanto por sus contenidos significativos como por la situación lingüística que revelan. Tensión entre lo que, al comienzo, quiere ser latín y, al mismo tiempo, una lengua que debe ser entendida por todos. Así va convirtiéndose en romance, pero penetrado de la tradición latinizante. Condiciones, pues, preciosas para que los cultismos se integren definitivamente en el romance, aunque a través de un largo período de vacilación formal.

6.2. *Los cultismos en los Fueros de Soria, Madrid y Sepúlveda.*

El Fuero de Soria, publicado y estudiado desde el punto de vista jurídico por Galo Sánchez [31], data de 1190 a 1214 y corresponde al reinado de Alfonso VIII. Pero el mismo Galo Sánchez advierte que la redacción de los Fueros era producto de sucesivas elaboraciones, por medio de las cuales los habitantes procuraban mejorar de condición. Se recurría, incluso, a ardides para lograr fueros nuevos [32]. Por ello, supone que la versión que ha llegado hasta nosotros "refleja mejor el derecho del siglo XIII que el del XII".El sentido de esta elaboración progresiva es muy importante: "no hay que imaginar los fueros,

---

[30] Véase el índice comentado de cultismos, donde estudiamos sus significados y el contexto en que se emplean.

[31] V. Galo Sánchez, *Fueros castellanos de Soria y Alcalá de Henares,* Madrid, 1919.

[32] Galo Sánchez da cuenta de algunos de estos ardides. V. *op. cit.,* p. 242.

especialmente los extensos, nacidos de una vez. Eran materia de una larga y continua labor de revisión y perfeccionamiento" [33].

La redacción que hemos tenido en cuenta del Fuero de Soria debe de ser, por tanto, del primer tercio del siglo XIII. Su parentesco con el Fuero latino de Cuenca ha sido puesto de manifiesto por el mismo Galo Sánchez; cosa nada extraña dado que el Fuero de Cuenca sirvió de modelo a muchos fueros romanceados posteriores.

El análisis del léxico revela la proximidad del texto al ambiente popular. El Fuero de Soria no ofrece apenas tecnicismos ni latinizaciones extrañas. Los cultismos más abundantes son, naturalmente, los jurídicos: *abenençia, acusaçión, apreçiar, capítulo, collaçión, condición, confusión, contrariar, deffendedor, deffender, determinar, entençión, escogençia, falssar, falssario, falssedat, falso, feria, feriada, finado, finar, firma, firmar, ganançia, herencia, inffançon, justicia, justiciar, juyzio, legitimo, libre, lisión, maliçia, maliçioso, manifestar, menospreçiar, missión, nota, occasión, oficial, oficio, partiçión, patrimonio, periurio, perjuro, persona, personería, personero, preçio, prisión, privilegio, promissión, proprio, publico, quito, recudir, redimir, registro, rençión, sentençia, servicio, signo, tenençia, término, testamento, testimonio, título.*

Los tecnicismos jurídicos son casi inexistentes. Lo más que puede hablarse es de ciertas voces especializadas: *capítulo, acusaçión, legítimo, patrimonio, privilegio, quito, registro, signo, testamento, testimonio y título.* Son todos ellos cultismos plenos y, evidentemente, su empleo obedecía a exigencias nocionales de tipo jurídico. Todas ellas, salvo *quito,* todavía vigente en los siglos XVI-XVII, han sido integradas definitivamente en la lengua.

El éxito integrador de estas voces jurídicas nos revela el fino sentido lingüístico de los redactores de los fueros. Esos mismos redactores eludían conscientemente un léxico que pareciera extraño en demasía a sus posibles lectores, obligados seguramente por los concejos de las villas, que deseaban poseer un texto fácilmente consultable. Es decir, la misma presión que obligaba a redactar los fueros en romance alejaba el peligro de un excesivo

---

[33] V. Galo Sánchez. *op. cit.,* p. 244.

tecnicismo léxico. Los cultismos plenos utilizados están dentro de unas ineludibles exigencias nocionales, lo que aseguraba su penetración y aceptación por la lengua general.

Para la caracterización léxica del Fuero de Soria importa señalar que junto a los cultismos jurídicos, aparecen en gran proporción los procedentes del ambiente eclesiástico: *Açensión, arçobispo, baptismo, baptista, confessor, confesión, cristiano, cruz, difunto, bendición, benefiçiado, benito, cabildo, christianar, circurçisión, clerezía, clérigo, descomulgado* (?), *Dios, domingo, eglesia, Epifanía, epístola, evangelio, fructo, gloria, misa, monesterio, Navidat, obispo, obsequio* ('exequia'), *orden* ('orden religiosa'), *Pascua, perochial, Peydro, piadat, Quaresma, religión, religioso, Resurrection, reverencia, seglar, sepultura, Trinidat, viéspera.* A ellas deben añadirse las palabras del mundo de la moral, directamente relacionadas con el fin primordial de los fueros, que era regular los derechos y deberes de los ciudadanos: *cobdiçia, cobdiçiar, culpa, discordia, discreto, forniçio, malquerençia.* No puede olvidarse tampoco que algunas de las palabras incluidas en el campo semántico de las voces jurídicas están íntimamente relacionadas con nociones morales, por lo que, de hecho, pertenecen a ambos grupos.

No se agota con lo dicho hasta aquí la variedad significativa del léxico culto del Fuero de Soria. Por muy fuerte que sea la intención del redactor de hacerse entender por todos, su tradición escolar se refleja en el léxico. De aquí el uso de cultismos escolares y científicos, campo semántico que ofrece la mayor proporción de cultismos plenos: *ciencia, conosçencia, desmemoriado, enfermar, enfermedad, ingenio, julio, junio, memoria, natal, mundo, natura, natural, octubre, punto, reglon, sanidat y voluntat.* Hay, por último, un grupo en el que se integran voces de distinto origen y carácter: *bestia, comedio, espacio, graçia, linençia, linençiar, linençioso, medio, mediado, meatad, naçençia, neçesidat, terçia, terçio.*

La distribución del léxico en campos semánticos nos revela el predominio de los cultismos jurídicos, como no podía menos de suceder. Pero a su lado, se observa también la penetración de lo religioso en la vida misma del pueblo. Por ello el redactor debe hacer continuas referencias a festividades religiosas, jerarquías eclesiásticas, actos litúrgicos, etc. Probablemente esta penetración se debe a diversos factores, pero revela ante todo un estadio intermedio en lo que Terlingen ha llamado "uso profano del lenguaje cultural cristiano" [34]. Más que de una fase intermedia, deberíamos hablar quizás de una tendencia a utilizar el lenguaje religioso en el habla general, aprovechando sus relaciones nocionales con el mundo profano. Y esto no es otra cosa que un proceso —el más importante seguramente— de integración de voces cultas en el léxico general del idioma.

El grado de integración formal es, como adelantábamos más arriba, relativamente avanzado. La mayor parte son semicultismos lo que prueba un uso más amplio que el limitado círculo del mundo notarial. La importancia que había adquirido el Derecho en la vida medieval se pone también de relieve por el hecho de que sean las mismas voces jurídicas las que ofrezcan tal abundancia de semicultismos. El léxico jurídico se integra así con facilidad en el habla común, asegurando su pervivencia a través del tiempo. Se trata de una fusión entre el influjo de orden cultural y las necesidades de expresión de la misma vida.

Se nos configuran así dos grandes corrientes aportadoras de cultismos hasta el siglo XIII: la que parte de la Iglesia y la que tiene por origen la tradición jurídica. Pero esto era algo ya conocido. Lo que interesa subrayar es la facilidad con que se insertan los neologismos cultos en el habla de las gentes. Su peculiar proceso de integración es lo que da carácter específico al cultismo medieval, al menos hasta la fecha de 1252. Los fueros y los documentos lingüísticos ocupan una posición clave en el proceso integrador de léxicos profesionales en el habla general. Lo que en otros aspectos es tensión entre estratos socioculturales diferentes, tiene la peculiaridad de que esa ineludible tensión nace aquí de la mutua necesidad de comprensión entre el pueblo y el legislador. Los documentos lingüísticos, con un horizonte nocional más limitado, y los fueros, "intentando comprender la vida material toda del hombre", exigieron un caudal léxico que enriqueció la capacidad de expresión del idioma en

---

[34] V. J. Terlingen, *Uso profano del lenguaje cultural cristiano en el Poema del Cid*, en Estudios dedicados a Menéndez Pidal, IV, pp. 265-294.

una proporción muy considerable. La prueba de la vitalidad de este léxico se halla con una ojeada a las listas de palabras citadas más arriba. Si se exceptúan muy pocas, todas las demás han sido acogidas por el idioma para siempre. La erosión formal se ha producido en los primeros tiempos; una vez definitivamente integradas apenas han sufrido modificaciones hasta nuestros días.

El análisis realizado sobre el Fuero de Soria es válido también para estudiar los cultismos en el Fuero de Madrid [35], redactado en su mayor parte antes de 1202, y en el de Sepúlveda [36]. Confirman estos dos últimos fueros las observaciones deducidas del texto de Soria. La existencia de los correspondientes estudios lingüísticos nos releva de un más detenido análisis.

Rafael Lapesa, en un precioso estudio, ha señalado para el Fuero de Madrid un rasgo que estimamos fundamental; que la mediatización latinizante no es sistemática. En este hecho confluyen, según Lapesa, dos circunstancias esenciales: a) diferencias de lenguaje que corresponden a diversas épocas en la redacción [37]; b) contienda normativa entre la tradición latinizante y la nueva realidad únicamente expresable en romance [38]. Precisamente estos factores han sido analizados al estudiar el léxico culto de los documentos lingüísticos [39].

Los cultismos del Fuero de Madrid, son escasos, seguramente por la misma brevedad del texto, pero ofrecen, en general, un avanzado grado de integración formal. Algunos de los cultismos están, quizás, documentados por primera vez: *desposorio, pesquisitor, feria, petición*, etc.

---

[35] V. *El Fuero de Madrid*. Edición y estudio de Galo Sánchez, Agustín Millares, Agustín Gómez Iglesias y Rafael Lapesa, Ayuntamiento de Madrid, 2.ª ed., Madrid, 1963.

[36] *Los Fueros de Sepúlveda*. Edición y estudio de Emilio Sáez, Rafael Gibert, Manuel Alvar y Atilano G. Ruiz-Zorrilla, Publicaciones Históricas de la Excma. Diputación Provincial de Segovia, Segovia, 1953.

[37] Cfr. lo dicho por Galo Sánchez sobre las sucesivas redacciones de los fueros.

[38] V. *El Fuero de Madrid*, p. 252.

[39] V. pp. 180-182 del presente trabajo.

Hallamos también alternancia de formas latino-romances, producto de la contienda normativa señalada por Lapesa: *calumpnia*, junto a los semicultismos *colonnia*, *calompnia* y a los populares *calona*, *calonia*; *pignorar*, junto al popular *pendrar*; *superbia*, al lado del semiculto *soberbia*; *testimonio*, junto a las variantes semicultas y populares *testemunas*, *testemunias*, *testemuno*, *testimunno*, etc.

Todo esto nos revela que el Fuero de Madrid es un testimonio de la profunda transformación que se está operando en el léxico castellano en el tránsito de los siglos XII al XIII, con la definitiva incorporación de multitud de voces cultas al proceso creador del romance.

El estudio lingüístico del profesor Alvar sobre el Fuero de Sepúlveda [40] nos ha sido de gran utilidad, en especial el vocabulario, donde recoge todas las voces de los Fueros de Sepúlveda. Como decíamos para el de Madrid, este trabajo nos ahorra detenernos en la caracterización lingüística del Fuero castellano de Sepúlveda.

Como en los restantes fueros, también se ha advertido en este caso la existencia de varios estratos en su redacción, que se sitúan entre dos fases fundamentales: el Fuero breve de 1076 y el Fuero extenso de fines del siglo XIII o principios del XIV [41]. Esto hemos de tenerlo siempre en cuenta porque toda estratificación cronológica en la redacción puede suponer capas distintas de romanceamiento del léxico, dada la diferente intensidad con que actúa la presión latinizante.

Limitándonos al aspecto léxico, el Fuero de Sepúlveda se halla también muy próximo al tipo de caracterización semántica realizada para el Fuero de Soria. La mayor variedad significativa la notamos, como ya había advertido Alvar [42], en el portazgo incluido en el Fuero. En efecto, allí encontramos los cultismos más lejanos a la prosa jurídica: *áloe epático*, *cinamono*, *escarlata*, *metal y metallo*, *pargamino*, *vidrio*, etc. No es de extrañar

---

[40] V. *op. cit.*, pp. 571-913.

[41] V. *op. cit.*, Estudio histórico-jurídico de Rafael Gibert, pp. 341-344.

[42] V. *Los Fueros de Sepúlveda*, p. 580.

este hecho, ya que los portazgos exigen un tipo de vocabulario del que se carece, en función de las necesidades comerciales de una época en que la actividad mercantil alcanza importancia decisiva para la vida de la colectividad [43].

Por lo demás, el Fuero de Sepúlveda, de cuyo pleno castellanismo nos advierte Alvar [44], no ofrece demasiadas peculiaridades léxicas cultas. Junto a un vocabulario culto semejante al del Fuero de Soria, aparecen algunas voces desusadas: *cárdeno, election, enterrogation, lilio, rosas, vulpina,* etc., que evocan cierto ambiente escolar (*election, enterrogation, rosas*), científico y bíblico - eclesiástico (*signo de Salamón*). Pero en conjunto no pasan de ser voces sueltas, que no pueden deberse a un influjo específico sobre el Fuero de Sepúlveda, sino al que actúa sobre toda la literatura jurídica.

El grado de adaptación formal de los cultismos en el Fuero es notable. Apenas encontramos vacilaciones. Desde luego, nada parecido al Fuero de Madrid, señal indudable de la distancia cronológica que hay entre uno y otro. Sólo alguna forma arcaizante, seguramente por ocasional presión del latín (*fructo, election, collation,* etc.) o algún latinismo puro excepcional (*coniugata, Spiritus,* etc.). Los cultismos se hallan perfectamente integrados en el estado de lengua propio de la época.

Todo lo dicho más arriba tiende a señalar que el Fuero de Sepúlveda puede representar muy bien la culminación de un proceso de asimilación del léxico culto de carácter jurídico por la lengua general. Podríamos concluir, por tanto, que el estudio de los cultismos en los fueros nos revela la simbiosis entre el habla de una escuela profesional, más o menos docta, con la lengua general, gracias a una consciente intención popularizadora. Muy interesante sería estudiar pormenorizadamente la suerte de estas palabras a lo largo de toda la historia de la prosa jurídica, y en especial de la labor legisladora de Alfonso X el Sabio. Creemos, no obstante, que el análisis realizado sobre los documentos publicados por Menéndez Pidal, y sobre los Fueros de Soria, Madrid y Sepúlveda, sin pretender agotar el tema, ejem-

---

[43] V. Américo Castro, *Unos aranceles de aduanas del siglo* XIII, R.F.E., VIII, 1921.

[44] V. *Los fueros de Sepúlveda,* p. 577.

plifica muy bien el peculiar proceso de integración que el cultismo jurídico provoca en la lengua general.

No podemos olvidar lo que notábamos en las primeras líneas dedicadas a este tema. La prosa jurídica refleja una realidad inmediata para el hombre medieval y, por tanto, su léxico, enquistado en una expresión técnica de raíz latina, va perdiendo progresivamente su aspecto arcaizante. Se integra así de forma gradual, pero rápida y segura, en la lengua de uso general. A fin de cuentas, es el interés del pueblo el que decide el destino de la formas léxicas a través de la frecuencia de su uso y de la seguridad en la elección. Si se comparan los esfuerzos latinizantes de las épocas cultistas, observaremos que nuestro vocabulario culto ha penetrado efectivamente por vía escrita, pero tan importante o más que su camino de origen es su suerte posterior. Unas voces, las más brillantes, exóticas y literarias, tuvieron que recibir el auxilio de movimientos culturalizadores (cultismos de Berceo, de Mena, de Góngora, etc.); otras, las que se hallaban entroncadas con el cotidiano vivir, aun proporcionadas por el habla de los doctos, se han adaptado con relativa facilidad [45]. Creemos haber mostrado suficientemente que el léxico culto de los documentos y de los fueros es una buena prueba de este fenómeno.

---

[45] Confirmamos aquí lo expuesto en el capítulo II de nuestro trabajo.

CAPÍTULO VI

LOS CULTISMOS EN LA PROSA DIDÁCTICO-MORAL

Los cultismos en la prosa didáctico-moral.—Los Catecismos po-
lítico-morales.—La Fazienda de Ultramar.—El Liber Regum.

Los Catecismos político-morales.

Los Catecismos político-morales constituyen un tipo de obras
peculiar de una época de honda preocupación moral como es la de
los siglos XIII y XIV. Knust y Kasten han puesto de relieve su
importancia [1]. Casi todos están inspirados en textos árabes o son
meras traducciones. Es conocido el proceso a través del cual llegaron estos textos al castellano. Importados por los árabes, se
recogía en ellos la sabiduría de los grandes filósofos de la Antigüedad en lo referente a la conducta humana y a los modos de
gobernar. Muy repetida es la figura de Aristóteles sobre la que,
con fundamento o sin él, recae el criterio de autoridad en que se
apoyan estos textos.

No existe una intención literaria, y ello es evidente. Los catecismos político-morales constituyen la respuesta a una grave preo-

---

[1] V. H. Knust, *Mitteilungen aus den Eskurial,* Bib. Citt. Vereins in
Stuggart, XLI, Tübingen, 1879 y Lloyd A. Kasten, *Poridat de las po-*
ridades, Madrid, 1957.

cupación por la conducta del hombre, que alcanzará su culminación con la obra de Alfonso X el Sabio. Hay que interpretar, por tanto, la existencia de estos catecismos a la luz de una corriente ética que, atravesando toda la Edad Media, llega al mundo moderno. Obra de una minoría letrada, sus contenidos interesaban a todas las gentes, sirviendo de guía a educadores y confesores.

La tradición que acumulan estos textos es grande. Kasten [2] afirma que los musulmanes conocían estas obras desde los primeros siglos de su venida a España; habrían sido traídas de los centros culturales del Islam que, como es sabido, influyeron extraordinariamente sobre toda la cultura europea. A nosotros, más que la antigüedad del contenido, nos interesa su expresión idiomática. No es casualidad que la labor de traducción de todos estos textos se acelere en el reinado de Fernando III el Santo. En efecto, la conquista del valle del Guadalquivir y el consiguiente contacto directo con los grandes focos culturales hispano-árabes, provoca una profunda mutación en la consideración del mundo musulmán y de su cultura. Paralelamente al conocimiento de la filosofía aristotélica a través de Averroes, se produce la entrada masiva de los temas didáctico-morales en la primitiva prosa romance. La proliferación de textos es extraordinaria; unos influyen sobre otros, provocando interpolaciones, y algunos son copiados casi literalmente [3]. El fenómeno se extiende más allá del siglo XIII. Del éxito de estos textos da idea su inclusión casi íntegra en obras posteriores, como ocurre con las famosas *Flores de filosofía*, insertas en la *Historia del caballero Cifar*.

Si la intención estética apenas existe, en cambio interesa mucho a los autores de estos catecismos la claridad expositiva. La expresión es, por tanto, sobria y ceñida al contenido, sin permitirse adornos literarios de ninguna clase. De cuando en cuando la sequedad de la exposición se anima con conatos de narración o de diálogos que, en realidad, suponen ensayos interesantes de lo que después será la literatura narrativa en forma de apólogos o "enxemplos", en manos de don Juan Manuel y de Juan Ruiz.

---

[2] V. LL. A. Kasten, *op. cit.*, p. 7.

[3] V. Ll. A. Kasten, *op. cit.*, págs. 7-17. Compárense también las conexiones entre *El Bonium* y el *Libro de los Buenos Proverbios*.

El interés literario de estos textos es evidentemente muy limitado, pero no dejan de ser elementos que deben ser tenidos muy en cuenta a la hora de historiar la creación narrativa medieval. Por su contenido los catecismos poseen otro interés; corresponden a un común sentir de las tres razas y religiones que han conformado "la realidad histórica de España", en palabras de Américo Castro: árabes, judíos y cristianos.

Nuestro estudio debe centrarse sobre los datos lingüísticos que ofrecen. Al haber sido redactados en el reinado de Fernando III están inmersos en la corriente culturalizante que se desarrolla desde fines del siglo XII. Si el valor estético es escaso, en cambio el caudal léxico, preferentemente culto, que aportan los catecismos es muy considerable.

Tras el modesto intento de los *Diez Mandamientos,* que estudiamos en primer lugar, el conjunto de los catecismos restantes señala un considerable avance en todos los aspectos. Mientras los *Diez Mandamientos* son una mera instrucción doctrinal para confesores, los restantes enlazan con una larga tradición. Son traducciones de versiones diferentes que forman una frondosa familia en la literatura didáctica europea. Creemos que este denso conjunto estará suficientemente representado a través del análisis efectuado en *Los Diez Mandamientos, El Bonium, Las Flores de Filosofía,* la *Poridat de las poridades* y *La Nobleza y Lealtad* o *Libro de los Doce Sabios.* Pensamos que tales textos ofrecerán un repertorio muy completo de los cultismos de la prosa didáctico-moral.

Un punto importante que debe ser tenido en cuenta es el de la difusión de estas obras. La riqueza de léxico culto y el mismo contenido de los textos nos prueban que su éxito —extenso y permanente— se limitaba a unos grupos sociales muy concretos: clérigos, gobernantes, legisladores, etc. No puede hablarse de ningún modo de difusión popular, aunque la preocupación ética fuera un denominador común de la sociedad medieval. Por eso hemos de hablar de estas obras como peculiares de unos círculos minoritarios de significación aristocrática e intelectual. Quizás por eso mismo pudieron ser aprovechados por la literatura posterior, insertándolas literalmente como señalábamos más arriba. Al ejemplo de las *Flores de Filosofía* podría añadirse el de una parte del

Libro de los Buenos Proverbios, incluida en la *Grande e general estoria,* sin citar las relaciones que existen entre los propios catecismos. Como es sabido, la difusión de la literatura moralizante no se inicia hasta la aparición del *Libro del Buen Amor.*

Podíamos preguntarnos en seguida qué importancia para el léxico culto tienen estas obras. A ello trataremos de dar respuesta en el estudio pormenorizado de cada uno de los catecismos que antes hemos enumerado.

1. *Los cultismos en los Diez Mandamientos.*

Los Diez Mandamientos constituyen probablemente el más antiguo tratado doctrinal y es uno de los primeros textos castellanos en prosa. El catecismo es un formulario en el que se recuerda a los confesores el sentido del Decálogo, al mismo tiempo que sirve de guía para indicar las preguntas que el sacerdote debe hacer al penitente. Señala también recomendaciones de tipo práctico, como la necesidad de la penitencia, su mayor o menor gravedad, etc.

El texto tiene también interés para conocer las costumbres de la época. Su intención práctica se refleja en que su lenguaje adopta la forma de un esquema fosilizado, sin que el redactor se permita ningun comentario de tipo personal. Sus antecedentes inmediatos debieron de ser numerosas instrucciones para confesores escritas en latín. El desconocimiento de esta lengua por los clérigos debió de obligar a realizar las correspondientes traducciones [4].

He utilizado la edición de Morel-Fatio [5]. Afirma el editor que la lengua es decididamente navarro-aragonesa. Su léxico es muy abundante en cultismos. En su inmensa mayoría pertenecen al mundo de la moral: *benefiçio, cobdiçiar, condiçión, confesar, confesión, disciplina, encantaçiones, entençión, enxemplo, falso, fornicaçión, forniçio, perjurio, ladroniçio, limosna, luxuria, luxu-*

---

4   Cf. Glosas Silenses, sobre un penitencial.

5   Morel-Fatio, *Textes castillans inédits du XIIIème siècle.* Romania, XVI, 1887, pp. 364-382.

rioso, peligroso, penitençia, próximo, purgar, Purgatorio, sacrilegio, simonía, sodomita, vanidat y *vigilia.*

También se encuentran numerosos cultismos plenamente eclesiásticos: *clérigo, (o)bispo, cristiano, Dios, domingo, eglesia, gloria, gracias, misa, ofiçio, oración, orden, paradiso* y *virgen.* Los restantes —muy pocos— son de diverso carácter, aunque predominan los escolares: *generaçión, general, libro, mestrua, mundo, natura, persona, público, voluntad.* Excepcionalmente se encuentra algún cultismo jurídico: *judicio* y *testimonio,* aunque tomados en sentido moral o religioso.

En conjunto el texto ofrece numerosos cultismos si tenemos en cuenta su brevedad. En cambio, se advierte escasa variedad semántica, como corresponde a un contenido muy limitado y preciso. La fundación de este catecismo, no obstante, es importante ya que, continuado más adelante por otros muchos más extensos y completos, sirvieron para familiarizar a muchos hablantes desconocedores del latín con un vocabulario culto que en principio les era ajeno. Los *Diez Mandamientos* recogen un tipo de léxico que debía ser usual en un estrato especializado de hablantes: clérigos y confesores. No debemos olvidar que estas gentes desempeñaron un papel decisivo en la integración de los cultismos.

El aspecto formal de las voces estudiadas revela el predominio de los cultismos en el campo semántico de la moral. Su empleo debió de ser muy frecuente en el lenguaje oral de las predicaciones. Su uso casi habitual se confirma al aparecer en todos los otros catecismos analizados. Igual ocurre con las voces eclesiásticas, cuyas formas semicultas son predominantes. Lo ocasional es la aparición del cultismo innovador, lo que prueba la adscripción del redactor a una capa socio-cultural elevada y de evidente carácter eclesial.

2. *Los cultismos en El Bonium o Libro de los Bocados de oro.*

El título completo de esta obra reza "Libro llamado de los Bocados de Oro al qual compuso el rrey Bonium, rrey de Persia". Como es sabido, *El Bonium* es el anagrama, leido de derecha a izquierda de *muy noble,* con que lo adjetiva el autor del libro. Su edición se debe a Knust [6].

La obra consta de dos partes perfectamente diferenciadas. La primera sirve de introducción al conjunto doctrinal que contiene la segunda. Esta introducción consta de siete capítulos:

Capítulo I. "De los cinco sentidos del hombre y de sus virtudes". Pone de relieve la importancia de la sabiduría y de la moral para la vida humana. Lo más notable es el elevado concepto de la inteligencia como facultad distinta del ser humano. Es interesante hacer constar que el entendimiento adquiere tal importancia en virtud de su valor para regular la conducta humana. Es decir, el conocimiento de las cosas a que nos incita la obra tiene una finalidad esencialmente ética, no exenta, a veces, de una curiosidad genuinamente intelectual.

Capítulo II. "De cómo Bonium, rrey de Persia, fue a las tierras de la India para buscar el saber". Este capítulo, como los que le siguen, tiene un débil elemento narrativo que, aun leve, no deja de ser el precedente de la posterior literatura narrativa de carácter didáctico. Por supuesto que este elemento es mínimo, predominando la enumeración escolar de tema geográfico y bíblico.

Capítulo III. "De cómo el rrey falló un predicador, e de la muy fermosa respuesta que le dió a la pregunta que le fizo". Es una alegoría de medicina espiritual.

Capítulo III bis. "De cómo el rrey preguntó a Juanicio que fiziese tanto, e que librase cómo podiese entrar en el palacio a oyr los dichos de los sabios". Se hace un elogio de la filosofía entendida como conocimiento moral. En este sentido, los filósofos son los autores de "buenos proverbios e buenos enxemplos".

Capítulo IV. "De cómo el rrey preguntó a Juanicio por el saber, que le esplanase qué cosa era". Además de insistir en el saber moral, la respuesta del quinto sabio añade una delicada matización: la sabiduría "es mandadera entre el seso e el coraçón".

Capítulo VI. "De commo el rrey fizo escrebir un libro de

---

[6] V. H. Knust, *Mitteilungen aus den Eskurial,* pp. 66-384.

los dichos de los sabios el qual es éste que deyuso sigue". Termina aquí la narración de Juanicio —personaje semejante al Patronio del *Conde Lucanor*— y comienza el verdadero catecismo doctrinal.

Los restantes capítulos —veintiséis— ofrecen menor interés literario. Cada uno de ellos está dedicado a profetas y sabios de la Antigüedad. La narración desaparece casi completamente, hasta hacer penosa la lectura. Cada capítulo comienza con una ligerísima referencia biográfica del sabio correspondiente y, en seguida, se van ensartando las máximas morales. A veces éstas se interrumpen brevemente para dar paso a alguna consideración ajena al tema central. Hay algun intento de retrato físico, como el de Rabion, símbolo de la fidelidad a sus amigos.

Una de las partes más curiosas del texto es la defensa que se hace del lenguaje y del estilo en el capítulo XIII [7] ("De los dichos e de los castigamientos del philósopho Aristótiles"): "E porque la sapiencia es más noble que todas las cosas ha de ser dicha con la rrason mejor que pueda seer e con las más apuestas palabras e más breves e sin yerro e sin enbargamiento, e por non seer la rrason bien conplida piérdese la lumbre de la sapiencia, e fase dubdar al que la oye" [8]. Obsérvese el ideal estilístico y expresivo contenido en las líneas precedentes. Ocurre, no obstante, que no es lo mismo postular que llevar a la práctica ese ideal de concisión y elegancia. Para ello hubo que esperar un siglo hasta que la historia cultural y lingüística proporcionara las condiciones necesarias, aprovechadas por don Juan Manuel.

A pesar de la imposibilidad momentánea de realizar el ideal estilístico propugnado, tales palabras nos sirven muy bien para introducirnos en el mundo cultural característico de la época de Fernando III el Santo. En efecto, son en realidad la expresión de una toma de conciencia de la importancia que empieza a adquirir el conocimiento intelectual. Hasta ahora se ha hablado frecuentemente de lo que representa en este aspecto la obra de Berceo, cuya humildad no basta a ocultar su sapiencia; de la

---

[7] Del lenguaje dice: «E ellos ponian nombre al saber del lenguaje el circundador porque es necesario a todos los omnes e porque es instrumente a escalera a toda sapiencia» (p. 244, ed. de Knust).

[8] Págs. 244-245 de la ed. de Knust.

delicada sensibilidad del autor del Apolonio y, sobre todo, del orgullo que expresan los numerosos versos del Libro de Alexandre. Pero esta brillante escuela poética tenía unas bases culturales más amplias. El mismo orgullo intelectual y estético del Alexandre es el que se halla expuesto teóricamente en *El Bonium*, con una interpretación, además, finísima de lo que constituye el núcleo de toda obra de arte: la armónica expresión del contenido a través de la forma bella (cfr.: "e... e por non seer la rrason bien conplida piérdese la lumbre de la sapiencia"). La tesis de Dámaso Alonso sobre la interdependencia de forma y contenido, la encontramos formulada ya, sorprendentemente, en una de estas primitivas prosas de nuestro romance del siglo XIII.

En conclusión, el contenido del catecismo nos confirma la pertenencia de *El Bonium,* como todos los demás catecismos político-morales, a una escuela muy docta, de clara adscripción escolar. Veremos en seguida cómo el análisis del léxico prueba esta afirmación, y el papel que la escuela desempeña en la integración de neologismos cultos en el habla general.

El léxico.

El léxico culto de *El Bonium* es muy rico y variado. Probablemente es el texto doctrinal que ofrece una mayor abundancia de cultismos y una mayor diversidad de campos semánticos con suficiente entidad. Esto no es raro teniendo en cuenta lo que acabamos de decir sobre el contenido de la obra. No es ya sólo el mundo de la moral el que aparece, sino en muy grande proporción el de los cultismos científicos, junto a los filosóficos y teológicos, con los que se establecen múltiples nexos semánticos.

Siguiendo el método adoptado en este trabajo, hemos clasificado estos cultismos en campos de significación. El esquema que se establece es el siguiente:

1. Cultismos litúrgicos y devotos: *adorar, ángel, clamor, ciençia, cristiano, devoçión, Dios, divino, eglesia, ermita, Espíritu Sancto, espiritual, fin, finar, fruto, graçia, ídolo, imagen,*

loor, oración, órdenes, parayso, predicación, pedricador, pedricar, perdurable, piedad, profeta, regla, sacerdote, sacrificio, safumerio, salvación, santificar, siglo.

2.   Cultismos de índole teológico-filosófica: *accidental, argumento, Aristóteles, causa, criatura, determinar, differencia, diversas, Etica, filosofía, filósofos, forma, intelectual, Lógica, materia, memoria, metafísica, natural, necesario, opinión, pensamiento, pensar, propiedad, propio, sapiencia, sabencia, sabiduría, sustancia, sustancial, theologal, theologia, voluntad.*

3.   Cultismos pertenecientes al mundo moral: *acucioso, alta, amansar, aspero, atrevencia, caridad, castidad, cativerio, clara, claridad, cobdiçia, cobdiçiar, cobdiçioso, contrario, corrupción, culpa, culpar, despreçiar, envidia, envidiar, envidioso, enxemplo, escusar, falsedad, falso, fama, fiusia, flaco, forniçio, gesto, homillar, humildad, lazeria, lazerio, liberal, licencia, limosna, lisión, malicia, malicioso, mansamente, mansedumbre, mirabolano, natura* ('carácter'), *nescio, noble, obedencia, ocasión, ocasionar, paciencia, parecencia, peligro, preciamiento, presciar, presciarse, prescio, proverbio, rremuneración, rescebtor, salud, saludar, secta, serviçio, soberbia, soberbio, sufrencia, vanidad, vicio, virtud.*

4.   Cultismos jurídicos y de Cancillería: *confirmar, defendedor, defender, firme, justicia, justiciador, gente, gentil, manifiesto, officio, palacio, poridad, príncipe, provinçia, publicar, quitos, regnar, regno.*

5.   Cultismos escolares y científicos: *Africa, allegoría, animalia, apetito, Apollonio, Aquitania, Armenia, Asia, Athenas, Bretania, Caldea, Capadoçia, capítulo, ciencia, conjunciones, comparación, Dalmacia, décima, deçiplo, discipulo, diluvio, Diógenes, disputación, edificar, Eqipto, elemento, engenio, escripto, estómago, estoria, estrumento, instrumento, estudiar, estudio, exaltaciones, Ethiopia, festino, figura, física, físico, generaçión, geometral, geometría, gramático, humanidad, Ihernia, India, Libia, libro, Lidia, Macedonia, masculo, maravilla, maravillado, maravillosamente, maravilloso, marfil, Media, melesina, melesinamiento, me-*

lesinar, meredion, Mesapotamia, mundo, música, músico, Nabu-
codonosor, natura, naturales 'ciencias de la Naturaleza', *Occidente,*
Omirus, Oriente, Palestina, Pergamino, Pentapolis, Persia, per-
siano, planeta, Platón, poética, pungimiento, pungir, quadrivial,
rretórico, Bromania, Samaria, sanidat 'salud', *Setentrión, signo,*
Sócrates, superfluydad, Suria, tempestad, verbo, versificador, ver-
so, tósico, Tracia, trebuna, tribulitania, Tulia, turbio, vidrio.

Me parece muy significativa la distribución semántica arriba
expresada. Destaca, ante todo, la aparición de un numerosísimo
grupo de voces escolares y científicas. Esto supone un precioso
dato que modifica la proporción hasta ahora atribuida a cada
uno de los campos de significación precedentes. La riqueza y variedad semántica de estas voces es considerable; esto confirma
que el proceso de avance científico, que culmina en la obra de
Alfonso X el Sabio, estaba ya en marcha. La capacidad de
creación y asimilación de léxico que revelan *El Bonium* y otros
catecismos político-morales de la época de Fernando III el Santo
parece ser la base sobre la que se apoya el importante progreso
de la lengua en la segunda mitad del siglo XIII. Si dispusiéramos
de un glosario completo de las voces científicas utilizadas en las
obras de Alfonso X, apreciaríamos con justeza las bases reales
de índole lingüística y cultural que existen en la obra del Rey
Sabio. Lo que nos muestran estas listas de cultismos es que
existía un esfuerzo creador anterior, más rico del que podría
pensarse. Este esfuerzo creador de léxico científico tenía como
manantial la lengua latina, lo mismo que en la obra de Alfonso X.
Es verdad que estas voces debieron de ser conocidas por una
pequeña minoría, puesto que el gran éxito de los catecismos se
apoyaba en un círculo de lectores —clérigos o aristócratas— muy
reducido. Téngase en cuenta, no obstante, que será esta minoría
la que forme el equipo de eruditos que colaborará en la gran
obra cultural del Rey Sabio.

Debo apuntar todavía otro posible efecto. No es descabellado
pensar que la existencia, en gran número, de cultismos científicos en los catecismos supone, naturalmente, la existencia de una
corriente científica previa a la obra alfonsí. Quizás fuera más
justo hablar de la existencia de una inquietud cultural y científica que se va gestando a todo lo largo de la centuria y que

tiene consecuencias varias: la creación literaria del mester de Clerecía, la aproximación de la juglaría y del arte del clérigo, la obra, en fin, conscientemente científica de Alfonso el Sabio.

Repetidamente se ha señalado el criterio seguido por Alfonso el Sabio en la creación de neologismos: prioridad para la voz romance cuando la había; formación de palabras a base de elementos romances, en segundo lugar; adopción de formas cultas de origen latino, después; importación de un extranjerismo, por último. Pues bien, es muy posible que el fundamento de este criterio léxico se halle en la tradición neológica que aportan los catecismos político-morales, al menos en lo que éstos poseen de capacidad para incorporar y difundir cultismos. Piénsese que la contienda se plantea entre dos lenguas de cultura: el latín y el árabe. Las preferencias alfonsíes por el latín no son únicamente fruto de una decisión personal, sino también de la inmediata tradición cultural representada por las obras que estudiamos ahora. Así, en la obra alfonsí el árabe entra donde no había tradición latino-eclesiástica (*Astronomía, Lapidario*); pero no donde la había, como en el campo de la moral y de la filosofía.

Dentro de cada uno de los campos de significación se observa, además, una gran riqueza de conceptos. Especialmente amplio es el universo moral reflejado, cuyo conjunto léxico abarca una variedad de matizaciones verdaderamente notable. No es sorprendente si pensamos en la preocupación del hombre medieval por la moral. En cambio, se observa un retroceso en los cultismos litúrgicos y devotos, lo que nos parece perfectamente consecuente con la tradición de origen oriental en que tienen su base los catecismos.

La repartición semántica de los cultismos nos revela que durante el siglo XIII hay que considerar siempre dos grandes áreas léxicas y culturales: la que representan los Catecismos, de gran valor lingüístico pero no literario y, por ello, con menor capacidad de difusión, y la que se halla presente en la obra del mester de clerecía, cuya virtualidad integradora se encuentra poderosamente auxiliada por las cualidades literarias que contiene. No nos atrevemos a formular las notas que separan una y otra porque, en definitiva, la cultura es el fruto de un proceso complejo en el que entran por igual la capacidad creadora y el rigor científico e intelectual.

En general, los cultismos ofrecen escasas variaciones formales. Existen más frecuentemente en los cultismos escolares y científicos, hecho que revela el carácter innovador de estas voces y de sus dificultades integradoras. Especialmente, se producen vacilaciones en el timbre de las vocales y en los nombres geográficos. Ello nos atestigua las dudas del redactor y las dificultades con que se mueve en una tradición apenas nacida.

Son raros, en cambio, los casos de polisemia. Anotamos matizaciones semánticas, especialmente por ampliación de significado. Por ejemplo: *natura* con significado de 'Naturaleza' y 'manera de ser, carácter', mientras en plural pasa a significar 'ciencias de la Naturaleza'; *materia* 'asunto', y 'materia' 'opuesto a espíritu'; *forma* 'aspecto, imagen' y 'opuesto a materia', etc., etc. [9]. En general hay una apreciable exactitud significativa, como corresponde al carácter de la obra y a un lenguaje más denotativo que connotativo.

La relativa fijeza formal y semántica me parece el rasgo más importante del conjunto de cultismos utilizado en *El Bonium*. Vamos a ver en seguida que este rasgo capital se repite en los restantes catecismos político-morales que hemos analizado. Responde, por tanto, a una actitud caracterizada por el rigor intelectual que penosamente va abriéndose paso a lo largo de la Baja Edad Media y que desembocará en la aparición del intelectual puro con el movimiento humanista del siglo xv.

3. *Los cultismos en La poridat de las poridades.*

Lloyd A. Kasten ha estudiado muy bien esta obra [10] que responde, como todas las que analizamos en este epígrafe, a la tradición didáctica hispano-árabe, basada en filósofos griegos y

---

[9] Véase el Glosario de cultismos, donde constan las documentaciones correspondientes.

[10] Lloyd A. Kasten, *op. cit.*

musulmanes. Kasten y Knust [11] citan la extensa ramificación a que dio lugar en la Edad Media el *"Secretum secretorum"*, con dos grandes líneas: una, oriental, y otra occidental, que sirve de fuente a la castellana *Poridat de las poridades*. Según Kasten [12] la *Poridat de las poridades* es la primera traducción del *Sirr alasrar* a una lengua moderna [13], datándola al final del reinado de Fernando III el Santo o principios del reinado de Alfonso X el Sabio, fecha en que hemos puesto el límite de nuestro trabajo.

La difusión de la obra fue amplia, como se ha señalado más arriba, aunque siempre dentro de un círculo de gentes de elevada condición social. Como dice Kasten, estos catecismos no sólo eran útiles para gobernantes y eruditos "sino también para los ricos y los poderosos que querían aprovecharse de los consejos de Aristóteles". El gran número de manuscritos disponibles nos atestigua esta amplia difusión.

El mismo Kasten ha analizado el contenido de la obra, intentando dilucidar cuál pudo ser su estado primitivo. Le parece indudable que sobre el texto primero se han efectuado una serie de adiciones de muy diverso carácter. En especial el lapidario que se incluye al final nada tiene que ver con el resto de la obra. Este lapidario coincide en gran parte con el que se halla en el *Libro de Alexandre*.

Prescindiendo ya de estos problemas textuales, perfectamente analizados en la obra de Kasten, la *Poridat*, tal como ha llegado hasta nosotros, nos ofrece una breve introducción en que atribuye a Aristóteles el "libro de manera de hordenar el rregno quel dizen Poridat de las poridades".

Hay después ocho tratados de muy diverso contenido. En síntesis tratan de lo siguiente:

---

[11] V. Lloyd A. Kasten, *op. cit.,* y H. Knust *Secretum secretorum y Poridat de poridades,* en *Jahrbuch für romanische und englische Literatur,* X, (1869), págs. 153-172 y 272-317.

[12] V. Ll. A. Kasten, *op. cit.,* p. 10.

[13] Es muy importante la versión latina que hizo Felipe de Trípoli, influida por la antigua y fragmentaria del judío Johannis Hispalensis. V. R. Steela, *Secretum secretorum,* en *Opera hactenus inedita Rogeri Bacom,* fasc. V., Oxford, 1920.

I. *De los grandes fechos.*—Trata de las maneras de los reyes, y los consejos que con este motivo escribe Aristóteles, especialmente los referentes a que el rey no debe ser codicioso de los bienes de sus súbditos.

II. *El tractado segundo en un estado del rrey commo deue seer en si.*—Sobre las cualidades personales que deben poseer los reyes, tanto en lo referente a su conducta con las gentes de su reino como a sus deberes espirituales.

III. *El tractado terçero en manera de la iustiçia.* Es el núcleo de los consejos de Aristóteles. Como dice el texto "esta figura es flor deste libro et la pro de nuestra mandança" (p. 43). En realidad se trata de una introducción de carácter general a los tratados siguientes.

IV. Constituye un tratado sobre las cualidades y la conducta que deben poseer los servidores del rey.

V. Es un breve capítulo sobre las cualidades de los embajadores. Lo más interesante es seguramente el elogio de la lealtad.

VI y VII. Faltan palabras del título del capítulo VI, pero tanto éste como el siguiente tratado abordan temas militares y estratégicos, partiendo de la base de que "los cavalleros son rayz del rregno et su apostura". El capítulo VI se refiere a las cualidades personales de los caballeros. El VII, a los modos de luchar y a la disposición del ejército. En este capítulo hay frecuentes digresiones: relaciones entre la complexión de los hombres y sus cualidades morales, consejos de higiene y medicinales, etc., etc.

VIII. *El octavo tractado de las virtudes de las piedras.* Se trata del lapidario de que hablábamos más arriba. Su inclusión en la Poridad hay que atribuirlo al interés que estos lapidarios tenían para el hombre medieval y al consiguiente deseo de autentificarlo bajo la autoridad del supuesto Aristóteles.

El léxico.

El léxico ofrece los rasgos típicos de esta clase de obras, tal como se acaba de señalar para *El Bonium*. Para que puedan compararse la estructura y distribución del vocabulario culto, establecemos la misma clasificación para todos los textos. De una manera general, el resultado es el siguiente:

1. Cultismos litúrgicos y devotos: *ángel, creencia, demonio, Dios, ermitanno, espirital, fin, finar, fructa, fructo, graçia, perdurable, profeta, prophetizar, seglar, sepulcro, sieglo, templo.*

2. Cultismos de carácter teológico-filosófico: *accidental, ánima, creatura, criatura, filosofía, filósofo, imaginación, memoria, pensamiento, pensar, propio, propriedad, sapiençia, simple y voluntad.*

3. Cultismos pertenecientes al mundo de la moral: *áspero, claro, cobdiçia, cobdiçioso, corrubta, culpa, despreçiamiento, despreçiar, envidia, envidioso, enxiemplo, flaco, forniçio, forniçioso, humildoso, lazeria, lazerio, obidecimiento, obediencia, occasión, odio, preçiar, malquerencia, regla, soberbia, traycion, vicio, virtud.*

4. Cultismos jurídicos y de Cancillería: *afirmar, cabildo, fiar (?), firme, firme miente, gente, gentil, iusticia, iustiçiero, iuyzio, offiçio, poridat, principe, prisión, privilegio, servicial, servicio.*

5. Cultismos escolares y científicos: *animalia, apetito, Aristótiles, artefiçioso, Astronomía, bestia, capítulo, celebro* 'cerebro', *cólera, complexión, conoçencia, décima, discipulo, diversas, duodécima, elefante, estómago, estrumente, figura, figurar, física, físico, flema, geometría, gramático, Homero, húmida, latín, lectural, Nicómaco, occidente, octavo, ondecima, Persia, planeta, planta, purgar, sanidad, sciencia, sciencial, septentrión, sexto, séptimo, significar, signo, tósico, tractado, ungüento.*

Dentro de este grupo habría que integrar los cultismos incluidos en el lapidario: *escantiliçio, turquesa, anglezia, asenio, coral, cristal, dionisia, eleutropía, electria, galaçiar, iaspes, jacintho, margarita, melozio, meradgues, piropus, sardia, selenites, sendia y sulgema.*

Como puede observarse, la distribución de los cultismos en

campos de significación coincide en gran medida con la apreciada para *El Bonium*. Queda aparte el grupo de cultismos que se refieren a piedras preciosas. Estas voces pertenecen a una tradición cultural específica: la de los lapidarios medievales que arrancan de las *Etimologías* de San Isidoro y cuyo máximo ejemplo es el *Lapidario* de Alfonso X el Sabio. Otro muy notable es el incluido en el *Libro de Alexandre*. Kasten [14] ha dado una lista con la correspondencia de los nombres de piedras preciosas entre la *Poridat de las poridades, el Libro de Alexandre* (ms. O. y P.) y las *Etimologías* de San Isidoro [15]. La correspondencia entre estos textos es bastante coincidente; hay, efectivamente, variaciones formales entre ciertos nombres: *poederos* (San Isidoro) corresponde a *piropus* en la *Poridat*, y a *peoruos, peorus* en el *Libro de Alexandre* (ms. P. y O. respectivamente); *hexecantolithus* convertido en *escantiliçio, cantalaçio, escantalide* respectivamente; etc., etc. Tal erosión y variedad formal es prueba de la difusión que tuvieron estos lapidarios, copiados a menudo por escribas no letrados que leían y transcribían mal el modelo. Por lo demás, el lapidario incluido en la *Poridat* es pobre y no ofrece aportaciones léxicas demasiado interesantes.

En conjunto, el léxico culto de la *Poridat de las poridades,* aun siendo amplio, no ofrece la riqueza y variedad de *El Bonium*. Es menos innovador y eso se traduce en una gran fijeza formal de las palabras, salvo en el caso ya señalado de los nombres de piedras preciosas. Apenas hemos encontrado ejemplos que ofrezcan muestras de variación semántica, lo que prueba, como en *El Bonium,* la actitud intelectual de los redactores y su deseo de precisión expresiva. Este lenguaje, pobre en connotaciones, ofrece, en cambio, un ejemplo de rigor y, sobre todo, es el resultado de un gran esfuerzo por encontrar la palabra exacta, aun a costa de una asepsia expresiva, hasta constituir éste el rasgo capital de la prosa didáctica primitiva.

---

[14] V. Ll. A. Kasten, *op. cit.,* p. 18.
[15] V. nuestro Glosario de cultismos.

4. *Los cultismos en el Libro de los Buenos Proverbios.*

El texto del *Libro de los Buenos Proverbios que dixieron los philósophos* se halla en el mismo manuscrito que la *Poridat de las poridades,* y ha sido publicado por el gran investigador de nuestra literatura didáctica primitiva Hermann Knust [16], cuya edición hemos utilizado.

El texto está constituido por un enorme conjunto de máximas, traducido de las *Sentencias morales de los filósofos,* de Honain ben Ishac Elibade. La misma obra cuenta en sus primeras líneas la historia del texto: "E traslando el Libro Joanicio, fijo de Isaac, de griego a arábigo, e traslandamosle nos agora de arábigo a latín". Como puede verse, el proceso es común a otros textos morales de la época.

El contenido se halla distribuido en una breve introducción y diecisiete capítulos, todos ellos en torno a los consejos de los sabios. Para dar una idea del texto basta tener en cuenta que no hay elementos narrativos. Todo se reduce a una serie de "ayuntamientos de filósofos", entre los que se hallan las figuras inevitables de Joanicio, Sócrates, Platón, Aristóteles, Alejandro, Diógenes, Fayágoras e Hipócrates. Es decir, la presencia de estos personajes es puramente simbólica, no tienen realidad alguna y son meros pretextos para poner en boca de ellos unos contenidos que son siempre tópicos moralizantes.

Lo anterior da una idea bastante justa del contenido de la obra: narración apenas existente y larga e intensa acumulación de fórmulas morales. El elemento narrativo aparece únicamente en la introducción y en el suceso ocurrido a Ancos (cap. I). Así como en *El Bonium* hay un elogio del lenguaje y del estilo, aquí encontramos una alabanza del libro y de la escuela. Inmediatamente comienza a enhebrarse una serie de máximas, prescindiendo de cualquier nexo argumental. Ello hace que la lectura sea penosa, aunque de vez en vez se vislumbra un pequeño oasis na-

---

[16] V. H. Knust, *Mitteilungen aus dem Eskurial,* Bib. des Litt. Vereins in Stuttgart, CXLI, Tübingen, 1879.

rrativo, como la anécdota de Aristóteles joven en el capítulo V
o la leyenda de la muerte de Alejandro, en el cap. XIV.

Poco se puede hablar, por tanto, de valores literarios intrín-
secos. La prosa es muy concisa, propia del género didáctico al
que pertenece. La construcción tropieza aun con dificultades de
flexibilidad y la oración coordinada es la forma sintáctica casi
exclusiva del texto. Apreciamos aún menos expresividad que en
El Bonium o en la *Poridad de las poridades*, aunque esto hay
que atribuirlo al contenido mismo de la obra, esencialmente maxi-
malista, más que a diferencias en el dominio del lenguaje por
parte de los respectivos redactores. Su valor es, por tanto, fundamentalmente histórico, en cuanto representa un eslabón más
en la evolución de nuestra prosa didáctica.

El léxico.

El léxico se corresponde perfectamente con el carácter de sus
contenidos. Abundantes cultismos morales aparecen en el texto.
Apenas algunos de ellos son nuevos con respecto a los catecismos analizados ya. Tampoco en este aspecto la obra ofrece originalidad. La distribución semántica del vocabulario culto guarda
una proporción idéntica a la observada para *El Bonium* y la
Poridat de las poridades. He aquí el resultado que nos ofrece:

1. Cultismos litúrgicos y devotos: *Altar, ángel, confesor,
creencia, cristiano, demonio, Dios, divinal, eglesia, iglesia, espíritu,
espiritual, fin, finar, fructo, fruyto, gloria, glorificado, gracia,
ídolo, infierno, miraglo, oración, orden, parayso, perdurable, predicación, predicador, predicar, propheta, psalmo, redemir, regla,
reverencia, sacrificio, sanctificado* y *sieglo.*

2. Cultismos de índole teológico-filosófica: *Accidente, ánima,
argumento, conclusión, criatura, culpa, culpar, filosofía, filósofos,
forma, materia* 'asunto', *memoria, natura, pensador, pensamiento,
pensar, simple* y *voluntad.*

3. Cultismos jurídicos y de cancillería: *Avenençia, aviltado,*

aviltança, aviltar, claustra, clavero, defendido, defendimiento, firmar, firme, gente, gentil, juyzio, justiçia, manifestar, palaçio, plazo, preçio, porfiar, préstamo, recudençia, rregnado, regno, regnar, serviçio, signo, testimonio, vilteza.

4. Cultismos pertenecientes al mundo de la moral. *Acuçioso, alteza, áspero, avaricioso, bienquerencia, castidat, clareza, claro, claridad, cobdiçia, cobdiçioso, consolación, contrario, desculpar, desobediencia, despreciar, desprecio, discordia, envidia, envidioso, enxiemplo, fallencia, fiuza, flaco, flaqueza, fornicaçión, homildat, homillar, hypocrisia, lazeria, leticia, licencia, luxuria, malenconia, malquerencia, mansedumbre, manso, obediencia, ocasión, peligro, perdición, plazer, posesión, preçiar, proverbio, repentençia, soberbia, soberbio, sufrencia, talante, tristicia, vanidat* y *vicio.*

5. Cultismos escolares y científicos: *Alexandre, Alexandria, animalia, arábigo, aresmética, Aristótiles, Babilonia, bestia, capítulo, (e)clipse, complexión, dialética, Diógenes, discípulo, enclipsarse, escripto, espacio, estrología, estrumento, estudiar, figura, física, físico, Galianus, geometría, gramática, illuminado, ingenio, latín, libro, maravilla, maravillarse, melezinar, metauror, mundo, música, olio, pergamino, planeta, Platón, preçiosa, sabencia, salud, sanidat, sapiencia, séptimo, Sócrates, tessico, Tolomeus, versificador, vierbo* (?) *Ypocras.*

Poco hay que añadir a la vista de la agrupación precedente. Confirma en todo lo que estamos observando en los catecismos político-morales: todos ellos pertenecen a un mismo universo cultural. Son productos de un esquema mental y espiritual único. Las pequeñas diferencias que pueden observarse corresponden a rasgos secundarios del contenido. En *Los Buenos Proverbios,* por ejemplo, hay una disminución proporcional de los cultismos escolares y científicos, sin la gran variedad y riqueza de *El Bonium.* En cambio, aumenta el número de voces perteneciente al campo nocional de la liturgia y de la devoción, especialmente si lo comparamos con la *Poridat de las poridades.* Esto indica, sin duda, una mayor proximidad del redactor a un ambiente eclesiástico. De todos modos, las diferencias son, como decimos, muy pequeñas y no suficientes para hacer afirmaciones radicales.

Sí es considerable, en cambio, el número de cultismos pertenecientes al mundo de la Cancilleria y la jurisprudencia. Ello hay que atribuirlo a que una buena parte de los conceptos jurídicos tienen también valor ético-moral, aunque su pervivencia como cultismos se deba a la presión del ambiente jurídico en que nacieron y se difundieron. No debemos olvidar tampoco que una buena parte de la obra se centra en el ámbito de la corte de Alejandro, con las correspondientes referencias de tipo cancilleresco que se reflejan en el léxico.

5. *Los cultismos en las Flores de Filosofía.*

Tres códices de la Biblioteca de El Escorial y uno de la Biblioteca Nacional contienen el texto de las *Flores de Filosofía*. Knust los ha publicado [17], anotando las variantes más importantes.

El libro, como se indica en el prólogo, consta de treinta y ocho capítulos que corresponden a uno primero, que es en realidad, como bien advirtió Amador de los Rios [18], un apólogo, y los restantes a los consejos de cada uno de los sabios reunidos para hacer el resumen de toda filosofía. Termina con la intervención de Séneca.

Esta obra tiene un carácter específico que la individualiza de las restantes de su clase, y que se deriva de la intención de su redactor. Mientras que los otros catecismos político-morales, ya estudiados, van dirigidos a un público minoritario —gobernantes y ricos hombres—, el autor de este texto hace mención expresa de una intención difusora más amplia. He aquí sus palabras: "...e hordenar e componer por sus capítulos ayuntáronse treynta y siete sabios, e desí acabólo Séneca que fue filósofo sabio de Córdoua, e fizo (lo) para que se aprouechassen del los omes rricos e mas menguados e los viejos e los mancebos" [19]. Amador de los Ríos había advertido ya este carácter de *Las Flo-*

---

[17] V. H. Knust, *Dos obras didácticas y dos leyendas,* Sociedad de Bibliófilos Españoles, XVII, Madrid, 1878.

[18] V. J. Amador de los Ríos, *Historia crítica de la literatura española,* vol. III, p. 440.

[19] V. H. Knust, *op. cit.,* p. 11.

res de Filosofía, opuesto al que ofrece el *Libro de los doce Sabios,* de claro destino aristocrático [20]. La obra se aleja así de la monótona uniformidad de los textos anteriores y, al ser más variados los contenidos, el léxico se hace más rico y matizado.

El contenido es heterogéneo, desde consejos y máximas que reglan la conducta del monarca hasta un tratado moral sobre los mercados, las mercancías y el comercio, pasando por máximas de validez general. El apólogo inicial es brevísimo, pero está en la línea narrativa que aparece aquí y allá entre ese enorme cúmulo de enseñanzas morales que contienen los catecismos.

El texto ofrece en general mayor fluidez que los anteriores, debido seguramente a esa intención difusora de que hemos hablado más arriba. En los catecismos estudiados anteriormente predomina una textura libresca, amazacotada, centón de máximas transmitidas literalmente. En *Las Flores* el elemento didáctico se aligera con un estilo más directo, aun dentro del carácter común a todo este tipo de obras. No nos cabe duda de que en la mente del redactor estaban siempre presentes sus primeras palabras, dirigidas a todos los hombres preocupados por la conducta humana.

El léxico.

Una vez más encontramos una perfecta adecuación entre los rasgos peculiares del contenido de la obra y los del léxico que le sirve de vehículo expresivo. A una obra dirigida a un público amplio y variado corresponde un léxico culto mucho más reducido en cantidad. De igual modo, la distribución semántica de los cultismos es muy reveladora. Véase por ejemplo cómo disminuye el número de las voces escolares y científicas, de acuerdo con el menor carácter técnico y escolar que ofrece el texto. Por lo significativa que es esta distribución la ofrecemos:

1. Cultismos litúrgicos y devotos: *Alimosna, limosna, ánima, creencia, devoción, Dios, fruto, gracia, parayso, predicador, predicar, regla, religión, reverencia, Sanctus Spiritus.*

---

[20] V. Amador de los Ríos, *op. cit.,* vol. III, p. 489.

2. Cultismos teológico-filosóficos: *Filosofía, filósofo, necio, persona* y *voluntad.*

3. Cultismos jurídicos y de Cancillería: *Afirmar, avenençia, aviltar, defender, desavenençia, ganançia, injusticia, juyzio, justicia, justiciero, poridat, pugnar, regno, serviçio.*

4. Cultismos pertenecientes al mundo de la moral: *Acucia, acucioso, alteza, altísimo, alto, avaricia, bulliçio, caridad, castidad, claridad, claro, cobdiçia, cobdiçiar, culpa, despreciamiento, despreciar, disconcordia, discreción, falso, finar, fiuzia, humildad, humildoso, humillar, lazerio, mansedad, mansedumbre, manso, menospreçiar, mundo, natural, noble, nobleza, obediençia, obediente, ocasión, peligro, preçiarse, regla, repitencia, sobervia, sufrençia.*

5. Cultismos escolares y científicos: *Capítulo, dolencia, enfermedat, espacio, estudiar, físico, ingenio, libro, maravilla, melezina, mundo, pensar, plena, sabio.*

La abrumadora mayoría de cultismos morales refleja el carácter de la obra, menos "escolástico" que el de los otros catecismos. Véase en comparación la menor intensidad de los cultismos escolares y científicos, y, por supuesto, de los jurídicos, teológico-filosóficos, etc.

El carácter semipopular de la obra no está indicado sólo por la repartición semántica del cultismo, sino también por otros factores. Obsérvese que no hemos documentado ni un solo cultismo nuevo en *Las Flores de Filosofía.* De otra parte, la inmensa mayoría son semicultismos (apenas sobrepasan la media docena los cultismos plenos), y en general el lenguaje comienza a alejarse del peculiar de la tradición escolar que hemos encontrado en los restantes catecismos.

Se ha dicho que Alfonso X elaboró toda su obra en torno a una idea axial: la preocupación por el hombre. He aquí que esta inquietud humanística dio sus primeros pasos en la época de Fernando III. *Las Flores de Filosofía* son una primera muestra de esta preocupación. Además, la obra representa la nueva dimensión que va cobrando la literatura didáctica. Sin que pueda hablarse de literatura popular sí vemos ensancharse el horizonte sobre el que influye este tipo de obras. No se trata únicamente de una intención inicial, sino de una realización concreta, como lo prueba el léxico empleado. *Las Flores de Filosofía* representan en suma un paso, tímido pero apreciable, en la apertura de nuevos públicos para la literatura sabia.

6. *Los cultismos en el Libro de la Nobleza y Lealtad o de los Doce Sabios.*

El Libro de la Nobleza y Lealtad es uno de los más interesantes catecismos político-morales de tiempos del rey Fernando III. Se conservan varios manuscritos, dos en la Biblioteca Nacional y uno en la de El Escorial. Este último ha servido para la edición de Miguel de Manuel Rodríguez, incluida en sus *Memorias para la vida del sancto rey Fernando III.*

La obra consta de sesenta y cinco capítulos, muy breves, y utiliza el sistema de exposición característico de los grandes catecismos político-morales. Es decir, el plan de la obra es semejante al de *El Bonium,* la *Poridat de las poridades,* etc. y continua la tradición de la literatura moral de origen oriental. Ya Amador de los Ríos [21] notó una diferencia de propósito entre los dos libros que atribuye a la iniciativa de Fernando III. Mientras *Las Flores* estaban dirigidas a la enseñanza general —y así lo hemos hecho observar más arriba— el *Libro de la Nobleza y Lealtad* se dirige esencialmente a los gobernantes y, en especial, a la educación de los príncipes.

El texto parece ser de hacia 1240, aunque en la Biblioteca de Autores Españoles Gayangos lo cree posterior a Fernando III, apoyándose en varias razones [22]. Pero el lenguaje es de la primera mitad del siglo XIII y tanto el contenido como el léxico co-

---

[21] V. Amador de los Ríos, *op. cit.,* p. 441.

[22] V. B.A.E., LI, *Escritores en prosa anteriores al siglo* XV, Introducción de Pascual Gayangos. En el ms. más moderno de la Bib. Nacional lleva un título, muy posterior al texto, que reza así: «Junta de los Doce Sauios que hizo el rey don Fernando el Santo que ganó a Sevilla, y los consejos que dieron, con los dichos y sentencias de éstos».

rresponden perfectamente al carácter de las obras didácticas analizadas hasta ahora en este trabajo.

El contenido y la intención de la obra corresponden a una notable preocupación de Fernando III, la educación de los príncipes y, en especial, de su hijo, el futuro Alfonso X. Ya en *Las Flores de Filosofía* aparecía este tema. Las ideas de la obra pertenecían a esa larga tradición oriental que los árabes transportaron a nuestro país, pero hay frecuentes alusiones a situaciones concretas de la época.

El artificio narrativo es semejante al de los otros catecismos: asamblea de sabios, reunidos a solicitud del monarca para dar una serie de consejos de tipo moral, filosófico y político, que sirvan para la educación del príncipe en lo político y en lo espiritual, cosas ambas ciertamente muy unidas en la concepción moral de la época.

Efectivamente, el contenido responde a tal propósito. Mézclanse las cualidades personales exigidas al príncipe: sangre real, fuerte, poderoso, etc., y las condiciones morales e intelectuales: sabiduría, templanza, castidad, etc. También se habla de las relaciones del rey con las gentes de su pueblo: "e de buena obediençia deue seer el rey o príncipe o regidor a todos los que ante él vinieren" (capítulo XXI), así como de la elección de sus servidores. Una parte muy interesante por estar escrita en el apogeo de la Reconquista es la de los capítulos en que se hace referencia a los fines de las guerras y a la ordenación de las conquistas (caps. XXVI al XXIX). No faltan consejos prácticos, como las advertencias contra los especuladores: "... que deue saber la tu merced que quanta carestía e mal e daño viene a la tierra es por los que compran para revender" (cap. XXXIV).

El texto ofrece por tanto una serie de consejos muy variados, escritos en estilo directo casi siempre, como en las *Flores de Filosofía*. No existen elementos narrativos y su valor literario es muy escaso, pero sí posee un gran interés histórico. No se trata de una mera traducción como la *Poridat de las poridades*, *El Bonium* y el *Libro de los Buenos Proverbios*, sino que representa la asimilación de esa tradición didáctica a que pertenecen los libros precedentes.

El léxico.

A pesar de ser una obra no muy extensa, el léxico culto es muy abundante. Son unos trescientos los cultismos que aparecen en el texto, lo que representa un número muy notable y una proporción muy elevada con respecto al uso de voces tradicionales. En este sentido, la obra está en la línea de *El Bonium*. Pero no solo importa el número de cultismos sino su frecuencia de uso. En este aspecto también ofrece el texto una notable intensidad.

Siguiendo el método establecido, veamos la distribución del cultismo en campos semánticos:

1.   Cultsimos litúrgicos y devotos: *Abismo, absolver, adivino, ángel, ánima, animal, espiritual, contrición, Dios, divinal, ermita, espíritu, espiritual, fe, fin, finar, fruto, gloria, gloriosa, gracia, graciosa, 'generosa', ídolo, Jesucristo, loor, paraíso, perpetua, religioso.*

2.   Cultismos de índole teológico-filosófica: *Causa, causar, conciencia, conformación, conocedor, conocer, conocimiento, conversación, discreto, discreción, filósofo, fundamento, infinita, memoria, natural, necesario, necesidad, persona, sabiduría, sabio, sofisma y voluntad.*

3.   Cultismos jurídicos y de Cancillería: *Abdiençia, abiltar (?), abtoridat, adversaria, alteza, alto, benefiçiar, beneficio, declarar, defender, defendimiento, determinación, determinar, digno, entençión, estatuidad, familiar, firme, ganançia, gente, gigante, juyzio, juredición, justicia, justiciero, manifiesto, naturalmente, noble, notefiçar, notorio, oficial, oficio, pecunial, pértiga, petición, principal, príncipe, prisión, propio, provincia, provisión, publicar, regidor, regimiento, regir, regno, reynar, secreto, subdito, testigo, testimonio.*

4.   Cultismos pertenecientes al mundo de la Moral: *Avaricia, castidad, casto, clara, claramientre, castidad, cobdicia, claridad,*

*cobdiçiar, cobdiçioso, consolación, contraria, desesperación, des-
preçiar, discordia, enxemplo, esclarecida, esclarecimiento, falles-
cimiento, fama, flaco, fortuna, gemido, humildad, humilde, invidia, lágrima, luxuria, luxurioso, malicia, manificencia, menospreciamiento, mundanal, mundano, obediencia, ocasión, palaciano,
perfecta, perfición, perseverar, piadoso, piedad, placer, preçiar,
preçio, reçio, refrigerio, remediar, remedio, saciar, serviçio, simple, soberbia, soberbio, trayçión y virtud.*

5. Cultismos escolares y científicos: *Alixandre, Anibal, Aristótiles, bestia, décimo, doctor, doctrina, dolencia, enfermo, escripto,
escriptura, esleción, espacio, especial, estudiar, estoria, físico, in-
dustria, Julio César, lección, libro, magnífica, maravilla, maravillosa, melezina, mundo, Naturaleza, necio, octavo, pensamiento,
pensar, preçiosa, relación, sexto, singular, Vergilio, vesible, vía.*

Los campos de significación que acabamos de establecer nos
ofrecen, una vez más, la confirmación de un hecho esencial que
venimos observando repetidamente: la adecuación entre el léxico empleado y el carácter de la obra. Se notará sin duda que
el rasgo sobresaliente de la clasificación precedente es, aparte la
abundancia de cultismos morales, el considerable aumento de las
voces jurídicas. En efecto, el *Libro de la Nobleza y Lealtad* es
una típica obra cancilleresca, apoyada por el Rey y escrita por un
directo interés hacia los asuntos propios del gabinete real. En
cambio, disminuyen los tecnicismos científicos o escolares, aun
dentro de un notable número como ocurre con los restantes
campos semánticos.

En conjunto, la aportación de la obra al léxico culto es considerable. Se observa una apreciable familiaridad en el uso de
estas voces, lo que supone ya una notable experiencia en el redactor. Hay, por ejemplo, escasas variaciones formales, y las que
aparecen estaban en el habla general de la época (*ánima-alma; es-
píritu-spíritu; virtud-vertud*, etc.), pero en general la influencia de
la lengua oral es escasa, como corresponde a una obra de difusión
minoritaria como ésta. Encontramos cultismos nuevos (*doctrina,
noteficar, determinar, notorio*, etc.), pero no podemos atribuirlo a
una consciente intención neológica en el sentido de querer alcan-

zar ciertos efectos expresivos, sino a mera exigencia de un lenguaje profesional.

* * *

El análisis realizado en las páginas precedentes sobre los catecismos político-morales de tiempos del rey Fernando III el Santo no tiene más pretensión que la de mostrar en lo posible el papel que representa esta literatura didáctica en el aspecto lingüístico-cultural. Pienso que es fructífera la tarea de clasificar en grandes campos semánticos los cultismos empleados en esos textos, porque sirve para revelar lo que los catecismos tienen de común y de diverso. Con una estructura semejante y un propósito casi idéntico, cada una de las obras añade elementos nuevos tomados de la vieja tradición didáctica de origen oriental. Su aportación al léxico culto español es amplia y riquísima. Practicamente todo el mundo de la Moral tiene expresión en esa variada gama de voces usadas por los redactores respectivos. Pero su aportación alcanza límites más amplios que los del mundo ético-moral. El carácter escolar y libresco se refleja en la aparición de un abundante número de palabras escolares y científicas que comienzan así a difundirse y a penetrar, según el carácter más o menos aristocrático de la obra, en las capas de hablantes semiletrados. De aquí a su integración en el habla general no hay más que un paso.

Otras veces es el campo de las voces cancillerescas el que caracteriza el léxico de la obra. Otra esfera del habla profesional alcanza así virtualidad literaria. Del mismo modo, se integran en la lengua escrita palabras eclesiásticas de doble origen: unas, acuñadas ya por el habla viva, por el contacto directo con el lenguaje litúrgico; otras, más librescas, de contenido teológico-filosófico, pero también de clara adscripción eclesiástica.

El papel lingüístico que representan estos catecismos es semejante al que ofrecen en el aspecto histórico-literario. Es decir, apropiación de una corriente tradicional expresada hasta entonces en latín. Su versión al romance inicia decididamente una de las más importantes tendencias de la literatura medieval, la que inspira buena parte de la obra de Alfonso X el Sabio y, sobre todo, la que florecerá en el siglo XIV.

De modo paralelo, la adquisición de esa fuente inagotable de máximas y saberes morales va acompañada del correspondiente enriquecimiento de su léxico específico. Como la fuente suele ser latina, los neologismos son forzosamente cultismos, cuya vía de integración se abre de un modo natural y fácil. Se enlaza así con la intensa corriente latinizante que, partiendo de la reforma cluniacense, alcanza su apogeo con la obra del mester de clerecía.

Muchos otros aspectos interesantes suscitan el texto y la lengua de estos catecismos. La forzosa limitación que debemos imponer a nuestro trabajo aplazan el estudio de cuestiones como la conexión entre textos diferentes a través del léxico común utilizado, el análisis del plano léxico vulgar, la penetración del vocabulario culto en estratos populares, etc., etc. Todas estas cuestiones, debidamente analizadas, configurarían la verdadera importancia de estas obras en la historia lingüístico-cultural de nuestro idioma.

Los cultismos en La Fazienda de Ultramar.

Publicada por Moshé Lazar [23], la *Fazienda de Ultramar* es, sin duda, el más antiguo itinerario bíblico escrito en castellano, obra de un Almerich, arçidiano de Antiochia, realizada a instancias del arzobispo de Toledo, don Raimundo. No logra Moshé Lazar identificar satisfactoriamente quien sea el citado Almerich, cuestión poco importante para nuestro trabajo. Amplias noticias nos proporciona el estudio de Lazar [24] sobre el contenido y el carácter de la obra. Pertenece por igual al género de los itinerarios de Tierra Santa y al de las Biblias romanceadas. La razón de esta doble pertenencia parece evidente a cualquier lector de la obra. Como Lazar advierte, lo que pudo ser encargo de un itinerario se convirtió en seguida en una verdadera versión —parcial, al menos— de la Biblia. Más aún; lo que predomina es la versión bíblica hasta el punto de que Almerich se olvida la mayor parte de las veces del lugar que está describiendo y se

---

[23] V. Moshé Lazar, *La Fazienda de Ultramar, Biblia Romanceada et Itinéraire Biblique en prose castillane du XII siècle,* en Acta Salmanticensia, Salamanca, 1965.

[24] V. M. Lazar, *op. cit.,* pp. 9-39.

limita a hacer una traducción literaria o sintética de determinados libros bíblicos [25].

Difiero de la datación de la obra que hace Lazar. El problema es interesante, especialmente para un trabajo como éste. Problema que adquiere relevancia si pensamos que *La Fazienda de Ultramar* es, con mucho, la más antigua muestra de la literatura bíblica en romance. Las razones que da Lazar para fecharla en momento tan primitivo como es la primera mitad del siglo XII no son del todo convincentes. El tema exigiría entrar a fondo con un estudio específico, pero en lo posible procuraremos no soslayarlo.

Lazar se basa preferentemente en la localización cronológica que le proporciona el dato de la existencia de don Raimundo, nombrado arzobispo en 1151 y muerto en 1206. Une este dato a los indicios proporcionados por la ausencia de referencias a la conquista de Ascalona por los francos en 1153 a la toma de Jerusalén por los musulmanes en 1184, pese a hablar el autor repetidamente de estas ciudades. Ello le lleva a concluir que la obra fue redactada antes de 1153. Se trata, como se ve, de una fechación realizada únicamente sobre datos externos a la obra, en los que nosotros no podemos entrar. En cambio sí nos compete el análisis e interpretación del estado de lengua que revela el texto.

Aunque Lazar aplaza el análisis lingüístico para otra ocasión [26], esto no le impide anunciar que ve en el texto una correspondencia con el lenguaje del Poema del Cid. Creo que, efectivamente, disponer de un texto en prosa de la entidad de *La Fazienda* coetáneo del *Poema Cid* hubiera sido muy sugestivo, pero me parece que el distanciamiento cronológico entre ambas obras es evidente.

Dejando de lado los rasgos fonéticos que pudieran verse en la lengua reflejada en la obra, el mismo Lazar advierte que "la estructura de la frase latina no está presente en la fraseología de nuestro texto". Ello lo atribuye a que el modelo no es la Vulgata sino un texto hebreo. Pero creo ver que hay algo más profundo. La construcción sintáctica nos revela una flexibilidad que de

---

[25]   V. M. Lazar, *op. cit.*, pp. 14.
[26]   V. M. Lazar, *op. cit.*, p. 13, nota 11.

ninguna manera encontramos en textos de tan temprana fecha. Aun a riesgo de abandonar un poco el tema de los cultismos hemos hecho una pequeña comparación con un texto en prosa de principios del siglo XIII, *Los Diez Mandamientos*, y de la confrontación sintáctica se concluye que *La Fazienda de Ultramar* es aún más tardía.

Es, no obstante, el estudio del léxico el que nos reafirma en esta opinión. Ni la índole del contenido ni la pertenencia del texto a obras de una escuela docta podría explicar la enorme abundancia de cultismos que hay en *La Fazienda,* si ésta perteneciera al siglo XII. Nos atrevemos a decir que si con algo ha de compararse *La Fazienda* es más con la obra en prosa de Alfonso X el Sabio que con la del siglo precedente. Piénsese que la adaptación formal al romance de los cultismos es casi completa, prueba de la adscripción del texto a una tradición cultural expresada en romance que no se halla en sus inicios. Nos limitaremos a recordar —y remitimos al glosario que acompaña a este trabajo— que no se aprecian diferencias notables con el aspecto formal de los cultismos de Berceo. Si acaso, una mayor seguridad para voces que estaban en trance de integrarse en el habla común. No hemos encontrado vacilación alguna en palabras como *obispo* (en Berceo tenemos desde la máxima latinización *episcopo* hasta el casi *popular* bespo), *apóstol* (cf. *apóstolo,* que domina en el siglo XII), *eglesia* (frente al frecuente *ecclesia* en el XII), *miráculo, pórpola,* etc. Casi consumado parece el cambio fonético en voces semicultas como *mitad* (*meytad, meatad, metad*), junto a la vacilación *Pedro-Peydro,* o la coexistencia de *multiplicar* y *amochiguar.*

Si notable es el grado de adaptación formal de los cultismos más relevante aún consideramos el análisis semántico. Véase la estructura que ofrece el vocabulario culto a través de la correspondiente clasificación semántica:

I. Cultismos litúrgicos y devotos: *Adevinanza, adevinar, adevino, adorar, almosna, altar, ángel, AnteChristo, (a) anunciar, apóstol, ara, archa, arçidiano, arçobispado, arçobispo, babtisterio, bendición, benedicto, bestia, Bethleem, blago, christianismo, christiano, Christus, çiliçio, circuncidar, circumcision, clamar, cla-*

*mor, clérigo, confesor, consieglo, demoniado, demoniático, egle-
sia, evangelio, evangelista, fructo, Gabriel, gloria, graçia, gra-
çioso, holocausto, hostia, levita, maldición, maldito, mártir, Messias, miráculo, Navidad, obispo, oraçion, parayso, pascua, Passion, Pedro, peregrino, piedad, plegaria, poncella* 'virgen', *pontifex, predicar, profezia, prophetar, prophetismo, prophetissa,
redemir, redemidor, Resurrección, ressucitar, sacerdocio, sacerdotal, sacerdote, sacrificança, sacrificar, sacrificio, sancta-sanctorum, sanctidat, sanctuario, sieglo, templo, untado, viespera, virgen.*

Obsérvese la rica variedad de términos procedentes del ambiente eclesiástico que incluimos en este grupo. No se trata ya
de una mera abundancia de vocabulario, esperable dada la índole
de la obra, sino de la existencia de una serie de cultismos usados
con plena conciencia de su valor semántico, lo que le permite,
además, establecer verdaderas series por derivación de un término primitivo.

2. Cultismos de carácter teológico-filosófico: *Altíssimo*
'Dios', *creatura, Dios, espíritu, pensar, querubin, seraphin, Trinidat, visión* y *voluntad.*

En contraste con el primer grupo, los cultismos son muy escasos. Ello hay que atribuirlo a que las nociones evocadas pertenecen a un mundo de muy superior elaboración intelectual. Obsérvese, no obstante, algún dato interesante, como el empleo de
la forma *Altíssimo*, superlativo sintético anómalo en la época,
pues, como se sabe, es Berceo el primero en ofrecer tal formación. La anomalía puede explicarse si tenemos en cuenta que
de superlativo tiene sólo la forma (en realidad se trata de un
nombre propio) y debe ser un calco del texto latino.

3. Cultismos pertenecientes al mundo de la moral: *Aborri-
ción, adulterio, aflición, alteza, alto, amansar, amonestar, angustia, apreçiar, cobdiciar, cobdiçiadero, collación, consolamiento,
convenencia, culpa, culpado, culpar, despreçiar, dignidad, enemistad, envidia, esclarecer, exaltarse, falssar, falsedad, falso, fama, fin, finar, finida, fornicaçion, fornicar, humilidat, humillar,*

ieiunio, lazerio, malicia, misericordia, penitencia, penitencial, per-diçión, poridat, próximo, soberbia, temptación, vanidat, vicio.

Aunque el campo de la moral es relativamente abundante, no ofrece, ni mucho menos, la rica variedad del que señalábamos en primer lugar. Ello se debe, sin duda, al carácter de la obra, más cerca de la descripción bíblica que de las típicas preocupaciones morales del Medioevo.

4. Cultismos jurídicos y administrativos: *Abenençia, afir-mar, atenençia, décima, delito, firmamento, firmança, firme, fir-memyentre, homicida, homicidio, judice, judicio, justicia, justiciar, justificar, ministrar, palaçio, palyo, paria, pertenentia, preçio, presentar, present, primiçia, princep, provincia, regnar, regno, repudia, serviçio, servitud, terçia, término, testamento, testimo-nia, testimoniar, testimonio.*

Una prueba más de que el léxico administrativo de carácter culto ha pasado al habla general nos lo ofrece la ejemplificación precedente. Todas las voces están documentadas con anteriori-dad, como era de esperar en un texto no específicamente jurí-dico, ni administrativo.

5. Cultismos escolares y científicos: *Abismo, Alexandre, aterminar 'limitar', balsamado, bello, caligine, cantica, cativerio, cathedra, ceptro, clavo, confusión, conocer, contrario, discipulo, destructa, destruyción, diluvio, ebraico, egipciana, egipcio, Egip-to, elefante, embalsamar, ençensar, ençensario, encienso, enfermar, enfermedad, enfermo, entendençia, escançiano, escoria, escorpión, escripto, escriptura, exiliar, festinoso, figura, flumen, generación, genta, gente, gentil, gygante, Greçia, historia, humanidat, idolo, imagen, infantar, innocente, lácrima, latín, legión, lepra, leprosa, libro, malatia, manifiesta, maravilla, maravilloso, medecina, mele-zinable, meridie, millaria, monumento, mortalidat, multiplicar, mundo, nutriz, obscura, occasion, Occidente, octavo, octubre, olyo, olyera, omnipotent, Orient, orologio, patriarca, philisteo, piélago, pórpola, primogénito, promyssion, propria, publicano, sábado, saludar, sapiençia, septentrión, séptimo, sepulcro, sepul-*

tura, significança, transfigurar, tribu, visita, visitar, ymbral 'umbral'.

Como puede observarse, es éste el campo que ofrece una mayor riqueza y variedad de términos, muy de acuerdo con la tradición cultural en que creemos está inserta la obra.

Comparando ahora la distribución semántica en su totalidad, aparece como rasgo muy característico la sorprendente escasez de términos teológico-filosóficos, sobre todo en relación al número de ellos documentados en los Catecismos político-morales.

Hemos dejado aparte un considerable número de cultismos formados por nombres geográficos, que podrían incluirse entre los de ambiente escolar, aunque la mayor parte de ellos hacen referencia, como es natural, a las regiones bíblicas: Véanse algunos ejemplos. *Antiochia, Armenia, Babilonia, Capadocia, Capharnaum, Fenycia, Galilea, Gólgota, Israel, Jherusalem, Libano, Mesopotamia, Persia, Samaria* y *Siria.* Otros hacen referencia, igualmente, a nombres bíblicos: *Essau, Exodi, Génesis, Ysaac, Ysmael, Jacob, Jerónimo, Joachim, Juliano, Magdalena, Moysés, Nabucodonosor, Persia, Rebeca, Salomón, Theodosio* y *Zacarías.*

En conjunto, el léxico culto es extraordinariamente abundante y evoca campos de significación pertenecientes al universo conceptual difundido por las órdenes religiosas desde el siglo XII. Si insistimos en que el texto no puede ser muy anterior al siglo XIII, es precisamente por la agilidad y fluidez con que aparecen integrados. A mayor abundamiento, si aceptamos la tesis de Lazar de que el autor tradujo directamente el texto hebreo, y no la Vulgata, se refuerza la idea de que el autor debió tener tras de sí una ya notable tradición latinizadora. Me parece más de acuerdo con la realidad tener en cuenta los datos sugeridos por la cantidad, distribución semántica y grado de adaptación formal de los cultismos para fechar adecuadamente el texto. Así, es impensable que el esfuerzo de creación léxica de *la Fazienda* sea anterior al siglo XIII. Desde luego, el lenguaje épico, pese a su intento ennoblecedor no podría haber soportado el aluvión cultista que revela *la Fazienda.* En la hipótesis de Lazar, la obra se nos presentaría como un "islote" idiomático cultista, precursor en

casi un siglo del gran movimiento latinizador que hemos visto
ejemplificado en prosa por los Catecismos político-morales y
que del lado literario representa el mester de Clerecía. Tal hipótesis se nos muestra así desprovista de posibilidades de certeza.
Por eso nos parece inevitable retrasar la fecha del texto a fines
del siglo XII o a principios del XIII y, por tanto, incluirlo en esa
gran corriente cultural de la centuria en el que la prosa didáctica y la poesía culta abren nuevos rumbos a la expresión en
lengua romance.

Si nos hemos fijado especialmente en la fechación de la obra
es porque, además de sugerir nuevos datos que deben ser tenidos
en cuenta para ese problema específico, nos ha servido de base
para realizar nuestro estudio sobre los cultismos del texto.

Habría que completar ese análisis comparando el tipo de cultismos aportado por *La Fazienda,* con el de los Catecismos político-morales, con los que hemos dicho que establece una relación
de tipo cronológico e histórico-cultural. Obsérvese que los cultismos escolares y científicos guardan una muy semejante proporción y abundancia entre esta obra y los de *El Bonium* o el
Libro de los Buenos Proverbios.

A través del análisis se ha intentado caracterizar el léxico de
la obra, que es una muestra más del proceso de enriquecimiento
del vocabulario románico a base de neologismos cultos. Pensamos que una comparación entre la *Fazienda de Ultramar* y las
primeras biblias romanceadas que conocemos [27] —el llamado grupo prealfonsino— de la primera mitad del siglo XIII arrojaría
suficiente luz para situar a todas ellas dentro del mismo momento cultural. Ahí es donde nosotros incluimos el léxico culto
de la *Fazienda.*

---

[27] Sobre las Biblias romanceadas primitivas se han publicado numerosos trabajos, especialmente de M. Morreale y del P. Llamas. Véanse:

—M. Morreale, *Apuntes bibliográficos para la iniciación al estudio de
las traducciones bíblicas medievales en castellano,* Sefarad, 1960. p. 66-109;
*El Canon de la Misa en lengua vernácula y la Biblia romanceada del si-
glo XIII,* en Hispania Sacra., XV, 1962.

—P. J. Llamas, *Muestrario inédito de prosa bíblica castellana.* La Ciudad de Dios, CLXI, 1949, p. 5-35 y *Biblia medieval romanceada judío-cris-
tiana, versión del A. T. en el siglo XIV,* 2 vols., Madrid, 1950.

Los cultismos en el Liber Regum.

El *Liber Regum,* también llamado *Cronicón Villarense* por el nombre de su poseedor, Miguel Martínez del Villar, se halla en la Biblioteca Universitaria de Zaragoza. Fue estudiado y publicado por M. Serrano y Sanz [28] y, más recientemente, por Luis Cooper [29], que ha realizado el estudio lingüístico. Hemos seguido la edición de este último, del que aceptamos sus conclusiones fundamentales.

Como han señalado Serrano y Sanz y Cooper, el texto ofrece un gran interés por varios motivos, pero principalmente por ser el primer texto histórico escrito en lengua romance. Data con toda seguridad de los primeros años del siglo XIII. Atendiendo a noticias que se dan en el texto mismo, Serrano y Sanz lo fecha entre 1194 y 1211. Su letra es del siglo XIII. La temprana fecha de redacción nos indica que el texto representa un primitivo estado lingüístico, preparatorio del cambio definitivo que en el aspecto lingüístico-cultural es el reinado de Fernando III el Santo.

El contenido del Cronicón nos atestigua que pertenece a un tipo de obras de clara raíz culta. Se remonta a Adán y Eva y tras dar noticias varias sobre los grandes caudillos bíblicos y reyes de Israel, pasa una rápida visión sobre los Reyes de Persia y los emperadores romanos hasta el nacimiento de Jesucristo. Comienza después la historia medieval española, con la llegada de los godos, la pérdida de España y entramos así en la parte más interesante, constituida por la historia de los reyes de Castilla, Navarra y Aragón.

Aunque, como afirma Cooper, las fuentes nos son desconocidas, se observa claramente que el *Liber Regum* tiene dos partes fundamentales: una, referida a la Historia Antigua, que conserva ciertos puntos de semejanza con itinerarios bíblicos

---

[28] V. M. Serrano y Sanz, *Cronicón Villarense : Liber Regum;* B.R.A.E., VI, 919, pp. 192-220, y VIII, 1921, pp. 367-82.

[29] V. Luis Cooper, *El liber Regum. Estudio lingüístico,* Institución Fernando el Católico, Zaragoza, 1960.

como la *Fazienda de Ultramar* (semejanza que se advierte asimismo en el tipo de cultismos incorporados en esta parte), y una segunda, más moderna, acorde con las Crónicas medievales en latín. En realidad, la costumbre de iniciar la narración histórica con Adán y Eva se hallaba muy arraigada, como lo muestra el gigantesco esfuerzo de la *General e grand estoria,* de Alfonso X el Sabio.

El texto, más que por una narración, está constituido por una enumeración genealógica. Las noticias que se dan de algunos reyes son ocasionales y, en realidad, se hace difícil hablar de elementos narrativos. De todos modos, es un buen ejemplo de la prosa primitiva y constituye, con los catecismos político-morales, un testimonio precioso del difícil camino que hubo de superar la prosa romance hasta convertirse en instrumento literario.

En la duda de si la lengua del Cronicón puede ser aragonesa o navarra, Cooper se inclina hacia esta última. Para nuestro estudio no importa demasiado porque Cooper apenas señala rasgos léxicos de tipo dialectal [30], y, desde luego, no de carácter culto. Serrano y Sanz indicó que el manuscrito fue copiado en Castilla y castellanizada su grafía [31].

El contenido, de carácter histórico como decimos, del *Liber Regum* se refleja en el tipo de vocabulario culto utilizado. En general, los cultismos son abundantes. Su distribución semántica es muy semejante a la advertida para *La Fazienda de Ultramar.* La mano docta en la redacción de la obra es, pues, evidente. El texto ofrece cultismos característicos del ambiente eclesiástico, incluso con cierto intento innovador: *apóstata, cincumcidir, cónsul, destruction, diluvio, filósofo, generación, idola, idólatra, incarnación, interpretator* 'traductor', *mártir, marturiar,* 'martirizar', *Nabucodonosor, persecución, Pitágoras, pregaria, profeta, profetizar, promissión, provincia, sacerdote, sacrificar, salmo.*

Hemos elegido esa nómina de cultismos de entre todos los documentados en el texto porque la creemos suficientemente mostrativa de lo que representa la obra y su léxico culto en el con-

---

30   V. L. Cooper, *op. cit.,* p. 11.
31   V. M. Serrano y Sanz, *op. cit.,* VIII, p. 368.

junto de nuestro estudio. Obsérvese que entre todas las palabras abundan las de origen bíblico, tal como en *La Fazienda de Ultramar*. Muchas de ellas ofrecen vacilaciones formales, prueba de su todavía vacilante integración (cfr. *apóstata, circumcidir, destruction,* etc.). La vacilación es propia de la época en que se escribió la obra, principios del siglo XIII. Paralelamente, aparecen latinizadas palabras que tenían ya pleno uso en la forma arromanzada (*superbia,* por *soberbia; Deus,* por *Dios; episcopum,* por *obispo;* etc.), así como voces tan inusitadas como *interpretator,* propia del latín escolar.

Todo ello nos revela que la integración del *Liber Regum* en la corriente cultural previa al mester de Clerecía no la hemos hecho en virtud de una mera coincidencia cronológica. Ocurre que existe una semejanza en las condiciones culturales a que responden todos estos textos, estudiados en el presente capítulo. El léxico culto empleado en el *Liber Regum* revela el mismo carácter señalado para las otras obras: difícil e inestable equilibrio entre una cultura latinizante en trance de perderse y la creación de una lengua docta que aún no tiene suficientes recursos léxicos, pero que está llamada a heredar inmediatamente la cultura expresada entonces en lengua latina.

CAPÍTULO VII

LOS CULTISMOS EN LA OBRA DEL MESTER DE CLERECIA

La obra de Berceo.—El Libro de Apolonio.—El Libro de Alexandre.—El Poema de Fernán González.

1. *La obra del mester de Clerecía.*

La valoración del mester de Clerecía dentro de nuestra cultura medieval se ha hecho páginas más arriba. Ahora debemos plantearnos cuál pueda ser el significado de su aportación idiomática. Parece ocioso insistir en que la conocida afirmación "quiero fer una prosa en román paladino" no obedece a un mero deseo individual, sino que se trata de una exigencia surgida de la misma comunidad. En este hecho subyace la debatida cuestión de si lo predominante es la capacidad de creación individual o si, por el contrario, el clérigo actúa inducido fundamentalmente por un modo de pensar de tipo colectivo. Quizá haya que admitir la confluencia de ambas motivaciones, aunque no podamos dejar de subrayar la importancia de lo colectivo en la conformación de la cultura medieval. Pensamos así que la literatura docta representa la culminación de un proceso iniciado en el siglo anterior, tras la reacción latinizante que había traído consigo la Orden de Cluny. Sobre este proceso debió actuar, decisivamente, esto es cierto, la creación individual, tal como mostramos en las páginas que siguen.

No tratamos de plantear ahora el problema de la originalidad del mester de Clerecía. Desde Menéndez y Pelayo a nuestros días [1] se ha visto que su originalidad hay que buscarla en la forma y no en los temas. Lo que nos importa ahora es estudiar no la originalidad literaria, sino la idiomática, por más que ambas vayan íntimamente unidas. Creemos que el fenómeno es de la mayor importancia. Se trata nada menos que de la integración de la literatura docta en una lengua desusada para esta finalidad hasta entonces: el romance. Con ello el panorama cultural del Medioevo se transforma radicalmente, como apuntábamos más arriba. El proceso es relativamente rápido, puesto que arrancando del siglo XII se consolida en el XIII. Desde nuestro punto de vista, estamos viendo la naturaleza de tal proceso en su aspecto léxico, con el notable enriquecimiento de cultismos que se está operando en nuestra lengua.

La aportación del mester de Clerecía a ese proceso es decisiva porque realiza de modo consciente una labor de culturalización lingüística. Pero además, al adoptar el romance como modo de expresión, la misma literatura docta ha de transformarse en buena parte. Compárense la sequedad de las fuentes latinas de Berceo con la jugosa expresión del poeta, para tener un buen ejemplo de lo que decimos. No se trata de un mero cambio de idiomas —latín por romance—, sino de la adecuación a una nueva mentalidad. Porque los poetas del mester de Clerecía fueron conscientes de esa transformación, su obra alcanzó la virtualidad literaria e idiomática con que hoy se la valora.

Lapesa [2] describe con absoluta claridad los más importantes caracteres del mester de Clerecía y lo que su obra ha significado en la historia de la lengua: la distinta actitud del poeta épico y del clérigo, la variedad de temas, que exige un léxico más amplio, la conciencia de su maestría, la fidelidad a la fuente escrita, etc. Todos estos factores confluyen para posibilitar la crea-

---

[1] V. M. Menéndez y Pelayo, *Antología de poetas líricos*, XI, Madrid, 1913, y C. Gariano, *Análisis estilístico de «Los Milagros» de Berceo*, Gredos, Madrid, 1965.

[2] V. Rafael Lapesa, *Historia de la lengua española*, pp. 161-64.

ción de un léxico nuevo, que obedece a dos causas coincidentes: la necesidad de expresar nociones sacadas de los "dictados", y la consciente intención de incorporar al romance palabras que evocaran el prestigio cultural de la lengua latina. Y esto habían de conseguirlo incorporando sistemáticamente el cultismo a la lengua romance.

2. Los cultismos en la obra de Gonzalo de Berceo.

La obra del poeta.

La obra de Berceo ocupa un lugar central en nuestro estudio, en cuanto que concentra el esfuerzo máximo de latinización de nuestra lengua medieval.

El estudio de la obra de Berceo está lleno de problemas de muy diversa índole. Problemas textuales, lingüísticos, dialectales, estilísticos, filológicos, literarios, etc. Todos estos aspectos han sido analizados repetidamente [3]. Veamos los que rozan nuestro tema.

Los textos.

Como se sabe, los textos de Berceo —o a él atribuidos— son *Los Milagros de Nuestra Señora*, cuatro vidas de santos (santo Domingo, san Millán, san Laurencio y santa Oria), y las obras doctrinales (*Sacrificio, Signos, Duelo o Himnos*). Los manuscritos originales se han perdido y nos queda la copia de Ibarreta, que, según García Solalinde, fue seguida fielmente por Sánchez en la primera edición de las obras de Berceo [4]. Los estudios de Marden dan noticias completas de las vicisitudes por las que han pasado los manuscritos, y de sus relaciones mutuas [5].

---

[3] La bibliografía sobre Berceo es amplísima. Pueden verse las que incluyen J. Artiles, *op. cit.*, C. Gariano, *op. cit.*, y B. Dutton en su edición y estudio de la *Vida de San Millán*.

[4] V. Gonzalo de Berceo, *Milagros de Nuestra Señora*, ed. de A.G. Solalinde, Madrid. La Lectura, p. XXX.

[5] V. C. Carroll Marden, *Cuatro poemas de Berceo*, R.F.E., Anejo IX, Madrid, 1928. *Berceo. Veintitrés milagros*, R.F.E., Anejo X, Madrid. 1929.

Hemos tenido en cuenta, además del Vocabulario de Lanchetas [6], aprovechable sólo como nómina de vocablos, las ediciones de García Solalinde (de *Los Milagros* y del *Sacrificio*), Marden (de los *Milagros* y del *Martirio de san Laurencio*), padre Andrés y G. de Orduna (de la *Vida de Santo Domingo*) [7], y las ediciones críticas de la *Vida de san Millán* y de los *Milagros* por Dutton [8], además de la edición de la BAE, en su vol. 57, *Poetas castellanos anteriores al siglo XV*. El problema textual nos preocupa porque influye de manera decisiva en la valoración de las variantes formales de los cultismos, cuyo posible significado de contienda normativa explicaremos más adelante.

El problema textual está relacionado, además, con el de la independencia entre la versión romance y la fuente latina. El tema de las fuentes de Berceo ha atraído durante mucho tiempo la atención de los investigadores, y hoy puede considerarse casi resuelto. El trabajo de Becker [9] resolvió el problema de las fuentes de *Los Milagros* (excepto el último y la Introducción), y lo mismo ha ocurrido con las restantes obras de Berceo [10].

Más que la discusión sobre las fuentes nos interesa el carácter de la versión romance. Carmelo Gariano [11] realiza el cotejo de un episodio a modo de cala. Su enfoque es estilístico. Parte de la base de que la intención primordial del poeta es de naturaleza artística, y no se trata de la mera vulgarización de temas religiosos. Por ello observa la distancia entre el texto latino, seco y prosaico, y la versión del poeta, jugosa y llena de

---

[6] R. Lanchetas, *Gramática y vocabulario de las obras de Berceo*, Madrid, 1908.

[7] Gonzalo de Berceo, *Vida de Santo Domingo de Silos*, edición del P. Andrés, Madrid, 1958. G. de Berceo, *Vida de Santo Domingo de Silos*, Ed. Anaya, S. A., Salamanca, 1968.

[8] B. Dutton, *Vida de san Millán*, Col. Támesis, Books, Ld. Londres, 1967. *Los Milagros de Nuestra Señora*, Támesis Books, Ld., Londres, 1971.

[9] V. R. Becker, *Gonzalo de Berceo und ihre Grundlagen*, Estrasburgo, Heitz and Mundel, 1910.

[10] V. Patrik J. Gargoline, *The Milagros de Nuestra Señora of Gonzalo de Berceo Versification, language, and Berceo's treatment of his Latin Source*, Columbia, 1959.

[11] V. C. Gariano, *op. cit.*

vitalidad. Todo esto es de una evidencia absoluta [12]. Pero nosotros hemos de plantearlo desde otro ángulo: ¿hasta qué punto pesa en el ánimo del escritor el manuscrito latino que tiene ante sus ojos? Sabido es que Berceo interrumpe su narración cuando el códice se corta. El mismo nos lo dice. El poeta apenas inventa nada que modifique el nudo narrativo. En cambio, y no ha de esforzarse mucho Carmelo Gariano para mostrarlo, actúa con una extraordinaria libertad expresiva.

Traslademos ahora el problema al léxico. A Berceo acucian unas necesidades de expresión que abarcan desde la mera comunicación objetiva a la intensificación expresiva de determinados sentimientos o situaciones. Es evidente que ante tales necesidades idiomáticas, las palabras latinas que el poeta utiliza habitualmente en su lenguaje litúrgico o que, incluso, se hallan en sus frecuentes lecturas de textos latinos, presionan en su ánimo cuando le falta la palabra vulgar justa o cuando está acuciado por otras motivaciones no específicamente idiomáticas, sino de intencionalidad estilística (sinonimia, exigencias métricas, ennoblecimiento de la expresión, etc.). Téngase en cuenta que la conciencia lingüística del escritor está condicionada por su familiaridad con el latín. Por todo ello la situación intelectual y afectiva de Berceo era óptima para que se estableciera una estrecha relación entre la lengua de sus fuentes y el romance, en trance de adquirir una nueva categoría artística y un prestigio cultural al abordar los nuevos temas de la escuela de Clerecía.

Naturalmente que no faltaron a Berceo problemas de vocabulario causados por ausencia del término apropiado. No siempre encuentra el vocablo que traduzca fielmente el término latino. Gariano aduce varios ejemplos tomados de Becker [13]: el caso de *cimbam* y *acapham*, nombre de una pequeña embarcación actualmente llamada *guíndola*. Berceo duda:

---

[12] Pero Dutton opina de otro modo, *op. cit.*, señalando los motivos «no artísticos» de la obra de Berceo, especialmente los de tipo económico-propagandístico.

[13] V. Carmelo Gariano, *op. cit.*, pp. 33 y sigs.

"Cerca de la maior nave traien otra pocaza,
Non sé si le dizien galea o pinaza".

(Mil. 593)

Seguramente estas dudas de Berceo motivaron la adopción de latinismos que no consiguieron arraigo alguno en romance y que en su mayor parte desaparecieron sin dejar rastro en textos posteriores. Otros, en cambio, se integraron gracias a un nuevo período latinizante que 'os revitalizó y puso de nuevo en circulación: *catino* "fuente de loza, crisol", que no vuelve a aparecer hasta el siglo xv (APal.); *cláusula*, que aparece después en documentos de 1460, Crón, de Juan II; *escoria* (en el Cancionero de Baena); *estatua* (vuelve a aparecer en APal.), *fimbria* 'borde inferior de la vestidura talar'; *vito* 'alimento, comida' que ha desaparecido sin que hayamos encontrado otra documentación, etc.

Obsérvese que, de todos modos, son escasos los ejemplos en que el cultismo ha entrado por ausencia de equivalente léxico en romance. Con frecuencia puede ocurrir también lo contrario; es decir, la existencia de más de una voz romance para traducir la palabra latina. Muchas veces uno de 'os elementos de la pareja sinonímica es un cultismo, con lo que se logra un determinado efecto expresivo. Más adelante nos referiremos a este tema. Prueba del dominio idiomático de Berceo es la riqueza de equivalentes léxicos romances. Gariano, y antes Becker, han puesto el ejemplo de la palabra latina *scrinium*, empleada para indicar el cofre en que el mercader del milagro XXIII depositó el dinero de su deuda para echarlo al mar. Berceo usa los términos *escrinno* (mera adaptación) junto a *sacco atado* (Mil 666a), *bassel* (Mil. 672c), *estui* (Mil. 674d) y *cesto* (Mil. 694c) [14]. Conocida es también la

---

[14]   Acepta Gariano la afirmación de Cirot de que la obra de Berceo, o de quienquiera en aquellos tiempos, «estaba hecha para ser leída en un círculo cerrado». Afirmación que estimamos excesivamente rotunda porque sería preciso concretar lo que se entiende por un círculo cerrado en la Edad Media. A los nobles y caballeros iba destinada la poesía épica y, sin embargo, fue expresión del sentir colectivo. Nos resistimos a creer que Berceo no tuviera como propósito inicial calar en la conciencia colectiva. Lo que no se opone, claro está, a la existencia de una consciente intención estética, potenciación expresiva de la comunicación lingüística.

sinonimia *flabello* (Mil. 324c), *aventadero* (Mil. 321a) y *moscadero* (Mil. 321b).

Obsérvese que no se trata únicamente de una mayor o menor vacilación idiomática, sino de la necesidad de adecuar un texto que hasta entonces se vertía en latín a una nueva lengua que no siempre disponía de los recursos léxicos necesarios, bien por carencia del término, bien porque la matización expresiva que cada vocablo posee hace dudar al escritor. Claro es que esta duda se resuelve a veces gracias a un determinado hallazgo idiomático. Las obras de Berceo están llenas de estos hallazgos.

Lo anterior nos ha llevado algo lejos de nuestro propósito inicial. Nos sirve, no obstante, como planteamiento del problema primordial: ¿cuál es la actitud idiomática de Berceo ante las posibilidades literarias del romance? Aclararemos la cuestión. Tratemos de fijar cuál es la posición de Berceo en un momento decisivo —para el arte y para la lengua— en que el romance va a integrar en un todo unitario las dos grandes corrientes, culta y popular, que hasta entonces discurrían por cauces idiomáticos diversos. Es fundamental tener en cuenta que se trata de un fenómeno literario que lo es a la vez lingüístico. Es más, el dilema de Berceo es ante todo de tipo lingüístico; lo que ocurre es que en éste, como en tantos otros casos, lo lingüístico y lo literario está intensamente ligado. Cuando Berceo se inclinó del lado de la expresión romance, abordó también los problemas ineludibles de técnica literaria que corresponden a la situación concreta en que se produce la obra [15].

Partimos, pues, de estas premisas:

1.ª)   La obra de Berceo está decisivamente condicionada por una determinada situación idiomática: la definida por el estado de lengua del romance en la primera mitad del siglo XIII.

2.ª)   La obra de Berceo representa la culminación de un proceso histórico-cultural. En este sentido, su obra es tanto producto de la creación individual como de la colectiva. Lo individual se refleja en su espíritu innovador, estético y lingüístico. Lo colectivo consolidará los elementos idiomáticos y literarios agrupados en caracteres de escuela.

---

[15]   V. C. Gariano, *op. cit.,* 113.

3.ª) El tercer elemento conformador de la obra de Berceo deriva de la naturaleza misma de la creación literaria de su escuela; temas, fuentes, técnica, etc.

No parece innecesario hacer notar que no se trata de circunstancias aisladas, sino que todas confluyen de manera espontánea o reflexiva en la creación literaria. Más aún, estimamos que no se pueden estudiar aisladamente [16]. Tampoco prescindimos de otros elementos que pueden intervenir de modo ocasional condicionando la obra literaria: la situación personal del poeta —escasas y tímidas son las alusiones subjetivas que podemos encontrar en la poesía de Clerecía—, el público a que va destinada la obra, etc. [17]. Son múltiples los factores que podrían estudiarse, pero creemos que sobre los tres puntos enunciados más arriba puede establecerse el esquema fundamental a que obedece la obra de Berceo y aun de todo el mester de Clerecía del XIII. Nos toca ahora enfrentarnos con el tema específico de nuestro trabajo: cuál pueda ser la aportación cultista de Berceo y qué consecuencias tiene al integrarse en la lengua general.

El léxico de Berceo: los cultismos.

Parece sorprendente que los más recientes estudios sobre Berceo no hayan abordado el tema del vocabulario en toda su amplitud, máxime si tenemos en cuenta la importancia que éste tiene en cualquier análisis estilístico. Ni el trabajo de Artiles [18] ni el de Gariano profundizan en el tema. Gariano se limita a con-

---

[16] Apuntamos aquí a un problema cuyo desarrollo nos llevaría muy lejos. Baste únicamente indicar que, como puede deducirse del contexto general de nuestro estudio, no creemos en la pretendida independencia de los estudios lingüísticos y los literarios, menos si de literatura medieval se trata. El desarrollo del romance es una lucha por dominar la expresión, ampliando su universo conceptual y su capacidad de matización significativa. El punto último del proceso es la creación literaria. Si desligamos ésta de la base podremos aislar, sí, una obra de arte y considerarla en sí misma, e incluso analizar su estructura. Sospechamos, en cambio, que no lograríamos comprenderla en toda su dimensión.

[17] V. G. Girot, *L'expression dans Gonzalo de Berceo*, R.F.E., 1922.

[18] V. Joaquín Artiles, *Los recursos literarios de Berceo*, Madrid, Gredos, 1964.

tradecir la afirmación de Loveluk de que el "vocabulario es tal vez escaso, un poco indocto [19]. La supuesta escasez de vocabulario no tiene base alguna. Analicemos las voces recogidas por Lanchetas y su distribución semántica y nos daremos cuenta de la inexactitud de tal afirmación. Justamente observamos lo contrario. Claro está que la valoración del léxico de Berceo ha de hacerse en relación al estado de lengua existente en el siglo XIII. Lo que no puede hacerse es aislar la obra literaria de su época y comparar el vocabulario del poeta riojano con el que hoy pueda ofrecer un escritor. Si adoptamos la primera actitud, entonces la afirmación tiene que ser la de que Berceo posee un riquísimo vocabulario, al que contribuyó de modo decisivo su originalidad neológica.

El mismo Gariano, cuando quiere ejemplificar la capacidad de matización semántica de Berceo [20] no acierta, por no tener en cuenta suficientemente la posición que ocupa el poeta en el proceso culturalizador que se está operando en la lengua a lo largo del siglo XIII. Es evidente que para quien se sirva hoy del diccionario no siempre es fácil establecer la frontera entre *codicia* y *avaricia* (Mil. 250 a, b). Pero no para Berceo, familiarizado sin duda, con la lectura de los catecismos político-morales de la época y "mentalizado" por el uso de voces morales. *Codicia* y *avaricia* son términos que aparecen constantemente unidos en la prosa moral del siglo XIII y atribuir su uso a "una especial capacidad de Berceo (de ahí su voluntad estilística personal) para captar la tensión semántica del vocablo" parece excesivo. Sin olvidar que el uso de parejas sinonímicas como técnica de escuela aparece ya en Berceo y se desarrollará intensamente en el *Libro del Buen Amor*. Berceo se halla, por tanto, dentro de una tradición culturalizadora a la que debe gran parte de su impulso creador.

Podríamos preguntarnos entonces qué posición exacta ocupa

---

[19] V. Jean Loveluk, *En torno a los Milagros de Gonzalo de Berceo,* Atenea, CVIII, 1951. V. también Carmelo Gariano, *op. cit.,* pp. 111-14.

[20] V. C. Gariano, *op. cit.,* p. 112, donde compara el valor significativo de *avaricia* y *cobdiçia* en los versos siguientes:

«En vida trasqui grand *avaricia,*

Ovila por amiga abueltas con *cobdiçia».*

(Mil., 250 a, b)

Berceo dentro de esa tradición de la que hablamos. Ello va unido a otro tema interminablemente discutido por la crítica literaria: el de la originalidad de Berceo. Para nosotros consiste en haber logrado expresión literaria para un fenómeno cultural que hasta entonces sólo se manifestaba sin notables valores expresivos. El esfuerzo creador que tal hecho requiere nos permite afirmar la gran originalidad del poeta riojano.

Téngase en cuenta que al hacer la afirmación precedente nos alejamos de cualquier tentación de caracterización "ternurista" de la obra del poeta. Nada de ingenuidad religiosa o de infantilismo afectivo. Si Berceo es un poeta consciente, como han querido poner de manifiesto los estudios de Artiles y Gariano, lo es por otras razones. Y entre ellas la fundamental es la de haberse enfrentado de cara con el problema de la comunicación literaria. Esa es la difícil posición de Berceo: inestable equilibrio entre fuerzas contrapuestas que él hace complementarias. Lo admirable es que la originalidad creadora de Berceo consistió precisamente en dominar —o intentar dominar— los recursos que le brindaba lo culto y lo popular, creando así un lenguaje poético nuevo.

La técnica de Berceo viene dada en función de su formación eclesial y monástica. En cambio no le venía dado el dominio de una expresión nueva que se adecuara a los nuevos contenidos que debía expresar. No podía heredar —por inexistente— una lengua erudita que poseyera cualidades expresivas y que fuera por ello valorable literariamente. Aquí surge espléndido el arte de Berceo. El poeta busca en su tradición cultural el léxico necesario para la peculiar concepción que del arte tiene el mester de Clerecía. Por eso el estudio del vocabulario de Berceo es primordial para hallar los verdaderos recursos literarios del poeta.

La forzosa limitación de nuestro trabajo nos obliga a renunciar, por el momento, a ese estudio amplio del léxico de Berceo que reclamamos. Pero aunque sea parcialmente, aspiramos a aclarar en algún aspecto el arte del poeta en relación con su gran capacidad de creación idiomática.

En cierto modo Berceo se enfrenta con una situación parecida a la de Alfonso X el Sabio, claro está, salvando las diferentes motivaciones con que obra cada uno. Pero Berceo debe tener en cuenta en su labor de creación neológica algo más: que el cultismo tenga ciertas posibilidades de rendimiento literario. Por eso no se conforma con el cultismo único, sino que necesita de la sinonimia reiterativa o matizadora, del doblete como expresión del énfasis, de la deformación, incluso, del cultismo como muestra de intención popularizadora, etc.

A pesar de que los factores enumerados más arriba tienen una gran importancia, hay uno previo que condiciona todos los demás: el propósito de hacerse entender por un cierto círculo de oyentes. El arte de Berceo ofrece paradójicamente un lenguaje culto —el más culto de la Edad Media, hasta el humanismo del xv— y un denodado esfuerzo para que su lengua sea entendida por un amplio número de oyentes. Es en cierta medida la traslación de una oposición latín-romance. El dominio del latín puede ser objeto de prodigio:

"Tu faces a los barbaros fablar latinidat"

(Himnos, I, 3)

pero el verdadero prodigio se halla en la sabiduría del poeta que transfunde la latinidad en el alma misma del romance:

"...en romanz que lo pueda saber toda la gent"

(S. Lor. I, 2)

Ese prodigio es el secreto del arte de Berceo. Por eso necesita explicar el neologismo cuando sospecha que puede haber dificultades de comprensión. Recuérdese el ejemplo de *aventadero* y *moscadero*, aducido antes, donde el poeta percibe claramente la diferencia entre términos pertenecientes a niveles socio-culturales distintos. A veces la aclaración se refiere a un puro latinismo:

"Dizen *Sancta-sanctorum* al rancón apartado"

(Sac., 17)

De todo lo expuesto se concluye que el primer rasgo en los criterios lexicográficos de Berceo es el de la precisión. Esta se logra sin renunciar a una intención culturalizadora del léxico, que surge no por pedantería de escuela —que la puede haber ocasionalmente— sino por necesidades expresivas y de comunicación. Es decir, pensamos que no se debe la actitud cultista a un cierto hermetismo del poeta, como pudiera apuntarse, por ejemplo, para el *Libro de Alexandre;* si acaso, todo lo contrario, a un deseo de claridad permanente. Cuando se afirma, como algún crítico ha hecho, "que lo popular constituye la misma entraña de la obra de Berceo" [21] hay que entender que lo que se pretende es adecuar unos contenidos doctos a un lenguaje que intenta equilibrar —no consiguiéndolo siempre— lo culto y lo popular.

Al lado de este primer criterio hay otro del que ya hemos hablado de pasada: la intención enriquecedora. Berceo percibe con claridad que el instrumento lingüístico disponible hasta entonces era insuficiente. Y se decide a enriquecer el vocabulario culto como nadie lo ha hecho, con tal intensidad, en la literatura española. La fuente había de ser forzosamente el latín, por varias razones: a) por la formación eclesial del poeta; b) por ser el latín la lengua de sus fuentes a las que tanto respeto aparenta tener el poeta; c) porque la tradición erudita en la que se inserta Berceo le proporcionaba un manantial de voces que se hallaban ya en proceso de integración en romance; y d) por ser el latín la lengua culta de toda la Cristiandad europea occidental.

Adaptación formal de los cultismos.

La clara intención del escritor de romper la solución de continuidad entre latín y romance le lleva a un vigoroso esfuerzo adaptador de las voces cultas. Por eso nos interesa analizar cuál es el grado de adaptación formal que ofrecen los cultismos empleados por Berceo.

Ya se ha apuntado más arriba la apreciable cantidad de variantes formales que ofrece el léxico culto de Berceo [22]. Parece

---

[21] V. Joaquín Artiles, *Los recursos literarios de Berceo,* Gredos, Madrid, 1964, primera edición, p. 256.
[22] Véase nuestro cap. II, *Proceso de introducción de cultismos.*

difícil determinar hasta qué punto esa diversidad formal es obra consciente del propio poeta —y en ese caso, qué sentido puede tener—, es error de copista o defecto de edición, dados los problemas textuales que ofrecen las obras de Berceo. En cualquier caso, creo que sí podremos deducir algunas conclusiones de las variantes formales que ofrece el vocabulario culto del poeta.

En Berceo aparecen prácticamente todos los casos de adaptación formal al romance que hemos señalado en el capítulo II de nuestro trabajo. Por eso preferimos anotar los ejemplos en que sospechamos fundadamente una cierta vacilación formal, que pueda responder a una posible intención popularizante o ser reflejo de una contienda normativa de la que se hace eco el escritor.

A continuación intentamos sistematizar los casos de vacilación:

1. Vacilación en la pérdida de la vocal inicial: *almosna-limosna; bispo, bespo-obispo-episcopo; pístola-epístola; pistolero-epistolero.*

2. Vacilación en el timbre de las vocales. Los ejemplos son muy abundantes, prueba de que el fenómeno se hallaba vigente en el estado de la lengua de la época: *abstinençia-abstenençia; adevinança-adivinança; bispo-bespo; bolliçio-bulliçio; capítulo-capítolo; çeliçio-çiliçio; çimiterio-çementerio; claridat-claredat; continençia-contenençia, contricçión-contrecçión; Domingo-Domengo; enclin-inclin; enclinar-inclinar; estoria-historia; medicina-medecina-melezina; redimir-redemir; virtud-vertud.*

3. Conservación o pérdida de vocales intertónicas: *capítulo-cabildo-cabillo; discípulo-disçiplo; almosna-elemosina; benedito-bendito; miráculo-miraglo; secular-seglar; regular-regla,* etc.

4. Vocal final: *apóstolo-apóstol.*

5. Diptongación *convento-conviento; talent-taliento,* etc.

6. Inflexión por la yod: *lesión-lisión; maravilla-maravella,* etc.

7. Grupos vocálicos: *espiritual-espiral; piedad-piedat.*

8. Asimilación de la yod: *abundançia-abundança; alabança-alabança; pariçion-parizon,* etc.

9. Vacilación en la evolución de consonante más yod: *con-*

sollation-consollacion; refection-refección; satisfaction-satisfacción; tristicia-tristeza, etc. [23].

10. Evolución de la consonante sonora intervocálica (pérdida o conservación): *adorar-aorar; fidel-fiel; laudar-loar;* etc.

11. Evolución de la consonante sorda intervocálica: *apostólico-apostóligo; capítulo-cabildo-cabillo; crucificar-crucifigar; eclesia-eglesia; sacramento-sagramento,* etc.

12. Vacilación en la evolución de los grupos consonánticos latinos o romances: *Arçiagnado-arçiagno-arcidiano; auctoridat-actoridat; baptismo-babtismo; benedicto-benedito-bendito-biendicho-beneito; capítulo-cabildo-cabillo; dictado-dictado-deitado; firmedumne-firmedumbre; fructo-fruto-frucho; maledicto-maledito-maldito-maleito; mensura-mesura.*

13. Metátesis: *peligro-periglo,* etc.

14. Por último habría que mencionar un grupo de voces que ofrecen una forma rehecha sobre el latín, cuando tenemos la seguridad de que en la lengua existía ya otra forma semievolucionada. Sería una especie de cultismo gráfico [24], *afliction, collation; corruption, election* (*elecçión* en Alex.), *lection, miration* 'admiración', *persecutor, traslation,* etc.

Nos parece que los ejemplos de vacilación aducidos hay que atribuirlos a la situación idiomática en que se halla el poeta. Obsérvese que no son cultismos cuya primera documentación se encuentre en Berceo, sino que existían con anterioridad y por tanto estaban sometidos a la inestabilidad formal de una lengua en evolución. Eso nos muestra que el poeta vacila en su calidad de hablante y, como tal, refleja la peculiar inestabilidad lingüística de su época. Que Berceo sabía perfectamente qué timbre vocálico, por ejemplo, correspondía a la palabra latina convertida en cultismo, no ofrece duda. Pero también debía percibir que la norma latina no era aplicable como norma romance. Y por eso incurre en la vacilación y en la diversidad formal. Obsérvese, por otra

---

[23] Hay que advertir, no obstante, que muchos de estos casos son meras variantes ortográficas.

[24] Prescindimos de aquellas expresiones latinas que no hubo intención de integrar en romance, como *Spiritus Sanctus, Agnus Dei, Sancta sanctorum,* etc. Lanchetas da una lista de las expresiones latinas introducidas en las obras de Berceo, V. R. Lanchetas, *op. cit.,* pp. 797-800.

parte, que, a veces, más que una vacilación normativa se trata de una bifurcación formal motivadora de dobletes: *capítulo cabildo; laudar-loar; benedicto-bendito,* etc.

Puede verse también que Berceo oscila entre un grado de máxima popularización del vocablo y otro de máxima latinización. La ejemplificación precedente nos muestra que cuando se produce esto último, el cultismo encierra un carácter semántico que lo adscribe a un círculo minoritario *(affliction, corruption,* etc.). Lo normal es que la vacilación se deba a una contienda normativa que presiona sobre la conciencia lingüística del poeta. Cuando el contexto evoca la fuente latina se impone la presión latinizadora; cuando la fuerza expresiva del romance se impone, se apropia de la forma más popular, que, por cierto, no ha sido siempre la triunfante (cfr. *adevinança, almosna, çelicio, cabillo,* etc.).

Claro es que sobre esta contienda normativa puede actuar la creación consciente del escritor. Con ello Berceo, una vez más, abre caminos nuevos a la formación léxica porque no se limita a acuñar voces, sino que se hace eco del fértil desequilibrio con que se va abriendo paso una nueva lengua de cultura.

Por otro lado, los cultismos de Berceo ofrecen un notable grado de adaptación formal al castellano. Con ello, el cultismo como recurso neológico cobra un impulso definitivo.

Campos semánticos en que se inscriben los cultismos.

Una lectura atenta de la obra de Berceo nos revela la variedad y riqueza semántica de su léxico culto. Creemos necesario, no obstante, especificar la distribución significativa del vocabulario culto del poeta para ver con claridad hasta qué punto fue decisiva la aportación de Berceo. Para ello seguiremos el esquema utilizado para los catecismos político-morales.

Advertimos nuevamente que toda clasificación en campos nocionales debe tener carácter meramente indicativo. Al ser nuestra perspectiva esencialmente histórica, hemos de tener en cuenta el variado contenido semántico del léxico, especialmente si éste está constituido por cultismos. En ocasiones la voz pertenece a más de un campo de significación, consecuencia de su diverso valor etimológico o de su vacilante integración en el romance [25]. Con las reservas apuntadas, hemos establecido la clasificación que ofrecemos, aunque limitándonos a ejemplificar cada uno de los campos, con objeto de no estab'ecer listas interminables de vocablos que, por otra parte, se hallan debidamente documentados en el glosario de cultismos.

1. *Cultismos litúrgicos y devotos.*

Son numerosísimos. A este campo pertenecen unas doscientas cincuenta voces. No puede sorprender tal abundancia si recordamos una de las intenciones predominantes en el autor: popularizar los temas devotos entre los oyentes. La riqueza de este tipo de palabras confirma la adscripción de la obra de Berceo a la vida monástica. Es el mismo lenguaje de la predicación y de la oración el que se traslada al romance, dando vida a la circunstancia personal del poeta. A modo de ejemplo ofrecemos los más característicos: *absolución, absolver, adiutorio, altar, amén, amito, apóstol, apostólico, ara, arcángel, arçidiano, arzobispado, baptismo, bendición, obispo, blago, brevario, candelabro, cannon, cántico, capítulo, cardenal, católico, cilicio, cimenterio, circuncidar, clérigo, Concilio, confesor, congregación, consagración, consignar, convento, contrecçión, corporal, Christo* y derivados, *crucificar, crucifixo, cruz, custodia, deificado, demonio, devoción, devoto, diachono, eglesia, encarnaçión, ençienso, infierno, epistolero, ermitanno, escapula, escapulado, evangelio, euangelista, evangelistero, fariseo, exorcismo, exorcista, feria, festividat, fimbria, fraternidat, fruto, genuflexión, gloria, gloriosa, hostia, humeral, hymno, ídolo, infernal, laude, levita, Lucifer, maldición, manípulo, mártir, martiriar, martirio, metropolitano, misterio, miraglo, mirra, missa, missacantano, monasterio, natal, Navidad, noviçio, oblaçión, offrenda, oraçión, oratorio, pallio, paraiso, parroquial, parroquiano, pascua, penitençia, penitençial, perennal,*

---

[25] A veces es muy difícil establecer una frontera entre los cultismos científicos, morales y devotos en razón de su frecuente origen eclesiástico, ambiente al que deben su existencia en romance más que al tipo de significación evocado.

predicación, predicador, predicar, priorado, procession, profecía, profession, propheta, prophetar, -izar, proto-mártir, providençia, provisor, púlpito, Purgatorio, cuadragésima, recitar, recluso, Regeneraçión, redimir, redención, redentor, Religión, religioso, reliquia, reliquiario, responsorio, resucitar, Resurrección, reverençia, sacerdote, sacerdotal, sacramento, sacrificar, sacrificio, sacristán, sagrario, salmo y derivados, *sancto, sanctidat, sanctuario, seglar, sieglo, unción, untar, vicaría, vicario, virgen, virginidat,* e *ysopo.*

2. Cultismos de carácter teológico-filosófico.

Hemos incluido en este campo un grupo de voces de carácter intelectual. Evidentemente se hallan muy relacionadas con los cultismos escolares y científicos, pero el tipo de nociones abstractas que contienen le dan un cierto carácter específico. Como puede observarse en los ejemplos que ofrecemos, son muy escasos —no llegan a cincuenta los cultismos documentados—, lo que nos revela que no era éste el tipo de contenidos que interesaba a Berceo. He aquí los más significativos: *argumento, concluir, connoscencia, connoscer, connosciente, criatura, cualidad, Dios, divinidad, divino, elemento, espirital, espíritu, filosofía, filósofo, materia, material, memoria, natura, natural, pensamiento, pensar, persona, propiedad, reconosçençia, sapiençia, singular, sofismo, Trinidat* y *voluntad.*

3. Cultismos morales.

Berceo recoge una gran parte del léxico moral de los catecismos. Se comprueba aquí de nuevo la relación entre la escuela docta del mester de Clerecía —y de Berceo en particular— con la de los redactores de los catecismos político-morales. Ello no impide que también en este campo se advierta el espíritu innovador del léxico de Berceo, a pesar de que el mundo de la moral, de tan obsesionante preocupación en la Edad Media, ofrecía por eso mismo menos carácter innovador.

Puede verse la riqueza de cultismos morales en Berceo a través de los siguientes ejemplos documentados: *abstinencia, adulterio, adversidad, affliction, agudencia, amonestar, alto, apreçiar, áspero, atenençia, avariçia, aversario, blasfemia, caridat, castidat, clero, claridad, cobdiçia, cobdiçiar, compunçión, concordia, condición, conformar, consolation, continencia, contrario, conturbado, conveniencia, corruption, crimen, criminal, culpa, deliçio, desorden, despreçio, diçión* 'pecado', *dignidat, digno, dilecçión, discordia, disputaçión, disputar, dissensión, elaçión* 'orgullo', *entençión, envidia, envidioso, eufanía* 'presunción', *exaltar, falso* y derivados, *fallençia, fama, farmario* 'engaño', *femençia, fin, flaco, fornicario, forniçio, gesto* 'actitud moral', *humildad, jactançia, incorrupto, iniquitat, lazerio, lágrima, mácula, maldigno, maligno, malquerençia, mantenençia, mérito, miseria, missión* 'esfuerzo', *mortificar, obediençia, odio, paciençia, pacífico, parescençia, passión, peligro, perdiçión, perseverar, perturbar, placer* y derivados, *perfidia, rabia, reconciliar, reformar, remedio, remisión, repetençia, repentir, salud* y derivados, *soberbia, tedio, temptaçión, trayción, tribulación, tristiçia, vanagloria, vanidat, viçio, virtud,* e *ypocrisias* 'hipocresía'.

4. *Cultismos jurídicos y de cancillería.*

Hemos documentado unas cien voces cultas pertenecientes a este campo de cultismos jurídicos. En general se trata de semicultismos, lo que nos hace sospechar que Berceo aprovecha un caudal léxico que estaba en trance de integración en la lengua común. Casi todos se encontraban en los documentos lingüísticos anteriores a 1252, pero no faltan los específicamente cancillerescos, incluso algunos poco usados, señal de la originalidad creadora de Berceo que hasta en un campo estéticamente poco valioso sabe encontrar vetas léxicas que incorpora a su lenguaje docto. Ofrecemos algunos testimonios: *abenencia, afirmar, antenado, auctoridat, audiencia, auténtico, cancellario, certificar, confirmar, conformador, decreto, defender, defensión, desafiar, desabenencia, desconcordia, entencia, familia, familiar, firmar, firme* y derivados, *fiucia, furción* 'tributo', *ganancia, gen-*

te, infante, iudicio, iusticia, legista, noble, nobleza, notario, omeçidio, omeçida, palacio, palaciano, paria, pecunia, periurado, plazo, poridad, poridadero, possessión, precio y derivados, *presente, príncipe, privilegio, principal, procurador, procurar, proprio, prudient, quitación, quitar, quito, ración, rationero, regno* y derivados, *representar, secreto, sentencia, servicio, serviçio, servicio, servicial* 'sirviente', *signa, signar, significar, significancia, signo, telonio* 'tributo', *tercia, término, testamento, testigo, testimonio, tributo, trono, uxor* y *viltança.*

5. *Cultismos escolares y científicos.*

Constituye el grupo más numeroso. Hemos documentado trescientas voces aproximadamente. Si tenemos en cuenta que las palabras específicamente científicas son muy escasas, nos encontramos con que se trata de un léxico que, más que pertenecer semánticamente a un campo determinado, evoca el ambiente de que procede. De ahí su número, pero también su escasa delimitación significativa. Téngase en cuenta, además, que el ámbito escolar se halla muy cerca del eclesiástico y es muy difícil señalar límites precisos entre ambos.

Quizá lo más interesante es que el poeta pone en circulación un vocabulario que sólo en pequeña parte había pasado al habla general. Obsérvese entre los ejemplos que ofrecemos el absoluto predominio de cultismos plenos sobre las formas semicultas. Más interesante aún es señalar la buena fortuna que han tenido esas voces en la lengua posterior. Casi todas ellas han quedado definitivamente incorporadas al léxico castellano, lo que nos prueba, una vez más, que la aportación de Berceo no obedece a un prurito de escuela más o menos pedantesco, sino a la conciencia plena de que su saber erudito exigía la incorporación de un léxico nuevo. Su acierto reside en la elección. Veamos algunas documentaciones: *absincio, abundancia, abysso, acoplar* 'combinar en coplas', *adormitar, adornar, almática* 'túnica' (?), *aniversario, aquilón, architriclino* 'escanciador', *armario, aurora, autoricia, ax, bálsamo, báratro, bello, bestia, canción, capítulo, capseta* 'sepulcro', *cartulario, cátedra, catedral, catino* 'cazuela', *ceptro, ciencia, cimbalo, cítara, citarista, claustro* y derivados, *claúsula, clave, clavero, collatio, columna, comparación, confusión, confuso, conservar, consistorio, constitución, contemplación, controversia, convivio, cristal, curso, cutiano, décimo, declinar, decorar, desmemoriado, dictar* y derivados, *diferencia, discípulo, discretion, discreto, diversidad, diverso, diversorio, doctrina* y derivados, *dormitorio, dulcíssimo, edificación, elección, electo, eletor, emplasto, enferir* 'encontrar', *enfermo* y derivados, *ensiemplo, entecado* 'caer víctima de enfermedad crónica', *entegredat, escanciano, escoria* 'arca', *escripto, escriptura, estatua, estribote, estoria, estudio, exaudida, exilio, fantasía, fantasma, fino, física, físico, flabello, flor, florescer, flumen, fossalario, futuro, generación, general, gigante, glandio, guarnición, honorificencia, hospital, idiota, illeso, Iulio, lápida, laudar, lección, lection, lición, lectuario, lepra, leticia, libro, lucencia, luminaria, magnificar, magnificencia, manifiesto, margarita,* 'piedra preciosa', *matutino, matinal, matinada, medicina, mención, mensura, mercenario, meridiana, millesima, miration, ministración, ministramiento, ministrar, misterio, medular, monumento, multiplicar, mundo, negligencia, negocio, nescio, nesciedat, notar, noticia, nutrición, obscuridat, obsequio, occasión* 'causa', *octavo, oficio, olio, omnipotente, orador, organo, organar, organista, octubre, oriente, pacto, palpar, paralítico, parlatorio, patriarcha, perentoria, perfección, perfecto, pergamino, persecutor, pestilencia, petición, postular, potencia, precursor, precaria, presencia, profundado, prolixidat, prólogo, prolongar, pronunciar, propicio, propósito, prosa, proverbio, provincia, provincial, próximo, pulso, púrpura, quaderno, questión, Retórica, refeción, referir, refectorio, refrigerio, región, resplandesçer, responsión, requerir, respirar, restaurar, rima, rosa, rota, satisfaction, sepelido, septenario, septeno, séptimo, sepulcro, sepultura, sequencia, sexto, silencio, simple, simplicitat, sociedat, solempnidat, solitario, sollicito, special, tálamo, tau* 'letra griega', *talento, templo, terminar, terminación, territorio, transir, tractado, tractar, traslation, trentanario, tumba, túmulo, ultramar, umanidat, umanal, vierbo, versificar, versificador, vestuario, victoria, vigilia, vípera, visión, visitar, vito, vivificar* e *ymagen.*

Aparte de la mayor o menor proporción con que se reparten

los cultismos de Berceo, se aprecia la íntima conexión que existe entre todos los campos de significación. Parece que puede establecerse un nexo común a todos ellos: el ambiente evocado, perteneciente a la naciente escuela de Clerecía. Todo ello coincide en un mismo espíritu creador: el de la cultura monástica de cuyos caracteres universalizadores Berceo representa la plenitud.

De la observación de las precedentes agrupaciones semánticas creemos poder concretar algunas conclusiones:

1.ª) Por primera vez en la literatura española nos encontramos un fenómeno claro y sistemático de integración de léxico culto en romance. Los que hasta entonces habían sido intentos más o menos fructíferos [26] para llenar campos de significación de pobre expresión léxica se convierten ahora en un sistemático proceso creador. Junto a la necesidad significativa surge la intención expresiva. Es fácil descubrir calidades connotativas en el léxico de Berceo. Por eso afirmamos que la obra del poeta riojano representa el nacimiento de un lenguaje docto que también lo es artístico. Los cultismos no son solo instrumento para lograr una aséptica solemnidad expresiva, sino que adquieren virtualidad matizadora y, por ello, son estéticamente eficaces [27].

2.ª) Sentado el principio culturalizador que posee la aportación neológica de Berceo, como muestra la abundancia de voces escolares, cabe tener en cuenta otro elemento. Nos lo proporciona el análisis formal. Las voces litúrgicas y devotas ofrecen una extraordinaria abundancia de semicultismos. Igual ocurre con las voces jurídicas o de Cancillería y con los cultismos morales. Ello nos revela que el diferente grado de adaptación formal está en parte condicionado por la naturaleza del campo nocional al que pertenece la voz, lo que prueba que el concepto de cultismo implica un elemento formal y un criterio semántico.

3.ª) Junto a la intención culturalizadora de que hablamos en el punto 1.º) cabe consignar un criterio popularizador que lleva al poeta a disimular la novedad semántica de algunos cultismos tras el disfraz de una falsa evolución, convirtiendo la pa-

---

[26] Cfr. lo dicho para la *Vida de Santa María Egipciaca,* pp. 169 y sigs., y para los Catecismos político-morales, pp. 191 y sigs.

[27] V. más adelante nuestra referencia al valor expresivo del cultismo en Berceo, pp. 254 y sigs.

labra en un pseudo-cultismo. Cabría indicar un deseo de *familiaridad* que, siendo rasgo capital de su arte, afecta también al elemento léxico. Surge de aquí esa impresión de contienda normativa que obedece tanto a una tensión real entre normas opuestas —latina y romance— como a una tensión íntima y subjetiva, propia del poeta en trance de creación idiomática [28].

Casi siempre el semicultismo coincide, como era de esperar, con el campo semántico más familiar a los oyentes, hecho revelador de lo próxima que se encontraba la conciencia lingüística de Berceo al habla de su época.

Intensidad de la latinización. La aportación cultista de Berceo y su suerte posterior.

No ofrece dudas, como ya se había dicho con anterioridad y lo observamos a lo largo de este estudio, que Berceo es el más cuantioso latinizador de nuestra lengua. En nuestro Glosario puede verse la abundantísima documentación, unas mil voces, que hemos encontrado en la obra de Berceo. La latinización aparece así de tal magnitud que, junto a una plena conciencia idiomática del autor, tenemos que pensar en la importancia de la tradición cultural inmediatamente anterior y coetánea, representada por los catecismos político-morales y la juglaría culta.

Ahora bien, la intensidad de la latinización no depende únicamente del número de cultismos empleados sino también de otros factores [29]: proporción del cultismo, frecuencia de uso, originalidad de los cultismos usados, grado de adaptación formal al romance, etc. Alguno de esos puntos han sido tenidos en cuenta ya y de algún otro —proporción del cultismo, por ejemplo— nos ocuparemos al tratar de su valor expresivo [30]. Veamos en pri-

---

[28] Cfr. lo dicho para la adaptación formal del cultismo, pp. 240-243.

[29] Esta es la tesis de Dámaso Alonso en su *Lengua poética de Gongora*.

[30] No ignoramos que sería necesario desarrollar *in extenso* cada uno de los puntos enunciados. La envergadura de los problemas planteados supera los límites que debemos imponer a un trabajo como éste que quiere abarcar un primer intento de estudio del cultismo medieval.

mer lugar un punto que nos parece interesante: la originalidad de los cultismos empleados.

Nos hemos referido al hecho de que Berceo recoge la tradición cultural que llega a su época. Esta tradición influye en dos sentidos: aporta sucesivos intentos de integración de cultismos y favorece la creación de posibilidades fonemáticas nuevas. Sobre todo, posibilita de un modo general la capacidad de absorción por parte del romance y estimula la intuición del creador para integrar neologismos cultos.

Berceo hereda por entero todas las virtualidades de la tradición cultural arriba enunciadas. Recoge la mayor parte de los cultismos preexistentes, los vivifica dotándoles de expresividad literaria e incorpora un torrente de cultismos nuevos. Para que se vea el alcance del proceso latinizador hemos recogido la nómina de cultismos documentados por primera vez en Berceo. Esa nómina alcanza cerca del veinticinco por ciento de los cultismos totales usados por el poeta riojano. No ignoramos que la cronología de las obras del mester de clerecía presenta muy serios problemas y de ahí que la primicia léxica de Berceo sea compartida a veces con la de otras obras de la escuela [31]. Por ello hemos preferido ofrecer una lista de cultismos que hemos documentado en la obra de Berceo exclusivamente, con lo que puede observarse el grado de originalidad de su aportación cultista. Ha de observarse, además, que hay una gran cantidad de voces que aparecen en Berceo y sólo en algún otro poeta del mester de Clerecía, con lo que se conservaría el exotismo docto de la palabra. No obstante, pensamos que esta lista, que ofrecemos a continuación, es suficientemente expresiva. Hemos hecho lo mismo para *Alexandre y Apolonio*, con lo que la confrontación queda más completa. He aquí esos cultismos: *absincio, abysso, acoplar, adiutorio, adornar, adversidad, amito, apostólico, aquilón, arcángel, arciagnado, architriclino, audiencia, aurora, autoricia, báratro, blasfemia, cancellario, candelabro, cannon, cántico, cartulario, catedral, catino, celicio, cimbalo, citarista, claustrero, clemencia, compunción, concordia, confinio, congregación, consagración, conservar, consignar, constitución, contemplación, controversia, coro, crimen, crisma, cru-*

---

cifixo, cruzada, cruzar, cubriçión, custodia, deidad, deificada, demorar, devinal, diçión, dormitar, dormitorio, dulcíssimo, edificación, elaçión, elector, enclin, enferir, enfermería, entegredat, escápula, escapulado, escapulario, essençia, estatua, eufanía, evangelistero, exaudido, exilio, exorcismo, exorcista, familia, familiar, fantasía, fariseo, farmario, festival, festividat, fimbria, fossalario, fraternidat, fundir, futuro, gémito, gesto, honorificençia, genitales, humeral, hymno, idiota, illeso, incorrupto, increpar, infernal, lápida, latinidat, limnar, lisionado, luminaria, mácula, mercenario, mérito, metroplitano, millesimo, mirable, misal, miseria, morador, mortificar, natal, nesciedat, negligencia, noticia, nutriçión, orador, oratorio, ordenador 'Dios', organista, órgano, pacífico, pacto, palpar, paralítico, parroquial, parroquiano, patena, pascual, perentoria, perfección, pergamino, persecutor, perseverar, perturbar, pestilencia, plural, pontifical, postular, precursor, presençia, privilegio 'gracia' 'favor', procurador, procurar, professión, prolixidat, pronunciar, prosa, protomártir, providencia, provincial, prudente, psalmista, púlpito, purgatorio, quaderno, quadragésima, querimonia, recitar, reconciliar, reconoscençia, recluso, redimir, refection, refictorio, reformar, regeneración, regunçerio, reiterar, reliquiario, representar, requerir, responsorio, sagrario, salispacio, salmodia, salteriado, salvación, sanctificar, satisfaction, sepelida, sequencia, soçiedat, sofismo, sollicito, special, tedio, terminaçión, transformarse, transitoria, traslation, trentanario, tributo, trono, túmulo, umanal, ungir, vanagloria, venia, versificador, vestuario, vicaría, violencia, violento, vípera, visitaçión, vivificar, voto, ymagen, ypocrisía e ysopo.

Obsérvese que estas documentaciones originales ofrecen una notable variedad semántica. Se hallan representados prácticamente todos los campos de significación que hemos considerado en el apartado anterior. Pero tan notable como esta variedad semántica es el hecho de que prácticamente todos —salvo alguna excepción como *ax, catino, diçión* 'pecado', etc.— han perdurado en la historia del idioma. Esto nos revela que el proceso creador estaba bien enraizado en las auténticas posibilidades léxicas que el romance poseía y que le ofrecía la lengua latina en el momento de la eclosión cultural querepresenta la escuela del mester de clerecía.

Proporción del cultismo y frecuencia de uso.

Hemos realizado varias calas en la obra de Berceo para tratar de averiguar la proporción en que aparece el cultismo dentro del vocabulario total del poeta. El resultado ha sido el treinta por ciento, repetido casi sin variación en diversos pasajes. Tal proporción coincide además con la nómina de voces cultas y populares ofrecidas por el Vocabulario de Lanchetas. Adoptando pues un criterio ponderado, podemos afirmar que casi una tercera parte del léxico de Berceo es de origen cuⁱto. Nos parece que la proporción es muy considerable y, teniendo en cuenta la época (1230-1260), significa una verdadera explosión cultista del léxico romance, comparable y aun superadora de la de épocas latinizantes posteriores.

Mucho más difícil es determinar la frecuencia de uso de esos cultismos. No hemos realizado las operaciones que la moderna estadística lingüística exige para hallar con el necesario rigor la frecuencia del léxico culto [32]. Sin pretensiones de rigor sí podemos afirmar que apenas aparecen cultismos en Berceo que sólo se utilicen una vez, con lo que se elimina en buena medida el uso exótico de voces sin voluntad de integración. Es verdad que algunos cultismos de Berceo no fueron asimilados por la lengua común hasta el posterior movimiento latinizante del humanismo [32], pero en su inmensa mayoría permanecieron en el romance, lo que no hubiera sido posible sin una relativa frecuencia de uso.

---

[32] Piénsese, además, que apenas poseemos diccionarios de frecuencias del español que nos pudieran servir para establecer grados comparativos. Salvo estudios parciales y no estrictamenete lingüísticos, como el de V. García Hoz (*Vocabulario usual, vocabulario común y vocabulario fundamental*), sólo poseemos el de A. Juilland y E. Chang-Rodríguez, *Frecuency Dictionary of Spanish Words* (*The Romance Languages and their structures, First Series* S. 1.), Mouton and Co. La Haya, 1964.

[33] V. nuestro cap. II.

Pervivencia del cultismo en la literatura posterior.

En nuestro Glosario de cultismos —y a él remitimos una vez más, como núcleo fundamental de este trabajo— hemos documentado en lo posible los usos posteriores al siglo XIII. Allí puede observarse cómo don Juan Manuel, el canciller Ayala y Juan Ruiz aprovecharon el caudal léxico de los cultismos de Berceo. Posteriormente el influjo del Humanismo cuatrocentista acuñó definitivamente aquellos términos que más difícilmente podían integrarse en el idioma. Hemos dispuesto para nuestra documentacinó de un inventario inédito de cultismos, de Ana María Seguela, realizado sobre las obras de Juan Ruiz, el Canciller Ayala y don Juan Manuel. Ello nos ha permitido establecer la continuidad en el uso de la mayor parte de los cultismos de Berceo. Esto supone una cualidad más con que valorar el sentido idiomático del poeta, que supo realizar su labor de creación neológica con una perfecta conciencia de lo que era posible y necesario en el estado de lengua de su época.

Puede verse allí, además, que son escasísimos los cultismos que no han llegado a nuestros días. La nómina de primeras documentaciones de Berceo resulta muy ilustrativa, porque no llegan a la docena las palabras que hoy no se usan en español. Esta pervivencia del cultismo en los textos y en el habla posterior nos indica el notable sentido que Berceo tuvo de las conveniencias o necesidades lingüísticas al introducir neologismos.

Valor expresivo del cultismo.

Escasa atención ha prestado Carmelo Gariano al léxico del poeta en su estudio sobre los *Milagros*. Se limita a rechazar la afirmación de Loveluk [34] sobre el vocabulario transcrita más arriba y a poner de relieve con muy poca documentación la mayor riqueza léxica de los *Milagros* con respecto a sus fuentes. Habla también de una cierta selección de vocabulario y de algunos atisbos

---

[34] Véase J. Loveluk, *En torno a los «Milagros» de Gonzalo de Berceo,* Atenea, CVIII, Concepción de Chile, 1951.

de valoración estilística del léxico. Por otra parte, su mención brevísima de los latinismos se refiere exclusivamente a sintagmas latinos integrados en la narración. Prescinde por completo de alusiones a la estructura del léxico de Berceo y a su composición y distribución semántica, pese a la importancia que ello tiene para un estudio estilístico.

Es necesario ser muy precavido al hablar del valor expresivo del cultismo en una época tan primitiva como la que estamos estudiando. Pero tampoco se puede prescindir de ello. Téngase en cuenta que todo lo apuntado en las páginas precedentes sobre la función del cultismo implica el hallazgo de unas posibilidades expresivas nuevas. Sin duda el neologismo culto es un recurso literario que utiliza conscientemente el poeta en cuanto que ensancha el campo conceptual abarcado.

Ahora bien, lo que se hace más difícil —al menos para esta época— es tratar de hallar usos individuales del cultismo en los que éste tenga una función esencialmente estética. Bien es verdad que tampoco podemos prescindir a priori de esta posibilidad.

Se hace necesario, por tanto, distinguir dos planos en la función expresiva del cultismo de Berceo: uno, considerado en su conjunto como recurso neológico que posee proyección estilístico-literaria; otro, observar el uso aislado de cada cultismo y su posible función estilística o, simplemente, expresiva. El primero de esos planos lo hemos estudiado en las páginas precedentes. Nos ocuparemos ahora del segundo.

Por muy primitivo y poco maduro que se halle aún el léxico culto en manos de Berceo, creo que se puede afirmar la existencia de unos valores estéticos. Claro es que no encontraremos nada comparable a la función del cultismo en Villena, Mena o Góngora. Sí, en cambio, atisbos de una potenciación expresiva lograda a base de los cultismos. Sin intentar apurar, ni siquiera sistematizar, cuáles puedan ser esos valores expresivos [35], podemos apuntar algunos usos en que nos parece que el cultismo adquiere una especial relevancia.

---

[35] Pretender tal sistematización a base únicamente de los cultismos, sería disparatado, y sólo obtendríamos resultados muy parciales. El valor expresivo del vocabulario hay que considerarlo en su conjunto y dentro de la totalidad de recursos estilísticos usados por el autor.

1. Los cultismos y la rima. Es sabido que las palabras sobre las que recae la rima quedan realzadas expresivamente, en especial en la estructura de la *cuaderna vía,* cuya uniformidad rítmica descansa en buena parte sobre la identidad de la rima. Las nuevas posibilidades fonemáticas que aportan los cultismos la facilitan en mu'titud de ocasiones. A veces son necesidades de rima los que obligan al uso de cultismos:

> Estos avién con ella amor e *atenençia,*
> en laudar los sos fechos metién toda *femençia,*
> Todos fablavan della, cascuno su *sentençia;*
> pero tenién por todo todos una *creençia".*

(Mil., estr. 27)

Obsérvese que la potenciación expresiva lograda no es sólo de origen rítmico. Cada uno de los cultismos es la síntesis significativa de la cláusula a la que pertenecen, con lo que al efecto rítmico se añade el elemento semántico para hacer recaer sobre el vocablo una especial intensidad expresiva: *atenencia* (emparejada sinonímicamente con *amor*), *femencia* 'vehemencia', *sentencia* y *creencia*. Hay toda una gradación, la *atenencia* conduce al fiel a la *creencia*. La fe y el amor son camino hacia la Gloriosa: he ahí la doctrina mariana de Berceo.

En otra estrofa encontramos una gradación muy semejante: *atenencia, querencia, femencia* y *providencia:*

> "Siempre con la Gloriosa ovo su *atenençia,*
> nunqua varon en duenna metió maior *querençia,*
> en buscarle serviçio methie toda *femençia,*
> façié en ello seso e buena *providençia".*

(Mil., estr. 50)

La distribución significativa a lo largo de la estrofa es en todo semejante. El primer verso, la expresión del amor a la Virgen; el segundo es, en ambas estrofas, una ponderación explicativa, para pasar en los dos últimos versos a la consecuencia.

Este paralelismo nos revela el aprendizaje de escuela y un

aprovechamiento del cultismo, unido a las exigencias de rima que la *cuaderna vía* demanda. No es mera casualidad esta especial expresividad adquirida por el cultismo al combinarse con la rima, puesto que se repite muy frecuentemente a lo largo de los *Milagros* y de otras obras de Berceo.

En otras ocasiones la clara intención del poeta de ennoblecer el lenguaje se logra combinando el elevado contenido significativo del cultismo con la rima:

> "Todo es menoscabo esta tan grand *fallençia*,
> Vinié por mal recabdo e por gran *negligençia*.
> O auié enna casa puesta Dios tal *sentençia*.
> Para Sancto Domingo dar *honorifiçençia*".
>
> (Estr. 189, S. Dom.)

La última palabra, *honorifiçençia,* reclama para sí la máxima intensidad significativa, oponiéndose a otro cultismo, *negligençia,* de tal modo que rima y cultismo se conjugan con clara intención estilística.

Los ejemplos podrían repetirse. Es un recurso constantemente utilizado por el poeta. Véase el ennoblecimiento de la expresión combinando rima y cultismos:

> "Sennora e reygna de tal *auctoridat,*
> de los tus pecadores prendate *piadat,*
> De essa tu *missericordia* des sobre la *christiandat,*
> Ca Dios por el tu ruego façernos a *caridat.*"
>
> (Es. 226, Loores)

En otro pasaje aparece de nuevo la gradación expresiva, ahora sobre los cultismos *oración, bendición, consolation* y *perfection.*

> Entró al cuerpo sancto, fizo su *oraçión,*
> Desend subió al coro, prender la *bendiçión.*
> Ouieron con él todos muy grand' *consolaçion.*
> Commo con compañero de tal *perfecçion.*"
>
> (Estr. 118, Sto. Dom.)

A veces la intensificación logra efectos peyorativos y el cultismo hace de condensador de tal expresividad:

"Era el trufán *falsso*, pleno de malos *vicios*,
Savié encantamientos e muchos *maleficios;*
Façié el malo çercos e otros *artifiçios*,
Belçebud lo guiava en todos sus *ofiçios*."

(Estr. 722, Milagros)

2. Los cultismos y la evocación eclesial.

Constantemente Berceo usa del cultismo para evocar el ambiente especialmente devoto en que suceden sus historias. A veces el cultismo se combina con el latinismo. Esta "profesionalización" del léxico tiene que suscitar forzosamente una determinada atmósfera piadosa, especialmente cuando se produce una acumulación como la que observamos en el siguiente texto:

"Esti prado fue siempre verde en *onestat*,
ca nunca ouo *mácula* la su *virginidat*,
post partum et in partu fue *virgen* de *verdat*,
illesa, *incorrupta* en su *entegredat*."

(Milagros, estr. 20)

El último verso con la pareja de sinónimos cultos recoge el énfasis ponderativo de la virginidad. Obsérvese, además, que la acumulación se logra a base de voces completamente inusitadas: *mácula*, *illesa*, *incorrupta*, reforzadas por dos latinismos litúrgicos.

Pero lo habitual es que los términos "profesionales" no adquieren el carácter casi de tecnicismo que tienen en los versos precedentes. Así, pueden ser semicultismos los que hagan penetrar en un ambiente piadoso a los oyentes, precisamente por el carácter evocadoramente familiar que tienen estos términos. Véase por ejemplo:

"Maestrólos el *bispo*, udió su *confessión*,
Entendió que vinién con buena *contrición*
Diólis su *penitencia* e la *absoluçión*,
Todo lo ál passado, diólis su *bendiçión*."

(Milagros, estr. 399)

También en otras obras aparece ocasionalmente el alarde acumulativo referido a un lenguaje "profesionalizado". En *Loores de Nuestra Señora* encontramos:

> «*Angeles* e *arcángeles, tronos* e *seniores,*
> *Apóstoles* o *mártires,* justos e *confessores,*
> con *estolas* e *manípulos* cantan a ti *loores,*
> Los que más se *estudian* tienense por meiores."

(Loores, estr. 219)

3.   Acumulación ponderativa.

Lo más frecuente es que la acumulación de cultismos sirva de instrumento de ponderación o de ennoblecimiento del lenguaje. También aquí podríamos multiplicar los ejemplos:

> "San *Peidro el apóstol* ouo dél *compassión,*
> Ca en su *monesterio* fiziera *professión*:
> Rogó a *Jesu Christo* con gran *devoçión*
> De su *missericordia* quel fiçiesse *raçión.*»

(Milagros, estr. 164)

O bien para elogiar las virtudes de la Virgen:

> "Commo es la *Gloriosa* plena de *bendiçión,*
> Es plena de *graçia* e *quita* de *diçión.*»

(Milagros, estr. 181 a, b)

4.   El cultismo posibilita la formación de la sinonimia o de la antonimia, con claros efectos expresivos.

> Auié nomne Teófilo commo diz la leienda,
> Omne era *pacífico,* non amaua *contienda...*

donde hay un evidente juego expresivo de efectos antitéticos al contraponer los términos *pacífico-contienda.*

Otras veces se trata de intensificación sinonímica:

> "Savié auer con todos *paz* e grant *avenencia.*»
>
> (Milagros, 707b)

También en este otro texto:

> "Los pueblos de la villa *pauperes e potentes*
> façien grant alegría todos con instrumentes"...

donde la antítesis *pauperes-potentes* es abarcadora de una generalidad. Lo inusitado de ambos cultismos refuerza la expresividad totalizadora.

5. Expresión de correlaciones semánticas complementarias. Véase el siguiente texto que puede ejemplificar lo anterior:

> "Madre la tu *memoria* e la tu *mençión*
> Sabor façe en oreias, dulçor en coraçón."
>
> (Loores, estr. 207 a, b)

El cultismo posibilita aquí la formación del quiasmo (*mención-oreias; memoria-dulçor en coraçón*).

También puede verse este otro texto:

> "Grande es la tu merçed e la tu *potençia,*
> *Preçioso* e' tu nombre, *firme* tu *querencia*
> onrrósse don Ildefonso por la tu *atenençia,*
> Nuçió a Iuliano la tu *desavenençia.*»
>
> (Loores, estr. 202)

6. Hallazgo de imágenes y símiles.

También aparece el cultismo intensificando la expresividad de los términos de la comparación y de la imagen:

> "En el *vidrio* podríe asmar esta razón,
> commo lo passa el rayo del sol sin *lesión;*
> tú assí engendreste sin nulla *corruption*
> commo si te passasses por una *visión.*»
>
> (Loores, 209)

Obsérvese que los términos de las imágenes son cultismos y sobre ellos recae toda la fuerza expresiva que, en este caso, es de tipo a la vez ponderativo y visual-imaginativo.

Este tipo de construcción es relativamente frecuente en la obra de Berceo. Véase en el ejemplo que aducimos a continuación cómo se establece un nuevo tipo de paralelismo a base de sensaciones de tipo táctil. Como en el caso anterior, es también el cultismo el que recibe la misión de realzar los términos más destacados de la imagen:

> "El *cristal,* non es dubda, frío es por *natura;*
> Pero veemos ende salir la calentura:
> Pues cuando Dios quissiesse non era desmesura
> Que tú, seyendo *virgo, ouiesses criatura.*»

> (Loores, estr. 210)

Creo que podríamos multiplicar las citas en que aparece el cultismo con función expresiva. No hemos pretendido, ni mucho menos, agotar, ni siquiera sistematizar, los ejemplos en que así ocurre. Queda ello para un estudio estilístico que verdaderamente tenga en cuenta el léxico. Como ha visto Dámaso Alonso para Góngora [36] el verdadero valor expresivo del cultismo se halla bien en su originalidad neológica, bien en su acumulación intensificadora. De ambos casos tenemos abundantes ejemplos en la obra de Berceo. Lo discutible es ya la intención motivadora de tales usos. Mientras en Góngora lo intencional estetizante es decisivamente provocador del hecho lingüístico, en Berceo predominan razones idiomáticas, aunque no falten ejemplos de valores expresivos, como acabamos de mostrar.

3. *Los cultismos en las demás obras del mester de Clerecía.*

Agrupamos las tres obras del mester de Clerecía en virtud de la fuerte cohesión que existe entre todas ellas [37]. Sería repetir

---

[36] V. Dámaso Alonso, *op. cit.,* p. 119.

[37] Más adelante hacemos referencia a las relaciones entre estos textos.

innecesariamente el planteamiento en que se desenvuelve la creación léxica común a todo el mester de Clerecía. Este planteamiento general se ha formulado al introducirnos en el estudio de los
cultismos de Berceo, páginas más arriba. Poco hay que añadir, si
no es lo específico de cada uno de los textos considerados.

No obstante, no podemos olvidar tampoco que dentro del arte
uniforme del mester de Clerecía cada una de sus obras posee una
personalidad propia: desde el elevado tono docto del *Poema de
Alexandre* a la tierna delicadeza del *Apolonio* que apenas basta
a encubrir la fidelidad a la tradición legendaria. En medio, el
Poema de Fernán González ocupando el fiel de un difícil equilibrio entre la obediencia a la escuela docta y el peso de una tradición genuina, orgullosamente condicionadora del vivir castellano. Quizá el hieratismo del héroe [38] sea la consecuencia de esas
fuerzas contrapuestas que el poeta no acierta a conciliar. Pero a
ello nos referiremos más adelante.

Son esas peculiaridades las que nos obligan a hacer un breve
pero individualizado análisis del empleo del cultismo en cada una
de las obras citadas.

3.1. *Los cultismos en el Libro de Alexandre.*

Menéndez Pidal ha caracterizado el elemento léxico diferencial entre el arte de Berceo y el de los restantes poetas de clerecía, comparándolo especialmente con el del *Poema de Alexandre.*
El maestro de la filología española afirma: "Berceo no concibe su
arte sino como una continuación de la vieja juglaría. Pero los autores de otros poemas de asunto clásico, al introducir asuntos de
especial erudición se sintieron más alejados de la antigua escuela... Con más conciencia aún de su superior ilustración (que el
autor del Apolonio) el autor del Alexandre... se alaba de su arte
y lo anuncia expresamente como cosa distinta al de los jugla-

---

[38] V. *Poema de Fernán González,* edición, introducción y notas de
A. Zamora Vicente, Clásicos Castellanos, Espasa-Calpe, Madrid, 1946.

res, si bien se manifiesta influido fuertemente por ellos en las fórmulas que emplea para anunciarlo [39].

Estas palabras nos introducen en el hecho diferencial de la obra de arte: la intencionalidad estética. Ocurre que la intención artística debe apoyarse sobre un elemento lingüístico básico, la palabra. Por eso pensamos que una confrontación entre un léxico tan caracterizante como es el vocabulario culto en cada uno de los textos, puede arrojar alguna luz sobre los problemas diversos que entraña la aparición de estas obras.

Veamos en primer lugar los antecedentes en que debemos apoyarnos. Alarcos Llorach [40] en su magnífico trabajo sobre el *Alexandre,* resume el estado de la cuestión, lo que recogemos aquí en sus líneas fundamentales.

La edición más utilizada del *Libro de Alexandre* es la de Willis, [41], que recoge los manuscritos de Osuna y París, estudiándolos con referencia especial a sus fuentes [42]. También hemos utilizado la edición del manuscrito P de Morel-Fatio [43], el primero que estudió con rigor crítico el texto, y los problemas de fecha, fuentes, etc., que presentaba [44]. Nuestras citas, a no ser que se indique lo contrario, van referidas al manuscrito P, siguiendo la tesis de Müller y de Alarcos sobre la superioridad de este texto sobre el de O. por ser más directa la trasmisión.

Es bien sabido que el Poema ha atraído la atención en tres puntos fundamentales: autor, fecha y dialecto del texto original, ya que mientras el manuscrito O ofrece rasgos leoneses, el

---

[39] V. R. Menéndez Pidal, *Poesía juglaresca y juglares,* Madrid, 1924, Austral., pág. 355. Cita recogida también por E. Alarcos Llorach, *Investigaciones sobre el L. de Alexandre,* p. 53, R.F.E., Anejo, XLV.

[40] Vid. E. Alarcos Llorach, *op. cit.*

[41] V. R. S. Willis. *El Libro de Alexandre. Texts of the París and the Madrid, Manuscripts prepared with an introduction by...* Princeton, 1934.

[42] V. también R. S. Willis. *The Relationship of the Spanish Libro de Alexandre to the Alexandreis of Gauthier de Chatillon,* Princeton, 1934 y *The Debt of the Spanish Libro de Alexandre to the French Roman d'Alexandre,* Princeton, 1935.

[43] *El Libro de Alexandre,* ed. de Morel-Fatio. Dresden, 1905.

[44] V. Morel-Fatio, *Recherches sur le texte et les sources du l. de Alexandre,* Romania, IV, 1875.

manuscrito P posee indicios de aragonesismo. Sobre este último punto poca luz puede arrojar un análisis de los cultismos, pues por su propio carácter quedan casi por completo al margen de toda relación dialectal. Sobre el problema del autor las opiniones han sido divergentes. Menéndez Pidal [45] acepta la probable paternidad del clérigo Juan Lorenzo de Astorga que, como observa bien Alarcos Llorach, armoniza con su conocida tesis leonesa del texto primitivo. En abierta oposición se halla la teoría de Müller [46], que defiende el castellanismo —o, simplemente, antileonesismo del Poema— y acepta la atribución a Berceo, considerándolo obra juvenil del poeta riojano [47]. Por último, el mismo Alarcos Llorach rechaza a uno y otro y se limita a dar noticias sobre el posible autor [48].

La datación del Poema ha sido también tema de divergencias. Sánchez y Morel-Fatio lo fechaban a mediados del siglo XIII. Para Marden el texto tenía que ser anterior a 1250, fecha que fijaba para el *Poema de Fernán González,* posterior al de *Alexandre* [49]. Willis supone probables los años de 1201 a 1202, por lo que lo sitúa con anterioridad a la obra de Berceo. Alarcos, por último, se abstiene de fijar año.

Puede verse fácilmente que los problemas de fecha y autor se hallan íntimamente enlazados y, en realidad, pueden reducirse a una cuestión fundamental. ¿Es el texto primitivo del *Alexandre* anterior a la obra de Berceo, refleja a un Berceo juvenil, o es más bien la culminación de una escuela que, consciente de su sa-

---

[45] V. R. Menéndez Pidal. *El dialecto leonés,* Rev. de Arch., Bibl. y Museos, LVII, 1906, pp. 133 y sigs.

[46] V. E. Müller, *Sprachliche und Text Kritische Untersuchungen zum Altspanischem L. de Alexandre.* Strasbourg, 1910.

[47] No nos detenemos excesivamente en la exposición de los argumentos de uno y otro, que pueden verse en las obras respectivas, y también sintetizadas en E. Alarcos Llorach, *op. cit.,* pp. 47 y sigs.

[48] Para Alarcos al autor debió de ser de tierras de Burgos a Soria y, aun aceptando las suposiciones de Menéndez Pelayo (*Antología de Poesía lírica,* II, p. LXII) de que fue un clérigo de gran cultura, no lo supone un gran latinista, basándose en ciertos errores de interpretación del texto latino.

[49] Véanse más adelante las pp. 276 y sigs., dedicadas al *Poema de Fernán González.*

ber, se siente orgullosa de sus logros? No nos corresponde a nosotros dar una respuesta definitiva a tales interrogantes, pero sí mostrar los datos que nos ofrece el análisis del léxico culto en los autores del mester de clerecía. En este sentido, nos parece que puede ser significativo indicar cuáles son los cultismos que hemos documentado únicamente en el *Libro de Alexandre*. Nos proponemos mostrar el grado de originalidad léxica que puede existir en cada uno de los autores de la escuela. El análisis debe ser tanto cuantitativo (número de cultismos nuevos) como cualitativo (naturaleza semántica de los neologismos cultos). He aquí el resultado:

accidia	*diversión* 'clases distintas'
accion	*dives* 'rico'
acéphalo	*dividir*
actoritas	*división*
actor 'autor'	*emplegar*
acuçiar 'apresurarse'	*escandalizar*
alitropia	*escándalo*
allegaçiones	*espeçie* 'bebida'
ambiçio	*estaçión*
angelical	*estilada*
arbolario	*estoriado*
argentado	*estremonja* 'astronomía'
ariolo 'adivino'	*estultiçia*
atumpno 'otoño'	*examen* 'enjambre'
benignidat	*fargiridat* 'fragilidad'
cabtenençia	*femenina*
çenturion	*fenis* 'fénix'
comunidad	*fervor*
contaliçio	*floresta*
copia	*glosa*
coronica	*gómito* 'vómito'
cúmulo	*inçidençia*
defecçion	*interpretar*
difinición	*itrópico* 'hidrópico'
difinidat	*Júpiter*
disputador	*legionario*

lunático	*rosario* 'rosal'
lustro	*secretario*
magnete	*semença*
menudença	*sepultorio*
misionado	*sermonario*
monarquía	*sermonia* 'sermón'
ofreçión	*sillaua*
(e) pitafio	*silogismo*
postema	*suave*
pronunçiador	*subjeçión*
prosperidat	*taberna*
pruença 'prudencia'	*tapete*
qualidad	*tenebredat*
quinquagenario	*testo*
rectórica	*vulpe*
refugio	*vulto*
rescripción	

La lista anteriormente transcrita nos sugiere algunas observaciones:

1. El número de voces cultas exclusivas del *Libro de Alexandre* es mucho menor que el de Berceo [50], pero ofrecen un gran interés semántico. La mayor parte de ellas están adscritas al mundo escolar y científico. Apenas las hay pertenecientes a la liturgia y la devoción, ambiente preferido para el préstamo culto en la edad media. Ello supone por parte del autor una consciente actitud creadora. Su orgulloso manifiesto literario ("fablar curso rimado por la quaderna via/a sillauas cunctadas, ca es grand maestría") no en vano ni significaba una prematura actitud intelectualista, sino que responde a la culminación de un proceso culturalizador. Pensamos que el uso de un léxico tan específicamente culto como el transcrito, exige una cuidadosa preparación. Salvo algún caso aislado en que el latinismo es flagrante *(copia* 'abundancia'; *dives* 'rico', etc.) el resto de la nomina aparece perfectamente integrado en un contexto en que el cultismo posee un valor significativo relevante.

---

[50] Cfr. lo dicho para Berceo, páginas más arriba.

Entre los ejemplos que podrían aducirse, véanse algunos:

a)   Nominalización de un concepto:

"*Acçidia* es su nombre, suele mucho dañar"

(P., 2365b)

"Fallaron los *acephalos*, la gent descabeçada"

(P., 2459b)

b)   Ponderación culturalizante:

"Non quiero de la tienda fer grant *alegoria*"

(P., 2599a)

"Abraçalos a todos con grant *benignidat*"

(P., 1589c)

"Más aman sus thesoros que vedar *estultiçia*"

(P., 1800c)

c)   Un buen grupo de voces lo constituyen los cultismos que habrían de parecer extravagantes[51], incluso a la gente docta de la época. Ofrecemos algunos ejemplos:

"Conquerir las *antipades* que non saben on son nados"

(P., 1899d)

"Que sedien sobrel *cumulo* las gentes..."

(P., 1228d)

"Yo so tu escolar, tu eres mi *doctor*"

(P., 44b)

"Señora de la tierra quel dizien *femenina*"

(P., 1842b)

---

[51] Cfr. la opinión de Dámaso Alonso sobre el cultismo extravagante referido a Góngora, *op. cit.,* p. 68.

"Falló el aveziella que *fénis* es llamada"

(P., 2453a)

"Demandó una copa por *gómito* fazer"

(P., 2579c)

"Por fer sus *holocaustos* matauan los ganados"

(P., 499d)

"Semeias al *itrópico* que muere por beuer"

(P., 1903c)

No agotamos, ni mucho menos, con los textos precedentes las muestras de cultismos exóticos integrados plenamente por la conciencia idiomática del poeta. Bastan, no obstante, para reflejar la posición que éste ocupa ante el proceso de creación de una lengua docta y el carácter de su aportación.

2. Las reflexiones precedentes nos llevan a sugerir algunas ideas sobre un problema que planteábamos más arriba. Estimamos que el *Libro de Alexandre* no debe de ser anterior a la obra de Berceo ni tan siquiera de su época juvenil, fuera éste u otro su autor. A la vista del léxico culto empleado [52] y dejando aparte otras consideraciones de tipo literario (estructuración del poema, incorporación de una tradición literaria, etc.), hemos de pensar más bien en una obra de madurez, tanto de su autor como de la escuela a la que pertenece. Su maestría es claramente perceptible y no sólo en "contar sílabas", sino en el orden de la narración, en el léxico empleado y en la fluidez con que todo un cúmulo de cultismos se van incorporando al vocabulario intelectual. Ello no sería posible en una obra de juventud. Muy al contrario, nosotros lo colocaríamos en el ápice de la historia del mester de Clerecía, lo cual concuerda con la orgullosa conciencia de superioridad intelectual que campea por todo el poema.

---

[52] Naturalmente, no nos apoyamos sólo en la lista de cultismos transcrita, sino en todos los que documentamos en nuestro Glosario.

El valor del cultismo en el Libro de Alexandre.

Como era de suponer, junto a los valores señalados más arriba, hemos encontrado asimismo aquellos otros que hemos analizado con detenimiento en la obra de Berceo. Nos limitaremos a señalar que el *Poema de Alexandre* ofrece una variada gama de cultismos que muestra los valores a que obedece la creación neológica en nuestra literatura medieval. Entre ellos hemos destacado ya el valor expresivo del cultismo, bien por su propia capacidad evocadora, bien por las posibilidades rítmicas que proporciona, por su ocasional relevancia o por una determinada acumulación intensificadora.

De todo ello encontramos ejemplos en el *Libro de Alexandre*. Los valores estético-expresivos, sin ser predominantes, sí aparecen con cierta frecuencia. La brillantez colorista de muchas de sus descripciones halla expresión ponderativa con el uso del cultismo. Un ejemplo típico lo encontramos en la descripción de los palacios del rey Poro:

> "Eran bien enluziadas e *firmes* las paredes.
> Non le fazien mengua *saunas* nen *tapedes,*
> El techo era pintado a lazos e a redes,
> Todo d'oro *fino* como en Dios creedes.
> Las portas eran todas de *marfil natural,*
> Blancas e reluzientes como *fino cristal,*
> Los entaios sotiles, bien *alto* el real,
> Casa era de rey, mas bien era real.
> Quatroçientas *columpnes* auie en essas casas,
> Todas d'oro *fino, capiteles* e *basas*
> ... ...

                                        (O., estr. 1959-61)

La descripción alcanza su máxima brillantez con la acumulación de términos ponderativos a cargo de cultismos, con idéntica construcción sintáctico-expresiva:

"Las unas eran fechas muy de grant *femença,*
Piedras son preçiosas, todas de grant *potença,*
Toda la peor era de grant *magnifiçença:*
El que plantó la uinna fo de grant *sapiença.*"

(O., estr. 1964)

En ocasiones, gracias al cultismo. el lenguaje adquiere un tono pleno de solemnidad. Las resonancias latinizantes llegan claras al lector a través del léxico:

"Fizo *miliarias* por mandar mil barones.
Otros que auen C. que les dizen *çenturiones,*
Otros *quincuagenarios,* otros *decuriones,*
Puso *legionarios* sobre las *legiones.*"

(O., estr. 1389)

En alguna estrofa la acumulación cultista se intensifica, aproximándose a su fuente latina, con lo que la impresión de lengua docta y minoritaria llega a su máximo grado:

"Fizol *pitafio* escuro *ditado,*
De *Daniel* lo apriso que era *notado,*
Cuemo era *Apelles clérigo* bien letrado
Todol *offiçio* tiene bien *decorado:*
Hic istus est aries tropicus, due cornua consertus."

referencia latina que se cree obligado a traducir a renglón seguido.

3.2. *Los cultismos en el Libro de Apolonio.*

Menos suerte que el *Libro de Alexandre* ha tenido el *Poema de Apolonio.* Son escasos los estudios que existen sobre el texto, a pesar de lo sugestivo que resulta en múltiples aspectos lingüísticos y literarios. Tras la edición y estudio de Marden [53],

[53] V. C. C. Merden, *Libro de Apolonio. An old spanish poem.* Part. I, *Text and introduction.* Beltimore, The Johns Hopkins Press, 1917. Part. II. Princeton University Press, Princeton, 1922.

sólo observaciones parciales se han añadido a su trabajo. Nosotros hemos aceptado la edición de Marden y a ella van referidas las citas que se hacen.

Ha sido el propio Marden quien ha desvelado los problemas fundamentales del Poema. El manuscrito, con letra del siglo xiv contiene un texto, de autor desconocido, que Menéndez Pidal [54] fecha, desde el punto de vista lexicográfico, en el segundo cuarto del siglo xiii. Que se trate o no del primer texto conocido del mester de clerecía en España no afecta demasiado para nuestro estudio. Sí importan las coincidencias con otros poemas de la escuela, en cuanto existe una intensa relación técnica entre los distintos poetas. Morel-Fatio [55] ha señalado alguna coincidencia con el *Libro de Alexandre,* pero no lo suficientemente convincente para decidir la prelación de uno u otro texto [56]. También Müller [57] ha señalado semejanzas con el mismo *Alexandre,* con obras de Berceo y con el *Poema de Fernán González.* Pensamos que ni una ni otras coincidencias son pruebas definitivas de dependencias entre toods los textos.

Lo cierto es que el *Libro de Apolonio* se nos presenta hoy como uno de los primeros poemas del mester de Clerecía que, además, contiene valores literarios de primer orden. Su interés exigiría un análisis estilístico riguroso que está por hacer y que aclararía, creemos, algunos aspectos sobre el desarrollo literario de la escuela del mester de Clerecía en el siglo xiii.

Los cultismos son, como en las restantes obras de la escuela, abundantes. Todos los campos semánticos señalados para la obra de Berceo se hallan intensamente representados en el *Poema de Apolonio.* Pese a ser una obra de reducida extensión (656 coplas), el número de cultismos se reparte en proporción semejante a la señalada para Berceo, aunque sin la variedad formal y semántica que allí hallábamos. Es cierto que no encontramos la misma capacidad de matización y derivación de que hace gala

---

[54]   V. Menéndez Pidal, Cid, I, p. 254.

[55]   V. Morel-Fatio, *op. cit.*

[56]   Cfr. Alex. 78 y Apol. 459.

[57]   V. E. Müller, *Sprachliche und testkritische Unter-suchungen zum altspanischen «Libro de Alexandre»,* (Strassburg Diss), Strasburg, 1910, págs. 57-59.

Berceo, ni tampoco la acumulación cultista que tan repetidamente ofrece el poeta riojano y el *Poema de Alexandre*. Sí, en cambio, la sabiduría de escuela y, desde luego, una mayor fidelidad del clérigo a su léxico peculiar que en el *Poema de Fernán González*. Es verdad que, como se ha señalado repetidamente, la índole del tema condiciona ya un tipo de léxico específico. Es, en este caso, la fidelidad a una leyenda de la tradición culta de extensa difusión por toda Europa. En este sentido, el *Apolonio* y el *Alexandre* constituyen un tipo de creación literaria con rasgos diferenciales respecto de Berceo y, más aún, del *Poema de Fernán González*. Sin hacer ostentación de ello, adivinamos en el autor del *Apolonio* el mismo orgullo docto que respira el poeta del *Alexandre*. Recordemos al comienzo:

> "En el nombre de Dios e de Sancta María
> Si ellos me guiassen *estudiar querría,*
> Componer hun romançe de *nueva maestría,*
> Del buen rey Apolonio o de su cortesía."

Sin realizar atrevidas deducciones de la cita, es evidente que en el poeta late la auténtica conciencia de su originalidad y que ésta reside en la perfección técnica. Coincidencia con el *Libro de Alexandre* que nos enmarca el ámbito real en que se desenvuelve la inspiración del clérigo: el placer por el estudio, motivo de su condición de intelectual. No puede extrañar entonces que el léxico culto coincida también en buena medida con el de *Alexandre,* ya que el placer de estudiar es común:

> "Non querye nengun dia su *estudio perder,*
> Ca auye voluntat de algo aprender.
> Maguer mucho lazdraua cayo le en plaçer,
> ca preçiaua se mucho e querie algo ualer."

(Estr. 353)

No es raro, pues, que partiendo de estos supuestos encontremos en el *Libro de Apolonio* una notable coincidencia de léxico con los poetas citados. Quizá su menor variedad haya que atribuirla a la moderada extensión del poema, frente a la desmesurada del *Alexandre* y a la amplitud de la obra de Berceo. Por esta coincidencia renunciamos a establecer una clasificación semántica de los cultismos, como hemos hecho para los autores anteriores.

Sí importa en cambio señalar algunas originalidades léxicas. Hemos anotado las que nos han parecido más relevantes:

capital	*fundamento*	*lexativo*
desplegar	*hunçión*	*mandaçión*
difamar	*infançia*	*nigromançia*
duplo	*lapidar*	*titolar*

Algunas otras coinciden con Alexandre, pero no aparecen en otros autores:

ancora	*general*	*primiçia*
celestial	*gramática*	*semiton*
estentino	*liçençia*	*sermón*
estudiar	*maliçia*	

El tipo de léxico citado muestra la intensidad de la penetración docta. De ahí el dominio absoluto del cultismo sobre el semicultismo.

Si volvemos hacia otro aspecto notado más arriba, hallaremos el uso del cultismo con determinados valores estético-expresivos. También coincide en buena parte con lo observado en otras obras de Clerecía, lo que nos muestra que tales valores no eran sólo creación original e individual sino que estaban presentes en la técnica de escuela, aunque aquí y allá asome el rasgo personal que constituye siempre uno de los mayores encantos de la poesía sabia. Más que el uso, consolidado por el aprendizaje colectivo, interesa siempre el contexto en que se encuentra, donde podremos observar el carácter individual de la creación literaria, aun en aquel ámbito en que más relevancia adquiere el tópico y la uniformidad escolar.

De esta forma, creemos que no es ocioso ofrecer, una vez más, ejemplos en que el poeta aprovecha el cultismo para proporcionar a la expresión poética un nuevo valor. Véase la relevancia expresiva del adjetivo epíteto coincidente con el cultismo:

"Que so de Apolonio *capital* enemigo."

(vs. 38c)

sobre todo si pensamos que la voz culta sólo la tenemos documentada en *Apolonio* y, por ende, debería atraer la atención del lector de un modo especial.

También es digno de señalarse el uso del cultismo como culminación ponderativa de un paralelismo sintético:

"Bolviéronse los vientos, el mar fue *conturbado*."

(vs. 108b)

o la anticipación cualitativa:

"Cosa *endiablada* la burçesa Dionisa."

(vs. 445a)

que intensifica la expresión enfática.

Junto a este uso, más o menos individualizado, hallamos otros que es preciso atribuir a caracteres de escuela:

1. Aprovechamiento del cultismo para la rima, al mismo tiempo que se ennoblece la expresión:

"Mientre que el cantaua su mal e su *laçerio*,
Non penssaua Luçiana de rezar el *ssalterio*,
Entendió la *materia* e todo el *misterio*,
Non le podie de gozo caber el *monesterio*."

(Estr. 585)

2. La combinación léxico-rítmica anterior se repite casi idéntica en otras estrofas (291):

"El medio del tresoro lieua por su *laçerio*,
Lo al por la su alma preste el *monesterio*,
Sallir lo an los *clerigos* meior al *çimenterio*,
Rezaron mas de su grado los ninyos el *ssalterio*."

lo que nos muestra una vez más el rígido patrón escolar que preside la técnica versificadora de la escuela de Clerecía.

3. Cultismos que, además de desempeñar una función rítmica, adquieren mayor valor expresivo gracias a una fuerte cohesión interna de doble carácter. Uno, semántico, debido a su pertenencia a un mismo campo (moral), y otra, de estructura interna, derivada de la construcción sintáctica, formada a base de parejas sinonímicas, de las que el segundo elemento léxico es un cultismo. Véase un ejemplo.

"Seyendo Tarsiana en esta *oración*.
Rencurando su *cuyta* e su *tribulación*,
Ouo Dios de la huérfana *duelo* e *compasión*,
E vinol su *acorro* e oyó su *petición*."

(Estr. 384)

4. No faltan ejemplos en que la acumulación de cultismos puede producir cierto efecto pedantesco, que seguramente buscaría el mismo autor, según nos hace sospechar el contexto. Véase la ostentación cultista cuando se muestra la sabiduría de Apolonio, una de sus cualidades más notables. No deja de sorprendernos la soterrada admiración por el hombre culto, trasunto intelectual del héroe épico:

"Ençerrose Apolonio en sus camaras priuadas,
Do tenie sus *escriptos* e sus *estorias notadas*.
Rezo sus *argumentos*, las fazanyas passadas,
Caldeas e *latines* tres o quatro vegadas...
... ...
Cerro sus *argumentos*, dexo se de leyer,
En *laçerio* sin *fruto* non quiso contender."

(Estr. 31-32)

Otra vez advertimos que no se trata de agotar el análisis de las posibilidades expresivas del léxico de *Apolonio*, tema que debe integrarse en un análisis estilístico total. Creemos, no obstante, que los testimonios aducidos más arriba ejemplifican la maestría del poeta y su dominio idiomático. El autor, como Berceo y el poeta del *Alexandre,* no se limita a usar los recursos lingüísticos preexistentes, sino que es capaz de abrir nuevos caminos a la expresividad con la sabia utilización del neologismo culto. Hasta qué punto tal uso es fruto de una formación escolar coincidente con la de otros poetas, o hasta qué otro es genialidad creadora, es difícil determinar. Lo que nos parece indudable es que de ambas motivaciones hay abundantes testimonios y un análisis más completo del léxico, que lo abarcara en su totalidad, lo pondría de manifiesto sin duda alguna.

3.3. *Los cultismos en el Poema de Fernán González.*

Las cuidadas ediciones de Marden [58], Menéndez Pidal [59], Zamora Vicente [60] y Polidori [61] han despejado muchas de las dificultades que el maltratado texto del poema presentaba. Nuestras citas van referidas a la edición de Marden, aun teniendo en cuenta las múltiples correcciones realizadas por Menéndez Pidal.

También los estudios de los mencionados maestros [62] han aclarado múltiples aspectos de las relaciones que unen al *Poema de Fernán González* con las obras de Berceo y especialmente con el *Libro de Alexandre.* Todo ello nos reafirma en la idea de que el léxico participa de los caracteres comunes a las obras anteriores. La fecha de redacción (1240 para Menéndez Pidal, 1250 para Marden) sitúa al poema en el límite cronológico de nuestro trabajo. De todos modos, la diferencia en la datación es de tan escasa importancia que no afecta al fondo de nuestro estu-

---

[58] *Poema de Fernán González, Texto crítico con introducción, notas y glosario,* por C. Carroll Marden, Baltimore, the Jhon Hopkins Press, 1904.

[59] *El Conde Fernán González,* en *Reliquias de la poesía épica española,* publicada por Menéndez Pidal, Espasa-Calpe, Madrid, 1955, páginas 34-180.

[60] *Poema de Fernán González,* Edición, prólogo y notas de A. Zamora Vicente, Espasa-Calpe, Madrid, 1954.

[61] *Poema de Fernán González,* a cura di Erminio Polidori, Giovanni Somerano, Taranto, 1961.

[62] A las citadas en las notas precedentes pueden añadirse, entre los más importantes, las siguientes:

dio. Lo importante es que parece aceptarse por todos la posterioridad del Poema al *Libro de Alexandre* y a las más importantes obras de Berceo, como las *Vidas de Santo Domingo*, de *San Millán, Loores*, etc. [63].

Esta dependencia respecto de las obras anteriores del mester de Clerecía se manifiesta también en el léxico culto utilizado. En efecto, apenas encontramos neologismos originales. Si acaso, alguno escasamente atestiguado, como *estantigua* (33c), 'ejército de demonios o pecados que acompaña a Satanás' y, además, poco representativo por pertenecer su significado de lleno a un lenguaje de escuela. También encontramos alguna formación léxica de escasa fortuna posterior, como *contiença* (37d), 'contienda'.

La distribución en campos semánticos de los cultismos coincide también con la señalada para Berceo y nada nuevo añadiría citar listas de voces pertenecientes a uno u otro campo. El número de cultismos es abundante, como obra que pertenece a la literatura docta, pero no aparece en proporción abrumadora como en Berceo y *Alexandre*.

El cruce de temas de distinto origen nos ha sugerido que quizás fuera interesante hacer una serie de calas en los que proceden de la tradición épico-popular y de la eclesiástica. Menéndez y Pelayo [64] ha señalado episodios pertenecientes claramente a una y otra tradición. También Zamora Vicente [65] lo ha recogido. Aceptando los episodios más característicos nos encontramos con el siguiente resultado:

a)   Episodios de origen épico-popular. Hemos elegido la ven-

— R. Menéndez Pidal, Reseña de la edición del Poema de Fernán González hecha por Marden, en Archiv für das Studium der neueren sprachen, CXIV, 1905, págs. 243-256.

— Idem, *Poesía juglaresca y juglares, Austral*, Madrid, 1924.

— M. Menéndez Pelayo, *Antología de poetas líricos* castellanos, XI, Madrid, 1913.

— María Rosa Lida, *Notas para el texto de Alexandre y para las fuentes de Fernán González*, en RFH, VII, Buenos Aires, 1945, págs. 47-51. L. F. Lindley Cintra, *O Liber Regum fonte comun do Poema de Fernao Gonçalves e do Laberinto de Juan de Mena*, Bol. de Fil., Lisboa, XIII, 1952, págs. 289-315.

[63]   V.C.C. Marden, op. cit., págs. XXXI-XXXVI.

[64]   V. Menéndez y Pelayo, op. cit., pág. 299.

[65]   V. Zamora Vicente, op. cit., págs. XXII-XXVI.

ta del azor y del caballo (coplas 564-576) y la tradición de Cirueña (coplas 576-600). En el primero encontramos las siguientes voces: *fiuzia, diablo, ditada* (una carta...), *falso, ditado, gentes, ynfançones, falsar, ermita, yglesia, presión* y *altar*. En el segundo aparecen: *presión, culpa, Cryador, natura* y *gentes*.

Obsérvese que, salvo alguna excepción *(altar, culpa, natura)*, todos son semicultismos y además aparecen en muy escaso número. La proporción del cultismo se halla más cerca de la observada en el Poema del Cid que en Berceo.

b) Episodios de origen eclesiástico. Elegimos el de las donaciones en San Pedro de Arlanza. Allí encontramos: *graçias, maravylla, medio, cristianos, fino, Alexander, Pero, pepiones, guarniçiones, marfyl, preçiados, altar, ganançia, Deogratias, gentes* y *cruzados*. El segundo episodio es el de la visita del Conde a Arlanza (coplas 390-416): *ermita, fynado, devoçión, oraçión, petyçión, ocasión, serviçio, lazerio, viçio, sacrifiçio, cristianos, volliçio, diablo, sy(e)glo, defender, oryente, vegilia, Dios, Criador, alto* 'noble, elevado', *apóstol, visión, ángeles, cruz, culpa, vesyeblemente, oçidente, aquilón, Sansón, vestyón, Jesu Cristo*.

Dos observaciones se concluyen de las nóminas anteriores. Una, formal, la abundancia de cultismos plenos en los episodios de origen eclesiástico, frente a las predominantes formas semicultas en los de inspiración épico-popular. La otra, de carácter semántico, armoniza perfectamente con la precedente, y es el carácter más profesional de los cultismos incluidos en el primer grupo, como corresponde a la fuente escrita en que están basados los episodios. Puede observarse que el núcleo principal está formado por las voces eclesiásticas de origen litúrgico o devoto.

Es, comparativamente, el Poema de Fernán González más pobre en cultismos que las restantes obras del mester de clerecía, dentro de la abundancia relativa que hay en todas ellas. Nos referimos no sólo a pobreza cuantitativa (número y proporción de cultismos), sino también a un aprovechamiento notablemente inferior de las posibilidades expresivas, que hemos visto en las obras precedentemente analizadas. Sólo excepcionalmente podríamos ejemplificar usos estético-expresivos semejantes a los señalados en Berceo, *Apolonio* y *Alexandre*. Ello nos plantea un tema que está siempre en la raíz primera de la intersección de lengua y literatura. ¿Inferior cultura del clérigo? ¿Condicionamiento temático? ¿Adecuación —consciente o inconsciente— al carácter épico-docto del poema? Difícil es determinarlo. Probablemente cualquiera de las respuestas habría de tener en cuenta que la obra literaria y su expresión idiomática es siempre la culminación de un proceso histórico-cultural, síntesis en definitiva de los complejos factores que intervienen en la creación artística. En todo caso, el léxico como elemento esencial de la comunicación idiomática, refleja el ámbito en que la obra ha nacido. El *Poema de Fernán González* es, pensamos, una buena muestra de ello.

CONCLUSIONES

1. *Los problemas del cultismo.*

Américo Castro y Dámaso Alonso han señalado repetidamente la necesidad de iniciar la historia del cultismo. Casi la mitad de nuestro léxico es de origen culto, pero su interés no deriva sólo de su elevado número —que en todo caso debería ir relacionado con un índice de frecuencia—, sino de la índole misma de estas voces. Los cultismos no son sólo palabras caracterizadas por un determinado aspecto formal, sino que poseen una serie de rasgos (etimológicos, semánticos, expresivos, etc.) que los individualizan frente al vocabulario de origen vulgar. En realidad, la historia del cultismo es en buena medida la historia de los factores sociales, culturales y estéticos que han conformado la naturaleza misma de nuestro idioma.

1.1. El cultismo es un préstamo que, como tal, participa de los caracteres generales con que se produce este fenómeno y, al mismo tiempo, posee unos rasgos específicos. Entre éstos es preciso subrayar los siguientes: a) casi todos proceden del latín, es decir de la misma fuente que ha proporcionado la mayor parte del léxico general; b) poseen todos una relevancia significativa como consecuencia de la riqueza cultural de sus contenidos; c) su historia se ha reflejado casi siempre en la peculiar estructura de su significante; d) el cultismo refleja la vida cultural de una comunidad enmarcada en las especiales circunstancias históricas que han motivado su integración en la lengua.

El concepto de cultismo ha de ser así esencialmente dinámico porque su integración se produce como consecuencia de tensiones culturales e idiomáticas que son por naturaleza cambiantes. El concepto de cultismo puede ser considerado dentro de una época concreta o bien en la historia de la lengua. En general, puede afirmarse que el cultismo es una clase especial de préstamos caracterizada por la posibilidad de establecer una relación de cualquier tipo (etimológico, fonético, semántico, estético, etc.), con su origen a través de las circunstancias histórico-culturales que lo han motivado.

1.2. Existen dos grados formales: el cultismo y el semicultismo. En principio ambos grados vienen caracterizados por el aspecto formal del vocablo, pero están motivados por muy diversos factores, entre los que destacamos los siguientes: a) por una diferencia de intensidad en la presión cultural que los ha motivado; hay que subrayar que la creación individual estético-expresiva tiende a consolidar el cultismo pleno, mientras que el influjo cultural de alcance general favorece el semicultismo; b) por la época de introducción, a lo que corresponde el hecho de estar o no consumadas determinadas tendencias evolutivas; c) por el estrato socio-cultural que los integra; d) por la historia posterior de los movimientos culturales y estéticos (latinizantes y populizadores) que con frecuencia producen efectos de regresión etimológica o de extrema acomodación formal; e) por la índole de los necesarios fenómenos de adaptación al integrarse en el romance; f) por la índole del significado y de las relaciones significativas que la palabra establece en el enunciado.

1.3. Entre los diversos criterios de determinación de cultismos hemos tenido especialmente en cuenta los que se detallan a continuación.

1.3.1. Criterio fonético. Es el signo exterior más notable, en cuanto que una evolución "anómala" indica siempre la existencia de motivaciones específicas, entre las que puede hallarse el influjo culto.

1.3.2. La índole del significado. Tiene tres aspectos:

a) determinar si el contenido nocional es de carácter popular o culto; b) indicar si en la fecha de penetración existía o no otro término de contenido significativo igual o semejante al del neologismo; c) fijar el tipo de relaciones léxicas en que se integra el cultismo.

1.3.3. Ambiente socio-cultural de procedencia. Es criterio muy útil porque la pertenencia a un determinado ámbito socio-cultural nos indicará sin duda su carácter culto.

1.3.4. Campo semántico en que se inscribe tras su integración en el romance. Tal hecho puede determinar su pervivencia como elemento culto o su popularización semántica e incluso fonemática.

1.3.5. Pervivencia de la voz culta. Han de ser tenidas en cuenta las documentaciones posteriores a su primera datación, que son muy significativas y caracterizadoras de una trayectoria culta o popular.

1.4. Períodos de introducción de cultismos. Hemos establecido para toda la historia del idioma una serie de períodos fundamentales de entrada de cultismos, aunque no ignoramos que en realidad tal proceso tiene un desarrollo constante. En síntesis son los siguientes:

1.4.1. Epoca de orígenes. Los cultismos se emplean casi exclusivamente por una clase social docta y su penetración en el habla general de escasa, salvo en el caso de voces semicultas existentes desde la aparición del romance. En su mayor parte pertenecen a dos esferas significativas: a) jurídica y de cancillería; b) eclesiástica y litúrgica.

1.4.2. Comienzo de la creación literaria. Cambia el sentido de la comunicación idiomática latino-romance. La introducción de cultismos se inscribe en el proceso de depuración del latín y de secularización de la cultura señalado por Menéndez Pidal. El número de cultismos plenos comienza ya a ser notable.

1.4.3. Hasta la época alfonsí. A los valores significativos peculiares del cultismo vienen a añadirse los usos expresivos característicos de la lengua literaria. Su integración depende ya en gran medida de la creación artística. Por ello distinguimos las siguientes fases: a) la lengua de los cantares de gesta; b) la lengua de los catecismos político-morales y de las primeras obras en prosa; y c) la lengua poética del mester de Clerecía.

1.4.4. La época alfonsí. El nuevo concepto de la lengua que aporta la actividad cultural del Rey Sabio facilita la penetración de neologismos, que suelen ser de tipo científico y jurídico más que literario. Se caracterizan estos cultismos por la fidelidad a la forma etimológica, con escasa adaptación formal, debido a que todavía no han alcanzado gran difusión.

1.4.5. El siglo xiv. Disminuye la incorporación de cultismos, al menos en su primera mitad. En cambio, puede observarse un empleo muy consciente en la lengua literaria. La obra del Canciller Ayala representa una revitalización del cultismo, tanto por la incorporación de nuevas voces como por su uso reflexivo y el proceso de selección a que los somete. A fines de siglo la actividad de los letrados de la época de Enrique III y de los primeros poetas del Cancionero de Baena crean un nuevo lenguaje pedantesco en el que se introduce un notable número de cultismos.

1.4.6. Epoca humanista. Los cultismos penetran en aluvión desde Villena a la Celestina, oponiéndose violentamente lenguaje docto y lengua popular (Cf. *El Corbacho*). Junto a la introducción de nuevas voces se reintroducen otros ya utilizados por Berceo. En general, son cultismos plenos, con frecuencia adaptados al romance.

1.4.7. Desde el Renacimiento al siglo xviii. Penetran menos cultismos nuevos, pero se acomodan e integran muchos de los introducidos en el siglo xv. Su empleo y difusión depende ya en gran medida de la evolución estética. Desde el manierismo herreriano al barroco gongorino el cultismo sigue la línea del sentimiento artístico. La obra de Góngora marca la cumbre del rendimiento expresivo del cultismo en la lengua literaria.

1.4.8. Desde el siglo xviii a nuestros días. Con la fundación de la Academia se inicia un proceso de fijación del idioma. La crisis del latín en esta centuria no impide que se le siga tomando como fuente de neologismos, especialmente de carácter científico, filosófico, político, económico, etc. El tecnicismo —variante específica del léxico culto— comienza a penetrar sistemáticamente.

2.   La introducción de cultismos.

2.1.   La introducción de cultismos se basa en el concepto de afinidad lingüístico-cultural existente entre una lengua materna y su derivada romance. La capacidad para trasvasar cultismos depende tanto del papel asignado al latín en un determinado ámbito histórico cultural como del estado de lengua del romance.

2.2.   En la época de orígenes el helenismo penetra a través del latín. Son muy escasos los helenismos documentados antes del mester de Clerecía, pero ya en el *Libro de Alexandre* aparecen con cierta intensidad. No obstante, todos ellos han penetrado a través del latín, por lo que el proceso de comunicación idiomático que los integra es idéntico al producido por los cultismos latinos.

2.3.   Para analizar el proceso de introducción de cultismos es necesario deslindar el carácter de las relaciones entre latín y romance. En este sentido, distinguimos dos períodos perfectamente diferenciados: a) época de orígenes, en la que la dualidad idiomática va configurando un léxico propio del latín y un léxico patrimonial. Ambos se hallaban en constante intercomunicación y, como consecuencia, penetran cultismos en el léxico general, tal como lo reflejan los documentos notariales; b) a partir del siglo XI se acelera el proceso de diversificación latino-romance. El fenómeno se caracteriza por la progresiva aparición de dos dualidades; una lingüística y otra cultural, a medida que se enriquece el universo intelectual del hombre de la Edad Media. El modo de inserción de cultismos en el momento en que comienzan a aparecer las estructuras léxicas en la lengua literaria romance es forzosamente diferente al de la época anterior.

2.4.   En la época de orígenes los cultismos ofrecen las si-

guientes características: a) una gran vacilación formal, no sólo
por penetrar en épocas primitivas de la historia del idioma,
sino porque aunque en el siglo xi muchas tendencias evolutivas se habían consumado, seguían activas, con capacidad de
obrar sobre nuevos vocablos. De aquí el predominio del semicultismo en el aspecto formal; b) las voces cultas se insertan
con cierta facilidad en el sistema léxico, vacilantemente constituido todavía. Así nos lo muestra la abundancia de derivados que estos cultismos ofrecen en seguida, con la correspondiente vinculación a categorías y funciones gramaticales que
el primitivo no tenía, y su inmediata variación nacional. Hemos documentado los mismos casos de composición y derivación que en las palabras tradicionales; c) por su distribución
semántica, los cultismos pertenecen preferentemente a los campos eclesiástico y jurídico. Ello nos revela que el modo de penetración del latín en el romance se realizaba en dos direcciones: eclesiástica y notarial. En este sentido, el cristianismo
es un importantísimo factor de enriquecimiento del léxico romance desde los primeros tiempos; d) la fluidez de la comunicación latino-romance en esta época hace que apenas apa-
rezcan colisiones sinonímicas, como consecuencia del neologismo. Salvo excepciones, estos cultismos no modifican el estado
de lengua en que se inscriben, al ser el resultado de una convivencia idiomática que tiene lugar más que entre dos lenguas,
entre dos planos de la lengua. Por eso pensamos que en la
época de orígenes el cultismo no debió de sentirse nunca como
un neologismo extraño al propio sistema.

2.5.   Desde la iniciación de la literatura cambia el sentido de la comunicación latino-romance, puesto que nace una
nueva norma idiomática. A ello se añade un fenómeno de capital importancia: la secularización de la cultura, tal como ha
señalado Menéndez Pidal. El desarrollo literario exige de la
lengua una mayor capacidad nominalizadora y ello provoca la
penetración de neologismos cultos en apreciable número. Si-
multáneamente, la ampliación del universo espiritual del hombre medieval facilita la integración de tales cultismos en la
lengua general.

2.6.   El primer problema que plantean estos cultismos es

el de señalar el momento en que deben considerarse plenamente integrados en la lengua general. En este sentido es de importancia capital indicar el grado de adaptación formal al romance, con sus posibilidades léxicas (composición, derivación, etc.), morfológicas (incorporación de los morfemas gramaticales correspondientes a su categoría léxica), funcionales, etc. En el siglo XIII encontramos ya testimonios de las amplias posibilidades fonemáticas y semánticas proporcionadas por la introducción de cultismos.

2.7. El mundo musulmán es asimismo vehículo de penetración de cultismos, especialmente a través de la lengua de los mozárabes. La mayor parte son de tipo eclesiástico-litúrgico y coinciden con las voces documentadas en los primeros testimonios castellanos. Ello nos revela su pertenencia a un fondo cultural común. Al lado de estas voces, hay que señalar un numeroso grupo de cultismos y semicultismos en nombres de plantas, que se integraron en el habla general.

3. *Los problemas semánticos del cultismo.*

3.1. La integración de cultismos provoca problemas semánticos de dos tipos: a) modificación del sistema léxico por la introducción de un neologismo culto; b) reajuste de las relaciones léxicas por la penetración de cultismos que tenían ya su correspondiente doblete, del que le puede separar bien una distinción significativa central, bien su entorno semántico. Reduciendo a esquema tales problemas, encontramos los siguientes casos: 1. No concurren con otra forma. 2. Concurren con otra forma. 3. Concurrencia con un par románico. 4. Concurrencia con un sinónimo de diferente origen etimológico. A cada uno de estos casos corresponden una serie de situaciones peculiares que nos han llevado a establecer las conclusiones siguientes.

3.1.1. No concurren con otra forma. El hecho semántico más notable que presentan estos cultismos es la ausencia de motivación o, como dice Ullman, el no ser analizables para el que no sabe latín. Su introducción obedece a exigencias de la comunicación y, por ello, la latinización viene a llenar los vacíos léxicos que aparecen en una lengua que comienza a ser vehículo expresivo de contenidos culturales amplios. La mayoría de los cultismos introducidos a través del mester de Clerecía corresponden a una exigencia de léxico, con lo que coinciden en la creación idiomática un ideal estético latinizador y una exigencia interna de la propia lengua.

3.1.2. Cuando concurren con otra forma pueden suceder dos soluciones: a) coexistencia de los dos términos, y en este caso aparecerá un matiz de orden social o estético, o bien el uso de uno u otro dependerá de ciertos contextos expresivos; b) colisión entre ambos, con una posible doble consecuencia: que se produzca una diferenciación semántica intensa, o bien la eliminación de uno de los términos.

3.1.3. En el caso de los dobletes sucede muy frecuentemente una distinción semántica o expresiva. Tal distinción se apoya a veces en la capacidad de la voz culta para recoger un significado etimológico perdido en el tránsito de la evolución fonética (cf. *luminaria/lumbrera*). También puede ocurrir que la repugnancia del sistema a la sinonimia exija una polarización de significado que puede afectar tanto al derivado culto como al popular. Pero creemos que esta polarización no actúa sólo por una dinámica interna del sistema, sino condicionada por las especiales circunstancias histórico-culturales que cada vocablo vive a partir de su inserción en el idioma. Cuando la colisión se produce encontramos diversas soluciones: a) eliminación de la voz culta (*ax/eje*); b) eliminación de la voz popular (*tributo/treudo*); c) pervivencia de los dos términos pero reducidos ambos a un contexto restringido y sustituidos por otra voz (*laudar/loar*, sustituidos comúnmente por *alabar, elogiar*); y d) eliminación de la voz popular y de la culta y sustitución por un término nuevo (*antenado - alnado - añado*, sustituidos por *hijastro*).

3.1.4. Cuando el cultismo concurre con un sinónimo de diferente origen etimológico la carencia de relación formal hace que la diferenciación estilística vaya ligada al valor evocador de cada uno de los términos sinónimos. La aparición de esta sinonimia se relaciona con el enriquecimiento de los campos semánticos peculiares de cada momento cultural. Es rica en el ámbito de la sociedad guerrera del siglo XII; va cambiando de signo y desplazándose hacia el mundo de los valores morales a fines de la centuria y en la siguiente, como nos muestra el léxico de los catecismos político-morales.

3.2. El ambiente de procedencia de los cultismos introducidos antes de 1252 es de tres clases: a) *latín eclesiástico,* con dos etapas de influencia, la anterior y la posterior a la relatinización cluniacense; b) *ambiente jurídico,* con su tensión entre corrientes popularizadoras y movimientos latinizantes; y c) *ambiente escolar.*

3.3. Hemos distinguido cinco grandes campos semánticos en los que se integran los cultismos estudiados en nuestro trabajo: a) términos eclesiásticos y religiosos; b) conceptos teológico-filosóficos; c) el mundo de la Moral; d) voces jurídicas y administrativas; y e) cultismos escolares y científicos. La amplitud de cada uno de estos campos es distinta y varía también con la época considerada. Creemos que la importancia de cada uno de ellos refleja de modo directo el predominio de determinadas corrientes culturales, e incluso la transformación que experimenta el hombre medieval entre los siglos XI y XIII.

4. *Los cultismos en el siglo* XII.

4.1. Con el análisis de los primeros monumentos literarios el estudio del cultismo cobra toda su profunda dimensión. Para observar su significado en el siglo XII se ha extraído el material léxico de obras pertenecientes a los grandes géneros literarios: a) épica, a través del *Poema del Cid;* b) lírica, en la *Disputa del alma y el Cuerpo* y en la *Razón de Amor;* c) poesía narrativa culta, en el *Libre dels tres reys d'Orient* y en la *Vida de Santa María Egipcíaca;* d) teatro, a través del fragmento conservado del *Auto de los Reyes Magos;* y e) prosa no literaria, en los documentos publicados por Menéndez Pidal.

4.2. En el siglo XII los específicos estados de lengua del latín y del romance se caracterizan por una progresiva delimitación de sus diferencias. Así, el préstamo culto se debe en esta época a dos fuentes distintas: una, la semitradicional, representada no sólo por los cultismos de los documentos, sino también por el conjunto de voces que se van integrando en el romance como consecuencia del contacto directo entre el pueblo iletrado y las capas sociales más cultas. Otra, más tardía, la del latín literario que, recobrada su vitalidad y pureza, prestó directamente muchas palabras al romance literario o semiliterario. Se trata por tanto de una bifurcación de la comunicación idiomática a niveles superiores de los hasta entonces establecidos. Producto de esta nueva corriente es la penetración de cultismos ya en el *Poema del Cid* y, sobre todo, en la *Vida de Santa María Egipcíaca*.

4.3. En el *Poema del Cid* la proporción de cultismos no es elevada. Salvo en la oración de doña Jimena, por tratarse de una versión de la "oración de los agonizantes", no encontramos un solo ejemplo de acumulación cultista. El grado de adaptación formal es notable, lo que revela la fuerte integración del cultismo usado por el juglar en el habla general; ello nos indica que no existe intención innovadora sino una máxima asimilación de las posibilidades idiomáticas preexistentes, de acuerdo con el carácter de creación colectiva que tiene la poesía épica. Así se ha observado que los cultismos del Cantar no ofrecen casos de conservación de grupos fonéticos que hubieran chocado con el sistema fonemático del romance en el siglo XII. No encontramos casos de conservación de -*i*, -*u* finales; están ausentes cultismos con conservación del grupo -*ct* que, en cambio, aparecerán con cierta frecuencia a partir de la centuria siguiente. Raro es el hallazgo de cultismos que mantengan los grupos -*rs*, -*pt*, -*cs*, -*ult*, es decir, aquellos grupos consonánticos más extraños en el estado de lengua de la primera mitad del siglo XII. En este punto la contribución del *Poema del Cid* al hallazgo de posibilidades fonemáticas nuevas a través del cultismo es prácticamente nula.

El uso casi general de los cultismos del Cantar se refleja en su pervivencia histórica. El hecho de que muchos de ellos se documenten por primera vez en el Poema no es más que el resultado de ser el viejo Cantar la culminación de una tradición literaria anterior de la que no han quedado textos. La pervivencia, casi sin excepción, de los cultismos hasta el habla actual, nos muestra el enraizamiento del lenguaje épico en el habla general.

La distribución semántica de los cultismos usados por el juglar muestra un máximo en cantidad e intensidad en dos campos: el litúrgico-eclesiástico y el jurídico. Incluso puede observarse que los términos de ambiente eclesiástico pertenecen a un universo significativo muy limitado. Estos cultismos son los menos "doctos" en el sentido de que apenas hacen referencias a nociones de carácter intelectual. La ausencia de tecnicismos eclesiales es casi absoluta. Pobre representación hay de voces morales y escolares.

Todo lo anterior nos revela que los cultismos o semicultismos del Poema son predominantemente de influjo eclesiástico o administrativo, pero consecuencia de contacto con situaciones vitales y no de influjo libresco o literario latino.

El análisis de los cultismos en su contexto expresivo nos ha mostrado, en fin, el tímido comienzo de su empleo estilístico, que no alcanza un mayor desarrollo hasta la clerecía del siglo XIII. Entre esos valores estéticos del léxico culto hemos detectado ejemplos con diversa función expresiva: intensificación del contraste, ponderación cualitativa y cuantitativa, la evocación de un ambiente de magnificencia, la construcción de frases formularias, etc.

4.4. Aspecto radicalmente distinto al del viejo Cantar lo ofrecen los cultismos del *Auto de los Reyes Magos*. Aquí sí puede observarse una actitud cultista, como nos lo revela la existencia de términos escolares, justamente los que faltan en el Poema, lo que armoniza perfectamente con el fenómeno de latinización del romance que hallamos en el Auto. El tipo de cultismos refleja el proceso de culturalización de la literatura a fines del siglo XII y —lo que es más importante— el testimonio de una corriente francófila y latinizante que, presente tímidamente en el Cantar del Mio Cid, adquiere fuerza y desarrollo en el siglo XIII.

5. *Los cultismos en la época de transición literaria del siglo* XII *al* XIII.

Sin atenernos a un rigorismo cronológico absoluto —difícil por otra parte de determinar— hemos analizado una serie de textos que marcan perfectamente la transición entre la lengua literaria de una y otra centuria. En este aspecto hemos hallado varias obras que señalan claramente la culturalización progresiva de nuestra creación literaria, tal como nos lo revela el análisis de su léxico: *la Razón de Amor,* el *Libre dels Tres Reys d'Orient* y *la Vida de Santa María Egipcíaca.*

5.1. El signo más visible de la integración en una época cultural nueva es la aparición de unos textos de carácter escolar en los que se advierte la lucha entre una intención culta y la ausencia de tradición en que apoyarse. De aquí las traducciones, como la *Disputa del alma y el cuerpo* o las versiones como la *Razón de amor,* cuyo léxico se integra en el propio de los diversos estratos sociales y profesionales, sin carácter innovador alguno. En estos casos el uso de cultimos está ligado casi exclusivamente a influencia eclesiástica y escolar, asomando por vez primera este último ambiente como fuente de cultismos.

5.2. A medida que avanzamos en el siglo XIII vemos intensificarse el empleo de cultismos en la obra literaria. Dos textos —el *Libre dels tres Reys d'Orient* y la *Vida de Santa María Egipciaca*— ejemplifican un ideal literario integrador de lo culto en lo popular y viceversa. El primero significa un paso limitado pero importante en el desarrollo del léxico culto: la consolidación de los elementos cultos preexistentes, como paso previo a unas mayores posibilidades de utilización de recursos doctos que revelen la entrada en el nuevo mundo cultural del siglo XIII.

Carácter inverso tiene la *Vida de Santa María Egipciaca.* Se trata ahora de un acercamiento a lo culto desde lo popular. Los resultados son parecidos: gran abundancia de cultismos —casi un veinte por ciento del léxico— pero escasa capacidad innovadora. El Poema revela más deseos de poeta cultista que capacidad de integración. Por eso, los cultismos se incluyen en los campos semánticos con mayor tradición docta: eclesiástico-litúrgico, moral y jurídico-administrativo, aunque, como obra de transición, con una apreciable presencia de elementos escolares. Se sitúa así la *Vida de Santa María Egipciaca* en una difícil e inestable posición cultural. De un lado, incorpora a su léxico una notable cantidad de voces cultas, cuyo grado de adaptación formal revela la raíz juglaresca de su arte. De otro, observamos constantemente la presencia de una conciencia culta. La tensión entre ambas corrientes, no siempre armónicamente resuelta, abre, en cambio, la puerta al espléndido florecer cultista del mester de Clerecía. La diferencia consiste en que Berceo sí sabe distinguir muy bien lo que pertenece a una u otra corriente, con lo que los recursos expresivos del cultismo se convertirán ya decididamente en instrumento importante de su intencionalidad estética.

6. *Los cultismos en la prosa jurídica y administrativa.*

Ofrecen un gran interés porque, como se ha dicho repetidamente, los documentos y fueros reflejan la misma vida cotidiana y, a su lado, lo que hay de técnica material, de falsilla fosilizada. Son, en conjunto, el testimonio constante de la relación directa entre vida y cultura, aun con el desigual valor lingüístico de documentos y fueros.

6.1.   El fenómeno más interesante de este tipo de lengua es el que marca fuertemente la transición del siglo XII al XIII, tal como aparece en los documentos anteriores a 1200 y en el *Fuero de Madrid*, escrito en su mayor parte antes de 1202: la mezcolanza de latín y romance. En los documentos se observa el proceso de penetración del romance en las estructuras léxicas y morfosintácticas del latín, y también el fenómeno inverso. De aquí deriva una gran abundancia de semicultismos. La erosión fonética actúa intensamente sobre los neologismos como un fenómeno paralelo al de la ultracorrección, que Menéndez Pidal ha señalado como característica esencial de la lengua de los documentos. El mundo nocional de los cultismos es muy limitado: casi exclusivamente voces eclesiástico-litúrgicas y jurídico-administrativas, pero, en cambio, aparecen en elevado número.

El signo más claro del carácter transicional de los documentos es la contienda formal que presenta este tipo de palabras, consecuencia de la coincidencia de normas diferentes: romanceamiento y relatinización (Cf. *fratres/frades; patrimonio/padrimonio*, etc.). Al lado, comprobamos la aparición de "exotismos" cultistas (*cenobio, contracto, confuso, donativo, electo, famulario, subscriptiones*, etc.), que tardaron largo tiempo en ser asimilados por la lengua. En síntesis, el léxico de los documentos revela la difícil situación en la que una lengua "profesionalizada" va convirtiéndose en romance, pero penetrada de la tradición latinizante.

De la misma forma, también el *Fuero de Madrid* es un precioso testimonio de la profunda transformación que se está operando en el léxico en el tránsito de los siglos XII al XIII, con la incorporación de voces cultas al proceso creador de la lengua: alternancia de formas latinas y romances (cf. *calumpna/calonnia; pignorar/pendrar; superbia/soberbia; testimonio/testemunias;* etc.) junto a originalidades léxicas (cf. *desposorio, petición, pesquisitor*, etc.)

6.2. Los *Fueros de Soria* y de *Sepúlveda* revelan un estado de lengua más avanzado. En ellos se nota ya decididamente un propósito generalizador. Los campos semánticos en que se integran los cultismos son más variados y junto a lo eclesial y jurídico, encontramos ampliamente representado el mundo de la moral y aun el escolar. Pero el hecho más notable es la facilidad con que se generalizan los neologismos cultos. Así los fueros, como los documentos, ocupan una posición clave en el proceso integrado de léxicos profesionales, procedentes del mundo de la Iglesia y del Derecho, en el habla general. Los documentos, con un horizonte nocional más limitado, y los fueros, intentando comprender toda la vida material del hombre, exigieron un caudal léxico que enriqueció considerablemente al romance.

6.3. La prosa jurídica y administrativa refleja una realidad inmediata para el hombre medieval y, por tanto, su léxico, enquistado en una expresión técnica de raíz latinizante, va perdiendo su aspecto de "clisé" arcaizante. Se integra así de forma gradual en la lengua de uso general. El frecuente empleo de los cultismos nos muestra la seguridad con que se los asimila. Si es verdad que los cultismos brillantes y exóticos necesitaron para su integración el impulso decidido de enérgicos movimientos culturales, no es menos cierto que otros, los que se hallaban arraigados en el cotidiano vivir, aun proporcionados por la lengua de los doctos, se adaptaron con relativa facilidad. Así creemos probarlo en nuestra nómina de cultismos.

7. Los cultismos en la prosa didáctica.

El conjunto de textos elegidos abarca temas distintos que se reflejan en una notable diversidad del léxico culto. Hemos estudiado un modesto penitencial —Los Diez Mandamientos—, una serie de catecismos político-morales, un itinerario bíblico —La Fazienda de Ultramar— y una obra historial —el Liber Regum—, que ofrecen un muy limitado interés literario, pero, en cambio, un gran valor lingüístico, puesto que el caudal léxico culto es muy considerable.

7.1. Los catecismos político-morales ejemplifican perfectamente el mundo cultural de la época de Fernando III el Santo, en el que se toma conciencia de la importancia del quehacer intelectual. La escuela del mester de clerecía y, sobre todo, la labor de Alfonso X el Sabio, hallaron una buena parte de sus recursos lingüísticos en la penosa andadura de los Catecismos.

Hemos intentado mostrar, en efecto, el considerable avance que suponen los catecismos en el uso de un vocabulario escolar y científico. El Bonium, la Poridat de las poridades y el Libro de los Buenos Proverbios ofrecen como novedad en nuestra creación romance un vocabulario innovador en este campo. Esto nos hace pensar que el proceso de culturalización literaria y científica estaba ya decididamente en marcha a principios del siglo XIII. La capacidad de empleo de léxico culto

que revelan estos catecismos parece ser la base sobre la que
se apoya el importante progreso de la lengua a mediados de
la centuria. Este esfuerzo creador de léxico científico tenía
como fuente la lengua latina, abriendo el camino y señalando
criterios para la obra de Alfonso X el Sabio. No es descabellado pensar entonces que la existencia de gran número de
cultismos científicos en los catecismos supone una corriente,
también científica, anterior a la obra alfonsí. Al menos, habrá que tener en cuenta la presencia de una inquietud cultural y científica que se va gestando a lo largo del siglo XIII y
que va concretándose en ricos hallazgos culturales: la obra
literaria del mester de clerecía, la aproximación de la juglaría y del arte del clérigo, la obra, en fin, conscientemente científica del Rey Sabio.

La distribución semántica de los cultismos nos ha revelado
el verdadero alcance de estos catecismos. Destinados en general a un público minoritario (confesores, reyes, gobernantes...) fueron propagadores de una lengua culta ampliando el
campo de hablantes y la frecuencia de uso. Prácticamente todo
el mundo de la moral tiene expresión en ese variado repertorio de cultismos utilizados por los redactores respectivos.

Su aportación al léxico romance alcanza límites más amplios que los de la moral y la escuela. Otras veces es el léxico
cancilleresco y administrativo el que caracteriza a la obra. Así
otra esfera del habla profesional alcanza virtualidades genera-
lizadoras. Del mismo modo, se integran en la lengua escrita
palabras eclesiásticas de doble origen: unas, acuñadas ya por
el habla general gracias al contacto directo con el lenguaje
litúrgico; otras, de contenido teológico-filosófico, tomados de
la lengua escrita, pero también de clara adscripción eclesiástica.

7.2. Son los catecismos el modo de enlace entre dos culturas: a) la de origen arábigo, cuyo prestigio e influencia se
intensifica en el siglo XIII; b) la tradición latinizante de procedencia europea que pugna por expresarse en romance. La
floración del cultismo marca el rumbo de nuestra tradición
cultural a partir de este momento. Es muy posible que el criterio lexicográfico de Alfonso X el Sabio tenga sus preceden-

tes en la tradición neológica que aportan los catecismos político-morales, al menos en la capacidad que estos poseen para incorporar y difundir cultismos. Piénsese que había una verdadera contienda normativo-cultural entre árabe y latín. En la obra alfonsí el árabe entra donde no había tradición latino-eclesiástica pero no donde la había, como la moral y la filosofía. Los catecismos son su precedente inmediato.

7.3. Desde el punto de vista de la integración en el romance, el léxico culto de los catecismos ofrece escasas variaciones formales. Existen más frecuentemente en los cultismos escolares y científicos, lo que revela el carácter innovador de estas voces y las consiguientes dificultades integradoras con que el redactor se mueve en una tradición apenas nacida. El resto de los cultismos se caracteriza, en cambio, por su fijeza formal y semántica. Este rasgo capital —común a todos los catecismos político-morales estudiados— responde a una actitud caracterizada por el rigor intelectual que penosamente va abriéndose paso a lo largo del siglo XIII y que veremos plasmarse orgullosamente en los pretenciosos versos del *Poema de Alexandre*.

7.4. La *Fazienda de Ultramar* constituye un interesante testimonio del movimiento cultural que caracteriza la transición del XII al XIII. Nos hemos detenido en su datación porque el léxico culto que allí aparece no puede situarse en otra época que en la que aquí estamos caracterizando. El texto ofrece una gran riqueza de cultismos repartidos con cierta regularidad en los distintos campos semánticos que hemos venido analizando. En especial, el ambiente eclesiástico y el escolar han proporcionado un considerable caudal de voces, lo que nos hace conectar con la caracterización léxica de los catecismos político-morales, que hemos realizado líneas más arriba. También coincide con éstos en el uso de un vocabulario administrativo fuera de su marco temático peculiar, lo que nos prueba la penetración de este tipo de léxico en el habla general.

Quizá sea lo más interesante señalar que todo este rico caudal de cultismos ofrece —también como los catecismos— un alto grado de adaptación formal. Incluso las innovaciones léxicas aparecen con escasas vacilaciones formales; esto nos hace pensar que la *Fazienda de Ultramar* entronca muy directamente con una recién nacida corriente de biblias romanceadas, de las que es uno de los más antiguos testimonios.

7.5. El *Liber Regum* es, por último, una obra historial que, como tal, se despega temáticamente del resto, pero la hemos incluido porque revela una redacción docta, coincidente con la tradición genealógica de los textos bíblicos, y un léxico culto que obedece a los esquemas semánticos señalados para las restantes obras de la época. Su léxico culto revela el difícil equilibrio entre una cultura expresada en latín y otra que pugna por abrirse paso y crearse los medios para su adecuada expresión en romance.

7.6. En conjunto, debemos advertir que el vocabulario culto del siglo XIII antes de la obra alfonsí, se crea en dos grandes áreas del quehacer intelectual: la que representan los Catecismos político-morales, de gran valor lingüístico pero no literario y, por ello, con menor capacidad de difusión, y la que se halla presente en al obra del mester de clerecía, cuya virtualidad integradora se encuentra decisivamente potenciada por las calidades literarias que contienen. Ambas corrientes son inseparables porque, en definitiva, obedecen a un proceso complejo en el que tanto influye el genio individual como la lenta potenciación creadora que procede de un vigor intelectual penosamente elaborado.

8. *Los cultismos en la obra del mester de clerecía.*

El mester de clerecía, incorporando los temas doctos a la literatura romance, transforma el panorama cultural de la Edad Media. El proceso es muy rápido y tiene no sólo fértiles consecuencias literarias, sino también trascendentales efectos idiomáticos, especialmente en lo que se refiere al léxico. Realiza el mester de clerecía de modo consciente una labor de culturalización lingüística. Al adoptar el romance como medio de expresión, la misma literatura docta hubo de transformarse en buena parte. No se trata de un mero cambio de idiomas —latín por romance— sino de adecuarlo a una nueva mentalidad. Porque los poetas de clerecía fueron conscientes de la naturaleza de esa transformación, su obra alcanzó la virtualidad literaria e idiomática con que hoy se la valora. Tal mutación se apoya en los siguientes factores: a) la distinta actitud del poeta épico y del clérigo; b) la variedad y la novedad de los temas, que exigen un léxico más amplio; c) la nueva conciencia de la maestría del artista; d) la fidelidad a la fuente escrita; e) los condicionamientos "no artísticos" de la obra literaria, etc., etc. Todos estos factores, más el genio individual de poetas como Berceo, confluyeron para hacer posible la creación de un léxico nuevo, incorporando sistemáticamente el neologismo culto a la lengua romance.

Hemos mostrado cómo se produce este proceso a través del estudio del cultismo en la obra de Berceo, *Libro de Apolonio, Libro de Alexandre* y *Poema de Fernán González*. A continuación resumimos a grandes rasgos las principales conclusiones obtenidas.

8.1.   Los cultismos en la obra de Berceo. La situación intelectual y afectiva de Berceo era óptima para establecer una corriente entre la lengua de sus fuentes y el romance, lo que produjo un trasvase constante de léxico en forma de cultismos. Berceo, como los otros poetas de clerecía, se enfrenta a la vez con los problemas derivados de una actitud estética nueva y de una realidad idiomática concreta. Para resolver unos y otros creó un lenguaje nuevo que, por estar potenciado expresivamente, constituyó un lenguaje poético. Por ello creemos que en Berceo la creación literaria coincide en mayor medida que en cualquier otro escritor con la creación idiomática. A Berceo acuciaban unas exigencias expresivas que abarcaban desde la mera comunicación objetiva de nociones nuevas hasta la intención de intensificar determinados contenidos afectivos. El poeta se encuentra con unas disponibilidades lingüísticas absolutamente insuficientes porque apenas ha cobrado solidez la tradición cultural en la que está integrado. Por otro lado, debe realizar la totalidad del proceso creador y convertir la lengua general en lengua literaria. Un atento análisis de la obra de Berceo nos ha revelado que acertó en ambos casos porque buscó en su tradición cultural el léxico y los recursos necesarios para transformar la lengua en palabra poética.

8.1.1. El arte de Berceo ofrece sorprendentemente un lenguaje culto —el más culto de la Edad Media hasta el movimiento humanístico del siglo xv— y, al mismo tiempo, la prueba de un denodado esfuerzo para que esa lengua sea entendida por un amplio número de oyentes. La oposición latín-romance es, en cierto modo, la muestra de una tensión creadora entre lo culto y lo popular que se halla en la entraña misma de su arte. La variedad de su vocabulario, las vacilaciones en la elección, o, por el contrario, la percepción de las diferencias entre voces pertenecientes a distintos niveles socio-culturales, tal como hemos mostrado en el estudio correspondiente, son prueba de la tensión creadora que inspira al poeta. Esta tensión hay que considerarla nacida de su intención de adecuar unos contenidos doctos a un lenguaje que intenta equilibrar —no consiguiéndolo siempre— lo culto y lo popular.

8.1.2. Berceo es el máximo introductor de cultismos en la lengua española. Su fuente enriquecedora había de ser forzosamente el latín por varias razones: a) por la formación eclesial del poeta; b) por ser el latín la lengua de sus fuentes, a las que tanto respeto parece tener el poeta; c) porque la tradición en la que se incluye Berceo le proporcionaba ya un caudal de voces que se hallaban en proceso de integración en romance; y d) por ser el latín la lengua culta de toda la Cristiandad europea occidental.

8.1.3. La intensidad de la latinización no se encuentra sólo en el número de cultismos empleados sino en otros factores, igualmente importantes: a) en su originalidad neológica, tal como hemos mostrado al señalar la considerable cifra de primeras documentaciones que ofrece la obra de Berceo; b) en la proporción con que aparece si tenemos en cuenta la época (1230-1260).

8.1.4. Todos los campos semánticos considerados se hallan plenamente representados en la obra del poeta riojano. Los que hasta entonces habían sido intentos más o menos fructíferos para llenar campos de significación con pobre expresión léxica se convierten ahora en un sistemático proceso creador. Prueba de la intención culturalizadora del poeta es la extraordinaria abundancia de voces escolares. Debe notarse que el aspecto formal de los cultismos y su diferente grado de adaptación se hallan relacionados con el tipo de noción evocado. Así, el campo de la piedad y de la devoción, como el de la moral, ofrece un gran número de semicultismos.

8.1.5. Junto a la intención culturalizadora de que hablamos más arriba, cabe citar un criterio popularizador que lleva al poeta a encubrir la novedad semántica de algunos cultismos tras el disfraz de una vulgarización formal. Cabría quizá rastrear aquí ese deseo de *familiaridad* que, siendo rasgo capital de su arte, afecta también al mismo cultismo. Surge así esa impresión de contienda normativa que obedece tanto a una tensión real entre normas distintas —latina y romance—, como a otra íntima y subjetiva, propia del poeta en trance de creación idiomática.

8.1.6. El diferente grado de adaptación formal de los cultismos de Berceo se refleja en una abundante ejemplificación (vacilación en el timbre vocálico, evolución de las consonantes sordas intervocálicas, etc.). Conocedor, como parece indudable, de la lengua latina, no puede atribuirse a ignorancia esa diversidad formal, sino más bien a una actitud de fidelidad hacia el estado de lengua. Se trata a veces de un fenómeno de bifurcación formal motivadora de dobletes (cf. *capítulo/cabildo; laudar/loar; benedicto/bendito,* etc.). No obstante, se puede concluir que los cultismos ofrecen un notable grado de adaptación formal. Con ello, el cultismo como recurso neológico cobró un impulso definitivo.

8.1.8. Una muestra más de la certera actitud idiomática de Berceo nos la ofrece la suerte posterior de sus neologismos cultos. Sólo excepcionalmente la voz no ha arraigado de un modo definitivo. El poeta recoge la mayor parte de los cultismos preexistentes, los vivifica dotándoles de expresividad literaria e incorpora un torrente de voces nuevas. De éstas, todas las que nosotros hemos documentado

—salvo alguna como *ax, catino, diçión*— han perdurado en la historia del idioma. Esto nos revela que el proceso creador se hallaba sólidamente sustentado en las auténticas posibilidades léxicas que poseía el romance y que ofrecía la lengua latina en el momento de la eclosión cultural del mester de clerecía. Por eso no puede extrañar que, como documentamos en nuestro glosario, don Juan Manuel, Juan Ruiz, el Canciller de Ayala y todos los escritores posteriores aprovecharan el caudal léxico que eran los cultismos de Berceo.

8.1.9. La integración del cultismo en Berceo contó con el poderoso apoyo de su utilización literaria. Con las cautelas naturales, hemos creído ver una auténtica capacidad poética para aprovechar los valores expresivos del cultismo por parte de Berceo. Claro está que no es nada comparable a Villena, Juan de Mena o Góngora. Sí, en cambio, atisbos, y aun logros, de unos valores expresivos de los que el cultismo es medio principal. Sin intentar su sistematización hemos documentado los usos siguientes: a) combinación cultismo-rima como medio de intensificación; b) gradación expresiva; c) síntesis condensadora; d) reiteración sinonímica; e) énfasis ponderativo; f) acumulación ponderativa; g) intensificación de la antonimia; h) correlaciones semánticas complementarias, con formación de figuras retóricas (quiasmo); i) hallazgo de imágenes y símiles.

Con la enumeración anterior no hemos pretendido agotar los valores estético-expresivos del cultismo en Berceo. Sí en cambio, señalar que, como ha dicho Dámaso Alonso, el verdadero valor expresivo del cultismo se encuentra bien en su originalidad neológica, bien en su acumulación intensificadora. De ambos casos tenemos abundantes ejemplos en el poeta de la Rioja.

8.2. Los cultismos del *Libro de Alexandre* son numerosísimos, tanto en cantidad absoluta como en proporción al vocabulario total empleado. Puede afirmarse que sin llegar a la abrumadora abundancia de Berceo, ofrece además el interés de una mayor "especialización" semántica. Apenas los hay pertenecientes al mundo de la iglesia, fuente principal hasta entonces del neologismo culto. Más bien, predominan los de ambiente escolar y científico. Así su orgulloso manifiesto de escuela armoniza perfectamente con una actitud intelectualista —culminación del proceso culturalizador— que se manifiesta en el léxico.

8.2.1. El léxico culto de *Alexandre* ofrece un notable grado de originalidad neológica, tanto por el número de voces incorporadas como primera documentación, como por la naturaleza semántica de estos cultismos. Unas ochenta y cinco voces cultas han sido usadas por el poeta, sin que hayamos encontrado testimonio de las mismas en ningún otro escritor de la época. El análisis cualitativo de estas voces nos revela, además, que dichas voces podríamos incluirlas casi en su totalidad dentro de los cultismos exóticos o extravagantes.

8.2.2. Son constantes los usos del cultismo reveladores de un lenguaje doctamente profesionalizado: a) nominalización de conceptos nuevos; b) ponderación culturalizante; c) uso de cultismos exóticos o extravagantes (*cúmulo, fénix, holocausto, itrópico,* etc.). Todo ello nos indica que no se trata de una obra juvenil, como se la ha querido caracterizar, sino de la culminación de una nueva "maestría".

8.2.3. De acuerdo con lo anterior, hemos documentado repetidamente el uso conscientemente expresivo del cultismo; aparece en especial: a) la intensificación ponderativa; b) la brillantez descriptiva. logradas por acumulación de neologismos. No son escasos los testimonios en que aparece la voluntad artística del autor intentando crear un lenguaje poético acorde con el prestigio del mundo clásico evocado.

8.3. El *Libro de Apolonio* y el *Poema de Alexandre* constituyen obras que poseen rasgos temáticos diferenciales con los de Berceo, lo que se traduce en una serie de distinciones semánticas. Como en los demás poemas de clerecía, los cultismos son muy abundantes en *Apolonio,* pero no tienen la variedad formal y semántica del léxico de Berceo, ni tampoco la misma capacidad de derivación y de matización expresiva. Sí ofrecen, en cambio, múltiples ejemplos de originalidad neológica (*conturbado, fundamento, lapidar,* etc.), así como diversos usos estético-expresivos. De entre ellos hemos seleccionado una serie de valores que nos han parecido relevantes: a) intensificación expresiva del adjetivo epíteto; b) culminación ponderativa de un paralelismo sintético; c) aprovechamiento de los recursos fonemáticos del cultismo para lograr determinados efectos rítmicos; d) formación de parejas sinonímicas; e) intensificación provocada por la acumulación de cultismos, etc.

Lo mismo que en el *Libro de Alexandre,* difícil es determinar lo que el empleo conscientemente artístico del cultismo tiene de uso escuela o de innovación personal. Como casi siempre ocurre en estilística, el genio personal del escritor se encuentra tanto en el hallazgo de fórmulas personales como en el adecuado empleo de los recursos que la técnica de escuela ponía a su disposición. Estos dos poetas, tan próximos en su conciencia de artistas e intelectuales, ofrecen con preferencia esta segunda originalidad.

8.4. El *Poema de Fernán González* es, como había que suponer dada la índole de su contenido, el menos rico de todos en cultismos, tanto en número como en originalidad léxicas. Su distribución en campos semánticos coincide en general con la señalada para Berceo. El análisis realizado sobre episodios de distinto carácter nos ha hecho confirmar las siguientes observaciones: a) abundancia de cultismos plenos en los de origen eclesiástico, frente a las predominantes formas semicultas en los de inspiración épico-popular; b) de igual modo, el contenido significativo de los cultismos incluidos en el primer grupo revela un carácter de lengua profesional; su núcleo principal está constituido por las voces eclesiásticas de origen litúrgico y devoto.

El Poema ofrece un aprovechamiento de los valores expresivos del cultismo notoriamente inferior al de las restantes obras de clerecía. Sólo excepcionalmente hemos encontrado recursos de escuela parecidos a los de Berceo, Alexandre y Apolonio. Como en tantas otras cosas, el léxico ofrece ese carácter de obra dual que afecta a todo el Poema.

II

GLOSARIO DE CULTISMOS

A

AARON.
  'Aaron, primer Sumo Sacerdote entre los israelíes':
  Berceo, Loores, 2.

ABEL.
  'Abel, hermano de Caín':
  Fazienda de Ultramar, 44.8.

ABENENCIA. Derivado de ad-venire. Sufijo semiculto.
  'convenio':
  Documentos lingüísticos: *abinencia* (1.206); *abinentja* (1.206); *auinentja* (1.181); *abenencia* (1.223). Los documentos ofrecen también la solución vulgar *auinenza* (1.210): "Fezieron auinenza por si e por todo so convent con Ferran Pedrez" (doc. número 268, Toledo).
  Fuero de Madrid, 195: "Del alcaldía de *abenencia*"; en el mismo párrafo: *abenentia*.
  Fuero de Soria, 58.3; 'permiso, autorización': "En estos dias sobredichos njnguno non sea costrennjdo de entrar en pleyto nj enplazar, si non fuese a plazer e *abenencia* del alcallde".
  Fazienda de Ultramar, 126.11: "Rey, yo e esta mugier ovyemos a *abenencia*".
  Apolonio, 581b: "Tu faz tu *abenencia,* que duenya es honrada".
  Alexandre (O) 448a: "A todos plógo mucho con esta *abenençia*".
  Documentaciones posteriores: Fuero Juzgo; 1.ª Crón. Gral.;

Fuero de Teruel *(auinencia);* Gran Conq. de Ultr.; Juan
Ruiz, 417c; Rimado de Palacio, 327c. En los dos últimos
textos se encuentra ya la grafía con *v.*

ABILTAR. V. Aviltar.

ABISSUM. V. Abysso.

ABITAMIENTO. V. Abytamiento.

ABITAR < habĭtare, 'ocupar un lugar', 'vivir en él' 'habitar,
morar, residir':

Berceo, S. Millán, 46b: "Si en essa possada quisiesse *abitar".*
Alexandre (P), 486d: "Que nunca y pudiessen ningunos
abitar".

1.ª doc. Berceo.

V. Habitar.

ABITO. De habĭtus, 'manera de ser, aspecto externo', 'vestido';
'disposición moral o física de alguien'.

Documento lingüístico de Villarrubia de Santiago (1243), en
el sentido de 'hábito de una Orden': "Et si don Simon quisiere la orden ante de su fin, que jela den; e si no, quel den
el *abito* a su fin".

Berceo, Milagros. 461b: "Que cuntio en un monge de *ábito*
reglar".

'ropa, vestido':

Berceo, S. Millán, 5d: "Con *ábito* qual suelen los pastores
usar";

'aspecto externo':

Alexandre (P), 2404c: "Pero camió el *ábito* con que solié
andar".

1.ª doc.: Berceo.

Documentaciones posteriores: JRuiz, 1500b; Nebrija; etc.

ABORRICION. Derivado de abhorrēre. Sufijo semiculto.
'aversión, aborrecimiento', 'acciones reprobables':

Fazienda de Ultramar, 171.17: "Daquí en adelant fablo Ezechiel de la fazienda de Jherusalem e del mal e del pecado e
de las *ab(r)orrĭciones* que fazien e que pesava al Criador".

ABORRIR. Descendiente semiculto de abhorrēre (V. Corominas, DCELC, s. v.).

1.ª doc.: Berceo.

aborrecer en las Glosas Emilianenses (950).

ABORTAR.   De abortare, deriv. de aboriri.

   1.ª doc. Fuero Juzgo, 1241 (V. Corominas, DCELC, s. v.).
Según Corominas es latinismo ya antiguo. V. también Vilanova, *Las fuentes y los temas del Polifemo, s. v.*

ABRAHAM.

   Fazienda de Ultramar, 43.29.
   Berceo, Sac. 64a: "Abraham, nuestro auuelo...".

ABRAYCO.

   'lengua hebrea':
   Alexandre, 1487c: "en *abrayco* fablauan, una lengua señera".
   En O., 1345c: *ebreo.*
   V. HEBRAICO.

ABROTANO.   De abrotanum 'nombre de planta'
   Ibn Alchazzar, Diosc. (V. Simonet, s. v.).

ABREVIAR.   De abbreviare.

   Berceo, Sto. Dom., 304m: "*Abrevió,* non quiso fer luenga
oración". En Sto. Dom., 98c: "Oró al cuerpo sancto, oración
breviada."

ABSCURA.

   Parece significar 'astucia' (V. Marden, Glosario, s. v.).
   Apolonio, 52c: "A pocos dias dobla que traye gran *abscura".*
   Cultismo muy dudoso.

ABSINCIO.   De absinthium.

   'ajenjo':
   Berceo, Duelo, 45d: "Oviemos del *absinçio* largamente a
beber".
   V. AXENXIO.

ABSOLUCION.   De absolutionem, postverbal de absolvere
'absolución, perdón de los pecados'
   Berceo, Mil., 399c: "Diolis su penitencia e la *absoluçión".*
   Osoluçión, en Apolonio, 21d: "Que le daria la cabeça o la
osoluçión".
   Absolvjçión en Alexandre (P), 1209a: "Aun dezir vos quijero
otra *absolvjçión".* En O. 1180a: *soluçión.*

ABSOLVER.   De absolvere, 'destacar, soltar'.

   'Absolver, perdonar', 'quitar':
   El Bonium, 382.9: "... "e tuello la escusa, e *absuelvo* la
duda".

Berceo, Sac., 269b: "Que él los *absuelva* de todos los pecados".
Existe una alteración popular *ensolver* 'reducir o incluir una cosa en otra', 'resolver', 'disipar', como término médico (V. Corominas, DCELC, s. v.).

ABSTINENCIA. De abstĭnĕntiam.
'abstinencia, privación, penitencia':
Sta. María Egipc., 652: "... aquellos fueron su *abstinençia* tanto como visco en penitençia".
Berceo, Sto. Dom., 326a: "Ixo de bona vida, e de grant *abstinençia*".
Documentaciones posteriores: JRuiz, 1504b; Rimado de Palacio, 776b; Conde Lucanor, 260.16.
El verbo correspondiente *abstener* no aparece hasta el segundo cuarto del siglo xv: Juan de Mena (V. Corominas, DCELC, s. v.).

ABTENTICO. V. Auténtico.

ABTORIDAD. V. Auctoridat.

ABUELO. Del lat. *aviolus.
'antepasado':
Fuero de Sepúlveda, Pról., 59.8: "... en el tiempo antigo de mio *auelo*".
Berceo, Duelo, 53c: "Dexaron heredat los *abuelos*".
Alexandre, 1675c: "fislos podemos mas que a sus *abuelos*".
Fazienda, 43.29: "Abraham, nuestro *auuelo*".
Cultismo muy dudoso, aun en el sentido 'antepasados', con que aparece en el texto. Corominas no lo admite como cultismo. Menéndez Pidal (Manual, p. 147) asegura que es voz semiculta, aunque sus razones de tipo fonético son rechazadas por Corominas. Quizás podamos pensar en un vocablo muy influído por la lengua jurídica y administrativa en la que a menudo aparece usado.

ABUNDANÇIA. De ab+ŭnda+-entia.
'abundancia, gran cantidad':
Berceo, Milagros, 247d: "Avie grant *abundaçia* de malos servidores".
Apolonio, 625b: "Trayen grant *abundança* de carnes montesinas".

Apolonio ofrece también la variante *abundança* (548d).

Alexandre (O), 1730b: "Trayan oro e plata a fiera *abondançia*".

ABYSSO. De abissum.

'abismo':

Berceo, S. Dom., 24b: "El pastor... fizo los *abyssos* que non avien fondon".

La forma *abismo* la encontramos en *La Fazienda de Ultramar,* 60.11: "Bendiciones de los cielos de suso e bendiciones del *abismo* de yuso". También en el *Libro la Nobleza y Lealtad,* cap. I.

ABYTAMIENTO. V. Abitar.

'habitación, lugar donde se vive':

Fernán González, 244d: "Daremos a las sierpes nuestro *abytamiento*".

ACCIDENTAL. V. Acidental.

ACCIDIA. Del latín acidia, acedia y éste del gr. αχηδια

'indiferencia', 'pereza':

Alexandre, 2365b: "*Acçidia* es su nombre, suele mucho dañar".

1.ª doc. Alexandre.

Documentaciones posteriores: JRuiz, 1600a; Rim. de Palacio, 118a.

ACCION. De actionem.

'acto, acción':

Alexandre (P), 1123d: "Confirmales su ley a todas sus *acciones*".

Corominas (DCELC, s. v.) da las siguientes documentaciones: hacia 1490 en la ac. jurídica; 1569, la militar; desde san Juan de la Cruz como abstracto de sentido general; Aut. en la ac. comercial.

Como puede observarse la primera documentación se halla en el *Libro de Alexandre,* con claro sentido jurídico, pero no encontramos rastro de él en el siglo xiv, para reaparecer con el movimiento latinizante del xv.

ACENSION. V. Ascensión.

ACENSO. V. Encienso.

ACENTO. De accentus.

Alexandre (P), 44d: "De los signos del sol/non se me podria celar quanto val un *acçento*".

Corom. no lo documenta hasta Santillana.

ACEPHALO. Del gr. ἀκέφαλος.

'sin cabeza':

Alexandre (P), 2459b: "Fallaron los *acéphalos*, la gent *descabeçada*".

La forma vulgar *acebaleos* aparece en el C. de Córdoba de 839 (V. Menéndez Pidal, *Orígenes*, p. 259). Es una forma peculiar del latín vulgar leonés. La primera documentación del cultismo se halla en el *Libro de Alexandre*.

ACIDENTAL. De accĭdentalem (latín tardío).

'no sustancial':

El Bonium, 230.12: "El que ha las buenas virtudes sustanciales es noble, e el que las ha *acidentales* parese noble e non lo es".

Poridat de las Poridades, 48.9: "La nouena es que desprescie dineros et las cosas *accidentales* del sieglo".

Corominas, DCELC, no lo documenta hasta el Cancionero de Banea.

ACIDENTE. De accidentem, 'caer encima', 'suceder'.

'suceso accidental':

Buenos Proverbios, 29.18: "... estos son *acidentes* de sus nacencias".

Corominas registra la primera documentación en el *Cavallero Zifar*, pero lo encontramos con la misma ac. y en sentido filosófico (derivado de la Escolástica) en JRuiz, 140b y en el Rimado de Palacio, 191c, lo que nos revela una rápida integración en romance.

ACLAMADO. De adclamare.

'devoto, fiel', 'escogido':

Sust. en Berceo, Mil., 100b: "Muchos tales miraclos e muchos mas granados/ fizo Sancta Maria sobre sos *aclamados*".

Adj. en Sacrificio, 141: "Ruega por la familia de Christo *aclamada*".

'proclamado, declarado':

Berceo, Mil., 905a: "Por del obispo de Avila se es él *aclamado*".

ACLAMAR.   De ad clamare.
'llamar, invocar' 'encomendarse':
Berceo, Loores, 213c: "Sennora benedicta, a ti nos *aclamamos*."
'considerarse':
Berceo, Milagros, 397d: "Siempre se *aclamavan* por mucho pecadores."
1.ª doc.: 1.144, Fuero de Peralta.
Documentaciones posteriores: su uso se hace muy raro después del siglo XIII; así, no lo encontramos en Juan Ruiz ni en el Rimado de Palacio, hasta que vuelve a tomarse del latín en el Siglo de Oro, y lo emplean Cervantes, Hojeda, Lope, etc.

ACOLITO.   Del latín tardío acolythus y éste del gr. ἀκόλουθος
'compañero':
1.ª doc. en un documento mozárabe de 1.192 (V. Corominas, DCELC, s. v.). Véase también Simonet, ob. cit. que lo atestigua en C. C. Esc. y *acolitu* en escritores mozárabes de Toledo.

ACOPLAR.   De ad copulare.
'combinar', 'poner en coplas':
Berceo, S. Millán, 475b: "Non los podemos todos en rimas *acoplar*".
1.ª doc.: Berceo.
Documentaciones posteriores: Cancionero de Baena, en el sentido de 'coplas'; en 1.542, como término de arquitectura. Véase lo dicho para ACCION.

ACTOR.   De auctor.
'creador, autor': 'fuente histórica'; 'instigador, promotor' (Corominas, DCELC, s. v.).
'autor':
Alexandre (P), 1176c: "Creo que los *actores* esto tal entendieron".
'autor, fuente histórica':
Alexandre (P), 2368a: "Mimbrame que sabemos leer en un *actor*".
1.ª doc.; *auctor*, 1155, Fuero de Avilés.

Documentaciones posteriores: Gral. Estoria, I, 304b10 *auctor;* Díaz de Gámez, 1431-50, *auctor.*

Corominas señala que las confusiones entre *actor* 'actor' y *auctor* eran ya frecuentes en bajo latín.

ACTORIDAD. V. Auctoridat.

ACTORITAS. V. Auctoritat.

ACTORITAT. V. Auctoritat.

ACUCIA. Del latín acutia.

'diligencia':

Flores de Filosofía, 54.13: "E sabed que por el gran vagar se enbargan las cosas e por la *acucia* aprovesen"; 76.13: "... e la *acuçia* es llave de la ganançia".

'agudeza, inteligencia':

El Bonium, 336.6: "E las maneras del bienauenturado sabio son de buen contenente e justicia e faser bien (e saber e *acuçia*) ...".

Buenos Proverbios: 29.25: "*acuçia*".

Alexandre (P), 2248c: "Maguer avie grant seso e *acuçia* sobejana"; en Alexandre (O), 47b: *aguçia.*

1.ª doc.: Flores de Filosofía.

Documentaciones posteriores: Setenario, 1.ª Crón. Gral., Rimado de Palacio, 145c.

En el mismo *Libro de Alexandre* observamos la vacilación entre la forma más culta y la semiculta *(acuçia-aguçia).* Esta última es muy frecuente en la Edad Media. Juan de Valdés evita el término, como voz anticuada.

ACUCIAMIENTO. V. Acucia.

El Bonium; 343.6: "... e *acuciamiento* con que se endereça la vida".

Parece tener el sentido de 'diligencia'.

ACUCIAR. V. Acucia.

'apresurarse':

Alexandre (P), 1136d: "*Acuciós* él ante, dixo esta bocada". Otras documentaciones: Calila (ed. Riv. LI), 47; Primera Crón. Gral., 182a16; Rimado de Palacio, 517b; *aguçiar* en Calila y todavía en Sánchez de Badajoz y Pérez de Guzmán. *Acuciar* ya se había anticuado en el siglo XVI, pero Mariana

lo resucitó como arcaísmo (V. Corominas, DCELC, s. v.).
Esta voz ha sufrido un deslizamiento semántico: 'cuidar con
diligencia', 'estimular', 'apresurar', 'instigar'. Hoy su uso es
exclusivamente literario.

ACUCIOSO. V. ACUCIA.

'diligente, dinámico':

Flores de Filosofía, 75.16: "... quien fuer'sabidor e *acucioso*
ganará su parte derechamente".

El Bonium, 86.12: "¿commo puede ser contado por *acucioso*
el que dexa lo que le aprovecha?".

Buenos Proverbios, 21.1: "... essa (la prisa) destorva al *acucioso* lo que demanda".

Otras documentaciones: no aparece en Juan Ruiz ni en el
Rimado de Palacio (sí *acucia*); en cambio lo encontramos frecuentemente en don Juan Manuel: Conde Lucanor,
95.25; Libro del Cavallero e del Escudero, cap. XLIV, línea
10; Libro de los Estados, 530.35. Poema de Alfonso Onceno, 2037b.

ACUSACION. De accusationem.

'acusación':

Fuero de Soria, 139.9: "... si non fuere el *acusaçión* de cosa
que non sea contral rey o contra su señnorio".

Otras documentaciones: Juan Ruiz, 334c; Rimado de Palacio, 1129d.

ACHICORIA. De cichoria, plural de cĭchŏrĭum, y éste del
griego χιχόριον (Corominas, DCELC, s. v.).

Según Corominas, la primera documentación de 1617, y antes
cicorea en Nebrija y Laguna. No obstante, véase Simonet,
Glos., s. v.

ADAM

Santa María Egipc., 557.

Fazienda de Ultramar, 43.24.

Berceo, Sto. Dom., 218.

Alexandre (P), 2360.

ADEVINANZA. V. ADEVINO.

'adivinación, predicción':

Fazienda de Ultramar, 209.14: "digot la *adevinança*". En el
mismo texto encontramos el diminutivo: "dixo Sanpson: si

non avassedes con mi vaquiella, non soltariedes mi *adevinan-çiella*" (209.15).

Berceo, Sto. Dom., 286d: "Las *adevinanzas* verdaderas ixieron".

Apolonio, 616c: "Non gano poca cosa en ssu *adevinança*".

En la lengua medieval el vocablo se presenta con variantes, sin *a-* o con *e-* iniciales.

ADEVINAR.   De ad-devinare.

'adivinar, predecir':

Fazienda de Ultramar, 56.37: "E non sabiedes que (non) *adevinara* omne como yo".

'Adivinar acertijos, resolver enigmas':

Apolonio, 505d: "Si esto *adevinases* seria tu pagada".

ADEVINO.   V. ADEVINAR.

'adivino, agorero', 'mago':

Diez Mandamientos, 379.5: "... catan agüeros o van *adevinos*".

Fazienda de Ultramar, 107.14: "E Saul tollio los magos (e) *los adevinos* de la tierra".

Berceo, Sto. Dom., 162b: "Semeió en la cosa çertero *adeuino*".

Alexandre (O), 1356b: "*adevino*". En la misma obra aparece el femenino *adeujna* 'maga' (394b): "La madre de Archilles.../ que era *adeujna*".

El origen del cultismo es claramente religioso, pues *divinus* se empleaba ya en latín como sustantivo al que pretendía anunciar los designios de los dioses; de ahí *divino* 'adivinador' (Nebrija) o *devino* en la lengua medieval. Para este aspecto véase Corominas, DCELC, s. v.

ADIABLADO.

'endomoniado':

Berceo, Mil., 260a: "Quando lo entendio la gent *adiablada*".

ADORAR.   De ad-orare.

'reverenciar a Dios':

Cid, 336: "tres reyes de Arabia te vinieron *adorare*".

Documentos lingüísticos (1.184, Cuenca): "En el nombre de la sancta Trinidat la coal es ondrada e *adorada* de todos cristianos".

A. Reyes Magos, 77: "... imos en romeria, aquel rei *adorar*".

Santa María Egipciaca, 622: "Quando 'a hovo *adorada*."

R. d'Orient, 26: "Yo lo iré *adorar*."

Fazienda de Ultramar, 44.22: "Por esto diz: que tres vio el (el) uno *adoró*". En 82.3: *"aoró"*.

El Bonium, 158.2.: "e mandoles *adorar* en uno: el durable, el criador, el sabio, el poderoso".

Nobleza y Lealtad: *"adoró* los ídolos" (cap. VII).

Liber Regum, 3.10: "... e fizo los adorar a los X. tribus de Israel".

Berceo, Sac., 217d: *"Adorando* los ydolos". En el mismo Berceo las variantes *aorar* (Sac., 165) y *orar* (San Lor., 38).

Alex. (P), 224b: "Aqui nasçio don Briacus .../ que conqujsto a India e es *adorado*."

Apolonio, 91d: "Deuie seyer en vida tal omne *adorado*."

1.ª doc.: Cid y otros textos arcaicos. Documentación en Boggs y Oelschläger.

En casi todos los textos medievales aparece la alternancia *adorar-aorar*.

ADORMITAR. V. Dormitar.

ADORNAR. De ad-ornare.

Berceo, S. Millán, 142d: "En qui avie Dios puesto vertut tan *adornada*". En la ed. de Dutton, *adonada*.

Lo más propable es que se trate de un error, por *adonada*, como apunta Lanchetas y confirma Corominas. La idea se basa en la ausencia de documentación posterior; hasta el siglo xv (Pérez de Guzmán, A. Pal., etc.) no encontramos *adornar*.

ADRIANO

'El emperados Adriano':

El Bonium, 352.4.

ADULTERIO. De adulterium.

Fazienda de Ultramar, 136.26: "... e todas sus mugeres captivaron, por el duelo del *adulterio* de Dina, su ermana".

Berceo, Loores, 52b: "La que por *adulterio* de morir fue juzgada."

Apolonio, 55c: "Ovo en *adulterio* por ello a cayer."

Alexandre (P), 1686a: "Nunca fiz *adulterio* con mugeres casadas".

1.ª doc.: Fazienda de Ultramar.

Documentaciones posteriores: JRuiz, 275b; Rimado de Palacio, 86b.

ADVERSARIO. De adversarium.

Nobleza y Lealtad, VIII: "... *adversaria* del mal".

Aversario en Berceo y Alexandre:

Berceo, Milagros, 78c: "Tanto pudio bullir el sotil *aversario.*"

Alexandre (O), 39c: "Sobre mi *aversario* la mi culpa echar."

En P., 41c: *aduersario.*

Adversario en Fernán González, 218d: "Todos los *adversarios* por aquí los vençieron".

1.ª doc. 1.240, Fuero Juzgo (Corominas, s. v.)

ADVERSIDAD. De adversitãtem.

'adversidad, desgracia':

Berceo, Loores, 222b: "Contra nos es el mundo con sus *adversidades*".

1.ª doc.: Berceo.

Docs. posteriores: Rimado de Palacio, 1045c.

ADVOCADO. De advocatum.

'abogado'

Berceo, San Millán, 430d: "*Advocado* en este pleyto".

Alexandre (P), 1549d: "Enpeçó bien su razon como buen *advocado*".

AESTARIS. De Aestaritas.

'cierta piedra preciosa':

Alexandre (P), 1458a: "*Aestaris* es poqujella mayor que arbeja pesada por natura mas que rruuja bermella".

AFECTAR. De affectare.

'arreglar, adornar':

Berceo, Duelo, 50c: "Tenien mal *afectadas* las colas e las clines".

Véase AFEITAR.

AFEITAR

'cortar la barba, cabellos y uñas':

Apolonio, 555d: "Pues que la he casada quiero me *afeitar*".

'arreglar':

Alexandre (P), 949b: "Todos relampaguean, tanto vienen *afeytados*".

'adornar':

Berceo, Milagros, 515c: "Teniéla *afeytada* de codrada cortina".

Sobre este vocablo se han dado tres teorías: *a)* procede del francés antiguo, tal como se ha señalado en REW 253. Lo ha rechazado Américo Castro; *b)* origen provenzal. No hay pruebas seguras de ello, pero dado el tipo de significado que expresa pudiera deberse a influjo provenzal; *c)* se trata de un semicultismo, como muestra la forma *afectar* (v. Corominas, DCELC, s. v.).

Creemos que no puede descartarse, efectivamente, el influjo culto. No obstante, no nos atrevemos a dar una opinión definitiva.

Aparece también con otra ac. 'honrado, afortunado' en El Bonium, 259.1: "Adelanta los guardadores de la fee e los leales, e por esto serás *afeytado* en este mundo e haurás buena fin en el otro". Se trata, sin duda, de un sentido traslaticio, que nos indica la difusión del vocablo en determinados ambientes cultos. Piénsese en esta ac. moral que se inscribe plenamente en el marco de las inquietudes del momento.

AFFLICTION. V. Aflicción.

AFFRONTACION

'límite' (?):

En los documentos lingüísticos encontramos esta voz con diferente grado de romanceamiento: en el doc. número 113 (de 1212): *affrontaciones;* en el mismo doc.: *affrontationes,* donde la -t- debe de ser mero cultismo gráfico.

AFIBLAR. De ad-fibulare.

'abrochar, atar':

Berceo, Sto. Dom., 156b: "*Afiblóse* el manto".

Apolonio, 42b: "Los pueblos doloridos, *afiblados* los mantos".

No he hallado más documentación de esta palabra. Tampoco en el siglo XIV.

AFINAR. Vid. Finar.

'acabar, terminar' 'dar fin':

Fazienda de Ultramar, 161.30: "... espada vos *afinará*".

A'exandre (P), 1825a: "Buena es la conquista mas non es bien *afinada*".

AFIRMADO. V. Afirmar.

'habituado, acostumbrado':

Berceo, San Millán, 43d: "Rezando su salterio que avie *afirmado*".

'hacer firme' 'confirmar':

Documento lingüístico de 1.184 (M. Pidal, 305, de Cuenca): "Fecha la carta, de tod el conceio atorgada e confirmada, e el dono establecido e *affirmado*".

Fazienda de Ultramar, 146.5: "Agora, Sennor, Dios de Israel, sea *afirmada* tue palabra, lo que fablesti a to siervo David, mio padre".

AFIRMAR. Deriv. de Firme.

'firmar, confirmar':

Documento lingüístico de 1219 (M. Pidal, 23): "...fasta ques *affirme* en lur mano la vendida esta con poder de sobrellos e sobre lures eredadores".

'garantizar, asegurar':

Fazienda de Ultramar, 65.9: "E *affirmé* firmamento que les daria tierra de Canaam."

'hacer más firme, confirmar':

Poridat de las poridades, 47.2: "... que si fuese el otro (consejo) tan bueno como el nuestro, *afirmar* vos edes en él, et si non fuese tan bueno o mejor, escusat lo".

Apolonio, 239c: "*Afirmaron* la cosa en recabdo cabdal."

'fortalecerse':

Flores de Filosofía, 62.3: "E con tres cosas se *afirma* la rriquesa."

Berceo, Sto. Dom., 261c: "Por ond fo *afirmada* la su gran sanctidat."

'adquirir certeza':

Berceo, San Millán, 254c: "Demando al clavero por bien se *afirmar*."

'afirmar, decir':

Fazienda de Ultramar, 44.33: "E aquel Me'chysedec *afirma* que fue Sem fijo de Noé."

Apolonio, 190a: "Todos por huna boca dizien e *afirmavan*."

P. Fernán González, 93a: "Dezian e *fyrmavan* que los vieron cozer."

Alex. (P), 2271d: "Mas yo non lo *afirmo* que cuydo de mentir."

'comprometerse':

Fnán. Glez., 636a: "Quando tod esto ouyeron (entressy) *afyrmado*."

Es voz típica de la lengua jurídica y administrativa, muy difundida en el campo de las nociones morales. De uso general en textos medievales.

AFLICCION. De afflictionem.

'aflicción, penitencia':

Fazienda de Ultramar, 54.17: Acresciom el Criador en tierra de *aflición*."

Berceo, Mil. 56a: "Tiempo de quadragesima es de *affliction*."

En plural, Mil. 765a: "Faré *aflictiones*."

Docs. posts.: Rim. de Pal., 1258a; en 683 *afliciente*. *Aflito* en las Glosas Sil. 'afligido'.

AFRICA

Alexandre (O), 1341a.

Berceo, Mil., 446d.

AFYRMAMIENTO. V. AFIRMAR.

'resolución, decisión':

Fnán. Glez., 311a: "Fueron los santos virgines en est(e) *afyrmamiento*."

AFYRMAR. V. AFIRMAR.

AFYRMES. V. FIRME.

'firmemente, fuertemente':

Fnán. Glez., 325a: "Cuytaron los *afyrmes*, davan lid presurada."

Berceo, Sto. Dom. 166a: "*Afirmes* uos lo digo, quiero que lo sepades."

Alexandre (O), 199c: "Mostraua les *afirmes* que auia grant rancura."

AGAMENON

'Agamenón, héroe homérico':

Alexandre (P), 401c.

AGLESIA. V. EGLESIA.

AGRACIAR. Deriv. de gratiam.

'felicitar':

Berceo, Sto. Dom. 556c: "Quando andar se trouo, de todos *agraciado*."

AGUDENCIA. De acutus + -entia.

'agudeza, ingenio':

Berceo, Mil., 225d: "Vivi como merezes por otra *agudencia*."

En Berceo, hallamos también el popular *agudeza*.

AGUILA. De aquĩlam.

Primera documentación en un doc. de 1129 (Oelschläger). Como nombre propio en un doc. de 1243: "... el pico del *Aguila*".

Fazienda de Ultramar, 47.22: "alas de *águila*".

Berceo, Loores, 165d: "Por eso tomó de *águila* sotil comparaçión."

Alexandre (O), 301b: "Quando robó el *aguila* el niño Ganimedes."

Fnán. Glez., 720b: "Como *águila* fambryenta que se querya çebar."

Como señala Menéndez Pidal (*Manual*, p. 14) es voz perteneciente al habla general desde los orígenes de la lengua, pero por su pervivencia como emblema del Imperio, con el prestigio que ello suponía, la voz tuvo forma semiculta en romance.

AGUSTIN

'San Agustín': Berceo, Mil., 26.

ALAUDARE. V. Laudare.

ALABANCIA. Del latín tardío *alapari* 'jactarse, alabarse' más sufijo semiculto (Corom. DCELC).

'alabanza, elogio':

Berceo, Duelo, 6c: "Sabran maiores nuevas de la tu *alabançia*".

Alexandre (O), 1730c: "Diz que verdat era sen otra *alabançia*."

ALBA

'alba, vestido sacerdotal':

Berceo, Mil., 64c: "De vestir esta *alva* a ti es otorgada."

'aurora, amanecer':

Cid, 1100: "el *alua* de la man".

ALBO. De albus.

'blanco':

Berceo, Loor., 133b: "Angeles de Dios eran, vestían *albos* vestidos."

1.ª doc.: 929 (V. Corom., DCELC).

ALEGACION. V. ALLEGACION.

ALEGORIA. De allegoria y éste del griego αλλεγορία 'metáfora, descripción':

El Bonium, 133.5: "E desía de sus saberes por *alegoría.*" Alexandre (P), 2599a: "Non quiero de la tienda fer grant *alegoría.*"

Documentaciones posteriores: Mediados del siglo xv, en el *Bursorio,* APal, 13b) (Corominas, DCELC, s. v.).

ALEXANDRE.

'Alejandro Magno':

Alex. (P), 6a: *Alixandre.* En O., 6a: *Alexandre.*

En O., 6a: *Alexandre.*

ALEXANDRIA.

'la ciudad de Alejandría':

Cid, 1971: *A[lexán]dria* (V. M. Pidal, Cid, p. 428).

Sta. M.ª Egipc., 147: *Alexándria.* En 197, *Alesandrja.*

Alexandre, 2479c: *Alexándria.*

El Bonium, 282.7: *Alixandria.*

B. Proverbios, 46.1: *Alexandria.*

ALELUYA. Del hebreo hallelu Yah 'alabad al Señor', palabras con que comienzan varios salmos.

'aleluya, alegría':

Berceo, Milagros, 56b: "Nin cantan *aleluya,* nin fazen procesion."

A pesar de no proceder del latín este vocablo tiene un origen plenamente culto, pues procede del ambiente eclesiástico.

ALFABETO. De alphabetum.

'abecedario, alfabeto':

Documento lingüístico de 1.237 (M. Pidal, 91): "...fiz fazer ende dos cartas partidas por *alfabeto*...".

Corominas lo documenta por primera vez en el Cancionero de Baena. Hallamos, sin embargo, aquí un ejemplo aislado en un documento completamente romanceado. La falta de documentación posterior nos revela que no se integró en romance. Su inserción en el documento puede deberse a fórmula fosilizada, sin uso en el habla general.

ALIMOSNA.   V. Limosna.

ALITROPIA.

Debe de ser confusión por Alotropia.

'heliotropo, ágata de color verde oscuro'

Alexandre (P), 1453a: "La piedra *alitropia* ally suele nascer."

Véase Vallmöller, Lapidario, p. 29.

ALMARIO.   V. Armario.

ALMATICA.   Del latín tardío dalmática vestis 'túnica de los
dálmatas'.

'túnica'.

Almátiga en Berceo, Sto. Dom., 232a: "con *almátigas* blancas ... estaban dos varones".

Almática, en el mismo Berceo, Sto. Dom., 681d: "Vistíe una
almática más blanca que la toca."

Alexandre (O), 1105c: "Vestie una *dalmatica,* toda de seda
pura." En P., 1134c: *almjta.*

1.ª doc.: *adamática,* 1.025 (Oelschläger).

Documentaciones posteriores: *almádiga* o *dealmátiga,* 1.112.
idem; *dalmática,* en 1565 (V. Corominas, DCELC, s. v.).

ALMOSNA.   V. Limosna.

ALMOSNERO.

Se trata de un derivado romance de *almosna.*

ALOE.   Del latín aloe, y éste del gr. ἀλόη

Fuero de Sepúlveda, § 223, 143.26: "De la libra del *áloe*
epático, 1.ª meaia."

Poridat de las poridades, 68.3: "Et prendet cada dia del
lectuario del ligno *aloe* et del ruybarbo."

Se encuentra también en escritores mozárabes (S. Gili, RFE,
XXXI, 1947).

Corominas lo documenta por primera vez h. 1300 en la Gran
Conquista de Ultramar.

ALTAMIENTRE.

Fazienda de Ultramar, 159.27: "tan *alta mientre*".

V. Alto.

ALTAR.   De altarem.

Muy frecuente en todos los textos medievales:

Cid, 224; doc. ling. de 1146 (núm. 148 de M. Pidal); Disputa del Alma y el Cuerpo, 16; Santa María Egipc., 1042; Buenos Proverbios, 7.9; Fazienda de Ultramar, 77.5; Liber Regum, 4.5; Berceo, S. Dom., 192; Alexandre (P), 552c.; Fernán González, 90b.

Otras documentaciones: JRuiz, 1315a; Rimado de Palacio, 687c, Poema de Alfonso Onceno, 1208d; don Juan Manuel (Libro de los Estados, 594.25), etc., etc.

ALTEZA.

'nobleza, grandeza, honores':

Flores de Filosofía; 49.13: "... e sy se omilla gana *altesa*".

El Bonium, 283.1: "Bien sabes tu quel rrey del cielo me fiso rrey de la tierra e diome *altesa* (e noblesa e onrra e rriquesa e fortalesa".

Buenos Proverbios, 14.28: "... la ondra e la *alteza* es deste sieglo".

Nobleza y Lealtad, Introd.: "Nuestro Sennor Ihesu-Christo.... guie, e ensalze la vuestra *alteza.*"

Fazienda de Ultramar, 43.14: "Tu eres myo sennor segunt la *alteza* e la dignidat que es en ti."

Documento lingüístico de 1.238 (M. Pidal): *alteza.*

Alexandre (O), 2212d: "Nunca aujen oydo de tan noble *alteza.*"

En plural 'ornamentos, alhajas'.

Apolonio, 615c: "Dieronle los varones muchas de sus *altezas.*"

Alexandre (O), 370a: "tu dal tus *altezas* cuemo omne granado".

En sentido físico 'altura'.

Alexandre (P), 1484b: "La *alteza* de los muros."

V. Alto.

ALTISIMO.   Superlativo culto de *alto.*

Flores de Filosofía, 10.11: "Aquí comiença el muy *altisimo* e poderosisimo libro de las Flores de Filosofía".

'el Altisimo, Dios':

Fazienda de Ultramar, 92.2: "... e sabien sapiencia del *altissimo*". En 178.30: "el Rey *Altissimo*".

ALTO.   De altum.

En sentido físico, 'alto, elevado':

Cid, 1571: "Que guardassen el alcaçar e las otras torres *altas*."

Cid, 35, 'de sonido fuerte': "Los de myo Cid a *altas* vozes llaman."

F. de Sepúlveda, § 164a: "qui quisiere fazer casa o alguna paret, yerga paredes e casa en *alto* quanto quisiere".

Berceo, Sta. Oria, 104a: "Los çielos son muchos *altos*."

Apolonio, 97b: "Sobre *alta* columna por seyer bien alçado."

En 104b: "En *altas mares*", 'en alta mar'.

Alexandre (O), 244b: "Dio salto antellos en un *alto* madero."

Fnán. Glez., 124d: "Ganó después a Amaya que es un *alto* poyal."

'el cielo':

Cid, 497: "A Dios lo prometo, a aquel que está en *alto*."

'persona de gran dignidad o representación':

F. de Sepúlveda, §§ 11 y 181: "Otrossí, cuando aun al iuez e a los alcaldes que sean comunales a los pobres, e a los ricos, e a los *atos* e a los baxos."

Apolonio, 180a: "Los *altos* e los baxos todos della dizian."

Documentaciones de esta ac. en la Crón. Gral., Celestina, etc. (V. Alvar, F. Sepúlv., s. v.).

'excelso, de gran honra':

Cid, 2940: "*Alto* fue el casamiento, ca lo quisiestes vos."

Berceo, Sto. Dom. 214a: "Enbio bonos omnes e *altas* podestades."

'noble, elevado':

El Bonium, 73.1: "Las voluntades *altas*."

Buenos Proverbios, 6.10: "Las voluntades *altas*."

Flores de Filosofía, 44.13: "... sabet que es de *alto* coraçón".

Nobleza y Lealtad: "el muy *alto* ...".

Fazienda de Ultramar, 44.3: "tan *alta* poridat".

Apolonio, 349b: "Criaron esta ninya de muy *alta* guisa."

Alexandre (O), 264a: "Dent fueron los patriarchas, ombres de *alta* guisa."

Fnán. Glez., 406a: "el *alto* Criador".

Es sin duda la ac. moral la que explica el matiz culto de esta palabra.

ALVA. V. ALBA.

ALLEGACION. De allegationem.

'alegación, razonamiento, defensa':

Alexandre (O), 338c: "Fazien magar mugieres fuertes *alle-gaçiones*".

En P., 346c: "*alegaçiones*".

AMANSAR. V. Manso.

'apaciguar':

Berceo, Sto. Dom., 169c: "E por esta manera lo aurian *amansado.*"

Alexandre (P), 406b: "Achilles fue todo *amansado.*"

Apolonio, 186b: "Semeiole que le yua *amansando* la dolor."

AMBICIO. De ambitio, -onis.

'ambición':

Alexandre (P), 2326b: "*Ambiçio* es su nombre, que muere por onores."

Docs. posteriores: JRuiz, 218b; *ambiçia* (forma forzada por la rima); Santillana: *ambición.*

De su lenta integración nos da idea la observación de Juan de Valdés, que lo considera latinismo que debiera introducirse (V. Corominas, DCELC, s. v.).

AMISTAD. De amicitatem.

Cid, 2412: "Respuso Búcar al Cid: confonda Dios tal *amiztat.*"

Berceo, S. Millán, 74c: "...Embïóli sues letras de *amiztad*".

Apolonio, 76c: "Que *amiztat* vender non es costumbre nuestra."

Alexandre (P), 577b: "Camiaron las espadas tajaron *amis-tades.*" En O., 1037b: *amizad.*

Según Menéndez Pidal (Cid, Gramática, p. 190), es forma semiculta.

AMITO. De amictus 'envoltura, lo que cubre'.

'vestido litúrgico':

Berceo, Sto. Dom., 727c: "El que con él fablaba, cubierto del *amito.*"

En el texto transcrito se halla en la ac. 'lienzo que se pone el sacerdote debajo del alba para oficiar' (V. Corominas, DCELC, s. v.).

AMONESTAMIENTO. V. Amonestar.

'amonestación':

F. de Sepúlveda, Pr. 59.6: "... nin por ningun artículo de *amonestamiento*".

AMONESTAR. De ad-monestare.

'aconsejar':
Fazienda de Ultramar, 158.26: "E los prophetas *amonesta-vanlos* la ley del Criador e sirvi(e)ron las ydolas."
Berceo, Sac., 248a: "Desent *amonestalos* que piensen de orar."

'anunciar':
Fazienda de Ultramar, 44.10: "Pues le fue *amonestado* del angel e engendro un fijo que ovo nombre Set."
Cultismo dudoso. Du Cange y Cuervo no lo hallaron en bajo latín. Corominas aduce que desde un principio lo encontramos en traducciones medievales de textos latinos, con conciencia del carácter romance de *amonestar, amonestamiento,* frente al latín y bajo latín *admonere, admonitio* (V. Corominas, DCELC, s. v.).
Nosotros nos inclinamos a ver en la forma *amonestar* influjo culto, pensando especialmente en el criterio semántico y en la clara adscripción de esta voz a un ambiente moralizante y eclesiástico.

AMONIACO. De ammoníacus, y éste del gr. Ἀμμωνιαχός. 'del país de Ammón' (Corominas, DCELC, s. v.).
Corominas lo documenta por primera vez en APal, 18d, pero lo incluye en su Glosario Simonet, como usado por Ibn Buclárix.

ANATEMA. De anathěma, gr. ἀνάθεμα.
Corominas lo documenta por primera vez en Las Partidas, pero lo incluye Simonet en su Glosario como voz del C. C. Esc. (s. v.).

ANATOMIA. De anatomĭa, gr. ἀνατέμνειν.
Según Corominas la primera documentación en don Juan Manuel. Efectivamente lo hemos encontrado en el *Libro de la Caza,* 53.18: "pertenece mas ala teorica e ala anatomia desta arte". No obstante, la voz tenía una tradición anterior, como nos lo muestran las formas corruptas de El Bonium, 32.5: "E alli fiso el libro de *natomía;* 352.6: "*antonomia*".

ANCORA. De ancoram.

'ancla':

Apolonio, 513d: "Tu ffablas dell *ancora*, dixo el pelegrino."
Alexandre (O), 253a: "Fueron en arenal las *ancoras* echadas."
Documentaciones posteriores: Rimado de Palacio, 804f. El popular *ancla* ya en *Aranceles* del siglo XIII.

ANCORAR.

'anclar':

Apolonio, 243b: "Vieron huna naue, ya era *ancorada*."
Alexandre (O), 426b: "*Ancoraron* las naves, pasaron por los llanos."
El popular *anclar* también en Alexandre.

ANGEL.   De angelus.

Muy frecuente en los textos medievales, desde los orígenes del idioma:

Cid, 406, también con el valor de 'arcángel': "El *angel* Gabriel a él vino en sueño."

Santa María Egipc., 551; Reys d'Orient, 85; Fazienda de Utramar, 45.9; El Bonium, 81.9; Poridat de las poridades, 29.14; Buenos Proverbios. 61.18; Nobleza y Lealtad, VII; Apolonio, 577c; Berceo, Sac., 149; Alexandre (P), 1133c; P. de Fernán González, 115a. También lo encontramos en Boggs, JRuiz, 23a; Rimado de Palacio, 64a; Conde Lucanor, 19.10; Poema de Alfonso Onceno, 152c; etc., etc.

La forma apocopada del vocablo ha hecho pensar en un provenzalismo antiguo, pero Corominas no lo cree (v. DCELC, s. v.).

ANGELICAL.

Adjetivo mucho menos frecuente. No hemos hallado nada más que una documentación: Alexandre (P), 2405a: "Priso cara *angelical* que la sabíe aver." Tampoco lo hemos podido encontrar en el siglo XIV.

En Alex. (O), 2263a: *angélico*.

ANGELICO.

Berceo, San Millán, 64d: "Cosa fue *angélica* de bendiçión complido."

Alexandre (P), 2514b: "Todo de criaturas *angélicas* fue poblado."

'adj. espiritual, celestial, opuesto a humano':

Berceo, Sac., 142c: "Torne cosa *angélica*, lo que carnal naçió."

ANGULO. De angŭlus.

Documento lingüístico de 1246 (M. Pidal, número 95); donde parece latinismo puro. Corominas lo documenta en el Libro del Saber de Astronomía, de Alfonso X, donde también hallamos la forma semiculta *anglo,* lo que nos muestra una tradición inmediata.

ANGUSTIA. Derivado de angustus, angustia 'estrechez, situación crítica'.

'angustia, amargura, tristeza, pesadumbre':

Fazienda de Ultramar, 155.10: "Assy diz Ezechias: dia (de) *anguustia* ed aquexadura nos es est."

Idem 119.21: "Myenbrete de mi *angustia...*"

Corominas lo fecha en la primera mitad del siglo xv, Santillana (Corominas, DCELC, s. v.).

ANIMA. De animam.

'alma':

Documentos lingüísticos de M. Pidal, de 1.109 y sigs.

El Bonium, 72.20, alternando con *alma* (179.14).

Poridat de las poridades, 67.2: "*anima* espiritual".

Buenos Proverbios, 31.6: "la fermosura es el *anima*".

Flores de Filosofía, 77.6: "pensando en fecho de su *ánima*".

Nobleza y Lealtad. Introd.: "de la vuestra *ánima*".

P. de Fernán González, 487d: "Dava-y muchas *animas* al bestyon mascariento."

ANIMAL. De anĭmalem.

'espiritual':

Nobleza y L., VII: "Castidat es *animal* amor."

Corominas lo doc. en 1251. Calila, 26.304.

ANIMALIA. De animalia.

'ánima':

El Bonium, 117.13: "el omne bueno es mejor que todas las *animalias* que son en la tierra".

Poridat de las poridades, 33.2: "El ochauo es... et de las *animalias.*"

Buenos Proverbios, 36.19: "Mando tomar un *animalia* el que es más cerca de la natura del omne."

Se trata de una forma latinizante de gran difusión en la lengua medieval, fuente del popular *alimaña.*

ANIMO.   De anĭmus.

'ánimo, voluntad':

Documento lingüístico de 1207 (M. Pidal, núm. 158): "de bono *animo* et de propria voluntade".

La primera documentación es, para Corominas, de 1328-35.

ANIVERSARIO.   De anniversarius 'que vuelve cada año'.

Documento lingüístico de 1240 (M. Pidal, 117): *anniversario.*

Berceo, Sac., 86a: "Quando avíen de fer quasi *anniversario.*"

Referido a un tributo anual: Berceo, San Millán, 371c: "Fazie *anniversarios* de muy grant suziedumne."

Alexandre (O), 129d: "Dixo el infante: yo çesso este *anniversario.*"

ANSIA.   Del latín tardío anxia, latín anxius, -a, -um, 'ansioso' (Corominas, DCELC, s. v.).

Alexandre (O), 1101c: "Fue conna grant *anxia* el suenno posponiendo."

Documentaciones posteriores: Santillana.

Cultismo raro, no hemos hallado otras documentaciones que las atestiguadas más arriba.

ANTECESSOR.   De antecessorem.

'antepasados':

Fuero de Sepúlveda, § 254: "Don Alfonso, por la graçia de Dios, rey e emperador d'Espanna, confirmo lo que mio *antecessor* fizo..."

Documentos lingüísticos de 1240 (M. Pidal, núm. 117): "... et de todos meos *antecessores*".

P. de Fernán González, 3b: "Nuestros *anteçessores,* en qual coyta visquieron."

Para Corominas, 1.ª doc. en Calila e Dimna; P. Alfonso Onceno, 1134b.

ANTECHRISTO.

Fazienda de Ultramar, 112.15: "... o diz que sera nodrido el *Antechristo* e el engannador del sieglo".

ANTENADO.   De antenatum.

'hijastro':

Berceo, Sig., 46d: "Ferlis en lo que façen madrastras a *antenados.*"

P. de Fernán González, 434d: "Serán los nuestros fyjos de (los) moros *antenados*."

Alnados, en Las Partidas; *annado* en Berceo, Sac., 221.

ANTHIFONA.

En el C. C. Esc. (v. Simonet, Glosario, s. v.).

ANTINAGORA.

Apolonio, 395a.

ANTIOCO.

Apolonio, 3a.

ANTIOCHIA.

Fazienda de Ultramar, 43.2.

Apolonio, 3b: *Antiocha*.

ANTIPADES. Del latín antipŏdes, -um, del gr. ἀντίποδες.

En S. Isidoro antipŏda. En el acusativo se empleaba la declinación griega, lo que explica el nominativo posterior *antipoda* (Corominas, DCELC, s. v.).

Sólo hemos hallado una documentación, *antipades,* en el Alexandre, 1899d. "conquerir las *antipades"*, repetida en 2271b y 2418b (P). En O. 1758d: los *antipodes.*

ANTONINO.

'El emperador Antonino':

El Bonium, 352.4.

ANTONIO.

Berceo, Sto. Dom., 56a: "san *Antonio* Abad".

(A)NUCIAR. De annuntiare, deriv. de nŭntĭus.

'anunciar, predecir':

Fazienda de Ultramar, 205.17: Alli era Zacharías sacerdoth, e veno a él el angel e *nuncio* la navidat de so fijo Sant Juan baptista."

Alexandre (O), 1181b: "A ellos *annunçia* que llas uien grant pesar." Falta en P.

Según Corominas, salvo ejemplos del Fuero Juzgo, no vuelve a aparecer hasta el siglo xv en Santillana y la Celestina (DCELC, s. v.).

APELLIDO. Postverbal de appellĭtare, frecuentativo de appellare 'llamar repetidamente'.

'voz, grito':

Berceo, Sto. Dom., 343b: "Oyó los *apellidos* que este çiego daba."

Alexandre (P), 650b: "ant plego el miedo que non el *apellido*".

P. Fernán González, 509c: "Dando muy grandes vozes e grandes *apellidos*."

'súplica, queja':

Berceo, Duelo, 57c: "Percebit el mi ruego e los mis *apellidos*."

'llamamiento':

Berceo, San Lorenzo, 67d: "Quería ir delante en este *apellido*" ('Quería ir el primero al martirio').

Alexandre (P), 941b: "que auje el atalaya echado *apellido*".

'convocación':

P. de Fernán González, 75b: "Mandó por tod(o) el reyno dar luegol *apellido*."

'lid, pelea':

Alexandre (P), 531c: "torná al *apellido*".

'hueste, expedición guerrera'

Alexandre (P), 851b: "Fazien los *apellidos* con toda su compaña."

Apellidar 'gritar' 'llamar a alguien para algo' 'nombrar' aparece hacia 1295; 1.ª Crón. Gral. 'llamar repetidamente' y de aquí el postverbal *apellido*. La fijación en el sentido 'nombre de familia' es moderna. (Corominas, DCELC, s. v.)

APETITO. De appetitus, -us.

'apetito, ganas de comer':

El Bonium, 240.2: "Dos dietas son: una comunal e otra propia, e la comunal es de non comer sinon por *apetito*."

Poridat de las poridades, 69.22-23: "... et entendredes esto en el *apetito* que auredes con la saliua delgada que nos descendra de la boca."

Cuervo (Dicc., I, 535-6) lo había atestiguado sólo en El Bonium. No vuelve a aparecer hasta el siglo xv.

APIO. De apium.

Atestiguado por Simonet en Ibn Buclárix y Lag. 282 (Glosario, s. v.).

APOLO.

Apolonio, 190b.

APOLLONIA.
  'Polonia':
  El Bonium, 70.3.
APOLONIO.
  Apolonio, 1d.
APOSTOL. De apostolus, gr ἀποστολος.
  Cid, 1690: "el *apóstol* Santi Yague".
  Disputa del alma y el cuerpo, 21: "*apostol* ni martir (nunca) quisist servir".
  Roncesvalles, 75: "el *apostol* Santiague".
  Santa María Egipc., 51: "Los *apostoles* que a Dios siruieron."
  Docs. ling. de 1223 (M. Pidal, número 28): "*apostoli*".
  Liber Regum, 14.7: "e fizo hi XII altares en honor de los XII *apostols*"; en 12.9: "*apostoli* de Roma".
  Fazienda de Ultramar, 112.11: "Sant Juan *apostol* e evangelista."
  Berceo, Mil., 184b: "Al *apostolo* de Espanna dexir en romeria."
  Apolonio, 405c: "Fūe con grant proçesión al *apóstol* enuiada."
  Error según Marden (v. Vocab., s. v.).
  Alexandre (O), 265b: "Dent fueron los *apostolos* un ondrado conviento."
  P. Fernán González, 10c: "*Apostolos* e martyres."
  1.ª documentación: *apóstolo,* Glosas de san Millán. Documentaciones posteriores: muy frecuente en todas las épocas, JRuiz, 1700a; Rim. de Pal., 221a. Poema de Alfonso Onceno, 1668d; Libro de los Estados, 452.1, etc., etc.
APOSTOLICO.
  'apostólico', de donde 'obispo' 'Papa':
  Berceo, S. Lor., 6b: "Tenie en Roma el Papado un sancto *apostoligo.*" En Mil. 251a: "Mas si el *apostóligo* con la su clerecia..."
  En la ac. 'Papa' se encuentra en Las Partidas.
  Otras documentaciones: Gran Conq. de Ultr., 104; *apostólico,* P. de Alfonso Onceno, 657d.
APOSTOTA. Del latín tardío apostata, gr. ἀποστατης.
  'apóstata'. Documentado sólo una vez y referido a Juliano el apóstata:

Liber Regum, 12.5: "Apres de Constant regno en Roma Julianus *apostota*."

No podemos pensar aún en una integración del vocablo. Corominas no lo documenta hasta el siglo xiv, *Castigos de don Sancho* (DCELC, s. v.).

APRECIADOR.

'testigos presenciales':

Fuero de Sepúlveda § 57 "... dando *apreçiadores* que lo vieron que de su cabeça salieron (los huesos)". En los textos medievales, el valor de la voz es el de 'tasadores' (v. Alvar, Vocabulario).

APRECIADURA.

'apreciación, 'tasación':

Cid, 3250: "Estas *apreçiaduras* myo Cid presas las ha."

Documento lingüístico de 1044: *apreciatura* (M. Pidal, número 71).

F. de Sepúlveda, § 141a: "Otrossí, por todo danno de vinna escoia el sennor, qual más quisiere entr'el coto e *apreciadura*."

Es voz jurídica, con abundante documentación. Véase el F. de Teruel y Cid, s. v. (Alvar, F. de Sep., Vocabulario).

'especie' opuesto al *coto* o dinero de la multa:

Fuero de Madrid XLI (Lapesa, F. de Madrid, Glosario, s. v.).

APRECIAMIENTO.

Sinónimo de *apreciadura*.

Fuero de Sepúlveda, § 96a: "...o el *apreci(a)miento* de la bestia, quel más quisiere". (V. Alvar, F. de Sep., Vocabulario).

Berceo, San Millán, 465c: "Pusieron que vendiessen ál en *apreciamiento*."

APRECIAR.

'poner precio, tasar, valorar':

Cid, 3245: "Recibido myo Cid coomo *apreçiaron* en la cort."

Doc. ling. de 1044 (M. Pidal, núm. 71): *apreciare;* de 1230 (núm. 51) "... por quanto la *apreciaren* cinquo homnes buenos".

Fuero de Madrid, 39.22.

Fuero de Soria, 65.15: *apreciar*.

Fuero de Sepúlveda: *apreciar* (§ 114).

Fazienda de Ultramar, 195.18: *apreciaron*.

'estimar':

Berceo, Milagros, 468b: "De omne vivo non serie *apreçiado*."
Otras documentaciones: F. de Teruel, Gran Conq. de Ultr., etcétera.

APROPINQUAR.

Sta. M.ª Egipc., 44.

AQUILES.

Alex. (P), 315: *Archilles*. En O. 308a: *Achildes*.

AQUILON. De aquĭlonem.

'aquilón, el viento del norte':
Berceo, Sta. Oria, 80a: "Alzó Oria los oios escontra *aquilón*."
P. de Fernán González, 414a: "Entre el otrra terçera de partes *d'aquilon*."
Corominas lo documenta en el siglo xiv. *Castigos* de don *Sancho*.

AQUITANIA.

El Bonium, 70.3.

ARA. De aram.

'ara, altar, la piedra del sacrificio':
Fazienda de Ultramar, 78.25: "el *ara* del holocausto".
Berceo, Sac., 161a: "El pan que sobre la *ara* consegra el abbat."
No he hallado más documentaciones de la voz. Tampoco en los principales textos del siglo xiv.

ARABIA.

Cid, 336.
Alexandre (P), 275a.

ARABIGO. De arabĭcus.

'lengua árabe':
Buenos Proverbios, 1.4: "... de griego a *arabigo*".
El Bonium, 367. 11: "... lo que dise el *arabigo*".

ARBOLARIO. Sufijo culto.

'arboleda':
Alexandre (P), 920c: "Dava el *arbolario* sombre e buen olor."
En O. 891c: *aruolorio*.
Coromina justifica el sufijo culto para evitar el pop. *arboleda* (en Berceo), vocablo que se consideraba muy vulgar en la antigüedad. (DCELC, s. v.). Si aceptamos esta explicación,

tendríamos una prueba más del espíritu aristocrático que por todas partes revela el autor del Alexandre.

ARCANGEL. Del latín arcangĕlus, gr. ἀρχαγγελος.

Berceo, Sac., 81b: "Angeles e *arcangeles.*"

'el arcángel San Migel': Berceo, Sto. Dom. 685a: "Quando el buen *archangel* la houo castigada."

Corominas lo documenta en la Primera Crón. Gral.

ARCEDIANO. De archidiaconus.

Aparece con multitud de variantes formales: *archidiacono, archidiagno, arciagnado, arcidiano, arciagno, arquidiagne, archidichno,* etc.

1.ª doc.: Doc. ling. de 1.154: *arcediagno* (DCELC, s. v.).

Doc. ling. de 1.179 (M. Pidal, 150): *arquidiagne.*

Doc. ling. de 1.206 (M. Pidal, 82): *arcidigno.*

Doc. ling. de 1.199 (M. Pidal, 80): *arcidiagno.*

Doc. ling. de 1.195 (M. Pidal, 77): *archidichno.*

Doc. ling. de 1.227 (M. Pidal, 86): *arcidiano.*

Doc. ling. de 1.244 (M. Pidal, 57): *arcediano.*

Doc. ling. de 1.221 (M. Pidal, 274): *archidiacono.*

Fazienda de Ultramar, 43.2: "*arçidiano* de Antiochia."

Berceo, Mil., 700a: "Un rico *arçidiano.*"

Docs. posteriores: Libro de los Estados, 580.12: *arçidiano.*

ARCIAGNADO.

'arcedianado':

Berceo, San Lor., 4c: "Mantenian a derechas los sus *arçiagnados.*"

ARCIPRESTADO. Prefijo culto.

'arciprestazgo':

Doc. ling. de 1.229 (M. Pidal, 88): "... e deue recebir don Lop los quartos que el obispo ha en el *arciprestado* de Alaua".

ARCIPRESTE. Prefijo culto. De archipresbĭter.

Doc. ling. de 1.213 (M. Pidal, 43): "... e don Diego el *arciprest*".

Doc. ling. de 1.209 (M. Pidal, 161): *archipreste.*

P. de Fernán González, 640c: *arçipreste.*

Documentaciones posteriores: JRuiz, 575a; Partidas; 1.ª Crón. Gral., Nebrija.

ARCOBISPADO.

Fazienda de Ultramar, 123.7: *arçobispado.*

Liber Regum, 12.30: *arcebispados.*

Berceo, Milagros, 714a: *arzobispado.*

Documentaciones posteriores: Conde Lucanor, 44.3; Poema de Alfonso Onceno, 635c; Libro de los Estados, 592.38.

ARÇOBISPAL.

P. de Fernán González, 124b: "después ganó a Braga, reygno *arçobispal".*

ARÇOBISPO. De archiepiscopus.

Palabra que presenta gran variedad formal. Según Corominas, *arçebispo* en las Cortes de 1020 y *arzobispo* en Las Partidas.

Los documentos lingüísticos ofrecen *archobispo, arçebispo, arçobispo, arzobispo,* etc.

Fazienda de Ultramar, 43.1: *"arçobispo* de Toledo."

Fuero de Soria, 34.14: *arçobispo.*

Liber Regum, 12.15: *arçebispe.*

Roncesvalles; 8: *arçebispo.*

Berceo, Mil., 716a: "Disso el *arzobispo:"*

Documentaciones posteriores: JRuiz, 1147b; Conde Lucanor, 43.8; Poema de Alfonso Onceno, 655c.

ARCHITRES.

'astérites, piedra preciosa':

Alex., 1454c: "faselo *architres* al ome zaluo yr".

ARCHITRICLINO. De architriclīnus.

'escanciador, despensero':

Berceo, S. Mill., 247c: "Mandó el omne bueno al so *architriclino."*

ARGENTADO.

'plateado':

Alexandre (P), 1196d: "parescen e rrelumbran semellan *argentadas."*

Doc. por Corominas en 1295-1317, *Memorias de Fernando IV.*

ARGENTO. De argĕntum.

'plata':

Santa María Egipc., 344: *argento.*

Santa María Egipc., 384: *argente.*

Berceo, Sto. Dom., 364a: "Non auemos dineros; nin oro nin *argent*."

Alexandre (P), 846c: "todos aujen estas de *argent* blanqueante".

Según Corominas es latinismo ocasional, pero en Berceo está tomado del fr. oc. o cat. *argent*, (DCELC, s. v.). No obstante, la existencia del pop. *arienzo* y del adjetivo *argentado* —cultismo indudable—, nos hace pensar que no se puede descartar el influjo culto en *argento*.

ARGUMENTO. De argumentum.

'argumento, doctrina':

El Bonium, 75.14: "La sapiencia es rrenta de los sabios e *argumento* de los sesos."

Buenos Proverbios, 8: "La sapiencia ... es *argumento* dellos."

Berceo, Loores, 129d: Los malos *argumentos* todos fueron falsados."

P. Fernán González, 20b: "Los malos *argumentos* todos fueron fallados."

Alexandre (P): *argumente* (1198a), probablemente del galorrománico (Corominas, DCELC, s. v.); en Apol. 15b: "Façia huna demanda e un *argumente* çerrado."

En Alexandre (P), 40a: *argumento*: "Bien sé los *argumentos* de lógica formar."

'contenido':

Alexandre (P), 44a: "Sé de todas las artes todo su *argumento*."

ARIOL. De harïolus.

'advino':

1.ª doc. Alexandre; *aríolo* h. 1560. Latinismo crudo que no llegó a arraigar (Corominas, DCELC, s. v.).

ARITMETICA. De arithmetïca, gr. αριθμητική τεχνη.

Simonet lo atestigua en Ibn Garsia, citado por Ibn Jatib e Ibn Jaldum (Glosario, s. v.).

Buenos Proverbios, 13.8: *aresmética*.

Otras docs.: Alfonso X: *aritmética*.

ARISTOTELES.

'Aristóteles, el filósofo griego':

Poridat de las Poridades, 29.4.; El Bonium, 203.13; Buenos Proverbios, 4.23; Nobleza y Lealtad, VII.

Alexandre (P), 301b.

ARMARIO.   De armarium 'lugar donde se guardan las armas'.

'ataúd':

Apolonio, 281b: "Fizieronle *armario* de liviana madera."

'armario':

El Bonium, 334.12-13: "... e por guardar la lengua que es puerta del *armario* de la sapiencia ...".

Berceo, Sac., 111d: "Que estaba alzado siempre en el *armario.*"

Alexandre (P), 888a: "Sacó sus melezinas el meje del *almario.*" En O., 859a: *armario.*

Almario también en El Bonium, 334.12-13.

Documentaciones posteriores: JRuiz, 1632c.

ARMENIA.

El Bonium, 69.9; 282.9; Fazienda de Ultramar, 116.24.

Alexandre (P), 1221b.

Otras documentaciones: Conde Lucanor, 91.15.

ARTICULO.   De artĭculum.

'clase, especie':

Fuero de Sepúlveda, Pról., 59.6: "... por ningun *artículo* de amonestamiento".

'artículo, parte de un texto':

Alexandre (P), 1605d: "Non dexó un *artículo* que non fue racontado."

1.ª doc. artiqolo, 965 (Corominas, DCELC, s. v.)

Documentaciones posteriores: Rimado de Palacio, 1549c, ms. E, donde parece ser *articuloso* 'artero' (?): "con falsas palabras ser muy *articuloso*"; *articulos* en la ac. 'artículos de la Fe', en don Juan Manuel, Libro de los Estados, 558.19; la misma ac. en el Tractado de la Asunçion, 96.13.

ARTIFICIO.   De artifĭcium.

'malas artes':

En las Glosas de Silos (Corominas, DCELC, s. v.).

Berceo, Mil., 722c: "Fazie el malo cercos e otros *artificios.*"

ARTIFICIOSO.

'artero, que posee artimañas':

Poridat de las Poridades, 57.18: "Et sabet que los de Yndia son *artificiosos* et de grandes maravillas."

ARRENUNCIAR. De renuntiare.

'renunciar':

Alex. (P), 2609d: "*Arrenunçio* al mundo, a Dios vos acomiendo."

ASCENSION. De ascensionem, deriv de ascendere.

'la Ascensión del Señor':

Santa María Egipc., 279: "dia de la *Açensión*".

Fuero de Soria, 15.16: "et del domingo primero ante de *Ascensión.*"

Berceo, Loor. 124d: "Antes que viniés la hora de la *Açenssión.*"

Documentaciones posteriores: Libro de los Estados, 570.42.

ASENCIO.

'piedra preciosa':

Poridat de las poridades, 74.24: "*Asencio* es piedra negra et pesada."

En Alexandre (P), *ysincio;* Alexandre (O), *obsinto;*

San Isidoro, *apsyctos.*

ASIA.

El Bonium. 69,2.

Alex. (P), 248b.

ASIGNADO. Deriv. de *Signo.*

'designar, fijar':

Doc. ling. de 1246 (M. Pidal, 95): "los XII morauedís que me fueron *assignados* enna casa de Avila".

Berceo, Milagros, 900c: "quando fueron plegados al *asignado* día".

Documentaciones posteriores: JRuiz, 340d.

ASOLUCION. Probabl. por *solución.* V. *Absolución.*

'solución correcta':

Apolonio, 21d: "Que le daría la cabeça o la *asoluçion.*"

ASPIRAR. De aspirare.

'inspirar, infundir ideas'

Sta. M.ª Egipc., 623: "de Dios ffue *aspirada*".

Berceo, Loores, 129c: "Fueron de Sancto Spiritu una vez *aspirados.*"

Según Corominas *aspirar* es alteración de *inspirar.*

ASSUMIR. De assumĕre.

'asumir, recibir':

Berceo, Sac., 285d: "Esto (el cuerpo de Christo) cada dia lo avian *assumir.*"

Corominas lo documenta en 1528 (DCELC, s. v.).

ASTINENCIA. De abstinentiam.

'mortificación, penitencia'

Berceo, Sta. Oria, 21c: "Sufría grant *astinençia.*"

V. Abstinencia.

ASTRION.

'astrios, piedra preciosa':

Alexandre (P), 1467c: "*Astrion* resplandesçe commo luna complida"; en Alexandre (O): *asbrion;* en san Isidoro: *astrios* (V. Kasten, *Poridat,* p. 18).

ASTROLOGIA. De astrologĭa, gr. ἀστρολογία.

El Bonium, 316.7: "Tolomeo fue un omne muy entendido en las ciencias quadriviales e mayormente en la ciencia de *ostrologia.*"

Buenos Proverbios, 13.9: "después (la) *estrologia*".

Otras documentaciones: JRuiz, 123b: *astrologia;* Rimado de Palacio, 810c: *estrologia.*

ASTROLOGO. De astrologus, gr. ἀστρολόγος.

'astrónomo':

Reyes Magos, 123: *astróligo* o *estroligo* (Corom., DCELC, s. v.).

El Bonium, 298.13, en la ac. 'adivino': "E disen que los *estrologos* havian fallado que Alixandre, que havia de morir sobre suelo de fierro e so cielo de oro."

Otras documentaciones: JRuiz, 123a; Alfonso X, *astrologo;* Zifar, *estrólogo.*

ASTRONOMIA. De astronomĭa.

'la ciencia de la Astronomía':

El Bonium, 290.4: "... e fiso trasladar en griego todos los libros de la *estremonia* ..."; además, Knust ofrece las variantes: *estrenomia* y *ostronomia.*

Poridat de las poridades, 41.24: "*astronomia*".

Alexandre (P), 1040b: "*estremonja*".

Corominas atestigua *astronomia* en Alfonso X; *estronomia,*
Primera Crón. Gral.; *estrelomía,* idem 11a 53 (DCELC, s. v.)

ASTROSIA.   Deriv. de *astro.*

'mal, injusticia':

Apolonio, 445b: "... la burçesa Dionisa, ministra del pecado,
fizo grant *astrosía*".

Cf. C. Baena, 446 y 450; JRuiz, 456b; Scio, II Reyes, XIX,
19 'injuria' (Corominas, DCELC, s. v.).

ASTROSO.   Deriv. de *astro.*

'desgraciado, el que tiene mala estrella':

Corominas lo documenta en Berceo, y ya con el mismo sentido
en san Isidoro *(astrosus:* malo sidere natus), Etymol., X, 13;
también en las glosas (Sofer, 72). V. DCELC, s. v.

Apolonio, 342d: en la ac. 'despreciable' (v. Marden, Vocab.).

Alex (O), 1942c: Dastrosa mantenencia son *astrosos* barones."

Berceo, Sto. Dom. 115d: "Feçerle degannero en deganna
astrosa". (ed. del P. Andrés).

ATENENCIA.   Sufijo culto -entia.

'trato, amistad':

Fazienda de Ultramar, 102.16: "Non ayades con ellos amyd-
tança ny *atenençia.*"

Berceo, Milagros, 27a: "Estos avíen con ella amor e *atenençia.*"

Apolonio, 93b: "Siempre con los cuytados ha su *atenençia.*"

Alexandre (P), 6d: "nunca con auol ome ovo *atenençia*".

'intención, propósito o acuerdo de realizar algo':

Berceo, Milagros, 378a: "Tres caballeros eran de una *atenençia,* con otro so veçino avian mal querençia."

'promesa de cumplimiento':

Alexandre (P), 328c: "en cabo abjnjeronse, dieronse *atenencia*".

ATERMINAR.   V. TERMINAR.

ATHENAS.

'Atenas, la ciudad griega':

El Bonium, 118.9: "e fue de *Athenas* que fue la villa de los
sabios".

ATORGAMIENTO.

'contrato':

Doc. ling. de 1.234 (M. Pidal, 226): "... este *atorgamjento* ffue fecho en ...". alterna con *otorgamiento*.

V. ATORGAR.

ATORGAR. De auctorĭcare.

Cid, 198: "*Atorgar* nos hedes esto que auemos parado", en la ac. 'salir garante de un contrato' (v. Menéndez Pidal, Cid, Vocabulario).

Documento ling. de 1.184 (M. Pidal, 305): "aqueste dono *atorgo* e confirmo ...". Alterna con *otorgar*.

V. OTORGAR.

ATREVENCIA. Sufijo culto.

'atrevimiento, audacia, osadía':

El Bonium, 271.12: "commo temor o *atrevencia*".

Alexandre (P), 1984b: "Que fazien estos ambos tamanna *atrevençia.*"

Otras documentaciones: 1.ª Crón. Gral.

ATRYBUTADO.

'tributario':

P. de Fernán González, 128b: "Que en ser *atrybutado* non era acordado."

V. TRIBUTO.

ATUPNO. De autŭmnum.

'otoño':

Alexandre (P), 2526d: "Entonces fazia *atupno* ..."

AUCTORIDAD. De auctoritatem.

'autoridad', 'testimonio':

Aparecen diversas variantes: *açtoritat, auctoridat, autoridat, actoritas* (latinismo crudo), *abtoridat* ... Santa María Egipc., 1168: "ca non son de tal *de(n)ytat*/njn de tal *actorjtat*".

Nobleza y Lealtad, X: *abtoridat.*

Berceo, Sto. Dom., 261b: "Quiero vos dar a esto una *auctoridat.*"

Alexandre (P), 1177a: *actoritas.* En P., 1541c: *abtoridat.*

Con la ac. 'autoridad, crédito': Berceo, Mil., 586c: "Que fo omne católico de grand *autoridat.*"

AUDIENCIA. De audĭentiam.

'Audiencia, fallo, arbitraje':

Berceo, Milagros, 93b: "Apello a Christo, a la su *Audiença.*"
Docs. posteriores: Memorias de Fernando IV, s. XIV.

AUDIENTE. De audies, -entis.

'oyente, 'testigo':
Doc. ling. de 1.127 (M. Pidal, 109): "Concilio de Sancto
Petro, *audiente* e testificante."

AUDITOR. De audītorem.

Doc. ling. del s. XII (M. Pidal, 18): "*auditores* e veedores".
En un doc. 'ing. de 1.219 (M. Pidal, 166): *audidores.*

AURORA. De aurōram.

'aurora, amanecer':
Berceo, Sta. Oria, 123b: "Más fermosa de mucho que non
es la *aurora.*"
Alexandre (P), 282a: "Ia yua agujsando don *Aurora* sus
claues." En O. 275a: *don Europa.*
Docs. posteriores: Alfonso X; C. de Baena.

AUTENTICO. De authenticus, gr. αὐθεντης 'que tiene autoridad'.

'verdadero':
Berceo, Sac. 65b: "Offrenda es *auténtica,* nom podrié meiorar."
Alexandre (P), 1228b: "Las otras jncidencias de las gentes
paganas, commo no son *abtenticas* jasen mal orellanas."
Otras documentaciones: FJuzgo (1.ª doc.); Memorias de
Fernando IV, *atentico;* C. Baena, *auténtico.*

AUTORICIA. Del latín autoricium (vg.).

'autoridad, notoriedad':
Berceo, San Millán, 311c: "Sabién que era cosa de gran
autoriçia."

AUTORIDAD. V. AUCTORIDAD.

AVARICIA. De avarĭtĭa.

'avaricia', 'codicia':
Santa María Egipc., 825: "Entrellos non auje copdiçia/nj
enbidia njn *avariçia.*"
Flores de Filosofía, 72.3: "ca la cobdicia e la *avaricia* son
ffuentes de dolores".
Nobleza y Lealtad, II: "morada de *avaricia*".
Berceo, Milagros, 237d: "Avie grant *avariçia,* un pecado
mortal."

Alexandre (P), 1800d: "En el mundo perdido por esa *avariçia.*"
Documentaciones posteriores: JRuiz, 1165; Rim. de Palacio, 73a.

AVARICIOSO.

Buenos Proverbios, 17.3: "el uno es el *avaricioso".*
No he hallado ninguna otra documentación del cultismo. V.
Avaricia.

AVE MARIA.

'Ave María, fórmula piadosa':
Santa María Egipc., 488.
Berceo, Loores, 21.

AVENENCIA.

En el Libro de Los Buenos Proverbios y en las Flores de
Filosofía aparece con la grafía *v* (v. Abenencia). B. Prov..
29.11; Flores de F., 52.1.

AVERSARIO. De adversarium. V. Adversario.

AVILTADA MIENTRE. V. Aviltar.

AVILTAR. De ad-vilitare (V. M. Pidal, Cid, Gramática, p.
189).

Para Menéndez Pidal las formas Biltar, Aviltar y
derivados han sufrido influjo culto (V. también M. Pidal,
Cid, Vocabulario). No obstante el cultismo es muy dudoso.
Se encuentra documentado en multitud de textos, desde los
orígenes del idioma: Cid, 3026; en la ac. 'humillarse'; 2732,
'afrentar'; Flores de Filosofía, 57.7, 'afrentar'; Buenos Proverbios, 38.14, 'afrentar'; Nobleza y Lealtad, IV; Alexandre (P), 484b, 'afrentado', etc.

AVILTANCA. V. Vilteza.

AVOLORIO. Deriv. de aviolus.

'abolengo' 'linaje':
Alexandre (P), 352d: "Pero que todos eran III, eran dun
avolorio."
Otras documentaciones: Fueros, de Aragón, Gral. Estoria.

AX. De axem.

'eje': Berceo, San Lor., 24c: Volvióse la rueda, fue el *ax*
trastornado."
Alexandre (P) 967d: "Que el *ax* de la rueda jazie trastornado."
Alexandre (P), 838c: *axo.*

AXENXIO. De absinthium.

'ajenjo':

Buenos Proverbios, 33.12: "La postrimer(i)a della es asi amarga como *axenxio.*"

V. ABSINCIO.

CONTRIBUCIÓN AL ESTUDIO DEL CULTISMO LÉXICO MEDIEVAL

B

BABILONIA.

 'la ciudad de Babilonia':

 Buenos Proverbios, 45.4.

 Fazienda de Ultramar, 135.9.

 Berceo, San Millán, 219.

 Liber Regum, 7.5.

 Alexandre (P), 274a: *Babilonja* la magna.

BABTISTA. V. Baptista.

BABTISTERIO. Del gr. βαπτιστήριον.

 Fazienda de Ultramar, 103.24: "A yuso un poco de Jerico es el *babtisterio* do bautizo Christus a Sant Johannes Baptista."

 Corominas lo documenta en 1545 (DCELC, s. v.).

BACUS. 'el dios Baco'.

 Alexandre (P), 241c.

BALSAMADO.

 'embalsamado':

 Fazienda de Ultramar, 60.27: "... que assy se cumplien dyas de los *balsamados*".

 V. Balsamo.

BALSAMAR.

 'embalsamar' 'meter o lavar con bálsamo':

 Apolonio, 281a: "*Balsamaron* el cuerpo como costumbre era."

Alexandre (P), 1783a: "Fiso el rrey demjentre el cuerpo *balsamar*."

V. Balsamo.

BALSAMO. De balsamun, gr. βάλσαμον.

En el C. C. Esc. (Simonet, Glosario, s. v.).

Santa María Egipc., 1313: "aquesse logar que val mas que non *balsamo*, que es unguento natural."

Berceo, Mil., 39c: "Oliva, çedro, *balsamo*, palma bien arimada."

Apolonio, 297 d: "Prende en huna ampolla del *balsamo* meior."

Alexandre (P), 1443c: "Ençens e anamono, *bálsamo* que más val."

Docs. posteriores: JRuiz, 1612c; Rim. del Pal., 5c C.

BALTASAR.

A. Reyes Magos.

Reys d'Orient: "*Baltasar* ofrecio oro."

BAPTISMO. Del gr. βαπτισμός.

Razón de Amor y Denuestos, 255: "... que de agua fazen el *batismo*".

Fuero de Soria, 113.11: "... e combidados al *baptismo*".

Berceo, Son Lor., 91c: "Demandó el *baptismo*, ley de christiandat."

P. de Fernán González, 23a: "Rescibieron los godos el agua a *vautysmo*."

Documentaciones posteriores: Rim. de Pal, 820d; don Juan Manuel, Libro de los Estados, 483.35; Libro del Cavallero e del Escudero, XVIII. En el primero, *bautismo;* en don Juan Manuel, *baptismo.*

BAPTISTA.

'San Juan Bautista':

Liber Regum, 12.7.

Doc. ling. de 1249 (M. Pidal, 98).

Fuero de Soria, 57.13.

Berceo, Sto. Dom., 55.

BAPTIZAR. De baptidiare.

'bautizar':

Liber Regum, 12.1: "... e conuertiolo Sant Silvestre e *babtizolo* e fo christiano".

Berceo, Santa Oria, 9b: "Qual nombre li pusieron quando fue *baptizada*."

Alexandre (O), 2256a: "Las almas de los ninnos que non son *baptizados*." En P., 2398a: *bateados*.

La forma popular *batear, baptear*, se halla en el mismo Berceo, en el manuscrito aragonés del Alexandre y en otras obras de los siglos XIII-XIV.

Todavía *bateo* 'bautismo' en los siglos XVIII-XIX (V. Corominas, DCELC, s. v.).

Más documentación en BAUTIZAR.

BARATRO. Del latín barăthrum, gr. βάρατρον.

'báratro, infierno':

Berceo, Mil., 85d: "Leváronla al *báratro* de deleit bien vaçio."

Según Corominas la 1.ª doc. en 1612. Hemos de interpretarlo, pues, como un cultismo realmente exótico en Berceo.

BARBARA.

'Bárbara, nombre propio':

Berceo, San Millán, 137b: "*Bárbara* avíe nomne esta mugier guerida."

BARBARO. De barbarus, gr. βάρβαρος.

'extranjero':

El Bonium, 367.10: "... que asi commo el *barbaro* non puede entender lo que dise el arabigo".

Berceo, Himnos, I, 3: "Tu façes a los *barbaros* fablar ..."

Alexandre (P), 1169c: "Los baractos e los *barbaros* ...".

Documentaciones posteriores: Poema de Alfonso Onceno, 951d.

BASA. De basis, gr. βάσις.

'base', 'basa':

Alexandre (O), 1961b: "Todas doro fino, capiteles e *basas*."

BATISMO. V. BAPTISMO.

BATISTA. V. BAPTISTA.

BAUTISMO. V. BAPTISMO.

BAUTIZAR. V. BAPTIZAR.

R. de Amor y Denuestos, 256: "E dize Dios que los (que) de agua fueren *bautizados* ..."

Santa María Egipc., 1127: "*bautizada* fuy en mancebia".

P. de Fernán González, 22b: "Sy *vautyzados* non sodes ...".

BASILICA. De basílica.

Sólo poseemos la documentación aducida por Simonet, del C. C. Esc., en la forma baxelica (v. Glosario, s. v.).

BASILISCO.

'Nombre español de la planta llamada en latín *gentiana*':

Procede probablemente del adj. *basilicus, -a, -um* (regio), por su excelencia medicinal, porque según Lang., 265 "tiene virtud singular contra la pestilencia, contra cualquier veneno y contra toda punctura y mordedura de animales ponzoñosos. Cf. el nom. lat. *basiliscus* 'basilisco, serpiente muy venenosa'. Simonet la atestigua bajo las formas *baxilica, baxilixc* y *baxilixco* en Ibn Albáithar de Málaga y en Ibn Buclárix. En Nebrija: "*basilica,* raíz de genciana". (V. Simonet, Glosario, s. v.) Por nuestra parte, sólo la hemos documentado en don Juan Manuel, Libro del Caballero e del Escudero, cap. XL: "ay otra manera de bestias poçonnadas a que llaman *basiliscos*", que hace referencia a la ac. señalada más arriba. Cf. hoy "hecho un basilisco".

BELLEEM.

'la ciudad de Belén':

Cid, 334 y en otros muchos textos medievales.

BELLO. De bĕllus.

'bello, hermoso'.

Razón de Amor y Denuestos, 57: "Mas ui uenir una doncella, / pues naçi, non ui tan *bella*."

Santa María Egipc., 210: "de aquell tiempo que ffue ella / despues no nascio tan *bella*".

Fazienda de Ultramar, 59.33: "Plus *bellos* son sos ojos de vino e sos dientes blancos plus de lech."

Berceo, Stô. Dom., 234d: "Nunqua omne de carne vio tan *bella* cosa."

Alexandre (P), 197b: "Mandó luego mouer la su *bella* compaña."

Alexandre (P), 2263b: "por el su *bel* parecer".

P. de Fernán González, 403d: "Nunca mas *vella* cosa veyera omne nascido."

Corominas se inclina a considerarlo un préstamo provenzal desde el punto de vista semántico, pero no fonético. Dice también que podría ser cultismo, pero menos probablemente porque el bajo latín prefería *pulcher* para 'hermoso'. Ejemplos antiguos de *bello* en Malkiel, *Language,* XXII, 285n29 (V. Corominas DCELC, s. v.).

Pensamos que cualquiera de las dos posibilidades —provenzalismo o cultismo— puede tener fundamento. Aunque palabra del lenguaje poético, nosotros no descartamos la procedencia culta, mientras no se aduzcan más argumentos en favor del provenzalismo de la voz.

Documentaciones posteriores: F. Juzgo; JRuiz, 1003b; Poema, de Yuçuf, 4c; Libro de los Proverbios de Salomón, estr. 52, vs. 187; Historia Troyana, 196.144.

BENDICION. De benedictionem.

'bendiciones nupciales', 'matrimonio legítimo'

Cid, 3400: "que gelas diessen a ondra e a *bendiçión*".

En Cid, 2240: *bendiction.*

Fuero de Soria, 112.33: "Los fijos de *bendiçión* que fuessen de un padre e de una madre, egualmente hereden los bienes del padre e de la madre."

'casar en matrimonio legítimo':

Alexandre (P), 1212, 2353 a: "casar a *bendiçión*".

Apolonio, 558a: "Prisieron *bendiçiones.*"

P. de Fernán González, 682c: "Non alongaron plazo, *vendiçiones* prendieras."

'bendición':

Santa María Egipc., 1022: *"bendiçión* le demandó".

Fazienda de Ultramar, 48.4: "Qui te maldixiere sea maldito e quit bendixiere sea pleno de *bendicion.*"

Liber Regum, 2.5: "... por miedo de Esau, so ermano, por la *bendicción* quel auia furtada".

Berceo, Sto. Dom., 40a: "Plena de *bendiçión.*"

Apolonio, 241b: "el Criador ... metió su *bendiçion*".

Alexandre (O), 109a: "Tu da en estas armas la tu *bendiçion.*"

Frecuente en todos los textos medievales.

BENDITO. De benedictum.

Semicultismo con multitud de variantes formales: *benedicto* (Berceo, Milagros, 32a), *benedito* (Berceo, san Millán, 15b y Apolonio, 143a), *beneito* (Berceo, S. Dom., 125), *benito* (Ber-

ceo, Sto. Dom., 223b, en la ac. 'Benito', nombre propio'),
bendicto (Berceo, Sac., 179), y los pop. *bendicho* (Berceo,
Sto. Dom., 214) y *biendicho* (Berceo, Sac. 54). Todas ellas
en la ac. 'bendito'. También en la ac. 'benedictino' (Berceo,
Mil., 76a).

Más doc. Fuero de Soria, 34.14: *benjto;* Fazienda de Ultramar, 57.33.

Muy frecuente en los textos medievales.

BENEDICITE.

Latinismo crudo. Alexandre (P), 1631: "Dixo el *benedicite*
por la orden conplir."

BENEDICTO.

'benedicto, Benito, nombre propio':

Muy frecuente en todas las épocas: docs. lings.: *Benedicto*
y *Benito.*

V. Bendito.

BENEFICIAR. De beneficĭum.

'hacer bien':

Nobleza y Lealtad, VI: "sabiduría es ... a *beneficia* al mundo".

BENEFICIADO.

'beneficiado, cargo eclesiástico':

Fuero de Soria, 48.15: "Si ... *beneficiado* en las eglesias de
la uilla fuere enplazado."

BENEFICIO. De beneficĭum.

'beneficio', ac. jurídica y eclesiástica.

Doc. ling. de 1.223 (M. Pidal, 28.7): "... e toliol end el
benefitio ...".

Diez Mandamientos: "... o *beneficio* de glesia".

Nobleza y Lealtad, L.: "... nin oficios nin *beneficios".*

Alexandre (P), 1644b: "Non quiero de su mano *beneficio*
tomar."

Docs. posteriores: Rim. de Pal., 1331d; don Juan Manuel,
Libro de los Estados, 557.19; Las Partidas.

BENIGNIDAT. De benignitatem.

'afecto':

Alexandre (P), 1589c: "Abráçalos a todos con grant *benignidat.*"

Documentaciones posteriores: 1.ª Crón. Gral., Rim. de Pa-

23

lacio, 1569a. En este último texto también *benigno, benignamente,* de buen natural'.

BESTIA. De bēstĭa.

1.ª doc. *uistia,* Glosas Silenses, 312 y común en todas las épocas. En un testamento catalán de 1046 (San Cugat del Vallés, II, doc. 587) la voz *bestia* está usada con el significado de 'animal que se puede cabalgar': concessit ... ad Bunucio, sacer, bestia I; ... et ad Libro, bestia I; ad glia sua Adalet, uedel I et truia I." (V. Bastardas, ELH, I). En textos medievales lo encontramos tanto en sentido específico 'cuadrúpedo de carga', como genérico.

Doc. ling. de 1219 (M. Pidal, 166): 'animal, ganado'. Doc. ling. de 1225 (M. Pidal, 48): 'cuadrúpedo de carga, caballería'.

Cid, 2946: 'cuadrúpedo'.

Disputa del alma y el cuerpo, 24: 'animal, irracional'.

Santa María Egipc., 770: 'animal, irracional'.

Reis d'Orient, 95: 'animal, bestia'.

Fuero de Madrid, 39.16: 'animales, ganado'.

Fuero de Soria, 7.12: 'bestia de labor'.

Fuero de Sepúlveda, § 107: 'bestia de labor'.

El Bonium, 16.12: 'animal, irracional'.

El Bonium, 238.1: 'cabalgadura'.

Buenos Proverbios, 18.11: 'animal, irracional'.

Nobleza y Lealtad, VIII: 'animal, irracional'.

Poridat de las Poridades, 38.12: 'animal, irracional".

Fazienda de Ultramar, 51.10: 'alimaña, fiera'.

Fazienda de Ultramar, 55.18: 'animal de carga'.

Fazienda de Ultramar, 77.26: 'animales en general'.

Berceo, Mil., 92b: "Ca eres una cativa *bestia.*"

Apolonio, 258b, 'animal de carga': "De *bestias* et daueres e de conducho cargadas."

Alexandre (P), 607c: 'caballo': "Priesieron dos cauallos, dos *bestias* tan ligeras."

Fnán. Glez.; 53d: 'bestia de labor': "Sy non con las que aren otras *bestias* non ayan." En 479a 'Satanás':": "Quien este Sennor dexa e en la *vestya* fya."

Docs. posteriores: común a todos los textos.

BESTIAL. V. BESTIA.

Adj. 'animal':

Poridat de las poridades, 36.2: "... Que por complir omne todas sus voluntades uiene omne en natura *bestial* que es cobdiciosa."

BESTIARIO.

Berceo, Sto. Dom. 220c: "El rey e los pueblos dauan les adiutorio / unos en la eglesia ... otros en *bestiario.*"

V. VESTIARIO.

BESTION. V. BESTIA.

Sust. m. aumentativo de *bestia:* 'demonios':

Alexandre (P), 2450a: "Entre la multedumbre de los otros *bestiones.*"

'Satanás':

Apolonio, 14d: "*Bestion* mascoriento."

Fnán. Glez., 414d: "Quando con las (sus) manos lidió con el *bestyón.*"

Berceo, San Mill., 119c: "Tu me defendi oy desti tan fuert *bestión.*"

'estípite o mascaron, acaso animal fantástico empleado con motivo decorativo' (V. Keller, Alex., Vocab., s. v.):

Alexandre (P), 843d: "E tenjen so las manos todos sendos *bestiones.*"

'baluarte o bastión' (V. Keller, Alex., Vocab., s. v.):

Alexandre (P), 2053c: "En un grant *bestión* commo un castellar."

V. VESTION.

BETLEN.

'la ciudad de Belén': Reys d'Orient, 9.

Fazienda de Ultramar, 58.31: *Bethleem.*

BIENQUERENCIA.

'bienquerencia, afecto, simpatía':

Buenos Proverbios, 22.13: "fazen al omne grant amor e *bienquerencia*".

Fuero de Sepúlveda, 47: "... que por *bienquerentia,* nin por malquerentia, nin por ruego ...".

BIGAMO. De bigămus, y éste alteración de digămus, que procede del gr. δίγαμος (Corominas, DCELC, s. v.).

Corominas lo documenta por primera vez en Las Partidas, y
el sustantivo *bigamia* en el siglo XIII. Sin embargo Simonet
lo atestigua en el C. C. Esc. de 1049 (v. Glosario, s. v.).

BILTAR. V. AVILTAR.

BILTANCA. V. VILTEZA.

BISPADO. V. OBISPADO.

BISPALIA.

'obispado, diócesis':

Berceo, San Lor., 3a: "Al tiempo que Valerio tenia la *bispalia*."

V. OBISPADO.

BIZANCIO.

Berceo, Milagros, 682: "El burgués de *Bizancio*."

BLAGO. De bacŭlum.

'báculo, bastón, vara':

Fazienda de Ultramar, 50.2: "ca con mio *blago* solo pasé el
flum Jordan e agora so con dos almofallas".

Berceo, San Millán, 148c: "Enbíoli el *blago,* fust de grant
sanctidat."

Blago es forma semiculta común en los siglos XIII-XIV (JRuiz,
1149b); *baclo* en Castigos de don Sancho; *báculo,* 1.ª doc.,
1535, Fernández Oviedo (DCELC, s. v.).

El diminutivo *blaguiello* en Berceo, S. Dom., 182.

BLASFEMIA. De blasphemia, gr. βλασφημια

Berceo, Duelo, 192b: "Qui li dįçian *blasfemias* e le dęçian
grant mal."

Alexandre (P), 781b, *blasemia,* prob. por *blasfemia:* "Dixiste
grant *blasemja* averte ha a nozir." Falta en O., 754b, donde
dice *falencia.*

Blasfemo, 1.ª doc. en Guevara. *Blasfemar* en Rim. de Pal.,
1689dE; Sem Tob; F. Juzgo.

BOLSA. De bŭrsa.

Cid, 3291: "Ca yo la trayo aquí en mi *bolsa* alçada."

Apolonio, 394b: "Su *bolsa* apareiada."

Alexandre (P), 765c: "*Bolsa* en que los tus dineros condeses."

Docs. posts.: Fuero Juzgo.

BOLLICIO. V. BULLICIO.

BRETANIA.
El Bonium, 70.3.
BREVE. De brĕvis.
Berceo, Mil, 704c: "De la oración *breve* se suele Dios pagar."
BREVIARIO. De brevĭarium.
Alexandre (P), 637d: "Que sy por orden todo lo quessiesen notar / serie un *breuiario* que prendrie grant logar."
Corominas lo doc. en 1122.
BUGLOSSA. De buglossa, gr. βουγλωσσον
V. Gili y Gaya, *Cultismos y semicultismos en nombres de plantas,* R. F. E., XXXI, 1947.
BULLICIO. De bullĭtio.
'bullicio, ruido, alboroto':
Flores de Filosofía, 77.1: *bollicio.*
Berceo, Sto. Dom., 100b: *bollicio.*
Fnán. Glez., 392d: *"volliçio".*
'revuelta, rebelión':
Flores de Filosofía, 23.6: "Son seguros de non aver *bulliçio* en su rregno."
BULLICION. De bullitĭonem.
'agitación': Alex. (P), 1665d: "Era entre los pueblos fiera *bulliçión."*

C

CABILDO. De capitulum.

'Ayuntamiento, cabildo':

Doc. ling. de 1223 (M. Pidal, 6): "... quod ego Dominicus A ... i sancte Juliane, una con todo el *cabildo,* fazemos avenencia con vos ..."

Doc. ling. de 1223 (M. Pidal, 7): *cabillo.*

Fuero de Soria, 24.10: "...el *cabildo* de los alcaldes".

Fuero de Sepúlveda, § 33: "... muéstrelo a los alcaldes en su *cabildo* aquel día que fuese llamado".

V. Capítulo.

CABTENENCIA. Sufijo culto.

'manera de obrar':

Alexandre (P), 943c. "Qual *cabtenença* ovo, que empezó a far."

CAIN.

'Caín, hermano de Abel':

Fazienda de Ultramar, 44.8.

CALIDAD. De qualitatem.

'cualidad':

Alexandre (P), 1182c: "Despues torno bermella en otra *calidat.*"

Berceo, Sta. Oria, 126a: "Todas eran iguales, de una *calidat.*"

La distinción actual de acs. entre ambos es moderna, pues todavía se encuentran confusiones en los ss. XVI-XVII. Aut.

sólo da ejemplos de la variante *calidad,* afirmando que la forma *qualidad* ya no es tan usada. (Corominas, D. C. E. L. C., s. v.) V. CUALIDAD.

CALIZ.   De calix, -icis.

Berceo, Sac., 270a: "El *cáliz* en que está el vino consagrado." Mil., 323c: "Ardieron las ampollas, *cálices* e ciriales." Unica documentación: Berceo. El semipopular *calze* en la 1.ª Crón. Gral. (Corominas, DCELC, s. v.).

CALDEA.

'Caldea, país asiático':
El Bonium, 69.9.
Alexandre (P), 274c.

CALIGINE.   De calīgo, -ĭnis.

'nube, niebla':
Fazienda de Ultramar, 77.2: "Estido el pueblo de luen, e Moysen aplegos a la *caligyne* en que era Dios."

CALUMNIA.   De calŭmnia.

'caloña, pena pecuniaria, multa':
Fuero de Madrid, 33.17: "Toto homine qui *calumpnia* habuerit a pectare ...". Esta es la forma más latinizante (quizás plenamente latina), pero aparecen en el mismo Fuero las formas *calona, calonnia, calonia, calompnia.*
Fuero latino de Sepúlveda, 47.1: *calumnia.* En el Fuero romanceado *calonnas.*
'calumnia, infamia':
Berceo, Himnos, I, 1c: "Purga los nuestros pechos de la mala *calumne.*"
En Alexandre (P), 1821b: *calunbre,* quizás error por *calumne:* "sodes bien alympiados de toda la *calunbre*".
Calumpnia en el F. de Avilés. La forma culta *calumnia, calunia* es poco frecuente en la Edad Media, aunque aparece en los *Opúsculos Legales* de Alfonso el Sabio.
Caluña en las Cortes de 1329 (Corominas, DCELC, s. v.).

CANCELLARIO.   De cancellarĭum.

'canciller, secretario eclesiástico':
Berceo, Milagros, 107a: "Mándote que lo digas que el mi *cançellario* / non mereçe ser echado del sagrario."

CANCION. De cantĭonem.

'canción, cántico':

Berceo, San Millán, 304c: "Avie grant alegría, diçien sanctas *cançiones.*"

Alexandre (P), 1946c: "Metieron en *cançiones* las sus cavallerías."

En Alexandre, 1376b: *cançon.*

En Berceo, Milagros, 886c: "Marido de Teodora, mugier de grand *cançión*", parece significar 'de gran nobleza', 'digna de ser cantada'.

CANDELABRO. De candelabrum.

Berceo, Sac., 87c: "La archa, el *candelabro,* e quanto y estava."

Candela, 1.ª doc., Cid.

Candelabro, 1.ª doc., Berceo.

CANNON. De canŏnem.

'Canon, regla de la Misa que se lee después del Sanctus':

Berceo, Sac., 140a: "En el cuerpo del *cannon.*"

1.ª doc., Berceo.

CANO. De canus.

'blanco, cano':

Apol., 68a: "Vino hun ombre bueno, e layco e *cano.*"

Sta. M.ª Egipc., 378: "ssiquier viejo ssiquier *cano.*"

También en Alex (V. Corominas, DCELC).

CANONIGO. De canonĭcus.

'canónigo, clérigo':

Doc. ling. de 1227 (M. Pidal, 86): *"canonigos* de Calaforra ..."

Doc. ling. de 1235 (M. Pidal, 114): *calonigo.*

Berceo, Milagros, 840a: "Esti nuestro *canonigo* e nuestro compannero."

La forma más corriente en la Edad Media era *calonge,* del oc. ant. *canonge.* Pero *canónigo* está atestiguado desde 1173 (Oelschläger).

Documentaciones posteriores: Conde Lucar, cap. XXXII; Juan Ruiz, 1708a.

CANTARO. De canthărus, gr. κάνθαρος.

Fazienda de Ultramar, 46.36: *"cantaro* de agua".

Corominas lo documenta por primera vez en la Gral. Estoria (DCELC, s. v.).

CANTICA. De cantĭcum.
'cantiga, poema':
Fazienda de Ultramar, 94.2: "Agora escrif esta *can(ti)ca* e demuestrela a fijos de Israel."
Alexandre (P), 227a: "Elear fiso su cantica, fue el Rey su pagado." En O., 220a: *cauca.*

CANTICO. De canticum.
'canción':
Berceo, San Millán, 22b: "De ymnos e de *cánticos* sobra bien decorado."

CAPADOCIA.
'Capadocia, país de Asia':
El Bonium, 69.9.
Fazienda de Ultramar, 116.24.
Alexandre (P), 821b:

CAPHARNAUM.
'Caparnaum, la ciudad de Tierra Santa'
Fazienda de Ultramar, 124.21.

CAPITAL. De capĭtalem.
'principal, muy grande':
Apolonio, 38c: "Que so de Apolonio *capital* enemigo."
1.ª doc.: Apolonio

CAPITEL. De capitĕllum.
Alex (O), 1961b: "Todas d'oro fino, *capiteles* e basas."

CAPITHOLIO.
'templo pagano':
Citado por Simonet en el C. C. Esc. (V. Glosario, s. v.).

CAPITULO. De capĭtŭlum.
'cabildo, comunidad':
Doc. ling. de 1227 (M. Pidal, 178): "el *capitulo* de Sancta Maria."
Doc. ling. de 1228 (M. Pidal, 315): "el *capitolo* ...".
'capítulo, parte de una obra o tratado':
Fuero de Soria, 7.2: "*Capítulo* I; de la guarda de los montes ..."
El Bonium, 66.4.: *capítulo* I; 372.: "en cada *capítulo* ..."
Poridat de las poridades, 50.3: "*Capítulo* de los escriuanos del rey.". En 58.14: *capitolo.*

Buenos Proverbios, 6.8: "*Capítulo* de ayuntamiento de quatro filósofos ..."

Flores de Filosofía, 10.5: "E hordenar e componer por sus *capítulos.*"

Berceo, San Millán, 203c: "Por levantar *capítulos* e constituciones."

'capítulo, parte de la Misa':

Berceo, Sac. 103a: "En el otro *capitolo* el preste ordenado ruega por sus amigos."

Más variantes en Berceo: *capítulo, cabildo, cabillo, capitol.*
V.Cabildo.

CAPSETA. Diminutivo de *capsa.* Es independiente de caja, pues éste procede del cat *caixa* u oc. *caissa* (V. Corominas, DCELC, s. v.).

'caja, sepulcro, sepultura':

Berceo, Signos, 22c: "Oirlo en los muertos, cada uno en su *capseta.*"

Documentaciones: *capsa,* doc. de Sahagún de 959 (Oelschl.); *capseta,* Berceo; *casa,* Saber de Astronomía; *casa, caseta,* inventario aragonés de 1402.

CAPTIVAR, CATIVAR. Del latín tardío captivare.

'cautivar, hacer prisionero':

El Bonium, 114.11: "E *cativaronle* e preguntóle uno de los que lo querien comprar."

Según Corominas está también en Berceo (V. Cuervo, Dicc., II, 89-90).

CAPTIVERIO, CATIVERIO.

'cautiverio':

Fazienda de Ultramar, 135.2: *captiverio;* 135.8: *cativerio.*

El Bonium, 198.6: *cautiverio*

P. de Fernán González: *cautiverio.*

Para Corominas la forma *cautivero* precede a *cautiverio* por influjo del sufijo culto de *cauterio.*

V. Cativo como sustantivo abstracto

CAPTIVO, CATIVO. De captivus.

'infeliz, desdichado':

Santa María Egipcíaca, 470. "¿Qué faré agora, *cativa?*

Alexandre (O), 990d: "Ouo al *catiuo* el medio cuerpo a taiar."
Apolonio, 569: "Ca seyen las *catiuas* fiera mientre adobadas."
'cautivo, prisionero':
Liber Regum, 8.16
Fuero de Madrid, 45.8: *captivo;* 45.19: *cativo.*
P. de Fernán González, 723c: "mandó ir a los *cautivos* todos a so logar."
Apolonio, 612d: "De *cativo* que era diéronle quitación."
Adj. 'cautivo':
Liber Regum, 4.20
P. de Fernán González, 74d: "La *cautyva* d'Espanna."
Apolonio, 308d: "espirito *catiuo.*"
'cautividad, cautiverio':
Liber Regum, 2.16
Fuero de Soria, 139,14: "o si yoguiere en *cativo.*"
El Bonium, 114.16: "E estovo en *captivo* gran tienpo."
Para más documentación y valores semánticos véase M. R. Lida en RFH, IV, 152-71.

CARIDAD.   De carĭtatem.

Cid, 709: "! non sea por *caridad.*" Sólo usado en el Poema en exclamaciones o aseveraciones (V. Menéndez Pidal. *Cid, Vocabulario).*
En doc. ling. de 1.200 (M. Pidal, 154): *caridat.*
Reyes Magos, 51: "Iré alá, por *cariáad.*"
Razón de Amor y Denuestos, 252: "Así, don uino, por *carydad.*"
Santa María Egipc., 357: "Por Dios vos ruego e por *carydat.*"
Reis d'Orient, 121: "Et oyasme amjgo por *carjdat.*"
En los textos precedentes sólo en exclamaciones y aseveraciones. Empleos más amplios en los textos siguientes:
Flores de Filosofía, 19.14: "e los mirabolanos de la *caridad.*"
El Bonium, 71. 25-26.
Berceo, Sac., 133b: "Ordene nuestros días en paz de *caridad.*"
Apolonio, 182a "Trobamos buenas gentes llenas de *caridat*".
Alex. (P), 1514c: "Vio quel auie feyto Dios grant *caridat.*"
Para más documentación véanse los índices de Boggs y Oelschläger. También en Juan Ruiz, 1309a; Rim. de Palacio, 35c.

CAROCTORA.
Seguramente deformación de *carácter,* 'carácter, letra' (V. Keller, Vocabulario)
Alexandre (P), 1135a: "Tenje quatro *caroctoras* en la fruente debujadas."
En Alexanlre (O), 1106a: *caracta.*

CARTELARIO. De chartularium, deriv. de chartŭla.
'manuscrito, documento'
Berceo, Sto. Dom., 123a: "Tovo el priorado, dizlo el *cartelario* "En Mil., 85b: *cartelario.*
Docs. posteriores: APal.

CASTIDAT. De castĭtatem.
Santa M.ª Egipc., 537: "tu ameste siempre *castidat."*
El Bonium, 101.5: "... el que non es de conplida *castidad."*
Buenos Proverbios, 11.15.
Flores de Filosofía, 42.17.
Nobleza y Lealtad, VIII.
Berceo, Sto. Dom. 322b: "Prender orden e uelo, uenir en *castidat."*
Apolonio, 324a: "Por amor que toviese su *castidat* meior."

CASTIGAMIENTO.
'consejo, admonición':
Santa María Egipc., 104: "Non preçiava su *castigamiento* / Más que si fuesse hun viento ..."
Berceo, Mil., 708c: "Dava a los errados buenos *castigamientos."*
Castigamente en el FJuzgo (DCELC, s. v.)

CASTIGAR. De castigare.
'aconsejar, amonestar':
1.ª doc. Glosas Emilianenses
Nobleza y Lealtad, Intr.: "De como deue regnar e *castigar* ...".
Santa María Egipc., 104: "La madre assi lo *castigaua* / E de ssus oios lloraua."
Berceo, Mil., 534a: "Dissolis a los angeles: A vos ambos *castigo,* / leval esti ninnuelo ..."
Alexandre (P), 219a: "Oujste buen maestro, sopot bien *castigar."*
Docs. posteriores: Conde Luc., 14.15.

CASTIGO.

'advertencia, consejo, enseñanza':

Berceo, Milagros, 191d: "Non prisi el *castigo* que dizen los abbades"

Alexandre, (P), 1944d: "el que muchos *castigos* buenos le enseñare".

Documentaciones posteriores: don Juan Manuel, Libro de los Estados, 502.25.

V. CASTIGAR

CASTO.

Nobleza y Lealtad, XXIX: "fuerte e *casto*".

Berceo, Sto. Dom., 240b: "Porque fustes *casto* e buen claustrero."

P. de Fernán González, 156d: "Quiero en don Alfonso, el *casto* rrey, tornar."

V. CASTIDAD.

CATHECUMENO. De cathecumenus.

En C. C. Esc. (1049) según Simonet (Glosario, s. v.)

CATEDRA. De cathedra, gr. καθεδρα, 'silla'

'asiento, sillón':

Berceo, Milagros, 585c: "En su preçiosa *cátedra* sedie sentado."

Alexandre (P), 2502c: "Mandó posar la *cathedra* en un alto poyal."

'la cátedra de San Pedro':

Fazienda de Ultramar, 116.27: "Allí fue metido en *cathedra* por el mandado de Nuestro Sennor Jhesu Christo."

Documentaciones posteriores: J.. Ruiz, 53c. El pop. *cadera* se halla en Alexandre (P), 1678a también en la ac. 'silla'. *Cathedra* pasó por asimilación primero a *catetra,* forma documentada, y por disimilación despuésé a *catecra,* de donde la mayor parte de las formas románicas: esp. *cadelra, cadera* (V. M. Díaz y Díaz, ELH, p. 168).

CATEDRAL. Deriv. de cátedra.

adj. 'episcopal':

Berceo, Milagros, 312c: "Leváronlo por mano a la siet *catedral.*"

Documentaciones posteriores: don Juan Manuel, Libro de los Estados. 557.34; Conde Luc., 122.12.

CATINO. De catinum, gr. κάτινον, 'fuente de loza' 'crisol'.
'fuente, taza':

Berceo, Sto. Dom., 307b: "Mandó que calentassen dello en un *catino.*"

Cultismo raro: 1.ª doc. en Berceo y no vuelve a aparecer hasta A. Pal. La ac. moderna en 1770 (Corominas, DCELC s. v.).

CATOLICO. De catholicum, gr. καθολικός, 'general, universal' Según Simonet en C. C. Esc. (Glosario, s. v.) en la ac. 'Primado, obispo principal de alguna región'.

Berceo, San Millán 396c: "Ambos eran *cathólicos,* commo diz la lection."

Alexandre (P), 122a: "Abraham el *cathólico...*"

Otras documentaciones: *gathólico,* 959 (V. M. Pidal, *Orígenes,* p. 328); *católico,* 1185 (Oelschläger).

Documentaciones posteriores: JRuiz, 1312b; Rim. de Pal., 203b; Conde Luc., 21.6 y en muchos textos posteriores.

CATON.

Alexandre (P), 236c.

CAUSA. De causam.

Fuero de Madrid, 31.30: *causa,* seguramente como latinismo crudo.

Nobleza y Lealtad, VIII, *causa.*

El Bonium, 114.3 "E fue escripto en su sello; a la *causa* primera me atengo."

Documentaciones posteriores: Calila, 43.789; Rim. de Pal., 1105a; Sem Tob, 61.9; Bibl. med. roman. del s. XV; A. Pal.; Nebrija; Celestina.

CECILIA.

'Cecilia, nombre de persona':
Doc. ling. de 1206 (M. Pidal, 266).
'país o región de Asia':
El Bonium, 69.9.

CELADA. V. CELAR.

'emboscada, traición':
Poema del Cid, 606: "Se echó en *celada.*"

Berceo, Mil., 440d: "Sos pecados tovieronli una mala *celada*."
Apolonio, 266c: "Touo la ventura a huna mala *çellada*."
Parece en el sentido 'les hizo una mala jugada'.
Alexandre (P), 605d: "Que nunca mas pudiese descobrir tal *çelada*."

CELAR. De celare.

'encubrir, ocultar':
Sta. María Egipc., 937: "Dios la auye enbiada / que non querie que fuesse *çelada*."
Autor de los Reyes Magos, 81: "Decid me uostros nombres, non los querades *celar*."
Berceo, Milagros, 509b: "Non se podié *çelar* la flama ençendida."
Apolonio, 317a: "Semeias me omne bueno, non te *çelaré* nada."
Alexandre (O), 34d: "Et vos non me lo deudes esto a *miçelar*." En P., *ençelar*."
Esta voz pertenece al estrato de cultismos más antiguo del idioma (V. Corominas, DCELC, s. v., y Dámaso Alonso, *La lengua poética de Góngora*).
V. CELO.

CELEBRO. De cerĕbrum.

'cerebro':
Poridat de las poridades, 63.21: "El que a los caballeros blandos muestra' que a el *celebro* frío."
Para Corominos la primera doc. en Calila, pero es cultismo muy antiguo, doc. desde el XIII. La forma *celebro* fue general hasta el Siglo de Oro (V. DCELC, s. v.).

CELESTIAL. De caelestialem.

Celestrial: A. Reyes Magos, 71: "si rei *celestrial* estos dos dexará."
Celestial: El Bonium, 347.21: "Por amor del rrey *celestial*."
Apolonio, 638b: "Dexo los a la graçia del Senyor *celestial*."
Berceo, Sto. Dom., 777d. "Que nos lieue las almas al regno *celestial*."
Sustantivo, 'dioses': Alexandre (P), 833a: "La estoria de Jupiter, con otros *çelestiales*."

Celestia: Alexandre (P), 2423d: "esta lo trastornó de la *celestia* zilla."

Documentaciones posteriores: Rim. de Pal., 1105a.

CELICIO. De cilĭcĭum, 'pieza de paño fabricada con piel de cabra de Cilicia', de donde 'vestidura áspera, cilicio':

Berceo, Sta. Oria, 17b: "Entro enparedada de *çeliçio* vestida."

Docs. posteriores: C. de Baena; A. Pal.

V. CILICIO.

CELO. De zelus, gr. ζηλός.

'celo, envidia':

Berceo, Milagros, 718c: "Cogié *zelo* Teófilo, cempelló el donzel."

1.ª doc. Berceo (V. Corominas, DCELC, s. v.).

CENOBIO. De coenobium, gr. κοινοβιον.

'vida en común, monasterio' ·

Aparece en documentos de 1220, según Corominas (DCELC, s. v.). Nosotros lo hemos atestiguado en un doc. de 1146 (M. Pidal, 148), donde aparece como iatín. Su integración debió producirse a través de estos documentos.

Berceo, Sto. Dom., 479b: "Sedie en su *cenobio* entre sus companneros."

CENSO. De census, -us.

'impuesto, tributo':

Alexandre (O), 129b: "Que uenian de-mandar el *çenso* tributaria."

1.ª doc.: 1.155, F. de Avilés.

CENTURION. Deriv. de centuria, centurionem.

Alexandre (P), 1531b: "... otros que gujsen çiento que son *çenturiones*". En Alexandre (O), *decuriones*.

Centuria. en APal, 239b.

CEPTRO. De sceptrum, gr. σκῆπτρον.

Fazienda de Ultramar, 184.16: "Quando fueren conplidas las sedmanas que oyste, estonze faldra el *ceptro* e el sacrificio y el sacerdocio de los judios de Jherusalem."

Berceo, Loores, 67c: "Por *ceptro* le dieron verga flava."

Alexandre (P), 1755b: "Pusol *ceptro* en mano, fizo gran derecho."

Documentaciones posteriores: *cetro*, Nebrija.

CERTIFICADO
'cierto, seguro, sabedor':
Berceo, S. Mill., 80d: "Si maes de tu fazienda, non so *certificado.*"

CERTIFICAR. De certificare.
'cerciorarse, asegurarse':
Alexandre (O), 246c: "Fueronse poco a poco todos *certificando.*"
Documentaciones posteriores: Rim. de Pal., 1755c; Yuçuf. 228b; don Juan Manuel, Libro de los Estados, 55.22.

ÇERVIÇIO. V. SERVICIO.

CESAR. De caesar.
'césar, monarca, emperador':
El Bonium, 316.14: "... mas pusieronle nombre Tolomeo commo pusieron nombre a otro *Cesar.*"

CICLATON. Según Corominas del ár. *siqlātum,* griego σιγιλλατον (DCELC, s. v.). Para Menéndez Pidal (Cid, Gramática, p 151) es culto.
'tela de seda':
Cid, 2574: "Vestiduras de paños e *ciclatones.*"
(Doc. ling. de 1244 (M. Pidal, 193): "e I maniplo de *ciclaton* con oro."
Berceo, Sta. Oria, 143b: "Todos vestidos eran de blancos *ciclatones.*"
Alexandre (P), 1480d: "los pobres omes visten xamjt e *çisclatones.*"
Documentaciones posteriores: *çicatron,* Crón. Troyana; Gran Conq. de Ultr., 109; Crón. de 1.344, etc. Para más doc. véase RFE, VIII, 335-6 (Corominas, DCELC, s. v.).

CIENCIA. De scientīam.
'ciencia, conocimiento':
Fuero de Soria, 35.22: "maestro que sea prouado en su art o en su *çiençia.*"
El Bonium, 68.10: "... en todos los otros saberes de *ciencias* de que por todo el mundo fablan."
Nobleza y Lealtad, I: *sçiençias.*
Poridat de las poridades, 29.9: "... porque non auie par en sus bondades nin en so saber de las *sciencias* de Dios."

Berceo, S. Mill., 23a: "Quanto en la *çiençia* era más enbebido."

Alexandre (P), 2637d: "So de poca *çiençia,* devedes melo sofrir."

El Bonium, 316.6: "Las *ciencias quadriviales.*"

Documentaciones posteriores: JRuiz, 46c; Rim. de Pal., 3a; Conde Luc., 42.3; Sem Tob, 61.5.

CIENCIAL.   V. Sciencial.

CILENCIO.   V. Silencio.

CILICIO.   De cĭlĭcĭum. V. Celicio.

'cilicio':

Fazienda de Ulrtamar, 155.8: "Quando lo oyo el rey, ovo grant pesar e ronpio sos vestidos e vistio *cilicio.*"

Alexandre (P), 552b: "Vistieron todos asperos *çilisçios.*"

En Berceo: *celicio.*

CIMBALO. De cymbalum, gr. κυμβαλον.

'campana pequeña, campanilla':

Berceo, Sto. Dom., 456a: "Non avíe el prior el *cimbalo* tannido."

Cimbre en la Gran Conq. de Ultramar; *cimbalo* en el Siglo de Oro.

CIMINTERIO, CIMENTERIO. De coemeterium, gr. κοιμητηριον.

'cementerio':

Em el C. C. Esc., s. Simonet, Glosario, s. v., *chemiterio.*

Berceo, Milagros, 110a: "El que vos soterrastes luene del *çimenterio.*"

Apolonio, 375b: "Madrugó de manyana e fue pral *ciminterio.*"

Dar *cimiterio,* 'enterrar, sepultar': Berceo, Mil., 599b: "Por darlis *cimiterio,* so tierra los meter."

Documentaciones posteriores: *cementerio,* h. 1400, Glos. de Toledo; JRuiz, 795a; don Juan Manuel, Libro Infinido, 62.1.

CINAMONO. De cinamonum.

'sustancia aromática':

Fuero de Sepúlveda, § 223: "De la libra del *cinamono.*"

En la Edad Media se producía en Ceilán (Tafur, 101); las mujeres lo empleaban para aromarse la boca (Corbacho, 132), y se usaba en medicina, entrado el Renacimiento. También en

Juan de Mena (Canc. cast., XV, IX, p. 212). (Véase Alvar, F de Sepúlveda, Vocabulario).

CIPRES. De cypressus (latín tardío).

Alexandre (P), 838d: "El ventril de *çiprés* por dar buen olor."

Corominas lo documenta por primera vez en La Gran Conquista de Ultramar, *aciprés. Ciprés* h. 1.400 (Glos. de El Escorial).

Otras documentaciones: APal., 76d; Nebrija, autores del siglo XVI.

CIRCUMCIDAR. De circumcidare.

'circuncidar':

Fazienda de Ultramar, 64.19: "Priso una piedra aguda e *circumcido* so fijo."

Liber Regum. 1.26: "E quando ouo Abraham XCIX annos. estonça se *circumcidie* e *circumcide* ad Ysmael so fillo", con valores reflexivo y transitivo respectivamente.

Berceo, Loores, 30b: "*Circunçideste* al ninno."

Docs. posteriores: don Juan Manuel, Libro de los Estados, 483.14.

CIRCUNCISION.

Fuero de Soria, 57.10: "el dia de la *Circunçisión.*"

Fazienda de Ultramar, 64.20: "E dixo: Novio de sangre eres a *circumcisiones.*"

Documentaciones posteriores: don Juan Manual, Libro de los Estados, 470.28.

CIRCUNCISO.

'circunciso, al que se la hecho la circuncisión', 'fiel':

Fazienda de Ultramar, 173.16: "Nul fijo del estranno que non es *circunciso* de coraçon, e de carne non es *circunciso,* non entrara en mio sanctuario."

CIRCUNDAR.

Por *circuncidar*: Fazienda de Ultramar, 136.21.

CIRIAL. V. Cirio.

Berceo, Mil., 734b: "Con *ciriales* en mano e con cirios ardientes."

CIRIO. De cereus.

'cirio':

Berceo, Sto. Dom. 403b: "Nin encantos, nin menjes, nin *çirios,* nin obladas."

Alexandre, (O), 552a: "Las madonas de Troia fiçieron luego *çirios.*"

P. de Fernán González, 377d: "mando les dar mill *çirios* fechos de buena çera."

CISMA. Del lat. chĭsma, gr. σχισμα.

Alex. (P), 264d: "onde vienen los jncrueles prender la mala *sçisma."* En O. 288d: *çisma.*

CITARA, CITOLA. De citharam.

'cítara':

Berceo, S. Millán 7b: "por uso una *cítara* traye siempre consigo."

Alexandre (P), 1525c: *"Cítola* que más trota."

P. de Fernán González, 683d "auja y muchas *çitulas* e muchos violeros."

1.ª doc. *citara,* h. 1499, H. Nuñez de Toledo. *Cedra,* en Berceo y Alexandre (V. Corominas, DCELC, s. v.).

Documentaciones posteriores: J. Ruiz, 1213, *cítola;* Juan de Mena, *citola.*

CITARISTA. V. CITOLA.

'músico':

Berceo, Sac., 153d: "Algo entendió desto el rey *çitarista."*

Berceo usa también *cedero,* derivado popular.

CITURION. V. CENTURIÓN.

CLAMAR. De clamare.

'llamar':

Reyes Magos, 139: "...por qué eres rabí *clamado?"*

P. Roncesvalles, 7: "Aquí *clamó* sus escuderos Carlos el enperante."

Fazienda de Ultramar, 152.12: "Quando oyo todo Israel ques torno Jeroboan de Egipto *clamaronlo* e fizieronlo rey." En la acepción 'llamar' no debe ser cultismo.

'indignarse':

Liber Regum, 5.6: "..., e fizo matar muitos omnes a gran tuerto ond se *clamo* Deus muito d'el."

Para L. Cooper solamente es cultismo en la acepción 'indignarse'.

'pedir', 'suplicar':

Fazienda de Ultramar, 53.19: "E estido II annos en la preson, por que *clamo* merced al omne e no al criador."

Alexandre (P), 225a: "Aquí mercet te *clame* sj mercet le oujeres."

Berceo, Sto. Dom., 198a: "Sennor, merçed te *clamo*."

'nombrar, dar nombre':

Alexandre (P), 344a: "Solienlo Alixandre de primero *clamar*."

'hacer ir a un sitio':

Alexandre (P), 1239a: "*Clamo* dies de sus prinçipes honrrados cavalleros."

'exclamar':

Alexandre (P), 1358a: "De que acordo Mega començo de *clamar*."

CLAMARSE.

'acogerse, entrar al servicio de alguien':

Fuero de Madrid, LXVIII: "E mal omne qui dentro villa *s'aclamar* a senior de fora ..."

'recurrir, apelar'

Fuero de Madrid, XXVII: "De omne qui se *clamare* ad lide."

CLAMOR. De clamorem.

P. Cid, 286: "... tanen las campañas ... a *clamor*."

Faz. de Ultramar, 45.16: "Clamor de Sodoma e de Gomorra es el so pecado se agravyo mucho, decendré e veré el *clamor* que viene a mí."

Berceo, S. Millán, 337a: "Transieron las campanas, tovieron grant *clamor*."

Alexandre (P), 1473d: "... non fagan *clamores* tanner a las uegadas."

'hacer petición o súplica a Dios':

El Bonium, 90.19: "... non alçedes vuestro *clamor* a Dios con nescedad o con voluntades corrompidas."

Berceo, Mil., 176d: "Que tengas un *clamor* tú por mí cada día."

Apolonio, 551d: "Deviemos por su alma todos *clamor* tener."

Alexandre (P), 1615d: "...e non fagan *clamores*."

'cantos fúnebres':

Berceo, Sac., 30d: "Cantar sobre los muertos obsequios e *clamores*."

Alexandre (P), 635c: "Los setenarios fechos e el *clamor* acabado."

Documentaciones posteriores: Rim. de Palacio, 144c.

CLARIDAD. De clarĭtatem.

'resplandor, claridad, luz':

Santa María Egipc., 1538: "... hovo a oio huna *claridad*."

El Bonium, 75.7: "La sapiencia es lumbre e *claridad* de la vista."

Buenos Proverbios, 6.18: "... e llegase la *claridat* a la *claridat*."

Berceo, Sta. Oria, 86d: "La su *claridat* ome non la podríe contar."

Alexandre (P.) 1182a: "Salió primero negra, non daua *claredat*." En O., 1153a: *claridat*.

'luz, sabiduría':

Flores de Filosofía, 74.4. "... ca el saber es lumbre e *claridad*."

Nobleza y Lealtad, VI: "Sabiduría es... *claridat* sin escureza."

Berceo, Milagros, 59b: "Con un libro en mano de muy grand *claridat*."

'nobleza':

Berceo, Milagros, 174a: "Diogela a dos ninnos de muy grant *claridad*/creaturas angélicas de muy grant sanctidat."

Documentaciones posteriores: don Juan Manuel, Libro de los Estados, 568.44.

CLARO. De clarus.

'noble, rico':

Berceo, Sta. Oria, 78b: "Vedia sobre la siella muy rica açitara, / non podría en este mundo cosa seer tan *clara*."

CLAUSTRA. De claustrum.

'claustro del monasterio, del palacio':

Doc. ling. de 1241 (M. Pidal, 93): "ante la ymagen de Sancta María que está en la *claustra* ..."

Doc. ling. de 1246 (M. Pidal, 96): *claustre*.

Buenos Proverbios, 15.3: "Yuntamiento de XIII philósophos de los griegos en una *claustra* de los rreyes."

Berceo, Sto. Dom., 88a: "En *claustra* nin en coro, nin en otro logar"

'comunidad de claustrales':

Berceo, Sto. Dom., 125a: "Beneita la *claustra,* que guía tal cabdiello.

Docs. posteriores: Juan Ruiz, 846a; todavía en Santa Teresa.

CAUSTRAL. V. Claustra.

'claustral, enclaustrado':

Berceo, Sto. Dom., 269b: "Abbades e priores otros monges *claustrales.*"

Alexandre (P), 1249b: "Todos teníen çilençio como monges *claustrales.*"

V. Claustra.

CLAUSTRERO.

'enclaustrado, monje, clérigo':

Berceo, Sto. Dom. 240b: "Porque fustes casto buen *claustrero.*"

V. Claustra.

CLAUSULA. De clausulam 'conclusión'.

'cláusula, parte de la exposición':

Berceo, Sac. 265a: "Una *cláusula* finca, essa es postremera."

Documentaciones posteriores: Crón. de Juan II, 1460.

CLAVE. De clavem.

'llave':

Doc. ling. de 1223 (M. Pidal, 28): "e... priso la *clave* e cerro la iglesia."

Berceo, Duelo, 88d: "Atesti las *claves* en el tu buen çintero."

Alexandre (O), 275a: "Iva aguisando don Europa sus *claves.*"

'clave, nota musical':

Alexandre (P), 2177b: "Modulauan a çierto las cuerdas e los *claves.*"

CLAVERO.

'clavero, el que guarda las llaves':

Docs. lings. de 1194 y 1198 (M. Pidal, 262): "Martín Martínez, *clavero.*"

Buenos Proverbios, 51.14: "E dixo su *clavero,* estas son las llaves de las arcas."

Berceo, Sto. Dom., 379a: "El Sennor grant mannana demandó los *claveros*."

Docs. posteriores: don Juan Manuel, Libro de la Caza, 8.15.
V. CLAVE.

CLAVIGERA.

'clavera' (?):

Doc. ling. de 1211 (M. Pidal, 162): Entre los firmantes: domna Urraca, *clavigera*.

CLAVO. De clavum.

'clavo':

Cid, 88: "*clavos* bien dorados."

Fazienda de Ultramar, 78.24: "Sos *clavos* (del tabernáculo) e sus tablas e sus cerraduras e sus tendales…"

Berceo, Duelo, 33b: "Cosieronli con *clavos* los piedes e las manos."

Alexandre (P), 1366b: "De *clavos* de tres dientes las puntas azercadas."

'clavo, especia':

Alex. (P), 1143b: "Canela e gengibre, *clavos* e çetual."

1.ª doc.: Cid.

CLEMENCIA. De clementĭam.

'clemencia, misericordia':

Berceo, Milagros, 99d: "Requiescat in pace cum divina *clemençia*."

Docs. posteriores: Rim. de Palacio, 275d.

CLERECIA.

'sabiduría, ciencia, cultura':

Fuero de Soria, 191.21: "Clerigo o lego o menestral que tenga aprentiz para enseñar *clerezia* o su menester."

Alexandre (P), 2b: "Mester es syn pecado ca es de *cleresçia*."

En (O), 214a: "En ti son aiuntados seso e *clerizia*."

Entre los mozárabes *cleriquia* (v. Simonet, Glosario, s. v.).

'Comunidades religiosas':

Berceo, San Millán, 105d: "Fago grant enojo a esta *clerecia*."

Berceo, Mil., 580a: "Amavan los pueblos e las sus *clerezias*."

Alexandre (P): 1120a: "Fizo aparellar toda la *cleresçia*."

Documentaciones posteriores: don Juan Manuel, Libro de

los Estados. 471.21; P. de Alfonso Onceno, 937d; Vida de San Ildefonso.

CLERIÇON.

'clérigo':

Doc. ling. de 1242 (M. Pidal, 319): "Ey uos que contengades el clerigo capellan e los *cleriçones* que ouieren de servir la eglesia de soldadas ..."

Docs. posteriores: Doc. de Ponferrada (DCELC, s. v.). Quizás aumentativo despectivo en J. Ruiz. 1235c.

CLERIGO. De clericus.

'miembro del clero':

Doc. lings de 1.147 (M. Pidal. 110): *clericos.*

Doc. ling. de 1201 (M. Pidal, 19): *clérigos.*

Doc. ling. de 1206 (M. Pidal, 82): *clergo.*

Fazienda de Ultramar, 43.11; *clérigo.*

Diez Mandamientos. 382.9: *clérigo.*

Razón de Amor, 111: *clerygo.*

Santa María Egipc., 1040: *Clérigo.*

Fuero de Soria, 51.5: "*clerigo* ordenado de pístola."

Fuero de Madrid. 57.37: *clérigo.*

Fuero de Sepúlveda, § 78: *clérigo.*

Berceo. Sac. 130: *clérico.*

Apolonio; 291c: *clérigos.*

Alexandre (P), 835c: *clérigos.* En P., 94a: *clérigo de escuela,* 'maestro, profesor'.

Común en todas las épocas; en la Edad Media frecuente en la ac. 'hombre culto, sabio':

Apolonio, 510b: "Paresce bien que eres *clérigo* entendido." (referido a Apolonio).

Entre los mozárabes *clerigui,* C. C. Esc. (v. Simonet, Glosario, s. v.).

COBDICIA. De cŭpidĭtia.

'codicia, avaricia':

Santa María Egipciaca, 824: *cobdiçia.*

Fuero de Soria, 21.13: "ni por *cobdiçia* de auer."

Fuero de Sepúlveda, § 178: "... ni por *cobdiçia* de aver."

El Bonium, 75.3: "... e tuelle de sí la *cobdiçia.*"

Poridat de las poridades, 52.12: "auie dello grant *cobdiçia.*"

Buenos Proverbios, 2.8: "e con *cobdicia* de tomarle lo que tenie."

Flores de Filosofía, 15-5: "guardate de *cobdicia* mala."

Nobleza y Lealtad. Int.: "...la *cobdicia* que es cosa ynfernal."

Berceo, San Lor., 88b: "Pero con la *cobdiçia* del tesoro ganar."

Apolonio, 58c: "Muchos avien *cobdiçia*."

Alexandre (P), 58b: "Non te prenda *cobdiçia* de condesar aver."

P. de Fernán González, 339c: "la vuestra grand *codiçia* non uos dexa folgar."

Muy frecuente en todos los textos medievales desde principios del siglo XIII.

COBDICIADERO.

'codiciado':

Fazienda de Ultramar, 194.7: "Pan *cobdiciadero* ni carne non comí."

Berceo, Milagros, 2d: "Logar *cobdiçiadero* pora omne cansado."

COBDICIAR.

'desear, codiciar':

Fazienda de Ultramar, 76.18: "Non *cobdicies* casa de to vecino ni cobdicies mugier de to proximo."

Fuero de Soria, 214.5: "Pero que nos agrauja de decir cosa que es muy sin guisa de cuidar e mal de decirlo, por que ¡mal pecado! algun omne vençido del diablo *cobdiçia* a otro por peccar contra natura con el..."

Diez Mandamientos, 380.24: "Non *cobdiçiarás* ren de to cristiano."

El Bonium, 84.5: "...que te *cobdicia* la muerte por te heredar."

Flores de Filosofía, 16.8: "El *cobdiçiar* es pobresa."

Nobleza y Lealtad, VII: "... e *cobdicianle* todo bien."

Berceo, Mil., 47a: "En España *cobdiçio* de luego empezar."

Apolonio, 313c: "El metge *cobdiçiaua* tanto como beuir."

Docs. posteriores: Muy frecuente en todos los textos.

V. COBDICIA.

COBDICIOSO.

'codicioso, avaricioso':

El Bonium, 81.18: "... la tresena es en non ser *cobdicioso*."
Poridat de las poridades, 36.2: "... que por conplir ome todas sus voluntades uiene omne en natura bestial que es *cobdiciosa*."
Nobleza y Lealtad, XIX, *cobdicioso*.
Buenos Proverbios, 11.30: "el que non es *cobdicioso*."
Alexandre (P.), 2341a: "Calló el *cobdiçioso*, non qujso dezjr nada."
Documentaciones posteriores: Sem Tob, 230.2; don Juan Manuel, Libro de los Estados, 508.38.

COLLACION. De collationem, 'acción de conferir'.
'parroquia, congregación':
Doc. ling. de 1.174 (M. Pidal, 13): "... che la eglesia de Sancto Michael e la eglesia de Sancta María es una *collacion* e los fijos de la eglesia facen sennas rraciones ...".
Fuero de Madrid, 38.26: "duple los el fiador de su *collación*."
Fuero de Soria, 19.7: "Esse mismo dia la *collaçión* do el yudgado cayere den juez sabio."
Fuero de Sepúlveda, § 175: "... e quel dia de domingo la *collation*, do el iudgado fuere aquel anno, den iuez sabidor."
Fazienda de Ultramar, 85.21: "Oyolo Moysen e echós sobre sos fazes, e dixo (a Coré) e a toda su *collaçión*."
'comida, alimento':
Berceo, Sto. Dom., 414b: "Conduchos escondidos, muy frías *collationes*."
Alexandre (P), 2310a: "Buscar como le diesen *collación* enconada". También Alex. (P), 2310d.
Corominas atestigua *colación* 'comida, banquete' a mediados del siglo XIV, Poema de Alfonso Onceno.

COLERA. De chŏlera, 'bilis' y 'enfermedad causada por la bilis'.
Poridat de las poridades, 66.15: "... el que tire su natura contra malenconia et *colera*."
Documentaciones posteriores: don Juan Manuel, Libro del Escudero, XXXVIII.

COLOFONIA. De colophonĭa, gr. χολοφονία.
Atestiguado por Simonet en Averroes y en Laguna (v. Glo-

sario, s. v.). No aparece hasta muy tardíamente en textos castellanos.

COLONIA.

'ciudad de Europa':

El Bonium, 70.3.

COLUMNA. De columnam:

'columna':

Berceo, Sta. Oria, 38c: "Vido una *colunna* a los cielos pujaba."

Apolonio, 97b: "Sobre alta columna por seyer bien alzado."

Alexandre (P), 1229b: "Que en quatro *colupnas* el sepulcro alçado."

En Berceo, Sta. Oria, 43b: *columpna.*

Docs. posteriores: Rim. de Pal., 989b; *coluna* en G. de Segovia, Nebrija y en Aut.

COMEDIAR.

'ser el de en medio':

Alexandre (O), 258b: "el uno que *comedia,* el otro que autiza."

V. Medio.

COMEDICION.

'pensamiento, meditación':

Berceo, Sto. Dom., 358b: "Estauan en desarro e en *comedición.*"

Apolonio, 584b: "Ser en *comedición.*"

COMEDIO.

'intervalo, mitad':

Fuero de Soria, 156.8: "e si en este *comedio* muriere aquel a quien fio ..."

Berceo, Milagros, 161c: "Cuntiol en este *comedio* muy grant desventura."

Apolonio, 5c: "Ovo en este *comedio* tal cosa a contir."

Alexandre (P), 515d: "Creo que en *comedio* otros ovo colpados."

P. de Fernán Glez., 42c: "Ovo en este *comedio* tal cosa conteçido."

V. Medio.

COMENDACION. De comendationem.

'encomendación':

Santa María Egipc., 1403: "Don Gozymas faze la *comendaçión.*"

COMPARACION. De comparationem.

'relación, comparación':

El Bonium, 149.21: "non fables ante ningunt omne fasta que oyas su palabra e sepas que *comparación* ha entre lo que en ti ha de saber e lo que ha en él."

Alexandre (O), 138d: "Esforçio e franqueza non ha *comparación.*"

'imagen, emblema':

Berceo, Loores, 165d: "Por esso tomó de águila sotil *comparación.*"

Documentaciones posteriores: JRuiz, 1616b; don Juan Manuel, Libro de los Estados, 488.9.

COMPASION.

'compasión, lástima':

Apolonio, 384c: "Ovo Dios de la huérfana duelo e *compasión.*"

Alexandre (P), 1598c: "Ploranlo los amigos que han *compasión.*"

Domumentaciones posteriores: Rim. de Palacio, 137c; JRuiz, 1599b.

V. Pasion.

COMPILAR. De compilare.

Berceo, Sac. 144a: "Por acordar la cosa mejor la *compilar* / más de luene auemos la razon a tomar."

COMPLEXION. De complexio, -onis.

'temperamento', 'constitución física':

Poridat de las poridades, 62.9: "Las *complexiones* son diversas segunt las maneras et las naturas contrarias segunt el yuntamiento."

Buenos Proverbios, 60.10: "... pues el entendimiento es de la bondat, de la natura e de la bondat de *complexión...*"

Complisión en Alexandre (P), 2081, d: "pero bien asemejavan de flaca *complisión.* "En O, 1939d: "*conplexión.*"

Documentaciones posteriores: *conplisión*, JRuiz, 1202a; don Juan Manuel, Conde Lucanor, 82.18.

Complesión, Setenario, Celestina. *Complissión*. Sem Tob, 490. *Complexión*, Acedrex, 352.4.

COMPOSICION. De compositionem.

'acuerdo, arreglo':

Doc. ling. de 1237, (M. Pidal, 91): "Sabida cosa sea que esta es la *composición* que fizo don Juan Sánchez ..."

Fuero de Soria, 64.8: "... e que non faga *composición* con alguno de los que fizieren danno en las mieses sin mandamiento daquel que reçibiere el danno."

Compusiçión en Alexandre (P), 481c: "Como Dios no quiere, non val *compusiçion*." En O., 471c: *composiçión*.

Documentaciones posteriores: JRuiz, 370c; Yuçuf, 57d; Nebrija."

COMPUNCION. Deriv. de pŭngĕre.

'arrepentimiento':

Berceo, Milagros, 807b: "Mucho fue después de maior *compunçión*."

COMUNIDAD. De comŭnĭtatem

'alianza':

Alexandre (P), 1500b: "Non sabríen contra otra aver *comunidat*."

Documentaciones posteriores: APal., 78d.

Común, en Castigos de don Sancho (s. XIV); C. de Baena; es general desde el siglo XVI. En el adjetivo la aparición tardía y el uso casi exclusivo de *comunal* en los siglos XIII-XIV parece inducir a considerar su procedencia culta (Véase DCELC, s. v.).

COMUNION. De communionem.

'el Cuerpo de Cristo, la comunión':

Berceo, Sac., 290d: "Non mas que si quisiesse resçibir *comunión*."

CONCIENCIA. De cum scientiam.

Nobleza e Lealtad, Intr. "... de la vuestra esclarecida e justa *conciencia*."

Documentaciones posteriores: Rim. de Pal., 119d; don Juan Manuel, Libro de los Estados, 508.37.

CONCILIO. De concĭlĭum.

'ayuntamiento, municipio, concejo':

Doc. ling. de 1234 (M. Pidal, 318): "... quomo nos el *concilio* de Alarcón." También en otros muchos docs. anteriores, en ocasiones todavía como latín.

'reunión, junta':

Berçeo, San Lor., 28b: "Ayuntó su *conçilio,* toda su cle-reçia."

En el C. C. Esc., atestiguado por Simonet (Glosario, s. v.).

Documentaciones posteriores: Rim. de Pal., 205d; Partidas.

CONCLUIR. De conclŭdere.

'hacer un argumento terminante':

Apolonio, 412d: "Veyalo por derecho, ca bien lo *con-cluides.*"

Berçeo, Loores, 42c: "*Concludia* los maestros, solvia las pro-feçias."

'cerrar':

Berçeo, Duelo, 84c: "La puerta del buen huerto, luego fue *concluida.* En Sto. Dom., 545c: "Abrio Peydro los ojos, que tenié *concloidos.*"

Documentaciones posteriores: Juan Ruiz.

CONCLUSION. De conclusionem.

'conclusión', 'razonamiento':

Buenos Proverbios, 117: "la philosophia es ... e *conclusión* de los sesos."

Alexandre (O), 338d: "Maravjllosas eran las sus *conclu-siones.*"

Docs. posteriores: Rim de Pal., 211d; JRuiz. 370d.

CONCORDIA. Deriv. culto de cŏrdis.

'concordia, amistad':

Berçeo, Sto. Dom., 218b: "Metio Dios entre ellos *concordia* e *amor.*"

Documentaciones posteriores: JRuiz, 889c; Rim. de Pal., 206d; don Juan Manuel, Libro de los Estados, 491.9; P. de Alfonso Onceno, 652d.

CONDICION. De condiţĭonem.

'condición', 'acuerdo, pacto':

Fuero de Soria, 111.23: "... o si gela dio en *condición* por fazer alguna cosa e non la quisiere fazer..."

Berceo, Milagros, 660b: "e con el trufán ovo puesta su *condición.*"

Apolonio, 232d: "Otorgada las ayas sin nulla *condición.*"

'manera, modo':

Diez Mandamientos, 382.5: "O en qual *condición* jaze con ela."

'manera de ser':

Berceo, Sac., 116d: "Sigamos sus mannas e sus *condiçiones.*"

En la ac. 'condición' en Alexandre (P) 2600a: "Pero en todo esto meto tal *condiçion.*"

Documentaciones posteriores: JRuiz, 160d; Rim. de Pal., 191a; Yuçuf, 204d.

CONDUCTOR. Deriv. culto de dŏcere.

En las Glosas Silenses, 361.

CONFESAR. De confessare.

'declarar':

Fuero de Soria, 59.12: "...si pudiesse ser prouado o *confesado* de las partes..."

'recibir el sacramento de la confesión':

Diez Mandamientos, 380.7: "...el preste al que se *confiesa...*"

Berceo, Sto. Dom., 111a: "*Confessó* a su padre, fíçolo fradear", quizás en la ac. de 'convertir'.

Docs. posteriores: JRuiz, 364a: Rim. de Pal., 17d; Conde Lucanor, 48.25.

CONFESSION. De confessionem.

'el sacramento de la confesión':

Santa María Egipc., 1142: "Dímela en confesión."

Diez Mandamientos, 182.13: "E faga la *confesión* general."

Berceo, Sto. Dom., 247b: "Que yaga en secreto esta mi *confessión.*"

Alexandre (P), 1253d: "Sinon los que escuchan de vera *confessión.*"

Documentaciones posteriores: JRuiz, 362a.

CONFESSOR. De confessorem.

'confesor':

Buenos Proverbios, 63.20: "... e con esto llegaredes a las maneras de Dios, e seredes con los *confessores*."

Fazienda de Ultramar, 201.31: "san Jeronimo, el buen *confesor*."

Berceo, Sto. Dom. 154b: "Non quiero toller nada al Sancto *confessor*."

P. de Fernán González, 12b: "e los sanctos *confessores* esta ley predicaron."

Documentaciones posteriores: JRuiz, 1127c; Libro de los Proverbios de Salomón; 147.66.

CONFESORIO...V. Consistorio.

CONFINIO. Deriv. de *fin*.

'comarca, territorio':

Berceo, San Millán, 470a: "Rio Durbel con todo so *confinio*."

CONFIRMADOR. V. Firme.

'testigo':

Docs. lings. de 1219, 1231, etc.: "testes e *confirmadores;* audidores e *confirmadores*".

Berceo, Loores, 18d: "De todo fue el fijo después *confirmador*".

CONFIRMAMIENTO. V. Firme.

Doc. ling. de 1222 (M. Pidal, 213): "nuestro otorgamiento e *confirmamiento*."

CONFIRMAR. V. Firme.

'confirmar':

Docs. lings. numerosos: de 1249 (M. Pidal, 98) "otorgo e *conffirmo* yo..."; de 1223 (M. Pidal, 46); de 1184 (M. Pidal, 305), etc.

Fuero latino de Sepúlveda, 46.4.

Fuero de Sepúlveda, § 254: "... *confirmo* lo que mio anteçessor fizo..."

Apolonio, 462b: "Que avye dura ley puesta e *confirmada*".

Alexandre (P). 1124d: "*Confirmales* su ley e todas sus acçiones".

Berceo, San Millán, 459c: "*Confirmaron* las parias que fueron prometidas."

'organizar, ordenar':

El Bonium, 126.7: "E fincó el arte a sus deciplos segund que la él *confirmó*."

'hacer más fuerte'.

El Bonium, 107.17: "e el rreynado por ella se *confirma*".

El Bonium, 297.21: "Por tal omne commo este se *confirman* los cielos e la tierra."

'consagrar':

Berceo, Sto. Dom., 211a: "*Confirmólo* el bispo."

'convertida, transformada':

Alex. (P), 1825c: "Sy a nuestras costumbres [Persia] non fuere *confirmada*."

Documentaciones posteriores: Rim. de Pal., 1411cE; don Juan Manual, Libro de los Estados, 452.30.

CONFIRMATION.

Fuero de Sepúlveda, § 178: "De la *confirmation* de los alcaldes."

CONFISION. V. CONFESSION.

CONFONDIR. De confūndere. V. CONFUNDIR.

'cegar':

Berceo, Sto. Dom., 622c: "*Confondioli* los ojos malatia coytada.".

'echar a perder, destruir':

P. de Fernán González, 43c: "Dixo commo podrya a (los) cristianos *confonder*."

En el Cid, *confonder; confonder* en Juan Ruiz, 120a; Rim. de Pal., 68d; *confundir* en APal., 418b.

CONFORMAR. V. FORMA.

'conformar, poner acuerdo':

Berceo. Sto. Dom. 217c: "*Conformaba* sus fraires, teníales bien lecçión."

CONFORTADOR.

Berceo, Himnos, 2a: "Tú eres con derecho dicho *confortador*."

CONFORTAR. De confortare.

'confortar, ayudar':

Santa María Egipc., 389: "antes los comjença a *conffortar* e conbidales a jugar."

Berceo, Sac., 75b: "*Confortóles* e dixoles, dormit, avet folgura."

Documentaciones posteriores: *confortativo* en don Juan Manuel, Conde Luc., 204.9.

CONFUNDIR. V. Fundir.

'confundir, equivocar':

Berceo, Milagros, 40b: "Que *confundió* los sabios que Faraón preçiava." En la ed. de Dutton, *confondió*.

CONFUSION. Deriv. de confúndere.

Fuero de Soria, 105.1: "... saluo si tornasse la *confusion* a aquel quel resçibiere la salua."

Fazienda de Ultramar, 102.22: "... e (em) sos dios serán a vos por *confusión*.

Alexandre (P), 1502d: "... que Babjlon *confusio* es en latin clamada."

Documentaciones posteriores: *confusión* en Rimado de Palacio, 298a.

CONFUSO. De confúndere.

Doc. ling. de 1220 (M. Pidal, 250): "e si algun ombre ... quisiesse crebantar o contraliar aya la ira de Dios ... e sea maldito e *confuso* en este mundo e en otro."

Alexandre (P), 1221d: "Los gigantes *confusos* e la torre que es alta."

CONGREGACION. De congregationem.

Berceo, Milagros, 546c: "Mas vínoli mandado en la *congregaçión*."

1.ª doc. Berceo.

CONJUNCIONES. De cum-junctionem.

'conjunción de los astros':

El Bonium, 89.12: "e a los tiempos de las *conjunciones* de los planetas."

CONOSCENCIA. Deriv. de cognoscere.

'conocimiento':

El Bonium, 280.21: "Dios es ... el que puso en el mio corazon la su *conocencia* e el su temor..."

Poridat de las poridades, 66.23: "... et entendet estas sennales que nos dixiemos con nuestra *conoçencia* uerdadera."

Buenos Proverbios, 60.18: "... e la *conocencia* es por prueba."

Fuero de Soria, 33.7: "...que non uenga a *connoçençia* ante los alcaldes."

Berceo, Duelo, 205d: "Tu me da *connoçençia* de sancta caridat."

Apolonio, 165c: "Segunt mi *connyosçençia* del mar es escapado."

Alexandre (P), 1695a: "Pero, como yo creo, segund mi *conosçençia*. "En O., 1543a: *consçiençia*.

CONQUERIR. De conquīrĕre.

'conquistar, ganar, arrebatar':

Cid, 1093: "Tierras de Borriana, *conquistas* las ha." Es participio de *conquerir* (V. M. Pidal, Cid, Vocabulario).

Berceo, Loores, 224c: "Por ti quiso don Xro. su regno *conquirir*."

En Sto. Dom., 129b: "*Conquiso* Calaforra, siella de bispalia."

Alexandre (P), 1624b: "Se me dexa Dios, mi voluntat complir, Asia subiugada, Africa *conquerir*." En P. 305c, participio: "Ouo mucho ayna *conquista* e ganada."

Docs. posteriores: Juan Ruiz, 282.

CONQUISTA. V. Conquerir.

Berceo, Sacrificio, 153c: "La su sangre preçiosa, fizo esta *conquista*."

CONSERVAR. De conservare.

'proteger':

Berceo, 227d: "*Conserva* los pacíficos, reforma los yrados."

1.ª doc.: Berceo. Cultismo raro en la época arcaica, no vuelve a aparecer hasta el siglo xiv-xv. (C. de Baena).

CONSIDERACIONES. V. Considerar.

'hallazgos, descubrimientos', 'observaciones':

El Bonium, 316.10: "E naçió en Alixandría (Tolomeo) la mayor, que es en Egipto, e allí fiso las *consideraciones* en el tiempo del rey Adrian, que *consideró* en Rodas."

Cuervo lo atestigua a principios del siglo xv, C. de Baena (Dicc., II, 413-15).

CONSIDERAR. De consīdĕrare.

'mirar atentamente, observar':

El Bonium, 316.10. V. *consideraciones*.

Docs. posteriores: Rim. de Palacio, 947d.

CONSIEGLO. V. Sieglo.

'siempre, eternamente':

Fazienda de Ultramar, 75.1: "e en ty creerán por *consieglo*."

CONSIGNAR. De cŭm-sĭgnare.

'signar, santiguar':

Berceo, Sto. Dom., 348b: "*Consignoli* los oios con la cruz consagrada."

Corominas lo documenta hacia 1575, en A. de Morales y en Aut. En Berceo tiene clara ac. litúrgica. No lo hallamos en en el siglo xiv.

CONSISTORIO. De consistorium.

'reunión, consejo':

Berceo, Milagros, 552a: "Issió la abbadessa fuera del *consistorio*."

Alexandre (O), 352b: "Pasós ante Páris en mediol *consistorio*. "En P., 360c: *confesorio*.

Documentaciones posteriores: Juan Ruiz, 1152c; Nebrija.

CONSOLACION. De consolationem.

'consuelo, alivio':

Buenos Proverbios, 12.10: "... es fructo de *consolacion*."

Nobleza y Lealtad, I: "Lealtança es ... e *consolacion* de pobreza."

Berceo, San Lor. 54d: "Por lavarlis los piedes, darlis *consolation*."

Berceo, Duelo, 4d: "Que ella enviasse la su *consolación*."

Documentaciones posteriores: Juan Ruiz, 1058b; Rim. de Palacio, 413d.

CONSOLAMIENTO. V. Consolación.

'consuelo, alivio':

Fazienda de Ultramar, 194.31: "Respuso el Sennor al angel que fablaba conmigo palabras buenas e palabras de *consolamiento*."

P. de Fernán González, 244c: "(Mas) sy Dios non nos enbya algun *consolamiento*."

CONSTANTINO.

'el emperador Constantino':

Fazienda de Ultramar, 203.10: "Sancta Elena, madre de *Constantin*."

Berceo, Milagros, 626 a-b.: "En la çibdat que es de *Constantin* nomnada."

CONSTANTINOPLA.

'la ciudad de Constantinopla':

Berceo, Milagros, 684a.: "Fo por *Constantinopla*."

CONSTITUÇION. De constitutionem.

'constitución, regla':

Berceo, San Millán, 203c: "Por levantar capítulos e *constituçiones*."

Documentaciones posteriores: don Juan Manuel, Libro de los Estados, 595.37.

CONSUL. De consulem.

'Cónsul de Roma':

Liber Regum, 8.28: "En esta sazon auia ia *consules* en Roma"

Alex. (P), 1523b: "Vinien aprés del rey, todos sus senadores, *consueles* e perfectos vinjen por aguardadores."

Documentaciones posteriores: 1276, 1.ª Crón. Gral; APal.; Nebrija (Corominas DCELC, s. v.).

CONSUMAR. De consummare.

'terminar, finalizar, acabar':

Doc. ling. de 1184 (M. Pidal, 305): "... el muy noble rey don Alfonso, el coal fue en lenpeçamiento tan bien dauida como de dono e fin, quoal lo empeço todo e lo fizo elo *consumo*".

Corominas no lo documenta hasta 1611, como cultismo (DCELC, s. v.).

CONTALIÇIO.

'piedra preciosa':

Alexandre (P), 1466a: "No es *contaliço* de todas las peores."

Cf. San Isidoro, Etim. libro 16.

CONTEMPLAÇION. De contemplationem.

'contemplación':

Berceo, Milagros, 546a: "Bien fincaríe la duenna en su *contemplaçión*."

Documentaciones posteriores: don Juan Manuel, Libro de los Estados, 590.38.

CONTENENCIA. De continentiam.

'porte, compostura, aspecto':

Berceo, Milagros, 707a: "Era en sí misma de buena *contenencia.*"

Alexandre (O), 914: "Qual contenençia ouo. "En P., 943c: *cabtenençia.*"

Según Corominas *continente,* en Alexandre, 914.

CONTENCION.

'contienda, insistencia."

Berceo, Mil., 776a: "Quarenta días sovo en esta *contençión.*"

CONTINENCIA. De continentiam.

'continencia, castidad':

Berceo, Sto. Dom., 326c: "Orador, e alegre de linpia *continençia.*"

Alexandre (P), 1586d: "De mala *continençia.*"

CONTIENCIA.

'contienda, lucha':

Fernán González, 37d: "non abya entre ellos enbydia nin *contiençia*". A. Zamora corrige: *entençia.*

V. ENTENCIA.

CONTRACTO. De contractus.

'contrato':

Doc. ling. de 1239 (M. Pidal, 255): "...como non fuesse cierto ni derechamientre o non derecha mientre fuesse fecho el *contracto.*"

Corominas lo documenta en 1490, APal. (DCELC., s. v.).

CONTRARIA. De contrarium.

'mala voluntad', 'deseo de perjudicar' (sustantivo).

Doc. ling. de 1228 (M. Pidal, 87): "...somos fiadores de... e de redrar todo omne qui vos demanda nin *contraria* quisiesse fazer sobre ela."

Fuero de Madrid, 34.14: "Qui iuntaret bando per *contraria* de la villa."

Nobleza y Lealtad, Intr.: "La cobdicia ... la cual es enemiga e mucho *contraria* de la lealtança"; aquí como adj. 'opuesta, enemiga'.

'infortunio, desgracia':

Liber Regum, 8.14: "les uino muitos males e muitas *contrarias.*"

'daño, mal':

Alexandre (O), 418d: "Querien a los de Troya buscar toda *contraria.*"

CONTRARIAR.

Doc. ling. de 1220 (M. Pidal, 5): "Si algunos de mios parientes o nul omne chisiere estas heredades que jo do cuesmo suo *contrariar,* iram habeat..."

Fuero de Soria, 112.1: "Sj alguno ouiere parte en alguna manda e la *contrariar* o la por fiar en juycio pora desfazerla...".

CONTRARIO. De contrarius.

'opuesto, contrario':

Poridat de las poridades, 35.15: "et la lit es *contraria* al iuyzio."

'enemigo' 'mal, daño';

El Bonium, 84.4: "e si fuere el *contrario* quítese del.". También aparece la forma asimilada *contrallo,* 321.5.

Buenos Proverbios, 20.10: "E non puede seer mayor *contrario* ni mayor mal ..."

Fazienda de Ultramar, 159.25: "E ma(n)do desfer todel mal que trobo (en) toda su tierra que en a *contrario* del Nuestro Sennor."

Berceo, Milagros, 78b: "Siempre fue e eslo de los buenos *contrario.*"

Apolonio, 646a: "El poder de Antiocho, que te era *contrario.*"

Alexandre (O), 360c: "Ca que le es *contrario,* ellos esso temen." Sust. en Alex. (P), 947a: "Todos nuestros *contrarios* ...".

Adj. 'malo':

Alexandre, 868b: "era el agua fría e *contrario* el viento".

'difícil':

Berceo, Sto. Dom. 416a; "Maguer era la gota *contraria* de sanar."

Documentaciones posteriores: Rim. de Pal., 90c; Sem Tob, 629.4; Conde Lucanor. 61.9.

CONTRECTO.
'contrahecho':
Berceo, Sto. Dom. 597a: "Avie otro *contrecto,* que non podie andar."
En 598a: *contrecho.*

CONTRICCION. Deriv. de contritum, pp. de contrere.
'contricción, arrepentimiento':
Nobleza y Lealtad, XVI: "Piedat es ordenada *contrición ...*"
Berceo, Mil., 399b: "Entendió que vinién con buena *contrición.*"
Docs. posteriores: J. Ruiz, 1136b; Rim. de Pal., 12b; don Juan Manuel, Libro Infinido, 18.8.

CONTROVERSIA. De controvĕrsia.
'disputa, lucha':
Berceo, San Millán, 384b: "Duró esta revuelta, esta *controversia.*"

CONTURBADO. Deriv. de tŭrbare.
'agitado, intranquilo':
Berceo, Sto. Dom. 685c: "Entendiolo bien ella, aunque era *conturbada*". La ed. de P. Andrés dice: *turbada.*
Apolonio, 108d: "Non auie hi marinero que non fuese *conturbado.*"
'preocupado':
Berceo, Sto. Dom., 49d: "Pero por una cosa andaua *conturbado.*"
'agitarse el mar'":
Apolonio, 108b: "Boluieronse los vientos, el mar fue *conturbado*".

CONTURBAMIENTO.
'agitación':
Berceo, San Mill. 301c: "Cerro ambos sos ojos sin nul *conturbamiento.*"

CONVENIENCIA. Sufijo semiculto.
'acuerdo':
Docs. lings. de 1207 (M. Pidal, 158): *conbenecia.*
Docs. lings. de 1237 (M. Pidal, 189): *conuenentias.*
Docs. lings. de 1220 (M. Pidal, 212): *conveniencia.*

Fazienda de Ultramar, 130.11: "E quant murio Acab, el rey
de Israel, falso deste *convenencia* el rey de Moab."
Alexandre (P), 1685b: "No deseredé huérfano nin fallesçi
convenjençia."
Docs. posts.: Alternan *convenza, conveniencia* y *convenecia.*

CONVENTO. De conventus, —us 'reunión de gente'
'comunidad de religiosos':
Doc. ling. de 1220 (M. Pidal, 5): "... do por toda mie quinta
a vos don Rodrigo, abad de Rio seco, e a tod el *convent*
toda la mie heredad de Rio tuerto e de Rio seco."
Doc. ling. de 1.185 (M. Pidal, 14): *convento.*
Doc. ling. de 1202 (M. Pidal, 41): *conviento.*
Alexandre (P.), 2607c: "Por a los *conventos* ..."
Berceo, Sto. Dom. 94a: "Fabló con su *conuiento*".
Berceo, Milagros, 138c: "Desanparó la alma el cuerpo ven-
turado. / prisieron la de angeles un *convento* onrrado."
'asamblea':
Alex. (P), 1226a: "Ally eran los prophetas *convento* general."
'concurso de gente, multitud':
Berceo, Sta. Oria, 137b: "Estaua una grant *conviento* de
fuera de la çiella."

CONVERSACION. De conversationem.
Nobleza y Lealtad, XXX: "fuye dellos e de su *conversa-
çión.*"
Conversar, en Rim. de Palacio, 91a.

CONVIVIO. De convivium.
'convite':
Berceo, Milagros, 698c: "Adovaban *convivios,* davan ad no
habentes."
Apolonio, 655d: "Si non el *convivio* de Dios de aquell en
que creyemos."

COPIA. De copiam.
'abundancia':
Alexandre (P), 1497d: "Mas yo por a saberlos de seso non
he *copia.*"
1.ª doc.: Alexandre.
Documentaciones posteriores: Nebrija, Celestina; Apal. Corominas, DCELC, s. v.).

COPLA. De copŭla, 'lazo, unión'.

'serie de versos':

Cid, 2276: "las *coplas* deste cantar."

Berceo, S. Mill., 482c: "Con unas pocas *coplas* nuestra obra cerrar."

Apolonio, 495c: "*Coplas* bien assentadas, rimadas a senyal."

Documentaciones posteriores: Juan Ruiz, 67b.

CORO. De chorus, gr. χόρος.

'coro de cantores':

Berceo, Sac., 247c: "Recudeli el *coro*, nol contradize nada, / todos responden amen con voluntad pagada."

Primera doc.: doc. mozárabe de Toledo de 1170; Partidas; Nebrija. (V. Corominas, DCELC, s. v.).

CORONADO.

'sacerdote':

Berceo, Mil., 48c: "Ovo un arzobispo, *coronado* leal."

P. de Fernán González; 645a: "la duenna fue hartera, escontral *coronado*."

CORONICA. De chronĭca, gr. χρονικός, por cruce con *corona*.

En C. C. Esc. (1049) al mencionar la Crónica de Eusebio Cesariense (véase Simonet, Glosario, s v.).

Alexandre (P), 2269d: "Serán las nuestras nuevas en *corónicas* metidas."

Documentaciones posteriores: Rim. de Pal., 624d; don Juan Manuel, Conde Luc., 1.25; Sem Tob, 148a; Canc. de Baena; Nebrija.

CORPORAL.

'los corporales de la Misa':

Berceo, Sac., 187c: "Desque faz las tres cruçes todas son generales / la una sobrel pan, sobre los *corporales*."

CORSO. De cŭrsum.

'carrera, paso':

Berceo, Milagros. 436d: "Fuyén luego a salvo a *corso* presuroso."

'la vida':

Berceo, S. Mill., 295d: "Entendió bien que era el *corso* acabado."

CORRUPCION. De corruptionem.

'corrupción, mancha, pecado':

El Bonium, 229.12: "Los buenos pueblan la carrera de la generaçión e los malos pueblan la carrera de la *corrupción.*"

Berceo, Loores, 209c: "Tu assi engendreste sin nulla *corruption.*"

Documentaciones posteriores: *corrupto,* Rim. de Palacio, 678c.

CORRUPTA.

Poridat de las poridades, 52.11: "...quando las cambiauan mandadero, dizienle que beuiesse uino, et si lo beuie, sabien que las faziendas del rey eran descubiertas et *corrubtas.*"

COTIDIANO. De quotidianus.

'diario':

Alex. (O), 781d: "El sol... de la lumbre *cotidiana* más perdió de la tercia". En P., 808d: *cutiana.*

CREATURA. V. CRIATURA.

CREENCIA. De credentiam.

'creencia, fe':

Santa María Egipc., 513: "creyo bien en mi *creyençia.*"

También aparece el pop. *creyença* (682).

En Fuero de Sepúlveda § 12, *creencia,* posiblemente error por *herencia* (v. Alvar, Vocabulario).

El Bonium, 94.17: "... e guíalos a buena *creençia* e salvaçión."

Poridat de las poridades, 49.5: "et que sea creyente en Dios et en vuestra *creençia.*"

Buenos Proverbios, 7.2: "e con la buena *creencia* e con el buen pensamiento."

Flores de Filosofía, 34.3: "fallaredes syempre en los omnes de buena *creencia.*"

Berceo, San Millán, 255b: "Dissol que era torpe de *creentia* menguado."

Alexandre (P), 2190a: "más se desta *creençia* movido ..."

P. Fnán. Glez., 37a: "Era estonçe Espanna duna *creencia.*"

Docs. post.: Juan Ruiz, 703d; Rim. de Pal., 21d; Conde Luc., 96.18.

CRETA. 'la isla de Creta':
Alexandre (P.), 431a.

CRIADOR.

Cid, 1633; R. Magos, 74; Reis d'Orient, 8; Fazienda de Ultramar, 45.9; Roncesvalles, 79; El Bonium, 207.3; Liber Regum, 1.14. Berceo, Mil., 19c, *criado;* San Millán, 222; *Criador;* Apolonio, 30c; Santa María Egipc. 28, siempre en la ac. 'Dios, el Señor'.
Común en todas las épocas.

CRIATURA, CREATURA.   De creaturam.

'niño, hijo':
Poridat de las poridades, 62.8: "Ya sopiestes que la madre de la madre es a la *criatura* atal commo es la olla a lo que cuezen en ella."
Doc. ling. de 1240 (M. Pidal, 117): "E si ella murieret sines *creaturas,* que lo fagat Garcia Pérez."
Berceo, Sto. Dom., 18a: "Vivíe con parientes la sancta *criatura.*"
Apolonio, 331a: "Trayen la *criatura,* ninya rezien nacida."
Alexandre (O), 332b: "Un infante muy querido, apuesta *creatura*". En P., 339b: *criatura.*
'ser creado, cosa creada, todo lo creado':
Santa María Egipc., 39: "El pecado no es *criatura* / Mas es viçio que viene de natura."
Fazienda de Ultramar, 187.6: "espandiré myo spiritu sobre toda la *criatura*". En 86.2: *creatura.*
El Bonium, 94.16: "e desid a Dios: sennor, enderesça tus *criaturas.*"
Poridat de las poridades, 49.9: "...et que no a manera propria en nenguna *creatura* de quantas Dios fizo que no la aya en él."
Buenos Proverbios, 40.25: "E sabet que todas las *criaturas* del mundo ..."
Berceo, Sac., 1b; "Ques fin e comienço de toda *creatura.*"
Alexandre (P),: Que todas *criaturas* a su criador syrven."
Docs. posteriores: Tractado de la Asunçión, 93.4; P. de Alfonso Onceno, 86c; Yuçuf, 37a; Libro de las Armas, 25.12.

CRIMEN. De crimen, -ĭnis.

'crimen, calumnia':

Berceo, San Millán, 101c: "Levantaronli *crímenes* los torpes fallescidos."

'crimen, delito, pecado':

Berceo, Sto. Dom., 140d: "Ca serie sacrilegio, un *crimen* muy vedado."

1.ª doc.: Berceo.

Docs. posteriores: APal; Nebrija; Celestina; H. del Pulgar. (V. Corominas, DCELC, s. v.).

CRIMINAL. De criminalem.

Adj. 'criminal, malo, calumniador':

Cid, 342: "Salvest a Santa Susanna del falso *criminal.*" 'pecados capitales':

Berceo, Sto. Dom., 137d: "Pecaríamos en ello pecado *criminal.*"

Alexandre (P), 2383b: "Estos son los pecados que dizen *criminales.*"

Docs. posteriores: Juan Ruiz, 357b; APal., 131b: Nebrija (Corominas, DCELC, s. v.).

CRISMA. Del latín tardío chrisma, gr. χριϭμα (DCELC.) 'crisma, olio consagrado':

Berceo, San Millán, 4d: "Dierongelo los clérigos, de *crisma* lo untaron."

CRISTAL. De crystallum.

'cristal, vidrio' 'piedra preciosa':

Doc. ling. de 1043, *cristallo.* (Oelschläger).

Santa María Egipc., 226: "braços e cuerpo e todo lo al / blanco es como *cristal.*"

Reis d'Orient, 182: "... tal lo saco con un *xristal.*"

Poridat de las poridades, 76.8: "el *cristal* echa fuego."

Berceo, Sto. Dom., 230c: "Blanco era el uno como piedras *cristales.*"

Alexandre (P); 107d: "Mucho era más blanco que la njeue njn *cristal.*"

Docs. post.: JRuiz, 1591b; don Juan Manuel, L. del Caballero e del Escudero, cap. XLV. Según Corominas, es cultismo introducido a través del galorrománico (DCELC, s. v.).

CRISTIANAR.
'cristianar, bautizar':
Fuero de Soria, 121.9: "... e fueron llamados o rogados del por padrinos quel fuessen a *chistianar* ..."
CRISTIANDAD. De chistïanïtatem.
'pueblos cristianos':
Cid, 770: "la linpia *christiandat.*"
Berceo, San Lor., 26a: "Desafió al mundo e a toda la *christiandad.*"
'la fe cristiana':
P. de Fernán González, 23c: "Alçaron *christiandat* (a)vaxaron paganismo."
CRISTIANISMO. De christïanïsmus.
'pueblos cristianos, la cristiandad':
Cid, 1027: "Si non, en todos vuestros días non veredes *christianismo.*"
Berceo, S. Mill., 372d: "Mas todo *christia[nism]o* sedié man a massiella."
P. de Fernán Glez., 23b: "Fueron luz e estrella de todo el *cristianismo.*"
'fe cristiana':
Razón de Amor y Denuestos, 254: "Alauut io y todo algo e en *cristianismo,* que de agua fazen el batismo."
Alexandre (P), 263c: "Tienen *christianismo* a Huropa señera."
Fazer christianismo, 'cristianizar':
Fazienda de Ultramar, 204.7: "El otro Sant Jayme ... fo obispo en Jherussalem e fazie *christianismo* al pueblo."
CRISTIANO. De christianus.
'que profesa la fe de Cristo':
Cid, 1300: "buen *cristiano.*" Abunda la mención conjunta de *moros e christianos* (988 ...) tomadas ambas voces en su sentido gentilicio propio; o formando una expresión indefinida que significa 'toda alma viviente' (V. Menéndez Pidal, Cid, p. 338,27.)
Santa María Egipc., 1125.
Doc. ling. de 1187 (M. Pidal, 16): *christianos.*
Doc. ling. de 1244 (M. Pidal, 193): *cristianos.*

Fuero de Madrid, 45.9: *christiano*.

Fuero de Soria, 41.14: "... los pleytos que acaesçieren entre los *christianos* e los judíos."

Fuero de Sepúlveda, § 68: "Del moro que con *christiana* fallaren ..."

Diez Mandamientos, 380.14: "que no livró de muerte a so *christiano*."

El Bonium, 76.18: "e fasen otrosi los *cristianos* en sus eglesias."

Buenos Proverbios, 8.21: "e los *cristianos* en sus yglesias."

Fazienda de Ultramar, 135.18: "Ni eran Judios ni *Christianos* ni paganos."

Liber Regum, 11.15: "*Christianos* que son martires."

Berceo, Milagros, 368a: "Preguntaronli todos, judíos e *christianos*."

Apolonio, 551c; "Si *cristiano* fuesse e sopiesse bien creyer."

P. de Fernán. Glez., 43c: "Dixo commo podrya a (los) *cristianos* confonder"

Documentado ya en 1129 por Oelschläger.

CRISTO. De Christus.

Cid, 2074: "assi lo mande *Christus* que sea a so pro."

Reis d'Orient, 83: "Dezir vos e una cosa / de *xpistus* e dela gloriosa."

Fazienda de Ultramar, 44.11: "... de qual linnage veno *Christus* segunt la humanidat."

Liber Regum, 7.3: *Christus*.

Berceo, Duelo, 42d. "Adiuina, *Christo*, qui te dió la colpada."

Otras docs.: Fuero Juzgo.

CRUCIFICAR. Según Corominas de crucĭfĭgĕre (compuesto con fĭgĕre 'clavar') con adaptación progresiva la forma del castellano antiguo *fincar*, *ficar* 'hincar, clavar' (DCELC). 'crucificar, clavar en la cruz':

Reis d'Orient, 224: "En aquell dia senyalado / que xpistus fue *crucificado*."

Berceo, Duelo 48b: "Entre dos malos omnes seer *crucifigado*."

Alexandre (P) 1890d: "Primero fue escarnido, después *cruçificado*."

En Berceo hay alternancia entre *cruçificado-cruçifigado*.

Docs. posteriores: Partidas, VII, 31. 6ª; Rim. de Palacio, 352c; don Juan Manuel, Libro de los Estados, 570.39.

CRUCIFIXO. De crucifixus.

'crucifijo':

Berceo, Sto. Dom., 301a: "Cató el *crucifixo,* dixo: ¡Ay Sennor!..."

Documentaciones posteriores: P. de Alfonso Onceno, 782a: *cruçifiçio.*

CRUZ. De crŭcem.

'cruz':

Cid, 348: "Pusieronte a *cruz* por nombre en Golgota."

Fuero de Madrid, 31.66: "el vicino iuret super *cruce*", en forma latinizada.

Reis d'Orient, 222: "... mandólos poner en *cruz.*"

Doc. ling. de 1246 (M. Pidal, 322) "... e prometo a Dios e juro sobre la *cruç.*"

Liber Regum. 12.12: "e tenía la uera *cruç* delant sí."

Berceo, Duelo, 33a: "Pusieronlo en *cruz.*" 'lo crucificaron'.

Alexandre (P), 2473c: "Los braços son la *cruz* del rey omnipotent."

Fuero de Soria, 22.7: "la collation de Sancta *Cruz.*"

P. de Fernán. Glez., 408c: ...la *cruz* en su pendón."

Fuero de Sepúlveda, § 254: "et fago signo de *cruz*", 'santiguarse'.

Santa María Egipc., 621: "en su fruente fizo *cruz,*" 'santiguarse'.

1.ª doc.: en un doc. de 960 (Oelschläger).

Documentaciones posteriores: Juan Ruiz, 124a y común en casi todos los textos posteriones.

CRUZADA. V. Cruz.

Berceo, Duelo, 16c: "Prisieron al Cordero esa falsa *cruzada.*"

Documentaciones posteriores: P. de Alfonso Onceno, 8c.

CRUZADO. V. Cruz.

'cristianos':

P. de Fernán González, 79d: "(Re)cojieronse con todo essora los *cruzados.*"

CRUZARSE. V. CRUZ.

'tomar la cruz'; 'alistarse en una cruzada':

Berceo, Milagros, 558a: "*Cruzáronse* romeros por ir en ultramar."

Docs. posteriores: don Juan Manuel, Libro de la Caza, 12.7, en la ac. 'cruzar (referido a las alas)'.

CRUZEJADA. V. CRUZ.

'encrucijada, cruce de caminos':

Berceo, Milagros, 147a: "Levólo la justiçia pora la *cruçejada*."

CUALIDAD. De qualĭtatem.

'cualidad':

Alexandre (O), 40b: "Bien sé las *cualidades* de cada elemento."

En P., 44b: *calidades*.

V. CALIDAD.

CUBRICION. Sufijo culto.

'cubierta, remate':

Berceo, Sac. 201c: "Ese fue el çimiento, este la *cubrición*."

CULPA. De cŭlpam.

'culpa, pecado':

Santa María Egipc., 1267: "por la grant *culpa* que Adam fizo."

'culpa, causa':

Doc. ling. de 1239 (M. Pidal, 255): "... que ... poniendo la curia que deue poner, sin *culpa* del..."

Fuero de Madrid, 55.1: *culpa*.

Fuero de Soria, 30.14: "E si el escriuano non guardare la nota, o la perdiere por su *culpa* ..."

Fuero de Sepúlveda, 123: "...e además iure que non murió por su *culpa*."

Fazienda de Ultramar, 53.11: "... quem saque desta carcel, que sin *culpa* y fuy metido."

Buenos Proverbios, 4.17: "Non pongas *culpa* a Dios en el yerro que tú fagas."

Flores de Filosofía, 24.22: "fase lasrar a sus vasallos por *culpa* dél."

'culpa, pecado, delito':

Fazienda de Ultramar, 46.23: "Dixo Abraam: Tu seas sin *culpa* de la iura que iurest,", 'dispensar'.

El Bonium, 94.2: "porque seades seguros de arrepentir e salvos de *culpa*."

Poridat de las poridades, 51.21: "caer en *culpa*."

Berceo, San Millán, 393b: "Vedíen que por sue *culpa* eran tan porfaçados."

Apolonio, 9b: "Non avedes *culpa,* que vos más no pudistes."

Alexandre (P), 1423d: "Que las *culpas* son grandes e el yerro mayor."

P. Fernán Glez., 22c: "La qual *culpa* e error es *erejya* llamada"

Pedir culpa, 'pedir perdón': Berceo, Mil., 856a: *"Pidió culpa a todos los de vezindat."*

Común en todas las épocas, desde el siglo XIII.

CULPADO. V. CULPA.

Adj. 'culpado, culpable':

Santa María Egipc., 28: "que ffuere *culpado* del criador."

Fazienda de Ultramar, 55.11: *"Culpados* somos."

El Bonium, 78.13: "que se tenía por *culpado*."

Berceo, Sta. Oria, 89: "Mas en esto *culpados,* nos seer non devemos."

Apolonio, 8d: "Fiçol creyer que non era *culpada*."

Alexandre (P), 1012d: "Mas non fue a su grado, por do no son *culpados*."

CULPAR. V. CULPA.

'culpar, atribuir culpa':

Buenos Proverbios, 46.23: "Si ante non lo sabiedes non vos devemos *culpar*."

Fazienda de Ultramar, 82.6: "al sin culpa non *culpar*."

CUMULO. De cŭmŭlus.

'amontonamiento, cúmulo':

Alexandre (P), 1228d: "Que sedíen sobrel *cúmulo* las gentes..."

No vuelve a aparecer hasta el siglo XVII.

CURIA. Extraída secundariamente de *incuria* por vía semiculta (Corominas, DCELC, s. v.)

'cuidado':

Santa María Egipciaca, 88: "tanto fue plena de luxurja, que non entendie otra *curia*."

Docs. post: Doc. de Sigüenza, de 1239 (M. Pidal, 255): "poniendo la *curia* que deue poner."

CURIAR. V. CURIA.

'guardar, custodiar':

Santa María Egipciaca, 89: "bien los *curiaua*."

Berceo, S. Mill. 5b: "mandólo ir el padre, las ovejas *curiar*."

Alex. (P), 340d: "Dieronlo a pastores que *curiauan* ganado."

CURSO. De cŭrsus.

'curso, transcurso':

Berceo, Loores, 106d: "Sigamos el *curso* commo es destaiado."

Alex. (O), 2c: "Fablar *curso* rimado por la quaderna vía."

Apolonio, 339a: "El *curso* deste mundo, en ti lo has provado."

'narración, historia':

Alexandre (P). "Mas tornemos al *curso* mientras nos dura el día."

'curso de agua':

Alex. (P), 919d: "Por y fazie su *curso* commo por un cannal."

Documentaciones posteriores: Juan Ruiz, 127d; Rim. de Pal., 963d; don Juan Manuel, Libro del Cavallero e del Escudero, cap. XXXVII.

V. CORSO.

CUSTODIA. De custodĭam.

'custodia, guardia':

Berceo, San Millán, 269c: "Essi seerá *custodia* destas carnes lazradas".

D

DALMACIA.
'Dalmacia, país de Europa':
El Bonium, 70.2.
DALMATICA. V. Almática.
DANIEL.
'el profeta Daniel':
Cid, 340.: "salvest a *Daniel* con los leones en la mala *cárçel.*"
Fazienda de Ultramar, 214.28.
Berceo, Loores, 15.
Alexandre (P.), 1125a.
DAVID.
'el rey David':
El Bonium, 323.12.
Fazienda de Ultramar, 44.7.
Berceo, Milagros, 165b.
DECIMA. De decĭma.
'la décima parte'; 'diezmo':
Doc. ling. de 1187 (M. Pidal, 16): "... la *decima* menos
laxema ..."
Fazienda de Ultramar, 114.10: "Sus *decimas* e sus primiçias
fidel myentre las daua."
Alexandre (P), 2354b: "este prende del fumo *deçima* e pro-
miçia."
ordinal fem., V. Decimo.

DECIMO. De decĭmus.

'diezmo':

Doc. ling. de 1203 (M. Pidal, 236): "Et esta heredat assi los damos que det della el *decimo* cada anno alos fraires."

Ordinal, 'décimo':

Nobleza y Lealtad, "El *décimo* sabio dixo..."

Fazienda de Ultramar, 160.24: "en el mes *decimo.*"

Poridat de las poridades, 48.11: "La *décima* (manera) es que ame la iustiçia."

El Bonium, 881.16: "la *decima* es en ser sofrido."

DECIMO QUINTO.

'día quince':

Fuero de Sepúlveda, § 254: "Fecha la carta *deçimo quinto* kalendas ..."

DECIMO (QUARTO).

'día catorce':

Berceo, Sig., 21: "El día quarto *deçimo.*"

DECIO.

'Decio, emperador romano':

Berceo, San Lor., 195

DECIPLO. V. Discípulo.

DECLARAR. De declarare.

'declarar, expresar, afirmar':

Nobleza y Lealtad, Introd.: "Et sennor todo esto os auemos *declarado* largamente ..."

Docs. posteriores: Rim. de Pal., 150c; Yuçuf, 192d; don Juan Manuel, Libro Infinido, 39.12.

DECLINAR. De declinare.

'inclinar':

Berceo, Sto. Dom., 192b: "*Declinó* los inoyos, enpeçó a rogar."

'decir, expresar':

Alexandre (P), 2467d: "Ivalo *declinando* cuando queríe dezir."

'bajar, descender':

Berceo, Sto. Dom., 182a: "Quando fo de las sierras el barón *declinando.*"

Docs. posteriores: don Juan Manuel, Libro de los Estados, 511.23.

DECORAR. De decorare.

'aprender de memoria', 'instruir':

Berceo, Sta. Oria, 170d: "El *decorólo* todo commo bien entendido."

Decorado, 'instruido, enterado':

Berceo, San Mil., 22b: "De innos e de cánticos sobra bien *decorado.*"

Alex. (P), 1779d: "Todo su ministerio tenía bien *decorado*".

Docs. post.: Sem Tob. 63.68. 'adornar' en el s. XVII.

DECRETO. De decretum.

'decreto':

Berceo, Milagros, 91c: "Si este tal *decreto* por ti fuese falsado."

Alexandre (P), 2547d: "De leys e *decretos* esa es la fontana."

'Ley, Derecho canónico':

Berceo, Mil., 562c: "El *Decreto* lo manda." (V. Dutton, Mil., p. 170).

Documentaciones posteriores: Juan Ruiz, 1136a; Rim. de Pal., 77d.

DECURION.

'Decurión, que manda diez soldados':

Alexandre (O), 1389c: "otros quincuagenarios, otros *decuriones.*" En Alex. (P): *çituriones.*

DEFECCION. De defectionem.

'falta, apartamiento':

Alexandre (P), 1204d: "Esa *defeccion* eclepsis es llamada".

En O., 1175d: *defensión.*

DEFENDEDOR. V. DEFENDER.

'el que resiste por la violencia a que le tomen la prenda' (V. Alvar, F. de Sepúlveda, Vocabulario).

F. de Sepúlveda, § 135: "Otrossi, qui deffendiere pennos al vinnadero, a fuerça, peche I moravedí e pendre en casa del *deffendedor* ..."

Fuero de Soria, 222.18: "Por que de ssuso es dicho que aquel que la cosa testiguada quisiere deffender por fuero que la peche doblada, e si el *deffendedor,* ante que entre el pleyto con su contendedor de grado gela diere, non aya otra pena."

'defensor':

El Bonium, 121.17: "Rrabion fue muy *defendedor* de sus *propios.*"

Véase en Alexandre *defenssador*.

DEFENDER. De defendere.

'proteger, amparar, salvar':

Santa María Egipc., 605: "quel mundo ha de *defender*."

El Bonium, 122.2: "e fue a ellos por los *defender* con grand caballería e muchas armas."

Flores de Filosofía, 33.3: "e *defiendese* a sy mesmo."

Nobleza y Lealtad, V: "que son assi como ganar e *defender...*"

Buenos Proverbios, 48.8: "¿O es el que su sanna era temida e el so logar muy *defendido?*

Berceo, Sto. Dom., 375c: "El nos guarde las almas, los cuerpos nos *defienda*."

Apolonio, 278b: "Al logar en que estamos loca razón *defiendes*."

Alexandre (P), 873d: "E nos por *defendernos* somos mal aguisados."

P. de Fernán González, 401b: "Non la podrya por guisa ninguna *defender*."

'prohibir':

Doc. ling. de 1223 (M. Pidal, 337), 'prohibir': "mando e *deffiendo* firme mientre que ninguno non sea osado de pendrar esta uestra barca."

Fuero de Soria, 24.19: "Et sea les *defendido* que por juyzio que den en esta guisa que non tomen njnguna cosa ni servicio ninguno."

Berceo, Loores, 90c: "El lecho del vecino, el deceno *defiende*."

P., de Fernán González, 53b: "Ningunas armaduras *defyende* (gelo) que non trayan".

Alexandre (P), 74c: "*Defiendeles* que non puedan por nada desordir."

'oponerse al deslinde, defendiendo los derechos a una tierra' (v. Alvar, F. de Sepúlv., Vocabulario): Fuero de Sepúlveda, § 31: "Et si la *defendiere* ante los desmoionadores aplázelo el querelloso ..."

Documentaciones posteriores: Muy común en todos los textos en las dos acs. fundamentales 'defender, proteger' y 'prohibir': Rim. de Pal., 58a; P. de Alfonso Onceno, 53b; Sem Tob, 383; Conde Luc., 35.11; Juan Ruiz, 473d y 1708d, etc., etc.

1.ª doc. Fuero de Avilés, 1115.

DEFENDIMIENTO. V. DEFENDER.

'prohibición':

Fuero de Soria, 16.1: "... contra *deffendimiento* de su señor."

'defensa, protección':

Buenos Proverbios, 30.21: "... y son *defendimiento* del engannoso enemigo."

Nobleza y Lealtad, IX: "*defendimiento* del pueblo."

DEFENSADOR. V. DEFENDER.

'defensor':

Alexandre (P), 789d: "queríen se demostrar por buenos *defensadores*."

DEFENSION. V. DEFENDER.

'prohibición':

Fuero de Soria, 157.14: "Et todas las *deffensiones* que a pora si el debdor o el qual metio fiador, todas las a el fiador."

'defensa':

Berceo, Mil., 37b: "ca es nuestra talaya, nuestra *defensión*."

DEFENSOR. V. DEFENDER.

'defensor, estado jerárquico-social':

Alexandre (P), 1523c: "después los cavalleros que son sus *defensores*."

'protector, defensor':

Berceo, Himnos, III, 52: "Torna a nos tus oios, tu, nuestro *defensor*."

En C. C. Esc. 'defensor, protector de los templos cristianos, cargo piadoso y honorífico' según Simonet, Glosario, s. v.

DEFUNCION. De defunctĭonem.

'matanza, mortandad, destrucción':

Alexandre (P), 121b: "que puede fer con ellas atal *defunçión*". *Obsérvese*, no obstante, que en O., 190c aparece *destrucçión*, lo que nos hace presentar reservas a la forma *defunçión*, inusitada en la época.

De todos modos, *defunsión* en textos aragoneses medievales (Corominas, DCELC, s. v.).

DEFUNTO. De defunctus. pp. de defungi.

'difunto':

Fuero de Soria, 112.17: "Aquel que fiziere dezir obsequio por algún *defunto*... "

Doc. ling. de 1227 (M. Pidal, 314): "... e por animas de nuestros parientes *defunctos.*"

Berceo, San Millán, 357b: Dexaron la *defuncta* en sos piedes estar."

Apolonio, 273d: "Se *defuncto* tenedes todos somos perdidos."

La forma moderna con -*i,* se generalizó en el siglo XVII.

DEIDAD. De deĭtatem.

'Dios, divinidad':

Berceo, Sto. Dom., 534a: "Como son tres personas e una *Deidad.*"

Docs. posteriores: Celestina.

DEIFICADA.

'deificada, divina':

Berceo, Sac., 186c: "Cuerpo de Dios es todo, cosa *deificada.*"

DELECTAR, DELEITAR. De delectare.

'deleitar, complacer':

Alexandre (P), 1529c: "Yvan por las aldeas los cuerpos *delectando.*" En O., 118a: *deleytando.*

Véase la explicación para AFEITAR.

DELEITE. V. DELEITAR.

'deleite':

Berceo, Milagros, 85b: Por levarla al báratro de *deleit* bien vacio."

DELIÇIO. De delicium.

'delicia', 'placer', 'gusto':

Cid, 850: "bive en *deliçio*".

Santa Maria Egipc. 164: "a grant *deliçio.*"

El Bonium, 320.7: "El acuçioso es el que non le ambarga el su *delicio* de pensar en la su fyn."

Berceo, Sta. Oria, 13c: "Esso avían ... por muy grant *deliçio.*"

DELIÇIOSA.   V. Delicio.

'agradable, placentera':

Alexandre (O) 384b: "Las aves los troianos que son yente *deliçiosa.*"

Berceo. Signos, 27c: "Resçebit el mi regno largo e *deliçioso.*"

DELITO.   De delictum, pp. de delinquere.

'delito, pecado':

Fazienda de Ultramar, 87.9: "desparzerla an sobrel pueblo e espiarse an de su *delicto.*"En 171.10: *delitos.*

DEMANDANCIA.   Sufijo culto.

'demanda, petición':

Doc. ling. de 1210 (M. Pidal, 268): "... e no les finco nenguna *demandancia* unos a otros en nenguna guisa."

DEMONIADO.   V. Demonio.

'endemoniado, poseso':

Fazienda de Ultramar, 112.27: "vyo Jhesu Christo I *demoniado.*"

Berceo, Milagros, 361d: "Fazien figuras malas como *demoniado*"

Alexandre, 1216d: "Si duras en el siglo fuera *demoniado.*"

Documentaciones posteriores: Conde Luc., 182.2.

DEMONIATICO.   V. Demonio.

'endemoniado, poseso':

Fazienda de Ultramar, 124.26: "Allí sano el *demoniatico.*"

DEMONIO.   De demonium.

'demonio, el diablo':

Poridat de las podidades 73.12: "Et si lo colgaren del pescueço del ninno, non aura *demonio.*"

Buenos Proverbios, 65.8: "e cobdicia lo que non ha de cobdiciar fasta quel aduze a *demonio.*"

Berceo, San Millán, 20d: "Avién los *demonios* raviosos e irados". En Sto. Dom. 62d: *demon.*

Alexandre (O) 1308b: "que sacan los *demonios* e segudan las serpientes". En P. 1450b: *demonios.*

DEMORAR.   De demorari.

'retardar, demorarse':

Berceo. Sto. Dom., 33b: "La materia es grant, mucho non *demoremos*". En la ed. del P. Andrés: *demudemos.*

Un ejemplo en Berceo y después no se encuentra hasta 1600, *Recop. de Indias.* (Aut.).

DEMOSTRATIVO. De demostrativus.

'saber científico':

El Bonium, 351.6: "E Galieno desque fue moço hovo grant sabor de aprender el saber *demostrativo.*"

DENEGAR. De denegare.

'denegar, rechazar':

Berceo, Mil. 181c: "Nol serie [d]*enegada* ninguna petición" (Ed. Dutton).

'renegar'

S. Lor. 29b: "Quiere fer los christianos a Christo *denegar.*"

DENITAT. V. Dignidad.

DEPARTICION. De de-particione.

'partida, despedida':

Cid. 2631: "Grandes fueron los duelos a la *departiçión.*"

'división, límite':

Alexandre (P), 1893c: "Europa e Asia allí fazen *departiçión*".

DERECTURA. Deriv. de directum.

'derecho':

Doc. ling. de 1199 (M. Pidal, 80): "Que iurasse sobre la quatuor evangelia que non aujen *derectura* sobre achel molino ..."

DERIVAR. De derīvare.

Berceo, Loores, 104c: "El día del domingo... / este sólo es del nombre del Sennor *dirivado*"

1.ª Doc.: Berceo.

DESAFIAMIENTO. V. Desafiar.

'desafío':

F. de Sepúlveda, § 33: "De *desafiamiento* de muerte de omne".

Alvar lo documenta en textos jurídicos: *Partidas* (II, 209, VII, 600); *F. de Plasencia* (p. 89); *F. de Navarra* (95 b).

DESAFIAR. De dis-af-fidare.

'declarar enemigo un hidalgo a otro':

P. Cid, 965: "Non lo *desafié* nil torné amistad."

F. Sepúlveda, § 33: "Tod omne que fuese *desafiado* por muerte de omne."

F. Madrid, p. 47.1: "Qui habuerit a *desafiar.*"

Apol. 70a: "Del rey Antioco eres *desafiado*."

Berceo, S. Mill. 289c: "*Desafió* Cantabria con todos sus criados."

Alexandre (P), 873c: "Somos de todo el mundo por ti *desafiados*."

P. F. González, 199d: "Commo de Almozor eran *desafiados*."

Corominas niega que sea cultismo o semicultismo, pero acepta una pronunciación "no normal" a causa de su carácter jurídico.

DESAFUSIADO.   Deriv. de fiducia.

'desconfiado':

El Bonium, 156.2.3: "... nin el alongado non ha de seer *desafusiado*."

DESAVENENCIA.   V. Avenencia.

Flores, 52.1: "... e con la *desavenencia* viene desamor e pelea."

Berceo, S. Mill., 218b: "Ovieron a caer en grant *desavenencia*."

Alexandre, (P), 1586c: "Grande el roydo era, grande la *desavenencia*."

Común como término moral y jurídico.

DESCOGENCIA.   Sufijo semiculto.

'elección':

Berceo, 15c: "Prendi qual tu quisieres, tu fes la *descogencia*."

DESCOMULGADO.

Docs. lings., 183 (1229) Burgos.

Apolonio, 568c: "Echaronlo a canes como a *descomulgado*,"

Berceo, Mil., 193d: "Dessende degollóse murió *descomulgado*."

F. Soria: *Escomulgado*.

V. Excomulgado.

DESCONCORDIA.   V. Concordia.

'discordia':

Flores Fil., 76.20: "...la folgura sin regla...es *disconcordia* de flaco coraçon."

Alexandre (P), 1726b: "Fué luego entre ellos la *desconcordia* nascida."

DESCREENCIA.   V. Creencia.

'incredulidad':

Berceo, S. Mill., 218c: "Vacios de bondat, plenos de *descreençia*."

DESCULPAR. V. Culpa.

El Bonium, 78.12: "... pero fue por se *desculpar*."

Buenos Proverbios, 10.5: "...sinon que se *desculpó* al rrey."

DESERVICIO. V. Servicio.

'culpa que se comete contra alguien a quien hay obligación de servir':

F. Sepúlveda, § 76: "Otrosí, todo cavallero de Sepúlveda que pro toviese de sennor e fuese con él, en la hueste, aya todos sus derechos en Sepúlveda, fueras si fuese con su sennor en *deservicio* del rey, lo suyo finque quito."

Nobl. e Ltad.—VIII: "Et temprando su sanna e todos sus fechos, non fará cosa que sea *deservicio* de Dios."

Berceo, Mil., 374b: "Por servicio da gloria, por *deservicio* pena."

DESESPERACION. Sufijo culto.

Nobl. e Ltad.—II: "Cobdicia es camino de *desesperación*."

Doc. posteriores: Rim de Pal. 1044b.

DESFLAQUIDA. V. Flaco.

'enflaquecida':

Apolonio, 197d: "Fasta que cayó en el lecho muy *desflaquida*."

DESIDERIO

'deseo':

Berceo, Sac., 241d: "El nos dará consejo a est *desiderio*."

DESMEMORIADO. V. Memoria.

'desmemoriado':

F. Soria, 62.8: "Si algun loco *desmemoriado* fiziere pleyto mjentre durase la locura en el, non vala."

F. Soria, 102.34: "Ninguno que non fuere re hedat, ny traydor ... ny omne *desmemoriado* ..."

Berceo, S. Mill., 284b: "Dissol viejo, e loco e *desmemoriado*."

DESOBEDIENCIA. V. Obediencia.

(B. Proverbios, 40.23.44: "...o la vuestra *desobediença*."

El Bonium, 106.10: *desobedencia*: "... por los dexar sobre su *desobedencia*"

DESPLEGAR. V. Plegar.

'desarmar, abrir':

Apolonio, 287b: "Demandó un ferrero e fízola *desplegar*."

DESPOSORIO. Sufijo culto.

'casamiento':

F. Madrid, p. 57.30: "Et el día del *desposorio* non dé el novio jantar ninguna."

DESPRECIAMIENTO. V. Despreciar.

'desprecio':

Porid. 41.2: "Alexandre, guardat nos de fallir uuestra iura et de toller nos de uuestra palabra, que es *despreciamiento* de uuestra ley."

Flores, 56.1: "Sabet que la rriquesa es apostura e la pobresa *despreciamiento*."

DESPREÇIAR. V. Apreciar.

Reys d'Orient, 232: "El ffide traydor quando fablaua todo lo *despreçiaua*."

Porid., 35.2: "... et con el seso *despreçia* omne los pesares et ondra las cosas amadas."

B. Prov., 18.8: "Qui precia su alma *despreçia* el sieglo.

Flores F., 61.1: "quien precia su aver *despreçia* a sy mismo."

Nobl. y Ltad., XXIX: "e *despreçia* a los viles e a los covardes."

Fazienda de Ultramar, 104.4: "Faz lo que ellos quisieren, ca non *despreciaron* a ti más que a mi".

El Bonium, 144.9: "Tu, Diogenis, ¿cómo me *desprecias* fascas que me non has menester?"

Documentaciones posteriores: Juan Ruiz, 1599c; Conde Luc., 71.4; Sem Tob, 59.2.

DESPRECIO. V. Apreciar.

'desprecio':

Buenos Proverbios, 34.7: "e el peyor es el que abaxo mucho *desprecio* del sennorio."

'desprecio, vergüenza, indignidad':

Alexandre (P), 1816a: "En lugar de victoria, *despresçio* ganaremos."

DESPUTACION.

'explicación, enumeración':

Alexandre 260b (P): "avemos nos a fer una *desputación.*"

DESTINAMIENTO. V. Destinar.

Doc. ling. de 1206 (M. Pidal, 309): "et dixeron don Martin e dona Toda est *destinamiento* a su mulier ante los freires de Uclés e credidit eos de quanto dixieron."

DESTINAR. De destīnare.

'hacer testamento':

Docs. lings. de 1206 (M. Pidal, 309) y 1240 (M. Pidal, 117): "los clérigos de San Miguel ayan poder de entrar toda aquesta heredat e fagan todo aquesto que io *destino* e lesso."

DESTRUCCION. De destructionem.

Liber Regum, 7.5: "E del dia que uino el rei Nabucodonosor en Iherusalem e fizo la segunda *destruction* e los leuo cativos a Babilonia."

Alexandre (O), 109c: "Que puede fer con ellos atal *destruçión.*"

Muy frecuente la forma semipopular *destruiçión.*

Fazienda de Ultramar, 164.23: *destruycion.*

DESTRUCTO, -A. De destructum, pp. de destruere.

'destruido':

Fazienda de Ultramar, 92.5: "E dom (sera) *destructa.*"

Berceo, Loores, 29c: "El tiempo fue *destructo...*"

DESTRUIR. De destrŭere.

Cultismo dudoso. Domina la forma pop, *destroir* (Apolonio, 118d).

Destruir en Berceo, San Millán, 281c: "Cantabria serie *destruida.*" También en sentido figurado, San Millán, 203: "Por *destruir* este Sancto con algunas razones."

P. de Fernán González, 87a: "Espanna la gentil fue luego *destruyda.*"

Docs. posteriores: Conde Lucanor; A. Pal.

DETERMINACION.

'decisión':

Nobleza y Lealtad: "Non tardes los fechos que ovieres auido *determinacion* e consejo."

V. Determinar.

DETERMINAMIENTO.

'decisión':

Fuero de Soria, 178. 7: "Pero pues el demandado oyo el *determinamiento* en juyzio ..."

V. DETERMINAR.

DETERMINAR. De determĭnare.

'determinar, decidir':

Fuero de Soria, 29.14: "Por que los pleytos que fueren yudgados e *desterminados* por los alcalldes."

Nobleza y Lealtad: "lo que tu voluntad te *determinare* en los grandes fechos."

El Bonium, 271.25: "Fazer bien es una cosa *determinada.*"

Berceo, Duelo, 102c: "Sennor, tú que lo sabes todo *determinar.*"

Alexandre (O), 949d: "Lo que don Baltasar ouo *determinado.*"

Docs. posteriores: J. Ruiz, 1136b; Rim. de Pal., 615d.

DEVINANÇA.

'profecía, edivinanza':

Fazienda de Ultramar, 91.6: "Non a aguero en Jacob, ni *devinança* en Israel."

DEVINAL. V. DIVINAL.

DEVINAR. V. DIVINO.

'adivinar, profetizar':

Apolonio, 647c: "Onde es nuestra creyença e el cuer nos lo *devina.*"

DEVISAR. De divisare.

'ver a lo lejos, confusamente':

Apolonio, 663d: "Que ya non las podían de tierra *deuisar.*"

'distinguir, divisar':

Alexandre (P), 95d: "cascuno con sus títulos por mellor *deujsar.*"

El participio *devisado* en Alexandre (P), 787b en la ac. 'provisto de señal distintiva' según Keller (Vocabulario del Libro de Alexandre) o 'grande, notable' según Corominas (DCELC, s. v.): "una enfinjdat de pueblos *devjsados.*"

Documentaciones posteriores: Rim. de Pal., 79b; J. Ruiz 1012c 'dividido'; Gran Conq. de Ultramar, 286 'engañosos'.

DEVISION. V. División.

DEVOCION. De devotionem.

'devoción, fervor':

El Bonium, 71.3: "e levanlo con *devoçion* de buenas obras."

Flores de Filosofía, 20.1: "e bevelo con *devocion* de buenas obras."

Berceo, Milagros, 164c: "Rogó a Jhesuchristo con grant *devoçión.*"

Alexandre (P), 1163a: "Tovieron sos vegillas con grant *devoçión.*"

Apolonio, 626c: "Plogo a Dios del çielo e a su *devoçión.*"

P. de Fernán González, 391a: "Entró en la ermita con muy grant *devoción.*"

Docs. posteriores: Rim. de Pal., 30a; P. de Alfonso Onceno. 1509b; Conde Luc., 144.13; en el Libro del Cavallero e del Escudero, *devotamente.*

DEVOTAMIENTRE.

'devotamente':

Berceo, S. Mill., 484a: "Quando *devotamientre* van al su oradero."

DEVOTO. De devotum.

'devota, piadosa':

Berceo, Loores, 52c: "La pecadriz *devota* non fue dél repoiada." En Mil., 162d: "Devrié andar *devoto* e andava lozano."

Alexandre (O), 270d: "Las otras con aquestas deven ser *devotas.*"

Documentaciones posteriores: Juan Ruiz, 1044b; Rim. de Pal., 1237d.

DIABLADO. V. Endiablado.

DIABLERIA.

'veneno, envenenamiento' (Keller, Vocabulario):

Alexandre (P), 2583a: "Fue la *diablería* luego escalentando."

V. Diablo.

DIABLO. De diabŏlus, gr. διαβολος. 'el que desune o calumnia':

Sta. M.ª Egipc., 369: "tanto auja el *diablo* conprisa."

Nobleza y Lealtad, XVIII: "Justiçia es enemiga de los *diablos.*"

Berceo, Himnos, III, 5b: "Refieri el *diablo,* un mal envaidor." "Plural en Mil., 85c: "Vinieron de *diablos* por ella grand gentío."

Apolonio, 248c: "Destruyo los ha amos un rayo del *diablo.*"

Alexandre (P) 411d: "Querie la su simjente el *diablo* sembrar."

Sust. fem. en Alexandre (P), 529b: "ouolo la *diabla* de Venus a encantar.". Para Keller tiene la ac. 'pícara, astuta'; yo me inclino a dar 'perversa'. En P., 2345a: *diablesa.*

1.ª doc., *diabolo,* Glosas Emilianenses.

DIACONIA. V. DIÁCONO.

'diaconado':

En C. C. Esc. (1049) según Simonet (Glosario, s. v.).

DIACONO. De diaconum.

'diácono, dignidad eclesial':

En C. C. Esc. según Simonet (Glosario, s. v.)

Doc. ling. de 1209 (M. Pidal, 84): Entre los testigos, "don Sancio el *diachono.*"

Berceo, Sto. Dom., 269c: "*Diáconos* e prestes, otras personas tales."

Documentaciones posteriores: en don Juan Manuel, Libro de los Estados, 580.13, *diacone.*

DIALECTICA. De διαλεχτιχός.

Buenos Proverbios, 57.13: "e la sapiencia de la philosophia y el tu entendimiento de la *dialectica.*" También en 13.9.

Documentaciones posteriores: Rim. de Pal. 810a; APal, 19d.

DIANA.

'la diosa Diana':

Apolonio 579a: "Demanda por el templo que dizen *Diana.*"

Alexandre (O), 349b.

DICION. De ditionem.

'mancha, pecado':

Berceo, Milagros, 181b: "Es plena de graçia, e quita de *diçión.*"

DICIPLINA. De disciplina.

'disciplinas (para penitencia), azotes de penitencia':

Diez Mandamientos, 381.32: *disciplinas.*

Documentaciones posteriores: J. Ruiz, 1168c; don Juan Manuel, Libro de los Estados, 597.6; Rim. de Pal., 877b, *dis-çiplina; 1646c E, deçiplina.*

DICIPULO. V. Discípulo.

DICTADO. V. Dictar.

Sust. 'carta, documento, escrito, historia':

Berceo, Mil., 31c: "Las flores son los nomnes que li da el *dictado* a la Virgo Gloriosa...".

Apolonio, 588c: "De tres que me pidíen tú me aduxiste el *dictado.*"

Alexandre (P), 316d: "que ouo de su gesta *ditado* tan honrrado". En O., 309d, *dictador.* V. DICTADOR.

P. de Fernán González, 101c: "Semeja fyera cosa mas diz lo el *ditado.*"

'señorío, poder':

Apolonio, 629c: "El gouernio del rey e todo el *dictado,* / fincó en Apolonio, que era aguisado."

'contenido de un documento':

P. de Fernán González, 578d: "Una carta (bien) ditada con un falso *ditado.*"

Alex. (P), 977c: "La mano que fazie el oscuro *ditado.*"

DICTADOR. V. Dictar.

'escritor, versificador':

Berceo, Milagros, 866b: "Que de los tos miraclos fue *dictador.*"

Alexandre (O), 309d: "Que ouo de su gesta *dictador* tan onrrado."

V. Dictado.

DICTAR. De dictare.

'componer, escribir':

Berceo, Milagros, 21c: "Ca los evangelistas quatro que los *dictavan.*"

Apolonio, 223b: "La carta dizia esto, sópolo bien *dictar.*"

Alexandre (O), 38b: "Bien *dicto* e versifico, connesco bien figuras." En P, 1963a, *ditar.*

P. de Fernán González, 578d. V. Dictado.

DIÇIPULO. V. Discípulo.

DICTHAMON, DICTHAMOS. De dictamnum.

En Ibn Chólchol, según Simonet (Glosario, s. v.)

DIFAMAR. V. Fama.

'difamar, deshonrar'; 'ultrajar':

Apolonio, 565b: "Del malo traydor quel quiso la fija *difamar.*"

Documentaciones posteriores: Yuçuf, 88c.

DIFERENCIA. De differentiam.

'diferencia, diversidad':

El Bonium, 86.9: "Mucha *differencia* hay entre el que pugna en ensusiarse e ..."

Berceo, Milagros, 127c: "Mas a grand *diferencia* de saber a cuidar ..."

'lectura del gradual, alleluya y tracto' (v. ed. G. de Orduna, página 157):

Sto. Dom. 567b: "El preste a siniestro, fiço su *diferençia.*"

Documentaciones posteriores: Rim. de Pal., 1616a; don Juan Manuel, Libro del Cavallero e del Escudero, cap. xix.

DIFINICION. Deriv. de definere.

'grado, extensión':

Alexandre (P), 121c: "qual nunca fue feyta en esta *difinçión.*"

Keller (Vocabulario) lo interpreta como mala grafía, por *definiçión,* con lo que quedaría restablecido el metro. El texto O. correspondiente es distinto.

DIFINIDAT.

'infinidad, muchedumbre':

Alexandre (P), 24937c: "llegaronse de gentes una *difinjdat.*"

Según Keller es mala grafia por *infjnidat* (En O., 2369c, *finidat).*

DIGNAMENTE. V. Digno.

'dignamente, con solemnidad':

Berceo, Mil., 829d: "Que laude *dignamientre* los tus bienes granados."

Alex. (P), 2098b: "...maguer non la podamos *dignamente* contar."

DIGNIDAT. De dignitatem.

'dignidad, honra, alcurnia':

Santa María Egipc., 1167: "... ca non so de tal *de(n)ytat.*"

Fazienda de Ultramar, 43. 14: "la *dignidat* que es en ti."

Berceo, Milagros. 69b: "Nunqua fue Illefonso de maior *dignidat.*"

Apolonio, 185d: "Non quería, maguer pobre, su *dignidat* baxar."

Documentaciones posteriores: Juan Ruiz, 499c; Rim. de Pal., 1227b; en 1380c, *dinidat;* Conde Lucanor, 44.21.

DIGNO. De dĭgnum.

'digno, honrado, ilustre':

Cid, 2363, *dinno:* "e vos tan *dinno* que con él avedes parte."
Nobleza y Lealtad, *digno.*

Berceo, Sto. Dom., 253a: "El confessor glorioso *digno* de adorar."

Apolonio, 69c: "¡Ay, rey Apolonio, *digno* de grant valor."

Alexandre (O), 348d: "Non seríen *dignas* ante mí se parar."

Documentaciones posteriores: Rim. de Pal., 193d; JRuiz, 2b, *dino;* Conde Lucanor, *dignidat.*

DILECCION. De dilectionem.

'amor, cariño':

Berceo, Sto. Dom. 503c: "Ca avíen todos en él tanta *dilectión.*"

Apol. 241a: "Entró entre los novyos muy gran *dilecçión.*"

DILUVIO. De dilŭvium.

Fazienda de Ultramar, 117.5: "Del *diluvio* e del archa de Noé."

Liber Regum, 1.14: "Et quando ovo Noé DC, fo el *diluvio.*"

El Bonium, 68.22: "Sepas que despues que el *diluvio* fué pasado."

Alexandre (P), 2517b: "Las ondas del *diluujo* tanto querién sobir ..."

Docs. posteriores: P. de Alfonso XI, 2313b; 1.ª Cron. Gral; APal; Nebrija.

DIOGENIS.

El Bonium, 143.12: "*Diogenis,* el canino, fue el más sabio de su tiempo."

Buenos Proverbios, 4.16: "En el sello de *Diogenis* avie escripto."

DIOMEDES.

'héroe homérico':

Alexandre (P), 309c.

DIONISA.
'nombre de mujer':
Apolonio, 349a.
'la piedra dionisia'.
Poridat: *dionisia, 75.26:* "La piedra *dionisia* su propiedad es que el omne que la beue con uino quando es bien molida que nunqua sintra belder."
Alexandre (P): *djonjsa.*
Alexandre (O): *dionisia.*
S. Isidoro: *dionjsjas.*

DIOS. De Dĕus.
Cid, 614: *"Dios* que está en el çielo".
Reyes Magos, 74: *"Dios* te curie de mal."
Razón de Amor, 116: "Por *Dios,* que digades, la mia senor."
Sta. M.ª Egipciaca; 845: *"dios* del cielo."
Reys d'Orient, 129: *"Dios* que bien recebidos son."
Documentos lingüísticos, 305 (1184), Cuenca: "el coal don Tello Peris e don Pero Gutierrç dieron a *Dios.*"
F. de Soria, 99.12: "... si non que *Dios* los confonda en este mundo los cuerpos."
Diez Mandamientos, 379.3: *Dieos:* "Non avras otro *Dieos* si a mi non."; 38.1: "las paraulas de *Dios.*"
El Bonium, 68.27: "...e con el poder de *Dios...*"
Poridat, 29.1.
Buenos Proverbios, 12.4: "El temer a *Dios* es vestido de los sabios."
Flores de Filosofía, p. 21.20: "...su rregno dura syempre ante *Dios.*"
Fazienda de Ultramar, 43.1: "... por la gracia de *Dios.*"
Liber Regum, 1.9: "Et el fo s'end con *Deus* nuestro sennor." 3.4: *Deu;* Texto 2, 5.18: *Deos.*
Berceo, Sto. Domingo, 1a: "En el nombre de *Dios* que fizo toda cosa."
Apolonio, 1a: "En el nombre de *Dios* ..."
Alexandre (P), 435c: "Rindién a *Dios* graçias ..."
'ídolos, falsos dioses' en plural:
Fazienda de Ultramar, 77.18: "No adores a sos *dios* e non los syrbas."

Alexandre (P), 218b: "Semeias a los *dioses* que ende as natura."

DISCIPULO. De discipulum.

Poridat, 29.4: "... el (libro) que fizo Aristotelis... a su *discípulo* Alixandre."

El Bonium, 77.28: *deciplo;* "... e tenía Nicoforis, su *deciplo,* havía bien deprendido." En 178.11: *desciplo.*

Buenos Proverbios: "... a los sus *discípulos.*"

Fazienda de Ultramar; 112.2: "Allí se transfiguró Christus a sus *discípulos.*"

Alexandre (P). 34a: *diçiplo:* "Quando ujo al *diçiplo* seyer tan syn color."

Berceo, Duelo, 18b: "Nin vidi los *discipulos,* nin vidi al pastor."

Santa Oria, 73d: *discipula.*

Apolonio: *diçiplo,* 194d: "Desque so tu *diçipla* quiero te dar soldada."; 284d: "Ca havié un *diçiplo* savio e bien letrado."
Disciplo es forma común en la Edad Media.

Documentaciones posteriores: Juan Ruiz, 30b; Rim. de Pal., 520b; Sem Tob, 285, *deçiplo;* don Juan Manuel; Conde Luc., 173.41, *disçipulo;* Libro de los Estados, 452.2.

DISCORDIA. V. Desconcordia.

'disputa':

Fuero de Soria, 196.5: "sembrar mal e *discordia.*"

Flores de Filosofía, 52.9: "e la *discordia* mata el amor antiguo."

Buenos Proverbios, 33.9: "y aquel que siembre *discordia* entre los hermanos ...".

Nobleza y Lealtad, IX: *discordias.*

Berceo, Sac. 258d: "Do nuevas de *discordias* nunca fueron oídas."

'división':

Alexandre (P), 971d: "Quando de los lenguajes prisieron la *discordia.*"

Documentaciones posteriores: J. Ruiz, 889; Rim. de Pal., 112a; don Juan Manuel, Libro de los Estados, 490.21.

DISCRECION, DISCRICION. De discretionem.

'discreción, sensatez':

Flores de Filosofía, 56.3: "ca ella aduse a omne a *discreción*."

Nobleza y Lealtad, VI: "e por ende el avisamiento es *discrición* que eguala ...".

Berceo, San Lorenzo, 23a: "Omne era perfecto, de grant *discretion*."

Documentaciones posteriores: Rim. de Pal., 1558a.

DISCRETO.   De discretum.

'discreto, sensato':

Fuero de Soria, 20.3: "e los alcalldes del anno passado escoianlo echando suertes sobre çinco caualleros de la collaçión que sean buenos e *discretos*."

Nobleza y Lealtad, XIV: "... que si el sennor fuese *discreto* e sabio ...".

Berceo, Sto. Dom., 254d: "Maestro de las almas, *discreto* e temprado."

DISPUTAÇION.   De disputationem.

'discusión, disputa':

El Bonium, 184.7: "E dixo: grande es la ganançia del que calla (aun) que no fuese en al sinon en folgar de la *disputaçión*."

Berceo, San Lorenzo, 9d: "Por en *disputaçión* eran buenos voceros."

Alexandre (O), 17b: "De todos cada día fazíe *disputaçión*."

Documentaciones posteriores: JRuiz, 1136a; don Juan Manuel, Libro de los Estados, 563.35; A. Pal.; Nebrija.

DISPUTADOR.   V. DISPUTAR.

'hábil en la discusión':

Alexandre (P), 1896d: "Era muy bien lenguado e buen *disputador*."

Docs. posteriores: Rim. de Palacio, 207b.

DISPUTAR.   De disputare.

'discutir, conversar':

El Bonium, 318.4: "E dixo: non te tomes a *disputar* sinon con quien sabe la verdat."

Docs. posteriores: JRuiz, 49d.

DISSENSION.   De dissensionem.

Berceo, Milagros, 574b: "Amató la contienda, e la *dissensión*."

Alexandre (P): *disençión*, 2086c: "Mas bolvieron en cabo con dios *disençión*." En O., 1944b: *dissensión*.

DITADO. V. Dictado.

DITAR. V. Dictar.

DIVERSIDAD De diversitatem.

El Bonium, 315.7: "...la *diversidad* de los vientos."

Berceo, Milagros, 10c: "Avíe de noblezas tantas *diversidades.*"

DIVERSION. De diversionem.

'clases distintas':

Alexandre (P), 2332c: "Maldiguezas, tristiçias e otras *diversiones.*"

DIVERSO. De diversum.

Poridat, 62.9: "Las complexiones son *diversas* segunt las maneras."

El Bonium, 86.5: "... pues son de obras e de voluntades *diversas* e de formas semejantes."

Apolonio, 64c: "Adobar los comeres de *diversas* maneras."

Berceo, Sto. Domingo, 214c: "Maçebiellos, e vicios, de *diversas* edades."

Alexandre (P), 1939c: "Destos avíe allí muchos que fazíen *diviersos* sones."

Alexandre (P), 2313b: *djuerso.*

Docs. posteriores: J. Ruiz, 211d; Rim. de Palacio, 107b; P. de Yuçuf, 223d.

DIVERSORIO. De diversorium.

'posada, hospedería', 'parte del monasterio no dedicada al culto':

Berceo, Milagros, 552b: "Commo mandó el obispo, fo por el *diversorio.*"

Alexandre (O), 352a: *divirsorio.*

Alexandre (P), 360a: *diuersorio:* "Venus dio luego salto, yxió del *diuersorio.*"

DIVES. Latinismo.

'rico':

Alexandre (P), 2364a: "Estos son con el *Djves* en jnfierno fondidos." No aparece en O.

DIVIDIR. De dīvīdĕre.

Alex. (P), 261b: "Son por braços de mar todas tres *diujdidas.*"

En O., 225b: *devisida,* (V. Corom., DCELC, s. v.).

DIVINAL V. Divino.

B. Proverbios, 11.1: "...e materia del entendimiento *divinal* e alto."

Nobleza y Lealtad, VIII: "Tempranza es sciencia *divinal.*"
Berceo, Sto. Domingo: *devinal,* 486c: "Ruegue por nos todos
al rey *devinal.*"

DIVINIDAD. De divinitatem.

Razón de Amor y Denuestos, 253: "Así, don uino, por carydad, / que tanta sabedes de *diuinidat.*"
Berceo, Loores, 51b: "Creyessen commo eran en él *divinidad.*"
Docs. posteriores: D. Juan Manuel, Libro de los Estados,
560.41.

DIVINO. De divinum.

El Bonium, 68.9: "... así en los saberes *divinos* como en todos
los otros saberes."
Reys d'Orient, 242: "Dimas e gestas / medio *diujna* potestas." ('Jesucristo').
Berceo, Sacrificio, 62c: "Face muy grant pecado pesar al
rey *divino.*"
Alexandre (P), 1498b: "Pobló a Babilonia por la gracia
djujna."

DIVISA. De dĭvīdĕre.

'parte de la herencia paterna', 'beneficio':
Berceo, S. Millán, 9d: "levantarlo del polvo, darle mayor
divisa."
Docs.: 1b en Oelschläger (ss. XI-XII).

DIVISERO. De dĭvīdĕre.

Docs. lingüísticos, 218 (1233). Coruña del Conde-Osma: "...
con Peydro Gonçaluez de Marannon que era *diuisero* e heredero en la villa."
F. Viejo de Castilla, s. XIII: *devisero* (Cejador.-Voc.).

DIVISION. De divisionem.

'acción y efecto de dividir o separar en partes':
Alexandre (P), 1839b: "Taneys los departe, faze *división.*"

DOCTOR. De doctorem.

'maestro, profesor':
Nobleza y Lealtad, XX: "...que quando el fecho queda en
mano de *doctores.*"
Alexandre (O), 44b: "Yo so tu escolar, tu eres mi *doctor.*"
Docs. posteriores: J. Ruiz, 1135a; D. Juan Manuel, Libro

de los Estados, 558.27; Sem Tob, 103.1; Poema de Alfonso XI, 636b.

DOCTRINA.   De doctrinam.

'doctrina, enseñanza':

Nobleza y Lealtad, X: "E por ende la *doctrina* priva a las veces a la mala naturaleza"; XXIII: *dotrinas.*

Berceo, S. Millán, 13b: "Por prender tal vida *doctrina* li menguava."

Apolonio, 496d: *dotrina,* "Oviste en tu *dotrina* maestro bien letrado."

DOCTRINAR.   De doctrinare.

'adoctrinar, instruir':

Berceo, S. Lorenzo, 4b: "Commo si los oviesse Sant Paulo *doctrinado.*"

Alexandre (P): *dotrinjar,* 2384d: "... a todos ziete los tiene ricament *dotrinjados*". En O., 2242d: *doctrinados.*

Apolonio, 22b: "Por solver argumentos era bien *dotrinado.*"

DOLENCIA.   De dolentiam. Sufijo culto.

'dolencia, enfermedad':

Flores de Filosofía, p. 31.1: "... e non sabe dar consejo a su *dolencia.*"

Nobleza y Lealtad, II: "Cobdicia es *dolencia* sin melecina."

Docs. posteriores: Rim. de Palacio, 404d; P. de Alfonso XI, 83d; Sem Tob, 384.1; Conde Lucanor, 43.11.

DOLIOSO.   Deriv. de dolère.

'doliente':

Berceo, Mil., 572c: "Vos sodes sancto, yo peccadriz *doliosa.*"

Docs. posts.: JRuiz; Ayala; C. Baena.

DOMICIANO

'El emperador Domiciano':

Fazienda de Ultramar, 139.21.

DOMINGO. De dominicum.

'dia de la semana':

Disputa del Alma y del Cuerpo, 3: "Un sabado sient, dom-(i)ngo amanezient."

Sta. M.ª Egipciaca, 888: "el *domingo* de los ramos".

Docs. lingüísticos, 28 (1223): "Sub era M.ª C. C.ª XXV.ª, a XII dias andos del mes de septembre, *domingo* ..."

F. de Soria, 203.9: "... es el *domingo* de venjda del aldea a la villa, e el martes de tornada al aldea."

F. de Sepúlveda, § 78: "día de *domingo*."

F. de Madrid, p. 48.16: "... al primero *domingo* no lo aduxerit."; p. 47.2: *dominico*, "in die *dominico*."

Diez Mandamientos, 380.4: "E este es el nuestro *domingo*."

Fazienda de Ultramar, 203.31: "E a un día de *domingo* entro bivo en el sepulcro."

Berceo, Sto. Domingo, 564a: "Vinieron al sepulcro *domingo* mannana."

'nombre propio':

Docs. lingüísticos, 217 (1233), Soria, Osma: "*Domingo* Garcia"; 181 (1228), Lerma: *Dominigo*.

Berceo, Sto. Domingo, 5a; Milagros, 38d: *Domengo*.

DOMINIO.   De dominium.

Docs. lingüísticos, 110 (1147): "... sus huius *dominio* alchait, Martin Ferrandez."

DOMINUS.   Latinismo.

'señor':

Berceo, Sto. Domingo, 227d: "Dixieron ellos: *Dominus*..."

Alexandre (P), 1631d: "Respondieron ellos *dominus,* supieron recodir."

DONACION.   De donationen.

'donación, regalo':

Doc. ling. de 1249 (M. Pidal, 98): "E yo don Gui prior de Nagera por esta *donación* ..."

Fuero de Sepúlveda, § 239: "De la *donation* que non vala."

Documentaciones posteriores: Rim. de Pal., 1573d E; don Juan Manuel, Libro de las Armas, 29v. 168.

DONADIO.   De donationem.

'donación, regalo, don':

Doc. ling. de 1235 y de 1237 (M. Pidal, 116): "E que aquest *donadio* seja sano e firme a los devanditos monges ..."

Fuero de Soria, 32.5: "De cartas que fiziere sobre ... o de *donadios*."

El Bonium, 168.1: "E dixo: los sesos son -*donadios* de Dios, e los saberes ganan los omnes por sí."

DONARIO. De donarium.

'gentileza, cortesía', 'conjunto de cualidades, de gracias de una persona':

Berceo, San Lorenzo, 50d: "Trobó y una bibda sancta de gran *donario*." En 2313b: *donayres*.

Alexandre (P), 1265d: "Rey so por natura de los de grant *donario*."

Docs.: *Donaire,* Setenario, Partidas. La forma antigua *donario* se cambió al popularizarse *donairo,* alterado luego por influjo de *aire,* porque el vocablo se aplicaba frecuentemente al porte natural de una persona. (V. Corominas, DCELC, s. v.).

DONATIVO. De donativum.

'donación':

Doc. ling. de 1235 (M. Pidal, 335): "Nos el conceyo de Anduiar (con) el juez e los al(cal)des y con los iurados, hotorgamos heste *donativo* desta eredad."

Corominas no lo documenta hasta 1490.

DORMITAR. De dormītare.

'dormir':

Berceo, Mil. 108a: "Demandó li el clérigo que iazie *dormitado*". En San Mill., 10d: *adormitar.*

DORMITORIO. De dormitorium.

Berceo, Sto. Dom., 220c: "Otros en *dormitorio*." En Mil., 79c: *dormitor.*

Docs. posteriores: JRuiz, 1248d.

DROMEDARIA. De dromedarium, gr. δρομάς, -αδος.

'dromedario':

Alexandre (P), 111b: "Fizolo en una *dromedaria* por muy grant auentura."

Corominas lo documenta por primera vez en Nebrija: *dromedario.*

DUBDA. De un postverbal de dŭbĭdat.

'temor', 'vacilación':

Cid, 1131: "Bien lo ferredes, que *dubda* non y aura."

Berceo, Sto. Dom. 235d: "Dixo el que sin *dubda* entrasse aosadas."

Apolonio, 504a: "Ouo el rey *dubda* ..."

Alexandre (P), 1548c: "La *dubda* de morir era toda fuyda."
En O., 1406c: *dulta*.

Sines dubda, 'sin duda': Apolonio, 249d.

'duda, incertidumbre':

Docs. lings. de 1234 (M. Pidal, 226): "Por que este pleyto sea más firme e non puda uenir en *dubda* ..."

Fuero de Soria, 29.17: "... Non venga en *dubda* por que nasca contienda e desacuerdo entre los omnes."

Cultismo dudoso. Según Menéndez Pidal (Cid, Gram., 148.7) la ŭ breve está inexplicada aún. Para Corominas (DCELC, s. v.) se trata de un semicultismo, como en italiano, catalán y portugués.

DUBDANCA. V. DUDA.

'temor':

Cid, 597: "Sines *dubdança*."

Sta. María Egipc., 618: "Tornó al tenplo sines *dubdança*."

'duda':

Berceo, Sto. Dom. 264d: "Serien meior seruidos sin ninguna *dubdança*."

Alexandre (O), 1561c: "sen *dultança*".

Fnán. Glez., 238d: "Dos vezes seras preso, crey me syn(es) *dudança*."

Docs. posts.: Rim. de Pal. 736.

DUBDAR. De dŭbĭtare.

'dudar, vacilar':

Santa María Egipc. 1249: "De nulla res non querie *dubdar*."

Buenos Proverbios, 6.6: "Encobrir omne lo que vio es mejor que non dezir lo que *dubda*."

Apolonio, 276b: "Non *dubdo* porque era pobre desenparado."

'temer':

Apolonio, 177d: "Fija, ren non *dubdedes* e fazet aguisado."

DUBIO. De dŭbĭus.

'duda':

Berceo, Sac., 56a: "Esto es sine *dubio* cosa bien ordenada."

'temeroso, dudoso':

Alexandre (O), 2170d: "De la corte del infierno ... quiero ende faular / a el suelo mal poblado, mal techo e mal fogar / es *dubio* e espantoso solo de començar." En P., 2312d: *dubdo*.

DULCE. De dŭlcem.

'dulce, suave, delicado':

Cid, 405: "Un sueñol priso *dulce* ..."

Santa María Egipc., 484: "¡Ay duenya, *dulçe* madre ..."

El Bonium, 86.1: "Quando usan comer cosas *dulçes.*"

Berceo, Himnos, 1a: "Veni Creator Spiritus pleno de *dulçe* lumne."

Es muy dudoso considerar esta voz como cultismo. Véase la explicación de M. Pidal (Cid, Gram., 1487) para la ŭ breve. Debe tenerse en cuenta, no obstante, la existencia del pop. *duz.* Es cultismo la forma del superlativo *dulcissimo* en Duelo, 20d: Del mio fiio *dulçissimo*...". María Rosa Lida *(Juan de Mena, poeta del prerrenacimiento español,* p. 258, nota 31), dice que es calco del *File dulcissime* del original, o sea el sermón "De lamentatione Virginis Mariae" atribuido a san Bernardo de Claravalle. Hacemos notar, sin embargo, que el superlativo sintético aparece en algún otro texto en las formas *altísimo* y *poderosísimo* (Flores de Filosofía).

V. ALTÍSIMO, en nuestro Glosario.

Otras documentaciones de *dulce*: Apolonio: 242b: "Su esposa con ell, la *dulçe* companyera." Alexandre (P), 921c: Alli fazien los cantos *dulçes* cada mannana."

DUODECIMA.

Ord. 'duodécima':

Poridat de las poridades, 48.18: "La *duodecima* (manera) que sepa muy bien escreuir."

DUPLADO.

Forma culta, por *doblado*:

Doc. ling. de 1230 (M. Pidal, 51): "el damno *duplado.*"

Fuero de Madrid, 35.17: "pectet lo *duplado.*"

DUPLAR.

Forma culta, por *doblar*:

Fuero de Madrid, 38.26: "*duple* los el fiador ...".

DUPLO.

'doble': Apolonio, 140d: "en *duplo*".

DURICIA. De durĭtiam.

'dureza':

Berceo, Sac., 294b: "De la su grant *duriçia* encrepalos assaz."

E

EBRAICO.

'la lengua hebrea':

Fazienda de Ultramar, 43.7: "... en latín e en *ebraico*."
Hebraico, en Yuçuf, 298b.

(E)CLIPSE.   De eclipsis, gr. εκλειψις.

'desaparición, eclipse':

B. Proverbios, 42.15: "Madre, ¿non veedes la luna que quando es más complida e más luciente, que estonces viene el *clipse*?."

Alexandre (P): *eclepsis*, 1204d: "Esa defecçión *eclepsis* es llamada."

Docs. posteriores: *eclipsi*, D. Juan Manuel, Libro de los Estados, 490.11, APal; Nebrija; *eclipse*, Celestina.

ECONOM.   De oeconomia, gr. οἰκονομία.

'tesorero o administrador de bienes eclesiásticos':

C. C. Esc. (1049). V. Simonet, Glosario, s. v.

EDIFICACION.   De aedificationem.

'devoción':

Berceo, Milagros, 528d: "Tal que debía en omne façer *edificación*."

Docs. posteriores: APal; Nebrija, *Hedeficio*, en cap. XLV, 107.

EDIFICAR.   De aedificare.

El Bonium, 76.8: *edeficar,* "... e los grandes rreyes de los griegos *edeficaron* primero este palaçio."

Berceo, S. Millán, 107b: "... cerca del oratorio *edificó* sue (c)iella."

Docs. posteriores: Rim. de Palacio, 1059c.

EFESIO.

Apolonio, 578b.

EGIPCIANA.

'egipciaca':

Sta. M.ª Egipciaca, 1426: "esso mismo te digo de la *egipçiana*".

Fazienda de Ultramar, 46.14: "E ovo otro fijo de Agar la *Egipçiana,* su manceba, que ovo nombre Ysmael."

Berceo, Milagros, 783c: "Esso mismo te digo de la *Egipçiana.*"

Para Alvar, p. 65, es galicismo *(egyptienne).*

EGIPCIAQUA.

Sta. M.ª Egipciaca, 19: *Egipciaqua.*

EGIPCIO. De aegiptium.

Fazienda de Ultramar, 51.21: "Furtifar el *Egipçio.*"

Alexandre (P), 1493d: "A otros *egibçios.*"

EGIPTO

Sta. M.ª Egipciaca, 82.

Reys d'Orient, 88, 203: "Escurriolos fasta en *Egipto.*"

El Bonium, 69.9.

Berceo, Sacrificios, 147: "En *Egipto* fue esto primero levantado."

Apolonio, 347d.

Alexandre (P), 276a: *Egibto.* En O., 269a: *Egipto.*

Adj. 'egipcio':

Fazienda de Ultramar, 138.24: "E alcanço David con ... e ovo buena barunt, un omne *egipto* ..."

EGLERA. V. Glera.

EGLESIA. De ecclesiam.

'templo':

P. del Cid, 326: "Myo Cid e su mugier a la *eglesia* van."

Docs. lingüísticos, 13 (1174).

Id., 1 (1191): *ecclesia,* "De la pesquisda de *ecclesia* de sancti Felicis de Anero."

Id., 28 (1223): *Igleia*.

Id., 8 (1229): *aglesia*.

F. de Soria, 25.21: "El començamiento de los plazos sea de que las misas mayores fueren dichas en las *eglesias* perochiales de la vjlla."

F. de Sepúlveda, §§ 14,205: "... e deven dar a cada uno sus derechos, tanbien al obispo, como a la *eglesia*."

Fazienda de Ultramar, 203.7: "A siniestro un poco, en medio el *eglesia*, es el ver sepulcro o Jhesu Cristo fue metido." En 137.3: *ecclesia*.

Liber Regum, 14.6: "... e fizo la *eglesia* en honor de Sant Saluador".

Diez Mandamientos, 382.9: "... qui encende *eglesia*."

El Bonium, 76.18: "... e fascen otrosí los cristianos en sus *eglesias* muchas figuras."

B. Proverbios, 14.8.

Berceo, Sto. Domingo, 35d: "Leváronlo a la *eglesia* a Dios lo offreçieron."

Apolonio, 325b: "Sierva su *eglesia* e reze su salterio."

En escrituras mozárabes y en documentos del período visigótico: *eclexia, eglesia* (Simonet, Glosario, s. v.).

P. Fernán González, 593a: "(Assy) esta oy (en) dia la *y(g)lesia* partida.

Desde el siglo XIV se impone *iglesia*.

ELAÇION.   De elationem.

'orgullo, soberbia':

Berceo, Milagros, 854b: "Nol movió vanagloria nin cogió *elaçión*."

ELAMJTANO.

'elamita', adj. y sust.

Alexandre (P), 1496a: "Otros disen parcos e otros *elamjtanos*."

ELCUTROPIA.

'piedra preciosa':

Poridat, 74.21: "La piedra que dizen *elcutropía*."

Alexandre (P): *olitropía*.

Alexandre (O): *ydropico*.

S. Isidoro: *heliotropium*.

ELECTION. De electionem.

F. de Sepúlveda, § 178: "La *electión* fecha, e todos abenidos e confirmada e otorgada de tod'el pueblo ..."

Berceo, Milagros, 717b: "Ovieron a façer otra *election.*"

Alexandre (P), 1804a: *elección,* "En las *elecçiones* anda grant beniconia."

Docs. posteriores; Rim. de Palacio, 199b; Conde Lucanor, 43.18: *esleçion;* Libro de los Estados, 490.28: *eleccion;* Nebrija.

ELECTA.

'Alectría, piedra preciosa':

Alexandre (P), 1468a: "*Electa* hanla pocos que es piedra preçiosa."

ELECTO. De electum, p. p. de eligere.

'elegido, obispo electo':

Docs. lingüísticos, 200 (1272) Burgos: "don Domingo Martín, por la gracia de Dios *electo* de Aujla."

Berceo, Sto. Domingo, 258c: "Quísolo Dios que fuesse *electo* en abbat."

Docs. posteriores: Conde Lucanor, 43.26.

ELECTOR. De electorem.

Berceo, Milagros, 311a: "Díssolo e credieronlo esto los *electores.*"

El popular *esleedor* se encuentra en D. Juan Manuel.

ELECTRIA.

'piedra preciosa':

Poridat, 76.4: "Electría es una piedra que es mucho preçiada, et fallan la en los uientres de los gallos."

Alexandre (P): *electa.*

Alexandre (O): *empotría.*

S. Isidoro: *alectría.*

ELEFANTE. De elephantem.

Fazienda de Ultramar 199.8: "...e fizieron gran batalla. E ovo muchos *elifantes.*"

El Bonium, 292.1: "E Poro havia ya guisado a los *elefantes* e a los lobos que eran acostumbrados a lidiar."

Poridat, 49.14: (el hombre) es noble como *elefante.*"

Alexandre (O), 99a: "Fízo-lo un *elefante,* cuemo dis la escritura."

Docs. posteriores: Calila; 1.ª Cron. Gral.; Rim. de Palacio, 1925b E; APal; Nebrija.

ELEMENTO. De elementum.

'elemento, principio fundamental en la constitución de los cuerpos':

El Bonium, 161.19: "... e preguntaronle por ... e por el componiento de los *elementos.*"

Berceo, Duelo, 118b: "Los *elementos* todos andaban amortidos."

Alexandre (P), 1280d: "E los *elementos* eran desabenidos."

Docs. posteriores: Libro de los Estados, 456.18; Nebrija.

ELEMOSINA. V. Limosna.

Berceo, Loores, 172d: "Serán las *elemósinas* de los buenos gradidas."

ELENA. 'Elena, esposa de Menelao':

Alex. (P), 478a.

ELIAS.

'el profeta Elías':

Fazienda de Ultramar: 110.28. *Helyas.*

Berceo, S. Lorenzo, 75.

ELISABET.

'Santa Isabel':

Berceo, Loores, 118.

ELMOSNA. V. Limosna.

EMAUS.

Berceo, Loores, 126.

EMBALSAMAR. De balsamum, gr. βαλσαμόν, origen oriental.

Fazienda de Ultramar, 60.26: "Comendo Josep los metges que lo *embalsamassen* a so padre e *embalsamaronlo.*"

EMPAREDACION. Sufijo culto.

'reclusión':

Berceo, Sta. Oria, 23a: "Porque angosta era la *emparedación.*"

EMPERIAL

'imperial, noble':

Alexandre (P), 1748b: "Nasçie de buena fuente, clara, *emperial.*"

Docs. posteriores: 1.ª Cron. Gral.; Nebrija; "Historia Imperial" del P. Mejía, 1545 (Corom. DCELC, s. v.).

EMPERIO, IMPERIO. De imperium.

'estados sujetos al rey o emperador':

Apolonio, 615a: "Dieron le el *enperio* e todas las ffortalezas."

Alexandre (P), 1683c: "Quales son los *Imperios* e todas las çibdades."

Berceo, Himnos, II, 7d: "Un regno, un *imperio,* un rey, una essencia."

'poder':

Berceo, Duelo, 30a: "El mi Fiio preçioso, Señor de grant *imperio.*"

Docs. posteriores: J. Ruiz, 1554b.

EMPLASTO. De emplastum.

'emplasto, cataplasma':

Berceo, Sto. Domingo, 295d: "Non guarrié la duenna por *emplastos* calientes."

Alexandre (P), 2240b: "... pusol buenos *emplastos* por la dolor tenprar."

Docs. posteriores: J. Ruiz, 187b; Rim. de Palacio, 385d; Libro de los Proverbios de Salomón, 18.68: *enplastro.* Glos. de El Escorial: Nebrija; APal y Torres Naharro emplean la forma latinizante *emplastro.*

EMPLEGAR. De implicare.

'emplear':

Alexandre (O), 1008d: "Que quisiés *emplegar* la su lança en él."

En P., 1036d: *emplear* (V. M. Pidal, *Manual,* p. 145, nota 1).

ENAMISTAT. V. Amistad.

Alexandre (P), 1808b: "Faze *enasmjstades* a los omes bolver hermanos con hermanas."

Apolonio, 115c: "Gané *enamiztat,* sallí dende aontado."

ENBIDIA. V. Envidia.

ENBIDIANT. V. Envidia.

'envidioso':

Alexandre (P), 2339b: "el uno cobdiçioso, el otro *enbjdiant.*"

ENCANTACIONES. De incantationem.

'brujería, encanto':

Diez Mandamientos, 379.4: "...los que façen *encantaçiones.*"

ENCARNACION. De incarnationem.

'la Encarnación de la Virgen':

Cid, 333: "la *encarnaçión* en Sancta María."

Berceo, Loores, 164a: "Matheo empezó en la *Encarnación.*"

Documentaciones posteriores: Rim. de Pal., 1457a E; don Juan Manuel, Libro de los Estados, 598.19.

ENCELADO. V. CELAR.

'oculto':

Berceo, Duelo, 131a: "El mi Fijo lo sabe, tienelo *ençelado.*"

ENCENSAR. V. ENCIENSO.

'incensar':

Fazienda de Ultramar, 86.19: "... por *encensar* el encienso delant el Sennor."

Berceo, Sac., 35c: "Con el que *ençensaba* todo el santuario."

Alexandre (P), 317b: "*ençensaron* las fuesas, fisieron prosiçion."

ENCENSARIO. V. ENCIENSO.

'incensario':

Doc. ling. de 1244 (M. Pidal, 193): "e I. *encensario* de plata."

Fazienda de Ultramar, 85.23: "Esto fecho, fizieron *ençensarios.*"

Berceo, Sac., 35b: "Estonz faz remembrançia del nobre *ençensario.*"

Otras documentaciones: *incensario,* doc. de 1122 (Oelschl.).

ENCIENSO; ENCENSO. De incĕnsum.

'incienso':

Reis d'Orient, 38: "offrecieron oro e *ençiensso* e myrra."

Reyes Magos, 72: "tomará el *encenso* quel pertenecerá." En 68, *acenso.*

Doc. ling. de 1214 (M. Pidal, 164), *encienso.*

Fazienda de Ultramar, 86.19: "por encensar el *encienso* delant el Sennor."

Berceo, Loores, 32c: "A Dios daban *encienso.*"

Apolonio, 376c: "Aguisó su *ençienso* e ençendió su lumbre."

Alexandre (P.), 1443c: *"ençens* e anamono, bálsamo que más val."

Otras docs.: *encienso,* 1112, doc. de Covarrubias; don Juan Manuel, Libro de los Estados, 570.30.

ENCIENTE. De sciens, -entis.

Alexandre (O), 1757d: "segunt mio *ençiente"* 'a mi entender, en mi opinión'.

Según Corominas se trata de un cultismo de existencia intermitente en el idioma (DCELC, s. v.). Nosotros no hemos hallado más documentaciones.

ENCLAUSTRO. V. CLAUSTRO.

'claustro, patio':

Alexandre (P.), 2111a: "En medio del *enclaustro,* lugar tan acabado."

ENCLAVADO. V. CLAVO.

'erizado de púas':

Alexandre (P), 1345a: "Traye una jarra de cobre *enclavada."*

ENCLIN. De inclinem.

'inclinación, genuflexión, reverencia':

Berceo, Mil. 77a: "Façie a la su statua ed *enclin* cada dia."

ENCLINAR, INCLINAR. De inclinare.

'inclinar, bajar':

Cid, 274: *"enclinó* las manos la barba vellida. "

Berceo, Sac., 205c: "El preste ordenado *enclina* la cabeça ant el cuerpo sagrado."

Apolonio, 381a: *"Enclinóse* la duenya, començo de llorar."

'arrodillarse, hacer reverencia':

Berceo, Milagros, 116c: "Siempre se *inclinava* contra la su pintura."

Alexandre (P), 2577d: "Presentola al enperador con el jenollo *encljno",* valor adjetivo. En P., 118c: *jncljnar.*

En los textos medievales alternan las formas *enclinar, inclinar* según la presión latinizante. A partir del siglo XV se impone definitivamente la forma más culta (A. Pal., Nebrija). Otras documentaciones: Juan Ruiz, 820, *enclinar* o *inclinar,* según la edición.

ENCLINO. adj. V. ENCLINAR.

ENCLIPSARSE. V. Eclipse.

'eclipsarse':

Buenos Proverbios, 44.18: "a la luna luziente a *enclipsarse* a."

En 49.6: "e amanesció vuestra lumbre *enclipsada.*"

ENCREPARA. V. Increpar.

ENDIABLADO. V. Diablo.

'endemoniado':

Berceo, Duelo, 15d: "entraron por la casa como *endiablados.*"

La forma predominante en Berceo es *diablado* (Milagros, 361c), aunque se da también *adiablado* (Mil., 260a).

Apolonio, 445a: "Cosa *endiablada,* la burçesa Dionisia."

Alexandre (P.), 2580a: "El falso traydor, alma *endiablada.*"

ENEAS.

'héroe troyano':

Alexandre (P), 519a.

ENEMISTAD. V. Enamiztat.

Fuero de Sepúlveda, 12, en el sentido 'ruptura de la paz' (V. Alvar, Vocabulario).

Fazienda de Ultramar, 202.31: "Este Erodes ovo *enemiztad* con Pilatus."

Berceo, Sac., 159d: "E metió a Caín en fuert *enemistat.*"

Alexandre (P.), 1515d: "Que por *enemistad* mala non fueses engañados."

En Apolonio, *enamiztat,* 115c: "Gané *enamiztat.*"

Para la explicación del semicultismo, véase la justificación de Menéndez Pidal para *amistad.* (Cid, Gram., p. 190).

ENFAMAR. V. Fama.

'difamar, infamar':

Apolonio, 10b: "Al rey vuestro padre vos non lo *enfamades.*"

Documentaciones posteriores. Rim. de Pal., 1724b E.; G. de Segovia; APal. y Nebrija.

V. Diffamar.

ENFERIR. De ïnferre.

'encontrar':

Berceo, Mil., 83d: "Do yazie enfogado, alli lo *enfirieron.*"

Aparece una sola vez en Berceo, y no se vuelve a documentar hasta Fray Luis de Granada, *inferir* 'deducir'.

ENFERMAR. De ïnfïrmare.

'enfermar, caer enfermo':

Liber Regum, 4.29, *enfermó.*

Razón de Amor, 23.26, *enfermarya.*

Fuero de Soria, 54.20, si *enfermase.*

Buenos Proverbios, 24.21, *enfermar.*

Fazienda de Ultramar, 50.24, *enfermó.*

Berceo, Milagros, 123a: *"enfermó esti clérigo".*

Documentaciones posteriores: Fueros de Aragón; don Juan Manuel, Libro del Cavallero e del Escudero, cap. *XXXVIII;* Nebrija.

ENFERMEDAD. V. Enfermo.

Fuero de Soria, 47.8: "Escusa de *enfermedat..."*

Fuero de Sepúlveda, § 78: "sinnon fuese dando escusa de *enfermedat."*

Fazienda de Ultramar, 72.9: "de toda *enfermedad,* que pus en Egipto non pondré nada sobre ti". Parece en el sentido de 'epidemia, plaga'.

El Bonium, 151.5: "la *enfermedat* es cárcel del cuerpo."

Buenos Proverbios, 17.14: "asi como otras *enfermedades* de los cuerpos."

Flores de Filosofía, 39.5: "e non puede omne aver peor *enfermedad* que ser mal fablado". "Parece en la ac. 'vicio, pecado, defecto'.

Berceo, S. Mill., 200b: "Vinién muchos enfermos con gran *enfermedat."*

Apolonio, 208b: "Caen en *enfermedat."*

Documentaciones posteriores: Sem Tob, 500.4; Libro de los Estados, 477.45; Libro de las Armas, 25.10.

ENFERMERIA. V. Enfermo.

'enfermería, hospital':

Berceo, Duelo, 86d: "Non quiso que ioguiessen en tal *enfermería."*

ENFERMO. De ïnfïrmum.

'débil, endeble', 'enfermo, doliente':

Razón de Amor y Denuestos, 249: "...y al *enfermo* organar."

Santa María Egipc., 194. "Mas ama con los sanos jugar / que los *enfermos* visitar."

Fuero de Sepúlveda, § 23: "siquier sano, siquier *enfermo*."
Fazienda de Ultramar, 133.21: "Benadab, rey de Syria, era *enfermo*."
Nobleza y Lealtad, XVI, *enfermos*.
Apolonio, 355b: "mal *enfermo*."
Berceo, Duelo, 65a: "Los que venien *enfermos*, de salut deseosos".
Alexandre (P), 387c: "que nunca le faldrien njn *enfermos* nin sanos".
1.ª doc.: Anónimo mozárabe del siglo XI, (V. Al-Andalus, XVII).
Documentaciones posteriores: Rim. de Pal., 130a; y en muchos autores medievales, aunque *doliente* era más corriente en época antigua. Valdés prefiere ya *enfermo* (Corominas, DCELC, s. v.).

ENFIERNO. V. INFIERNO.

ENFINIDAT. V. FIN.
'infinidad, multitud' (Keller, Vocabulario).
Alexandre (P), 787 b: "una *enfinjdat* de pueblos deujsados."

ENFLAQUIR, ENFLAQUECER. V. FLACO.
'enflaquecer, debilitar':
El Bonium, 357.11: "Quando es bueno de yaser con muger? Dixo: Quando quisieres *enflaquecer* tu cuerpo."
'flaquear, acobardarse':
Alexandre (P), 77d: "si as a *enflaquecer* mas te valdrie parescer."

ENFLAQUIDO.
Adj., 'enflaquecido':
Berceo, "Era el omne bueno fieramente *enflaquido*."
Apolonio, 208a: "Dell estudio que lleva es tan *enflaquida*."
Alexandre (P), 1747c: "Quando todo en todo fueron ya *enflaquidos*".

ENFURCION, ENFORCION, ESFORCION. V. FURCIÓN.
'infurción, tributo en viandas, granos o dinero que pagaba el pechero al señor por razón del solar que éste le daba'. Corominas, DCELC, s. v.): Cid, 2822: "Allas fijas del Cid danles *esforción*."

Doc. ling. de 1223 y de 1230 (M. Pidal, 51): "... e con otorgamiento de todo el convento ponemos vos tal *enfurción...* "

Fuero Latino de Sepúlveda, § 48.3: *enfurción.*

Alex., (O), 22c: "Avien de dar a Dario sabuda *enforçión.*"

En P., "Sabida *furçión.*"

V. *Furción* en F. Sepúlv. y Berceo.

1.ª doc., *oforcione,* doc. de Sahagún del año 1.000 (Menéndez Pidal, *Orígenes,* 292); *infurción* en 1222, Fuero Viejo de Castilla.

Para Menéndez Pidal, (Cid, 640, 3) procede de *infructionem,* derivado de *fructus.* Corominas, en cambio, lo deriva de *offertio, -onis,* de *offerre* 'ofrecer, presentar'. En cualquier caso, parece un semicultismo jurídico.

ENGENDRADO. V. Engendrar.

Sust. 'hijo, descendiente':

Berceo, Mil., 334c: "Diçienli que fiçiesse algunos *engendrados*". Himnos, 1,7a: "Loor sea al padre e al su *engendrado.*"

ENGENDRAR. De ĭngĕnĕrare.

'engendrar, concebir, nacer':

Cid, 2086: "Hyo las *engendré* amas e criastes las uos."

Fazienda de Ultramar, 44.10: "...*engendró* un fijo."

Berceo, Duelo, 58a: "Si vuestros criados, los que *engendrastes.*"

Alexandre (O), 213c: "Bendicha fue la madre quet pudo *engendrar.*"

Documentaciones posteriores: Biblias del siglo XIII. Rim. de Pal., 2a.

Se trata de un semicultismo existente desde los orígenes del idioma.

ENGENIO. De ĭngĕnium.

'engaño':

Fuero de Sepúlveda, § 198.12: "... faziendo derecho que suyo es sin arte e sin *engenio.*"

'instrumento, artilugio para cazar':

Fuero de Soria, 172.35: "Qui losa agena o lazo o rret o otro *engenio* parado para caça desparare peche V. s. s.."

'ingenio, máquina de guerra':

Poridat de las poridades; 57.7: "Et si *ouieredes* castiellos de lidiar, fazet el *engenio* que yo uos fiz fazer.". También *engenno,* 57.10.

En Alexandre (O), 702, *engenno,* en la misma ac.

'ingenio, inteligencia':

El Bonium, 125.19: "E guiose el uno por la prueba solamente, e el otro por la rrason solamente, e el tercero por los *engenios.*"

Alexandre (O), 1997b: "Ouo buen *engenio,* maestro bien ortado." En P., 2139b: *engeño.* En Alexandre (O), 17, *enienno* en la misma ac.

Documentaciones posteriores: 'ingenio', Calila, 36.606; I.ª Crón. Gral., 650a12, *engeño;* Conde Lucanor 290.23, *engenio;* Juan Ruiz, 1518, *engeño;* APal., 214b, *ingenio.*

'máquina de guerra':

Conde Luc., 2.8; Alfonso Onceno, 352; Nebrija.

V. INGENIO.

ENGRACIAR. V. GRACIA.

'congraciar, poner de acuerdo, en armonía':

El Bonium, 386.13. "¿Qual es la cosa que ha peor fyn? E dixo: pugnar *engraciar* a los omnes."

Apolonio, 119d: "Esto queríen ellos comigo *engraçiar.*"

ENMUNDICIA. De ĭnmŭndicia.

'vicio, pecado':

Alexandre (P), 2354a: "Otro viçio que llama san Paulo *enmundiçia.*" En O. 2212a: *Inmundiçia.*

ENSSIEMPLO. V. ENXEMPLO.

ENTECADO. De *henticare, gr. ἑκτικός.

'enfermo, atacado de un mal':

Berceo, San Millán, 316d: "los mancos e los coxos, sanos fueron tornados. / trobaron (grant) consejo todos los *entecados.*"

En sentido moral: Alexandre (P), 2298c: "de vjçio e de superbia son todos *entecados.*"

'dañino':

Alexandre (P), 2126c: "de sirpientas rrauiosas e bestias *entecadas.*"

'infausto, adverso':

Alexandre (P), 2244d: "en ora *entecada*", 'en mala hora'.

ENTEGRAMIENTRE. Deriv. de ĭntegrum.

'por entero':

Doc. ling. de 1207 (M. Pidal, 267): "... que todo lo al. como dicho es, reciban los fraires *entegramientre* qual lo faillaren."

ENTEGREDAT. De ĭntegrĭtatem.

'integridad, virginidad':

Berceo, Milagros, 11c: "Siempre estaba verde en su *entegredat*."

ENTREGA. De ĭntegram.

'íntegra, virgen':

Berceo, Mil., 53d: "Estando tan *entrega* como era al dia."

ENTENCIA. V. ENTENCIÓN.

'contienda, disputa':

Berceo, San Lor., 15b: "Que non sea sonada esta nuestra *entencia*."

Apolonio, 227c: "Mientre ellos estavan en esta tal *entençia*."

Alexandre (O), 195d: "Ca visquiera su padre con ellos en *entençia*." En P., 201d.

Fernán González, *entiença*.

ENTENCION. De intentionem.

'alegación en juicio':

Cid, 3464: "non diga ... una *entençión*."

Fuero de Soria, 176.14: "... si amos se alabaren por afirmar cada uno su *entençión* por fazer la cosa suya .."

Nobleza y Lealtad, XXVI, *entencion*.

Diez Mandamientos, 382.3.

'disputa, litigio, contienda':

Razón de Amor, 231: "Por Dios, diz el uno, mucho somos en buena Razón, sy comjgo tuuieres *entençion*."

Santa María Egipc., 1423: "non era hi *entençion*."

'intención':

Santa María Egipc., 245: "Atanto era de buena *entençión* / que a todos tornaua razon."

Berceo, Milagros, 180c: "Ponga enna Gloriosa bien su *entençion*."

Apolonio, 214a: "Entendió Apolonio la su *entençion*."

Documentaciones posteriores: General Estoria; Juan Ruiz, 1776d: Rim. de Pal., 30d; Poema de Alfonso Onceno, 1658:

'contienda, lucha'; don Juan Manuel, Libro del Cavallero e del Escudero, cap. XXXVI 'intención'.

ENTENDENCIA.

'entendimiento':

Fazienda de Ultramar, 212.5: "Spiritu de saber e de *entendencia.*"

ENTERPRETADOR. De ĩnterpretatorem.

'traductor, adaptador':

Berceo, Mil., 866b: "...que de los tos miraclos fue *enterpretador.*"

ENTERROGATION. De interrogationem.

'preguntas a los testigos' (V. Alvar, Vocabulario): Fuero de Sepúlveda, § 28.6: "... e si non quisiere responder al riepto, o non firmaren segunt la *enterrogation* ..."

ENTREMEDIANERA. V. Medio.

'interpuesta':

Alexandre (P), 1208c: "La sombra de la tierra yes *entre medianera*". En O., 1179c: *comedianera.*

ENTREMEDIANO. V. Medio.

'intermediario, mediador':

Berceo, Loores, 213d: "Ca tal *entremediana* nenguna non trobamos."

Alexandre (O), 193a: "Enviaron al rey omnes *entremedianos.*" También en Alex. (P), 886b.

ENTURBIAR. Deriv. de *turbio* < turbidu.

Buenos Proverbios, 23.17, *enturbiar.*

Documentaciones posteriores: Yuçuf, *enturbiar,* 52b, y *entorbiar;* Nebrija, *enturbiar.*

ENVIDIA. De ĩnvidiam.

'envidia':

Santa María Egipc., 825: "nj *enbidia* njn avariçia."

El Bonium. 95.11-12, *envidia;* 100.4: *invidia.*

Fazienda de Ultramar, 50.31: "e ovieron grant *envydia* sos ermanos."

Poridat de las poridades, 35.10: "et si la demandar omne sin so derecho, uiene por ella *enbidia* et por la *enuidia* uiene la mentira."

Buenos Proverbios, 26: "non deve tener omne *envidia* ni mal talante". En 30.22, *invidia*.

Berceo, Sac., 199d: "Matólo por en*vidia,* commo grant *traydor.*"

Apolonio, 368a: "Por poco que de *enbidia* non se queríe perder."

Alexandre (P), 886b: "Aviel muy grant *enbidia…*"

P. de F. González, 37d: "Non avya entrellos *enbydia* nin contiença."

Documentaciones posteriores: JRuiz, 219c; Rim. de Pal., 93a; Conde Luc., 6.8.

ENVIDIADOR. V. Envidia.

'envidioso':

El Bonium, 319.17: "E el *envidiador* tiene que en perder otro su bien es bien para él."

ENVIDIAR. V. Envidia.

'envidiar':

El Bonium, 169.15: "E dixo: el que pugna en facer cosa por que sea *envidiado* por ella."

Berceo, Sto. Dom., 283d: "De algunos vecinos seredes *enbidiados.*"

ENVIDIOSO. V. Envidia.

El Bonium, 99.16, *envidioso*; 95.9, *invidioso.*

Poridat de las poridades, 63.3: "El que a los oios zarcos… es *embidioso.*"

Buenos Proverbios, 17.4, *envidioso.*

Berceo, Sto. Dom., 319a: "De la soror de Lázaro era mucho *envidiosa.*"

Alexandre (P), 2377b: "Fas los otros yrados, los otros *enbidiosos.* "En P., 2339b: *enbidjant.*

EXALTAMIENTO. Deriv. de Exaltar.

'realce, ensalzamiento':

Alexandre (O), 265c: "Pero a Europa dio Dios grant *enxaltamiento.*"

Otras documentaciones: Conde Lucanor, 21.6, *ensalçamiento.* V. Exaltar.

ENXEMPLARIO. V. ENXEMPLO.

'colección de enxemplos'.

El Bonium, 290.6: "... e fiso quemar los *enxemplarios*."

ENXEMPLO. De exĕmplum.

'acción notable':

Cid, 2731, *enssiemplo:* "atan malos *enssiemplos* non fagades sobre uos."

Santa María Egipc., 1251, *enxenplo.* "non fue fembra de tal *enxemplo.* En 98, con matiz peyorativo, *ensemplo.*

'ejemplo'.

Diez Mandamientos, 380.14: *exemplo.*

El Bonium, 73.4: "e por el buen pensamiento alinpia(n) los *enxemplos* de las malas costumbres.

Poridat de las poridades, 45.17: "*Enxiemplo* desto es lo que conteçio a unos estremonianos."

Buenos Proverbios, 6.14: "y el pensar bueno alinpia los *enxiemplos.*"

Nobleza y Lealtad, VII *enxemplo:* "tomamos *enxemplo* en el duque Godofre."

Berceo, Sto. Dom., 6b: "Que seguien los *ensiemplos* de los padres antiguos."

Apolonio, 52d: "Traye mucho *enxemplo* desto la escriptura."

Alexandre (P), 749d: "Podemos desta cosa pro de *enxemplos* veyer."

P. de Fernán González, 349d: "Dellos toman *enxyemplo* los que han de venir."

'narración':

Berceo, Mil., 377b: "Digamos un *exiemplo* fermoso que leemos."

Alexandre (P), 2338a: "Un *enxemplo* vos qujero en esto adozjr."

Documentaciones posteriores: Rim. de Pal., 103d, *enxienplo;* Sem Tob, 64.3, *enxenplo;* Conde Luc., 1.7 *enxenplo.*

EPATICO.

F. de Sepúlveda, 223.

EPIFANIA. De epiphanía, gr. ἐπιφάνεια.

'él día de la Epifanía':

En C.C.Esc., según Simonet (Glosario, sv.)

Fuero de Soria, 57.14: "el dia de *Epiphanja.*"

EPISCOPO. V. Obispo.

(E)PISTOLA. De epistolam.

Ac. eclesíastica: 'subdiácono':

Fuero de Soria, 51.5: "Clérigo ordenado de *pistola.*

Documentaciones posteriores: Rim. de Pal., 1726a E 'epístola del apóstol'; en 1748d E, 'mensaje, carta'.

V. Pistola.

EPISTOLERO.

'subdiácono':

Doc. ling. de 1209 (M. Pidal, 84): Entre los testigos, "Robert el *epistolero.*"

Berceo, Sto. Dom., 44b: "La plata tornó oro quando fue *epistolero.*"

Otras documentaciones: 1.209 (Oelschläger).

V. Pistolero.

ERBATICO. De erbaticus.

Doc. ling. de 1100 (M. Pidal, 147): "... indicauit que por tal cosa de *erbatico* que diesen dos pedones eguales..."

EREMITA. De eremīta.

'ermitaño, eremita':

Berceo, S. Mill., 52b: "El santo *eremita.*"

ERENCIA. V. Herencia.

ERMITA. De ĕrĕmita.

'ermita':

Fuero de Sepúlveda, Pról., 59.22.

El Bonium, 70.18: "e non anduvo mucho que falló una *hermita.*"

Nobleza y Lealtad, LVI: "al religioso su *ermita...*"

P. de Fernán González, 588c: "Vino poral *hermita,* metiós(e) por el portal."

Docs. post.: 1.ª Crón. Gral.; JRuiz, 541a; Zifar.

ERMITANNIA. V. Ermita.

'vida de ermitano':

Berceo, San Millán, 187b: "entró inojos fitos enna *ermitannia.*"

ERMITANNO. V. ERMITA.

'ermitaño, eremita':

Poridat de las poridades, 31.10: "Et demande a un *hermitanno* sabio."

Sta. María Egipciaca, 1920: "Alguna *hermitanya* cuydo fallar."

Berceo, Sto. Dom., 56b: "Que fue, commo dicen, el primero *ermitanno*". En S. Mill., 56a: *ermitán,* forma primitiva.

Apolonio, 55a: "De Juan *ermitanyo* Santo oyemos retrayer."

ESAU.

'Esaú, hijo de Isaac': Fazienda de Ultramar, 43.34.

ESCANCIANO.

'escanciador':

Fazienda de Ultramar, 52.37: "Apres destas palabras falleçio el *escanciano* del rey."

Berceo, S. Millán, 248b: "Ministrolis el vino el so buen *escanciano.*"

En Alexandre (P), 1106b: *escançiar.*

Según Corominas procede del got *skankjo,* mientras Gamillcheg (RFE, XIX) y M. L. (REW, 7973) creen que no se tomó directamente del gótico, sino a través del bajo latín. En este caso sería semicultismo.

ESCANDALIZAR.

'alterados':

Alexandre (P), 1183a: "Eran baxos e altos mal *escandalizados.*"

ESCANDALO. De scandalum.

'escándalo, alteración de ánimo':

Alexandre (P), 1126a: "Entró en grant *escándalo* ante la su mesnada."

Documentaciones posteriores: Nebrija.

ESCANTILICIO. De hexecontalithus (San Isidoro, Etym.).

'piedra preciosa':

Poridat de las poridades. 76.1: "El *escantiliçio* es bien de sessenta colores."

En Alexandre (P), *contalicio;* en O., *escontalide.*

ESCAPULA. De scapulam.

'escapulario':

Berceo, Sto. Dom., 441a: "Su *escapula* çinta el adalid caboso."

1.ª doc.: Terr. (Corominas, DCELC, s. v.).

ESCAPULADO. V. ESCÁPULA.

'monje, clérigo':

Berceo, Sto. Dom., 86a· "Sennor sancto Domingo, leal *escapulado.*"

ESCAPULARIO. V. ESCAPULA.

'escapulario', 'túnica', (V. Devoto, BH, LIX, 1957, 7-8).
Berceo, Mil. 200d: "Traes mala cubierta so el *escapulario.*"

ESCLARECER. V. CLARO.

Quizás palabra de influjo culto, especialmente en su ac. moral.
'ennoblecer':

Fazienda de Ultramar, 95.5: "Dominus de Sinay vino, e de (Seir) *esclarecio* a vos."

Nobleza y Lealtad, Introd., "De la vuestra *esclareçida* e justa conçiencia."

'amanecer':

Berceo, Mil., 300a: "Los matines cantados, *esclarecio* el día."

ESCLARECIMIENTO. V. CLARO.

'ennoblecimiento':

Nobleza y Lealtad, XVI: "Piedat es conoscimiento de razon, *esclarecimiento* de voluntat."

ESCOGENCIA. Sufijo semiculto.

'elección':

Fuero de Soria, 95.14: "...esto sea en *escogençia* del querelloso."

ESCORIA. De scoriam.

'escoria'; 'mineral sin valor'

Fazienda de Ultramar, 161.32: "To argent es tornado *escoria.*"

Berceo, Sta. Oria 97d: "Non querríe de el oro tornar a la *escoria.*"

Documentaciones posteriores: Canc. de Baena; A. Pal y Nebrija (Corom. DCELC, s. v.).

ESCORPION. De scorpio, gr. σκορπιος.

'escorpión, alacrán':

Fazienda de Ultramar, 152.4. "Si myo padre vos maio con verdugos, yo vos batre con *escorpiones*."

Berceo. Sig., 39a: "Comerlos an serpientes e los *escorpiones /* que an amargos dientes, agudos aguijones."

Documentaciones posteriores: Glosas de Toledo; Nebrija.

ESCRIPTO.   De escrīptum.

Participio:

Fazienda de Ultramar, 195.15: "Las palabras que eran *escriptas...*"

El Bonium, 67: "...e muchos que dexaron *escriptos.*"

Nobleza y Lealtad. Introd. "Et sennor a lo que agora mandades que os demos por *escripto* las cosas que todo prinçipe, e regidor de reyno deue auer en sí."

Sustantivado, 'obra escrita, documento':

Cid. 1259: "Meterlos he en *escripto ...*"

Reyes Magos, 125: "Dezir m'an la verdat, si iaze in *escripto.*"

Razón de Amor, 250: "así co(m) dize en el *escripto.*"

Reys d'Orient, 2040: "Escurriolos fasta en Egipto / así lo dize el *escripto.*"

Sta. María Egipc., 81: "El ssu nombre es en *escripto.*"

Fuero de Sepúlveda, §§ 55, 254: "... et si algun rey o conde o ... quisiere quebrantar aqueste *escripto* d'este fuero ..."

Buenos Proverbios, 1.7. "*escriptos* en pargamino."

Apolonio, 588d: "Io te di el *escripto* qual tu sabes *notado.*"

Berceo, Loores, 216d. "Onde diçe el *escripto...*"

Alexandre (P), 658b: "Todo ese *escripto* como es de conplir."

P. de Fernán González, 14c: "Commo el *escryto* diz ..."

'inscripción'

Apolonio, 96c: "Fizieron en un marbor el *escripto* notar."

ESCRIPTURA.   V. Escripto.

'escritura, documento':

Reyes Magos, 35: "o en *escriptura* trubada?"

'La Sagrada Escritura':

Santa María Egipc., 206: "Como dize la *Escriptura.*"

Fazienda de Ultramar, 43.18: "e lo demandare en las *sanctas escripturas* de latin e de hebreo."

Apolonio, 52d: "Traye mucho enxemplo desto la *escriptura.*"

'documento':

Fuero de Sepúlveda, § 254: "Esta *escriptura* sea firme por siempre más."

Alexandre (P), 747c: "Por eso lo metien todo en *escriptura*", 'poner por escrito'.

P. de Fnan. Glez., 399a: "Por las (tres) *escryturas* que dexo Ysayas."

'inscripción':

Alexandre (P), 313b: "Que tenje cada sepultorio de suso su *escriptura.*"

Otras documentaciones: Glosas Silenses; Rim. de Pal., 3b, y frecuente en todos los textos medievales.

ESIDRO. De Isĭdŏrus.

'San Isidoro, obispo de Sevilla':

Cid, 1342: "si me vala sant *Esidro.*" (V. M. Pidal, Cid, Gramática, p. 141).

ESPACIAR. V. Espacio.

En sentido figurado 'ensancha, desahoga, abre':

El Bonium, 343.13: "Muy engrandecido es el que *espacia* su coraçón."

ESPACIO. De spatiu (V. M. Pidal, Cid, Gramática, p. 187).

Cid, 2972: "entrellos aya *espaçio*", 'alégrense'.

'con espacio, despacio, con tranquilidad':

Cid, 1768: "por *espacio.*"

Flores de Filosofía, 28.2: "faser sus cosas de vagar e con *espaçio.*"

'solaz, consuelo':

Nobleza y Lealtad, I: "Lealtanza es *espacio* de coraçon, e nobleza de voluntat."

Buenos Proverbios, 11.11: "En el *espacio* de la voluntat faze omne vida sabrosa."

'con sosiego, con tranquilidad, con tiempo':

Alexandre (P), 1513d: "Fuera que la pudiessen por *espacio* veyer". En 1826, 'plazo, tiempo'.

'espacio de tiempo, sitio':

Fuero de Soria, 87.6: "Todo aquel que molino fiziere en su eredat, aya tres passos la carrera en ancho, e aya el molino *espacio* en derredor IX passos, e si non, non uala."

Apolonio, 380d: "Ca non le podríe dar *espaçio* prolongado."
'tregua'.
Alexandre (P), 1837d: "Mas a los traydores *espaçio* non les demos."
Documentaciones posteriores: JRuiz, 1492a; Rim. de Pal., 19c; Nebrija.

ESPACIOSO. V. Espacio.
'tranquilo':
Berceo, Mil., 436b: "Era el mar más quedo, yazié más *espacioso*."

ESPECIA. Duplicado de especie.
'condimento'. En la Edad Media se llamaban *especias* a la canela, al azafrán, al clavo y a la nuez moscada. (Véase Alvar, F. de Sepúlveda, Vocabulario):
Fuero de Sepúlveda, § 223. 143.28: "segunt esta cuenta e esta razón tome el huespet de las otras *espeçias*."
Apolonio, 468b: "Yo trayo letuarios e *espeçia* tan sabrida."
Alexandre (P), 890a: "El rey, quando ovo la *espeçia* tomada."
Parece 'bebida, quizás medicina'.
Docs. posteriores: Setenario; JRuiz, 1338b; Rim. de Pal., 1662a; Sem Tob, 211.2; Conde Lucanor, 120.20.

ESPECIE. De species.
'bebida, medicina':
Alexandre (P), 2433b: "qual *espeçie* le diese."
Documentaciones posteriores: Conde Luc, 66.23, *espeçiero*.

ESPECIOSA. Debe de ser confusión por *espaciosa*:
'sosegada, tranquila':
Berceo, Sto. Dom., 319b:" Que sedie a los pies de Christo *espeçiosa*."

ESPIRAMIENTO. V. Aspirar.
'inspiración':
Berceo, Sto. Dom., 287d: "E grand *espiramiento* en dezir e en fer."
Apolonio, 303a: "*espirament*."

ESPIRITAL. V. Espíritu, -al.
'espiritual':
Cid, 1633: "Grado al Criador e al padre *espirital*."

Santa María Egipc., 797: "De Dios penssaua que non d'al / tanto es su vida *espiral*."

Doc. ling. de 1244 (M. Pidal, 193): "cuemo nos fray Bernal... auemos recebido auos ... por familiares e por companeros en temporal e en *spiral* en todos los bienes desta casa."

Poridat de las poridades, 44.14: "Dios fizo una cosa simple *spiral*..." En 67.27, *espiral*.

Berceo, Duelo, 90a: "Gracia *espiral*."

Apolonio, 456c: "Echólos su ventura e el Rey *espiral*."

Documentaciones posteriores: Juan Ruiz; Sem Tob, 61.10; don Juan Manuel y otros muchos autores y textos de la Edad Media.

V. ESPIRITUAL.

ESPIRITU. De spiritu.

'espíritu':

Fazienda de Ultramar, 46.3: "el *espe(r)yto* de Dios fue en él."

Fuero de Sepúlveda, Pról., 59.4, 'el Espiritu Santo': *spiritus*.

Nobleza y Lealtad, XVI: "Piedat es *spiritu* de Dios."

Buenos Proverbios, 29.11: "o sera por avenencia que sera entre los *espiritus*."

El Bonium, 90.15, 'el Espíritu Santo': "que fablaron por *espiritu santo*."

Berceo, Sto. Dom., 1c: "El *Spiritu-Sancto*."

Apolonio, 308d: "Respiró hun poquiello el *espirito* cativo."

Alexandre (P), 1788c: "Es de la Carne Señora, el *espiritu vencido*."

P. de Fernán González, 1c, 'el Espíritu Santo': "E del *Spiritu* Sancto."

Otras documentaciones: JRuiz, 11a; Rim. de Pal., 1b.

ESPIRITUAL. V. ESPÍRITU.

'propio del espíritu':

El Bonium, 73.2: "llegan los coraçones al seso *espiritual*."

En 200.17: "al que usa los sentidos *espirituales*."

Nobleza y Lealtad, Introd.: "para os dar consejo en lo *espiritual,* e temporal."

Buenos Proverbios, 6.11: "llegan los coraçones al seso *spiritual*."

V. ESPIRITUAL.

ESPISCOPU. V. OBISPO.

ESSENCIA. De essentiam.

'esencia':

Berceo, Himnos. II, 7d: "Un Dios e tres personas, esta es la creencia / un regno, un imperio, un rey, una *essençia*. Amem."

Corominas no lo doc. hasta A. Pal., 150d.

ESTACION. De stationem.

'estación, referido a las estaciones de la Pasión':

Alexandre (O), 179d: "En Roma más apriessa non irían a *estaçiones*." También en P., 1123b.

Documentaciones posteriores: Juan Ruiz, 1262d.

ESTATUA. De statuam.

'estatua, imagen':

Berceo, Milagros, 77a: "Façien a la su *statua* el enclin cada dia."

Documentaciones posteriores: A. Pal. (Corom. DCELC, s. v.).

ESTENTINO. De ïntestïnus.

'partes internas, intestinos':

Apolonio, 513a: "Ni ha piedes nin manos ni otro *estentino...*"

Alexandre (O), 1925d: "Auie golpes mortales per medio las cincheras, / exien los *estentinos,* semeiauan suevas."

Documentaciones posteriores: 1.591, *intestinos*: 'tripas' en 1611, Covarr. (Corom., DCELC, s. v.).

ESTILADA. Deriv. de stïlus.

'alta, espigada':

Alexandre (P), 1852a: "Auje muy buen cuerpo, era bien *estilada*."

ESTOMAGO. De stŏmăchus, gr. στομαχος.

El Bonium, 227.25; "... porjue semeja a la vianda que vence a la fuerça del *estómago*."

Poridad de las poridades, 67.12: "et el peynnar fara salir

los bassos que suben a la cabeza del *estómago* quando duerme el omne."

Documentaciones posteriores: Juan Ruiz, 568a; don Juan Manuel, Libro de los Estados, 493.23; A. Pal, 164b, Celestina ed. de 1902; Nebrija.

Según Menéndez Pidal es semicultismo antiguo, reliquia suelta y estabilizada del latín popular leonés (Orígenes, 345).

ESTOPACION, ESTOPACIO. De topazĭus, gr. τοπαζιον.

'topacio, piedra preciosa':

Alexandre (P), 1415c: *estopaçion.* En O, 1309, *estopacio.*

Documentaciones posteriores: *estopaza,* Gran Conq. de Ultr., 302; don Juan Manuel, Libro del Cavallero e del Escudero; *topacio,* en A. Pal., 234b (Véase Corominas, DCELC, s. v.).

ESTORIA. De hĭstoriam.

'la Biblia':

Liber Regum, 7.19: "E dize en la *estoria* que desque fo criado el cielo e la tierra ..."

'relación, historia':

Liber Regum, 12.15: "Era Sant Ysidre arcebispe en Sevilia, qui escriuie estas *estorias* ..."

El Bonium, 67.21: "e las *estorias* de los grandes fechos."

Nobleza y Lealtad, VII: "lo qual las *estorias* maravillosmente notifican."

Berceo, Sta. Oria, 10b; "Sigamos la *estoria.*"

Apolonio, 334c: "Dixo la *estoria* ..."

Alexandre (O), 271b: "Ca seríe grant *estoria* e luenga ledanía." En P, 278; "... e luenga allegoría."

'leyenda'.

Alexandre (P), 971a: "Auje en el escudo mucha bella *estoria.*"

Docs. post.: Alfonso X; JRuiz; Rim. de Pal.; don JManuel etc.

ESTORIADO. V. Estoria.

Adj. 'decorado con representaciones de hechos históricos o míticos':

Alexandre (P), 2513c: "ad alto era *estoriada.*" En O. 2385c, *escoriada.*

(V. Keller, Vocabulario).

ESTREMONIA. V. Astronomía.

ESTREVENCIA.   V. Atrevencia.

'atrevimiento':

Alexandre (P), 794c: "mas vos sodes caydos en loca *estre-vençia.*" En 1984b, *atrevençia.*

ESTROLOGIA.   V. Astrología.

ESTROLOGO.   V. Astrólgo.

ESTRUMENTO.   V. Instrumento.

ESTUDIAR.   De stŭdiare.

'estudiar':

El Bonium, 208.4: "Quando cansardes de *estudiar* solasadvos con buenas estorias."

Buenos Proverbios, 14.3: "a los sabios que mucho aprisieron e mucho *estudearon.*"

Flores de Filosofía, 19.12: "Toma de la rrays del *estudiar.*"

Nobleza y Lealtad, Introd.: "... tengais esta nuestra escriptura para la *estudiar.*"

Apolonio, 1b; "Si ellos me guiassen *estudiar* quería ..."

Reflex. 'esforzarse':

Berceo, S. Mill., 36c: "Bien espendie so tiempo, bien se *estudiava.*"

Alexandre (P), 2627d: "maguer que me *estudio* non puedo desjr nada."

Documentaciones posteriores: Rim. de Pal., 316b; JRuiz, 1551b; Conde Luc., 122.17.

ESTUDIO.   De stŭdium.

'estudio, meditación, reflexión':

El Bonium, 71.24: "para guarescer los pecados tomen las rrayses de los *estudios.*"

Berceo, Milagros. 820c, 821a: "Tornó en su *estudio* ..."

Apolonio, 208a: "Dell *estudio* que lieva es tan enflaquida ..."

Documentaciones posteriores: Juan Ruiz, 1631d; don Juan Manuel, Conde Lucanor, 43.4; Sem Tob, 61.24.

ESTULTICIA.   Deriv. de stŭltus.

'necedad, estulticia':

Alexandre (P), 1800c: "Mas aman sus thesoros que vedar *estulticia...*"

Documentaciones posteriores: Calila; J. Ruiz, *yestultar.*

ETHIOPIA.

El Bonium, 324.9: "en tierra de *Ethiopia.*"

ETICA. De ethica, gr. ηθικά.

El Bonium, 245.5: "quiso saber otrosi las ciencias *éticas.*"
'La Etica': como sustantivo, 247.10: "el libro de *Etica.*"

EUCARISTIA.

En C. C. Esc. (1049), Simonet, Glosario, s. v.

EUFANIA, Del gr. ευφανία.

En C. C. Esc. (1049), Simonet, Glosario, s. v.
'ufanía, presunción':

Berceo, Milagros, 747c: "Concibio vana gloria a grand *eufa-nia.*" En la ed. de Dutton, *ufanía.*

EUFRATES.

'el río Eúfrates':
Alexandre (P), 803a:

EUGENIA.

'Santa Eugenia':
Doc. ling. de 1225 (M. Pidal, 275).
Berceo, Sta. Oria, 25.

EUROPA.

El Bonium, 69.3: "e la otra hovo nombre *Europa.*"
Alex. (O.) 265c: "Pero a *Europa* dio Dios grant enxalta-miento."

EVA.

Fazienda de Ultramar, 43.24.

EVANGELIO. De evangelium, gr. εὐανγελλιον.

Doc. ling. de 1244 (M. Pidal, 57): "...jure sobre quatro *euangelios.*"
Liber Regum, 2.26; "on dize en *l'auangelio.*" En 10.32, *euangelio.*
Fuero de Soria, 21.12: "Sanctos *Euangelios.*"
Fuero de Sepúlveda, 178: "sanctos *Evangelios.*"
Fazienda de Ultramar, 207.6: "por aquel logar diz el *evan-.gelio.*"
Berceo, Milagros, 21b: "Los quatro *Evangelios...*"
Documentaciones posteriores: Rim. de Pal., 248c; Conde Lucanor, 20.19.

EVANGELISTA.   V. Evangelio.

Doc. ling. de 1152 (M. Pidal, 111); "Sancta Luce *evangeliste.*"

Liber Regum, 7.25: Pues hi uino Domicianus, qui ençalço a Sant Iohan *euangelista.*"

Fazienda de Ultramar, 112.3: "Sancto Johanne *evangelysta.*"

Berceo, Milagros, 21c: "Ca los *evangelistas* quatro que los dictaban."

Poema de Fernán González, 110a: "San Juan *(e)Vangelista* ante muchos varones ..."

Frecuente en todos los textos de la Edad Media.

EVANGELISTERO.   V. Evangelio.

'diácono, el que lee el evangelio en los actos litúrgicos':

Berceo, Sto. Dom. 44c: "Tornó el oro margarita quando fue *evangelistero.*"

EXALTACIONES.

Parece significar 'cenit, punto más alto en que se sitúa un planeta':

El Bonium, 89.13: "quando los planetas entran en sus casos e en sus *exaltaciones,* e quando cataren a otros planetas ..."

EXALTAR.   De ex-altiere.

Part. 'elevada':

Berceo, Sacrificio, 247b: "El qui canta la missa, esta razón passada / visita al so pueblo con voz bien *exaltada.*"

'ensalzar':

Berceo, Milagros, 628a: "Por *exaltar* su fama, el su precio crecer..."

Reflexivo, *exaltarse,* 'ensalzarse, gloriarse':

Fazienda de Ultramar, 67.19: "e *exaltarse* a mio pueblo."

EXAMEN.   De examen, -inis.

'enjambre':

Alexandre, 774b: "que non farie de moscas una luenga *examen*". En 985b, *exanbre.*

En Juan Ruiz, 414b: enxanbre.

EXAUDIDO.   De ex-auditum.

'oído, escuchado':

Berceo, Sto. Dom., 199a: "La oraçion deuota fue de Dios *exaudida.*"

EXCOMULGADO.

Voz que ofrece múltiples variantes formales: *excomulgado, escomulgado, excomulgado, descomulgado,* etc.

'excomulgado, castigado canónicamente':

Doc. ling. de 1200 (M. Pidal, 155), *escomul(ga)do.*

Doc. ling. de 1209 (M. Pidal, 159), *excomunicatus,* latinismo evidente.

Doc. ling. de 1226 (M.(Pidal, 176), *excomulgado.*

Doc. ling. de 1226 (M. Pidal, 179), *excomulgado.*

Doc. ling. de 1229 (M. Pidal, 183), *descomulgado.*

Fuero de Soria, 102.31: "Ninguno que non fuere de hedat. ni traidor, ni aleuoso, ni *descomulgado* mjentre que lo fuere..."

EXIEMPLO. V. Enxemplo.

EXILIAR. Deriv. de exĭlĭum.

'desterrar':

Fazienda de Ultamar, 203.30: "Despues est enperador Domicianus *esilió* sant Juan apostol e evangelista."

EXILIO. De exĭlĭum.

'destierro':

Berceo, San Millán, 34d: "e exir d'est *exilio,* de malveztat poblado."

Documentaciones posteriores: Juan de Mena. 1435.

EXODO.

'el libro del Exodo':

Fazienda de Ultramar, 61.27: "Aquí fina Genesi e conpieça *Exodi.*"

EXORCISMO. De exorcismus, gr. ἐξορχισμός.

'exorcismo';

Berceo, Sto. Dom., 691b: "Los sanctos *exorcismos...*"

EXORCISTA. V. Exorcismo.

En C. C. Esc. (1049); v. Simonet, Glosario, s. v.

Berceo, Sto. Dom., 697a: "Plógo al *exorçista* mucho esta sentençia."

EZECHIEL.

'el profeta Ezequiel':

Berceo, Loores, 12.

FACCION. De factionem.

'figura del rostro, aspecto':

El Bonium, 313.16: "De cierto sé yo que tu seras grand rrey, que la tu natura la muestra e la *facción* del tu rostro."

'manera de ser':

Poridad de las poridades, 62.13: "Et podedes esto entender en los çiclanes que son de tal *facion* que todos son locos, et traydores, et desvergonçados."

Documentaciones posteriores: don Juan Manuel, Libro de los Estados, 455.3; Libro del Cavallero e del Escudero; Gran Conq. de Ultramar.

FALSAR. V. Falso.

'romper o atravesar las armas defensivas':

Cid, 2391: "nol *falssan* las armas"

P. de Fernán González, 524d: "Ferien en los capi(e)llos, las lorigas *falsar*."

'romper, destruir':

Fazienda de Ultramar, 94.17: "... leyxarme an e *falsarán* mi firmança que troé con él."

'falsificar':

Fuero de Soria, 224.17: "Qui quier que carta de rey *falssare* mudando lo que en ella es escripto..."

El Bonium, 353.6: "... e enviarengelos sellados por que non gelos podiesen *falsear*."

Berceo, Loores, 114b: "Los guardias quel sepulcro encomienda ouieron / *Falsaron* sin mesura por aber que lis dieron."
Alexandre (P), 1640d: "Non los preçiava nada, que sabe que *falsaron*."
'violar una ley o acuerdo':
P. de Fernán González, 584c: "El Rey e los navarros la postura *falsaron*."
Alexandre (P), 657d: "Paris quj por miedo *falsó* cauallería."
Documentaciones posteriores: JRuiz, 1103d; Sem Tob, 312.2; Yuçuf, 67b.

FALSARIO. V. Falso.

'falsario.,embustero':
Fuero de Soria, 223.8: "LVII. Capítulo de los *ffalssarios*."
Alexandre (P), 1889d: "El selo justiçiase como a mal *falsario*."

FALSEDAD. V. Falso.

'maldad, alevosía:
Cid. 2666: "Quando esta *falssedad* dizien los de Carrión."
'falsedad, mentira'; 'calumnia':
Santa María Egipc., 6: "Toda es ffecha de uerdat: non a y Rien de *falssedat*."
Fuero de Soria, 29.5: "Si por auentura juez o alcallde o pesquisa o otro aportellado de mentira o de *falsedat* ..."
Fuero de Sepúlveda, §§ 175,179.
El Bonium, 201.18: "E dixo: guardate de la *falsedat*".
Fazienda de Ultramar, 76.17: "Non testimonies a to vezino testimonio de *falsed(ad)*."
Berceo, Loores, 65b: "Allí falsó justiçia, fundiose la verdat / Ouieron el poder tuerto e *falsedat*."
Apolonio, 27b: "Dixol Apolonio quel dixera *falsedad*."
Alexandre (P), 1065d: "Mas él non ganó calças en esa *falsedat*."
Otras docs.: Conde Luc., 61.10.

FALSO. De falsum.

'falso, engañoso':
Cid, 3387: "*falso* a todas."
Santa María Egipc., 573: "e finco el *falso* por traydor."

Fuero de Soria, 32.18: "Si escriuano publico ..., fiziere carta *falsa* ... pierda la mano e el ofiçio."

Fazienda de Ultramar, 76.4: "Non iures nombre de to Dios en *falso,* que non perdonara Dios qui iurara so nombre en *falso.*"

Liber Regum, 11.1: "regnó en Roma Nero el *falso.*"

Fuero de Madrid, 36.26: "qui dixierit... cornudo aut *falso* aut periurado."

Diez Mandamientos, 380.21: "Non dirás *falso* testimonio."

El Bonium, 394.3: "e aborrescer los verdaderos e amar los *falsos.*"

Flores de Filosofía, 75.11: "enemigo malo e muy *falso* engannador."

Berceo, Milagros, 722a: "Era el trufán *falso,* pleno de malos viçios."

Apolonio, 410d: "Como houiera omes *falsos* e descreydos."

Alexandre (P), 1069c: "Desque me has vengado de un *falso* guerrero."

P. de Fnán. Glez., 643a: "El *falso* (descreydo)."

Documentaciones posteriores: JRuiz, 707c; Rim. de Pal., 39c; Conde Luc., 76.14.

Corominas niega que esta voz sea cultismo o semicultismo, opinión de la que no participamos. Parece indudable un influjo del ambiente moral y eclesiástico a que pertenece, tal como refleja el resultado fonético definitivo.

FALLENCIA. Sufijo semiculto. Deriv. de fallĕre.

'falta, carencia':

Alexandre (P), 45b: "non temo de riqueza auer nunca *fallençia.*"

Berceo, San Millán, 393a: "Connociém su *fallençia,* que eran desviados ..."

'falta, pecado, culpa':

Buenos Proverbios, 4.12: "cae en vuergüença e en *fallençia.*"

Alexandre (P), 269d: "por onde fue la *fallençia* de Adam redemjda."

Documentaciones posteriores: Juan Ruiz, Rim. de Pal.; Danza de la Muerte; Vida de San Ildefonso.

FAMA. De fama.

'fama, renombre':

Disputa del Alma y el Cuerpo 12: "al cuerpo dixo ell alma: de ti lievo ma(la) *fama.*"

Fazienda de Ultramar, 50.29: "e metio sos ermanos en *fama* mala de su padre." "En fama mala", 'difamar'.

El Bonium, 72.19: "de lo que aprendieron para mantenimiento de buena *fama* para sus cuerpos en los días que vivieren." Nobleza y Lealtad, V. "*fama* onrrosa."

Berceo, San Millán, 41a: "Sonó la buena *fama* entre los rioianos ..." 'la buena noticia'.

Apolonio, 574d: "Será en Mitalena la su *fama* tenida."

Alexandre (P), 758a: "Tanto pudo la *fama* por las tierras correr."

Documentaciones posteriores: Juan Ruiz, 707a; Rim. de Pal., 54c; Conde Luc., 18.36; Sem Tob, 264.1; Alfonso Onceno, 143b; F. de Aragón, 'reputación'.

FAMADO. V. Fama.

'famoso, reputado, renombrado':

Fuero de Sepúlveda, § 79c.

Berceo, Sto. Dom., 187b: "una cabeça alta, *famado* castellar."

Apolonio, 58b: "Ganançia tan *famada.*"

Alexandre (P), 372a: "Auje oydo Paris de una dueña *famada.*"

P. de Fernán González. "Dieron le por consejo el su pueblo *famado.*"

Documentaciones posteriores: Juan Ruiz, 707a: Rim. de Pal., 54c; Conde Luc., 18.36: Sem Tob, 264.1; Alfonso Onceno, 143b. En todas ellas *fama.*

FAMILIA. De famĭlĭa.

'familia, conjunto de feligreses':

Berceo, Sac., 141a: "Ruega por la *familia* de Christo aclamada".

Docs. post.; Las Partidas, 'conjunto de parientes y criados'. APal. ya en la ac. moderna, así como en Nebrija (V. Corominas, DCELC).

FAMILIAR.   V. Familia.

'perteneciente a la familia'; 'sirviente':

Doc. ling. de 1224 (M. Pidal, 30): "Ego... damus racion ad vos Ferrant Gonzalvez e a vuestra mugier donna Sancha Raiz, por que sodes nuestros *familiares* ..."

Berceo, Sto. Dom., 276c: "Mas el abbat de Silos, e sus *familiares* ..."

En ac. figurada 'propio de':

Nobleza y Lealtad, VIII: "Tempranza es ... *familiar* de los sesudos ..."

'persona de confianza':

Berceo, Sto. Dom., 228a: "Apartó de sus monges, los más *familiares.*"

FAMULARIO.   De famŭlus.

'sirviente':

Doc. ling. de 1225 (M. Pidal, 48): "... e fago me *famulario* del monasterio e del convento de Uillaenna."

FANTASIA.   De phantasia, gr. φαντασία.

'visión, cosa imaginada':

Berceo, Milagros, 443b: "Tenien que *fantasía* las avie engannadas."

En Sto. Dom., 70b: "Tales como oyestes en otras *fantasías.*"

Documentaciones posteriores: Juan Ruiz, 57c; Gómez Manrique; APal.; Nebrija; frecuente ya en Valdés (Corominas, DCELC).

FANTASMA.   De phantasma, gr. φαντασμα.

'fantasma, visión'. V. Fantasía.

Santa María Egipciaca, 1119: "Cuydos que ela *fantasma* fuese."

Fazienda de Ultramar, 112.24: "Quando lo vio sant Peydro dubdo e cuedo que era *fantasma.*" Se refiere a la visión de Cristo andando sobre las aguas.

Berceo, Sto. Dom., 656c: "Non sea engannado de *fantasma* mintrosa."

Alexandre (O), 2019d: "Esta mala *fantasma* non aura nul valor". En P., 2161d, *pantasma.*

Documentaciones posteriores: Juan Ruiz, 1008c; Nebrija.

FARAON.

'Faraón, monarca egipcio':

Berceo, Mil., 40b: "El fust de Moysés enna mano portaua / que confundio los sabios que *Faraón* preçiava."

FARGIRIDAT. De fragĭlĭtatem.

'fragilidad':

Alexandre (P), 568c; "Que non es nuestro seso sy non *fargiridat.*" En O. 940c: *fragilidat.*

FARISEO. De pharisaeus.

'fariseo':

Berceo, Duelo, 67a: "Maguer los *fariseos* non lo querien creer."

Documentaciones posteriores: Rim. de Pal., 71c

FARMARIO.

'engaño':

Berceo, San Lor., 50: "El varon beneyto, quito del mal *farmario.*"

En Apolonio, 646d: *famario* (V. Marden, Vocab.).

Aparece por primera vez en Berceo, pero su variante *farmalio* está en la Crónica Albeldense (893); es el antecedente del español *faramalla* (V. Menéndez Pidal, RFE, XI, págs. 311 y sigs. V. también Corominas DCELC). Para la etimología e historia de la palabra, véase Bastardas, en ELH, p. 263, § 16.

FAZ. De facies.

'cara, rostro'

Cid, 355: "Alçolas arriba, legolas ala *faz.*"

Reys d'Orient, 157: "... sino cayer lágrimas por su *faz.*

Berceo, Sto. Dom., 154d: "Ver non puedes la *faz* del Criador."

Alexandre (O), 429c: "Nos iremos a ello, ferir llos de *faz.*"

Cultismo según Dámaso Alonso (Véase, *La lengua poética de Góngora*).

FEBO.

'el dios Febo':

Alexandre (P), 282b: *don Fepo.* En O., 275b; *don Febus.*

FEMENCIA. De vehemĕntia.

'empeño, afán':

Apolonio, 93c: "En valerles a las cuytas es toda su *femençia.*"

Berceo, Milagros, 27b: "En laudar los sos fechos metien toda *femençia*."

Alexandre (P), 1984c: "Entraron en pues ellos a muy grant *femençia*."

Muy usual en los siglos XIII-XIV. La f- inicial puede deberse a un cruce con *firmeza,* dado el tipo de relaciones semánticas que existe entre los dos vocablos.

FEMENINA. De femeninus.

'femenina', sust.

Alexandre (P), 1842b: "Señora de la tierra quel dizien *femenina*". En O., 1701b: *feminina*.

Documentaciones posteriores: APal., *feminino,* como término gramatical. *Femenino,* Mariana (Corominas, DCELC).

FENYCIA.

'Fenicia, país asiático':

Fazienda de Ultramar, 120.11.

FENIX. De phoenix, -icis.

'el ave fénix':

Alexandre (P), 2453a: "El aveziella que *fénis* es llamada". Documentación aislada en Alexandre, no anotada por Corominas. Otras docs.: C. de las Casas, 1570; fray Luis de Granada. V. DCELC.

FERIA. De feria.

'dia de mercado, feria'; 'fiesta':

Fuero de Madrid, 39.27: "De las *ferias* sedeant semper per foro."

Fuero de Soria, 58.8: "... o por pleyto que se aya de complir en esas mismas ferias o que abenga con ellas." Parece 'determinado día de fiesta del calendario', 'día de fiesta':

Berceo, Milagros, 831c: "Era dia domingo, una *feria* sabrosa."

Berceo, Signos, 21a: "El día quarto decimo será *feria* barata."

Documentaciones posteriores: Rim. de Pal., 125d.

FERIADO. V. FERIA.

'días feriados':

Fuero de Soria, 57.3: "Capítulo de los días *feriados*."

FERMERIA. V. ENFERMERÍA.

FERVOR. De fervorem.
  Fem. 'agitación':
  Alexandre (P), 2628c; "Entró en los varones çisma e mal *fervor*."
  Documentaciones posteriores: Rim. de Pal., 1528cE.
FESTINO. De festino.
  Adv. de tiempo 'pronto':
  Razón de Amor, 160: "ela que quiso exir *festino* uertios el agua sobre'l uino."
  Santa María Egipciaca, 1372: "las leyó *festino*".
  Reys d'Orient, 104, "Pressos fueron muy *festino* sacauanlos del camjno."
  El Bonium, 272.11: "ca el sabor es de *festino* mudadamiento."
  Alexandre (O), 644d: "Endereza la lança de neruio de pino / assi fue pora él e liurolo *festino*."
  Según Alvar (*Libro de la Infancia y Muerte de Jesús*), *festino* se halla en Berceo. No se había documentado antes del siglo XIV. V. Festinoso.
FESTINOSO. V. Festino.
  "apresurado":
  Fazienda de Ultramar, 193.19: "Aplegar(é a) vos con iudicios e seré testimonio *festinoso* en los que iuran el falso testimonio e la mentira."
FESTIVAL. De festivalem.
  'fiesta solemne';
  Berceo, Mil., 29d: "Cantan delante della canto vien *festival*."
FESTIVIDAT. De festivĭtatem.
  'festividad, onomástica':
  Sta. Oria, 29b: "De Sancta Eugenia era *festividat*."
FICANCIA. Sufijo semiculto.
  'permanencia':
  Doc. ling. de 1235 (M. Pidal, 278): "Et dioles tal poder en todas sus heredades, fiando el en su *ficancia* dellos en aquel logar."
FIDANCIA. Sufijo semiculto.
  'fianza':

Doc. ling. de 1212 (M. Pidal, 113): Et damos uos *fidancia* de saluedat, a foro de tierra, Pedro Martínez ..."

FIEBRE.   De fĕbris.

'fiebre, enfermedad':

Berceo, Sto. Dom., 21d: "Mas querrie de *fiebre* yazer todo un anno."

En sent., genérico 'daño, mal'; Berceo, Mil., 393d: "Sin ti de esta *fiebre* terminar non podremos."

Documentaciones posteriores: JRuiz, 1090b; APal., 136; Nebrija.   Variantes, *hiebre* (V. Corominas, DCELC).

FIGURA. De fīgūra.

'figura, aspecto, imagen':

Santa María Egipc., 205: "De la beltat de su *figura*."

El Bonium, 76.15: "e pintados de muchas maneras e de *figuras* maravillosas."

Buenos Proverbios, 19: "avie (una) *figura* del philosopho illu-(mi)nado."

Berceo, Signos, 14b: "Con estos tales signos de tan fiera *figura*."

Alexandre (O), 1868c: "Semeiauan ermanos en toda su figura." En P., 2010c: *fechura*.

'imagen, rostro':

Berceo, Milagros, 116b: "Que de Sancta María amaua su *figura*".

Poridat de las poridades, 43.2-3: "Et la iustiçia es *figura* del seso."

Fazienda de Ultramar, 44.32: "e diol pan e vino, que a nos en *figura* de Christus."

Berceo, Loores, 32a: "Tres dones le ofrecieron, cada uno con su *figura*" (oro, incienso y mirra).

Apolonio, 509d: "Las naues, diz el Rey, trayen essa *figura*."

'cara, rostro':

Alexandre (P), 2415b: "De-mando la *figura,* echo un grant bramjdo."

'aspecto, cualidad':

Alexandre (P), 2107b: "Asy eran las piedras de diuersas *figuras*."

'augurio':

Alexandre (O), 250b: "Tovieron que era *figura* de buen fado".
(Este verso falta en P.).

'figura, dibujo':

Alexandre, 1188d: "Que signos demostraban estas tales *figuras*."

'retrato':

Alexandre (P), 138a: "Fiso en una carta Dario fer la *figura*."

'figura gramatical o filosófica':

Alexandre (P), 39b: "bien dicto e versifico conosco bien *figura*."

Poridat de las poridades, 43.14: "...*figura* sciencial."

'forma, manera':

P. de Fernán González, 84b: "El qual yazia en un sepulcro escrito desta *figura*."

'imagen, semejanza':

P. de Fernán González, 622b: "a *fygura* del conde, dessa misma manera".

'visaje, gesto':

Berceo, Mil., 361d: "Fazie *figuras* malas como demoniado."

Documentaciones posteriores: JRuiz, 476b; Rim. de Pal., 15a; Alfonso Onceno, 370b, *fegura*; Yuçuf, 37c. *figura, fegura*; Conde Lucanor, 125.15.

FIGURAR. V. FIGURA.

'pintada, dibujada':

Santa María Egipc., 476: "la ymagen bien *figurada*."

Buenos Proverbios, 9.1: "de marmol entallado e *figurado*."

Alexandre (O), 1970c: "Todas (las aves) en aquel aruol parecien *figuradas*."

'representar, simbolizar':

Poridat de las poridades, 44.15: "Sepades que la primera cosa que Dios fizo fue una cosa simple spiritual et mui conplida cosa, e *figuró* en ella todas las cosas del mundo, et pusol nombre seso."

Buenos Proverbios, 21.11: "El pintar de la pennola es rretenimiento de las cuerdas del canto e maestría de *figurar* omne su coraçon lo que quiere decir."

Berceo, Sac., 117c: "La sangre *figuraba* de nuestra redempcion."

Alexandre (O.), 786d; "El emperio de Asia ally era *figurado.*"

1.ª doc.: Glosas Silenses.

Documentaciones posteriores: Alfonso Onceno, 782b, *fegurado;* Yuçuf, 77d; don Juan Manuel, Libro de las Armas, 25.74.

FILACTERIA. De phylacteria.

'amuleto consistente en un pedazo de pergamino que solían llevar los judíos atado al cuerpo':

En C. C. Esc. (1049) (Simonet, Glosario).

FILISTEO. V. Philisteo.

FILOMENA.

Alexandre (P), 1153c.

FILOSOFIA. De philosophia.

El Bonium, 76.10: "para demostrar la sapiencia e la *filosofía* e todas las otras artes.'

Poridat de las poridades, 43.14: "Jo uos quiero mostrar una figura sciencial *philosophia.*"

Buenos Proverbios, 8.16: "amostravan a sus fijos ... la *philosophía* e todas las artes."

Flores de Filosofía, 79.3: "Aquí se acaba este libro de Flores de Filosofía".

Alexandre (O), 214c: "Semeia la tu lengua la de *filosophia.*"

Personificado en Alex. (O. y P.) 80b y 90b.

Documentaciones posteriores: Juan Ruiz, 53b; Sem Tob, 2.3; Rim. de Pal., 810d.

FILOSOFO. De philosophus.

'filósofo, sabio':

Liber Regum, 8.29: "Pitagoras el *filosofo.*"

El Bonium, 67.22: "que los sabios e los *filosofos* dieron."

Poridat de poridades, 29.4: "el (libro) que fizo el *philosofo* leal Aristotalis."

Buenos Proverbios, 1. 1-2: "que dixieron los *philosophos.*"

Flores de Filosofía, 58.6: "E por esto pidió el *filosofo* a Dios que no le diese riquesa."

Nobleza y Lealtad, I: "... eran algunos dellos grandes *filosofos.*"

Berceo, San Lorenzo, 6d: "primero fue *filósofo,* después Papa alzado."

Alexandre (P), 2139c: Era buen *filósofo,* maestro bien acabado."

Documentaciones posteriores: Juan Ruiz, 72b; Rim. de Pal., 292c; Sem Tob, 331.3.

FIMBRIA. De fímbrĭam.
'borde inferior de la vestidura talar, franja':
Berceo, Loores, 2b: "De las tus largas faldas una *fimbria* tanner."

FIN. De finis.
'término, límite':
Cid, 399: "Passo por Alcobiella que de Castilla *fin* es."
'fin, término':
Santa María Egipc., 64: "Según dize sant Agostin, ya non es buena aquexa *fin.*"
Reys d'Orient, 79: La gloriosa tamanya sera / que nunqua mas *ffin* non haura."
Doc. ling. de 1223 (M. Pidal, 6): "con... e con quantos heredaron esta heredad ata *fin.*"
El Bonium, 72.20: "e salvamiento para sus animas después de su *fyn.*"
Poridat de las poridades, 36.3: "gozas el cuerpo que corrompe et pierdes el seso que non a de auer *fin.*"
'fin, final del mundo':
Fazienda, 182.25: "Entendet, fil de omne, que al tiempo de la *fin* sera conplida la *visión.*"
'muerte':
Poridat de las poridades, 44.34: "Et finca el cuerpo biuo fata que quiera Dios que uenga la *fin.*"
Nobleza y Lealtad, XVII: "e querría que oviessemos buena *fin.*"
Berceo, Himnos, III, 7d: "Tu nos das *fin* perfecta, a las almas buen poso. Amem."
Apolonio, 97c: "Fasta la *fin* del mundo, e el siglo pasado."
Documentaciones posteriores: Conde Luc., 18.5; Canc. de Baena. En masc. ya en APal. (Corominas, DCELC).

FINABLE. V.Fin.

'finito, no eterno'.

El Bonium, 311.9: "... la vida *finable*."

FINADA. V. Fin.

'fin, cabo', fem.

L. Regum 3.23: "a la *finada*".

FINADO. V. Fin.

'muerto', sust.

F. Soria, 25: "...e quisieren echar los plazos para aquella collaçion do fuere el *finado* por onrra."

FINAMENTO. V. Fin.

'muerte, fallecimiento':

Docs. lingüísticos de 1224 (M. Pidal, 171): "Et Ferrand Martinez e sua mulier Maria Diaz que den a so *finamento* el quinto de quanto mobile ovieren."

F. de Soria, 25.5: "Pero quando acaeçiere *finamjento* de algun omne bueno o buena duenna ..."

FINAR. V. Fin.

'morir, acabar':

P. del Cid, 3463: Dixo el rey: "*fine* esta razón.'

Razón de Amor y Denuestos, 260: "Mi Razón aqui la *fino*."

Sta. M.ª Egipciaca, 676: "...de andar non *fino*."

P. de Roncesvalles, 29: "... como se acostó a la ora de *finare*."

Docs. lingüísticos, 3 (1205): "El despues quel *se fino*, otorgolo e diolo so filio Roi dela Vega."

Liber Regum, 10.21: "... e *fino* la quinta edath del segle."

F. de Soria, 112.22: "El primer anno que el defunto fuere *finado*."

El Bonium, 202.15: "E despues que *fino* Socrates."

Poridad, 38.10: "Et non quiera la riqueza que luego *fina* et quiera la riqueza que non *fina*."

B. Proverbios, 24.1: "...ca el tiempo... es durable e non *fina*."

Flores de Filosofía, 77.12: "... e fas bien por tu alma que sabes que has de *finar* quando non cuydares."

Nobl. e Lealtad, LXVI: "Despues que *fino* esta santo e bieaventurado rey don Fernando."

Berceo, Milagros, 66b", "Quando plogo a Xrto *finó* san Ildefonso."

Apolonio 29b: "tenia que la tardança podia en mal *finar*."

Alexandre (P), 43c: "Sé... los tonos commo empieçan deuen *finar*."

'matar', trans.

Fazienda de Ultramar, 80.5: "Por que fablaran Egyptos e dizran: con maleza los saco por matarlos en los montes e por *finarlos* sobre la faz de la tierra."

Docs. posteriores: P. Alfonso XI, 84c; P. de Yuçuf, 220a, Conde Lucanor, 43.17. Es frecuente en toda la Edad Media.

FINIDA. V. Fin.

'acabamiento, fin':

Fazienda de Ultramar, 182.28: "Iot faré entender que sera en postremo de los días e de la sanna que aura el tiempo su *finida*."

FINO. De finum, deriv. de finis.

Disputa del Alma y el Cuerpo, 35: "... las copas d'oro *fino* con que bevíes to vino."

Razón de Amor, 14.16: "un uaso de plata ui estar; / pleno era d'un claro uino / que era uermeio e *fino*."

P. Fernán González, 273b: "muchas copas e vasos que eran d'un *fyno* oro."

Berceo, Milagros, 320c: "Era bien entallada (la cortina) de lavor muy *fina*."

Apolonio, 571b: ".. de oro *fino*."

Alexandre (P), 833d: "Que eran de *fino* oro e de piedras, cristales." Aplicado a las cualidades humanas: Alex. (P.) 41a: "Retórico so *fino*, sé fermoso fablar."

Docs. posteriores, J. Ruiz; Conde Lucanor, 67.22; P. de Alfonso XI, 883b; Canc. de Baena.

FIRMA. V. Firmar.

Docs. lingüísticos, 212 (1220) San Leonardo (Soria): "E si el liuorado *firmas* non houiere, salvesle achel de qui ovier cherela por calona de un morabedi con un vezino."

F. de Soria, 31.2: "Et en todas las cartas que fizieren metan dos *firmas* o más."

'testigo o jurador que atestigua o depone en juicio con juramento':

F. de Sepúlveda, § 39

'testigos', valor de colectivo:

F. de Sepúlveda, § 72

'testimonio'

F. de Sepúlveda, § 69

'juramento'

F. de Sepúlveda, § 28. V. Alvar, *Vocabulario*, s. v.

Vid. F. de Aragón y F. de Teruel, s. v. y las abundantes
referencias allí aducidas.

FIRMAMENTO. V. Firma.

'seguridad, promesa':

Fazienda de Ultramar, 65.9: "E affirme *firmamento* que
les daria tierra de Canaam."

'fidelidad':

Fazienda de Ultramar, 74.23: "Agora, si oyeredes my voz,
aguardaredes myo *fyrmamento*."

'testamento':

Alexandre (P), 2598a: "Qujero my *firmamjento* ante todos
poner."

FIRMANÇA. V. Firmar

'seguridad':

Docs. lingüísticos, 98 (1249), "... e por testimonio e por
mayor *firmança*, meto en esta carta nuestro seello."

'acuerdo, trato':

Fazienda de Ultramar, 49.24: "Avieron sus palabras en uno e
fizieron ally *firmança* en uno entramos e pusieron y un gran
monton de piedras que fuesen moion en este testimonio."

FIRMAR. De firmare.

Docs. lingüísticos, 266 (1206), Toledo: "E sobresto ficieron
firmar sobre si firmas buenas e derecheras por passar, e otor-
gaderas de tiempo e desazon."

'afirmar':

Fuero de Soria, 29.9: "... o mentira *firmare*."

El Bonium, 385.9: "toda honrra que non sea *firmada* con
saber ha de venir a deshonrra."

Buenos Proverbios, 26.1: "por que *firmaria* en dezir."

Berceo, Sac., 36c: "David lo *firma* esto, la su boca ondrada."

Alexandre (P), 2433c: "Firieronse las palmas por *firmar* pleytesía."

Primera doc.: Glosas Silenses, y, desde entonces, frecuente en textos medievales.

'confirmar, comprobar'

Fuero de Soria, 86: "...si alguno gelo segaro o dannol fizie-re, quel peche la calonna commo por mies, si les fuere *fir-mado*."

Fuero de Madrid, 29.7: "*firmet* cum II. *testimonias*."

Fuero de Sepúlveda, § 29 (V. Alvar, *Vocabulario*)

'jurar':

Fuero de Sepúlveda, § 117 (V. Alvar, *Vocabulario*).

'acordar':

P. de Fernán González, 61a: "El conde, cavalleros, las paces a *fyrmadas*."

FIRME. Del latín vg. fĭrmis, lat. clás. fĭrmus.

'firme, seguro':

Adjetivo, Cid, 3629; "*firme* estido". Adverbio, Cid, 1162: "*firme* la quebranta."

Doc. ling. de 1.220 (M. Pidal, 25): Al final del documento, "e tod es *firme*". En un documento de 1063, *ferme* (M. Pidal, *Orígenes*).

Fuero de Sepúlveda, § 23 (Véase Alvar, Vocabulario).

El Bonium, 85.2: "E dixo: la obediencia por amor es más *firme* que la obediencia por sennorio e por miedo."

Alexandre (P.) 2198c: "Eran las torres *firmes* e bien labradas."

'fuerte, decidido, seguro, enérgico':

Fazienda de Ultramar, 94.5: "Efforçat e sey *fyrme*."

Poridat de las poridades, 48.16: "La ondécima (manera) que sea *firme* en las cosas que deue fazer."

Buenos Proverbios, 16. 24: "e por ver *firme* e creyente con aquella parte quel'quiso Dios dar."

Nobleza y Lealtad, I.: "Lealtanza es muro *firme* e ensalza-miento de ganancia".

El Bonium, 286.17: "...estovieron los macedonios *firmes*."

Apolonio, 182a: "Recudió Apolonio como *firme* varón."

Berceo, Milagros, 22b: "Quanto escrivien ellos, ella lo emendava / Esso era bien *firme,* lo que ella laudava". Adverbio, 'firmemente': Berceo, Milagros, 484a: "*A firmes.*"

Alexandre (P), 534a: "Todos estaban *firmes,* grande era la refierta. / Adverbio 'firmemente': Alexandre (O), 199c: "Mostráuales *afirmes* que auja grant rancura".

1.ª documentación: Cid.

A pesar de proceder del latín vulgar ha habido en la evolución de este vocablo, influjo de una pronunciación más culta y especializada, propia del ambiente jurídico.

Véase I. Leite de Vascancelles (Rev. Hispánica, v422).

Menéndez Pidal no acepta la etimología de Cornu, aludida en Romania, XXVIII 485. Para Corominas no es semicultismo, sino influjo de las clases educadas, ayudado por el contenido moral y jurídico de la palabra (DCELC).

Procede del adjetivo *firmus* que pasó a la 3.ª declinación en algunas regiones de la Romania, pero sólo se consolidó en español y portugués. Figura en la Crónica Albeldense 608, 10: "pacem accipit *firmem*", y en documentos notariales (Véase Bastardas, ELH, p. 267)

Documentos posteriores: Rimado de Palacio; Alfonso Onceno, 78d; Yuçuf, 65c; don Juan Manuel, Libro de los Estados, 466.3.

FIRMEDUMNE, FIRMEDUMBRE. V. Firme.

'firmeza, constancia':

Alexandre, (P), 334c: "que mas valen los pocos que han la *firmedumbre*".

Documentos lingüísticos. 89 (1229): "e por más *firmedumbre* pongo i mi seyello pendient".

'valor, entereza':

Berceo, San Millán, 371c: "fazié anniversarios de muy grant suciedumbre / mas por quitarse ende non avie *firmedumbre.*"

FIRME MIENTRE. V. Firme.

Porid. 36.12: "et que muestre al pueblo que él tiene *firme mientre* su ley et que la voluntad se acuerde con el fecho."

Faz. 43.9: "Que tu todo esto *firme myentre* lo demandes."

FISICA.- phỹsǐca.

'la ciencia de la medicina':

Porid. 33.2: "El ochauo es de... et de poridades estrannas de *fisica*".

Porid. 67.2: "... toue por bien de meter en este tractado cosas estrannas de poridades de *fisica*".

El Bonium, 125.4: "e asi todavía por tal que fincase (siempre en ellos) la nobleza del arte *fisica*".

El Bonium, 125.1: "E el començo el arte de la *fisica*."

B. Prov. 13.9: "despues *fisica*."

Apolonio, 198b: "Que sabien de la *física* toda la maestría."

Alexandre (P) 42a: "Apris toda la *física,* so meie natural."

Documents. posteriores: Sem Tob, 103, 2; don Juan Manuel 589d. Libro de Cavallero e del Escudero, cap. XL, 92; Juan Ruiz.

FISICO. Vid. Física.

'médico':

Poridat de las Poridades, 67.5: "... que no está bien a omne de mostrar quantos males le acaescen a todos los *fisicos*".

Buenos Proverbios, 12.13: "El probador es más sabidor que el *fisico*".

Nobleza y Lealtad XVIII: "*fisico* sabidor".

El Bonium, 105.13: "e *fisico* sabidor."

El Bonium, 71.13: "vió ser un *fisico*."

Flores de Filosofía, 18.3: "Del rrey e del *Fisico*."

Berceo, Sto. Dom., 539b: "Nunqua vinieron *fisicos* que le valiessen nada".

Alexandre (P), 884b: "*fisico* delantero, conoscie bien natura".

Documentaciones posteriores: Calila; Juan Ruiz, 252d; Conde Lucanor 4, 13; Rimado de Palacio, 191a: Poema de Alfonso Onceno; Danza de la Muerte; Cancionero de Baena. Ya en Nebrija era de poco uso.

FIUÇIA. FIUSIA. De fiducia.

'confianza':

Poema Fernán González. 576c: "Fablo con el buen conde e fizol *fiucia vana*".

El Bonium, 110.1: "La *fiusia* es servidumbre, e la *desfusia* es libramiento".

Flores de Filosofía, 76.6: "Temed a Dios, e aved buena *fiusia* en él".

Buenos Proverbios, 18.25: "Que salut es del cuerpo pues que ésta a *fiuza* de rrecebimientos de males".

Alexandre (O), 1878b: "*fiuça* vana".

FIUCIAL. V. F<small>IUCIA</small>.

'fiel devoto':

Berceo, Sac., 47d: "Tu Ihesu Nazareno que puedes e que vales / Rey de los iudíos salva tus *fiuçiales*."

Posible semicultismo, por su significado moral. Pero existe también el popular *fiuza*.

Documentaciones posteriores: Alternan *fiuça* (Conde Lucanor. 31,13) y *fiuçia* (semiculto) (Sem Tob, 628,1). Rimado de Palacio, 397c: *fiuzia*. También aparece el popular *húcia,* censurado por Juan de Valdés.

Otras documentaciones: San Millán, 323d; Loores, 2, *feduza;* Sto. Domingo 610c, *fiuza.* Juan Ruiz 818a; Rimado de Palacio 387c; Calila; Sem Tob.

FLABELLO. De flabellum.

'abanico':

Berceo, Mil. 324c: "Maguer que fue el fuego tan fuert e tan quemant / nin plegó al *flabello* que colgava delant".

1.ª documentación: Berceo.

No vuelve a aparecer en textos de los siglos inmediatos.

FLACO. De flaccum.

'débil, pobre, sin fuerzas':

El Bonium, 87.2: "La limosna es en los *flacos* que la han menester".

Poridat de poridades, 56.27: "Et parad toda uia mientes en estado de uuestros enemigos, et ouieredes que son mas *flacos,* y mandat ferir primera miente".

Buenos Proverbios, 49.13: "E dixo otro... siente que es *flaco* oy si ennadiere yer la flaqueza de su cuerpo será bien aventurado.".

Flores de Filosofía, 21.3: "... cansado e lasrado e *flaco*."

Nobl. e Lealtad, II: "Cobdicia es sennoria *flaca*."

Apolonio, 314b: "Metió una boz *flaca*..."

Berceo, S. Millán,188c: "Non quiso prender bestia maguer que *flaco* era."

Alexandre (P), 773b: "Mas todos son gallinas e de *flaca*
rrays."

Docs. posteriores: Gran Conquista de Ultramar 'enfermo, do-
lente'; Conde Lucanor, 9.15; APal 'sin fuerzas'; Nebrija
'magro, delgado':

FLAMEANTE.   Derivado de flamma.

'brillante':

Alexandre (P), 846d: "E cuchillos de oro *flameante.*"

FLAQUECER.   V. FLACO.

'debilitar':

Berceo, Sto. Dom., 697c: *Flaqueció* el demonio, perdió toda
su potençia."

FLAQUEDAT.   V. FLACO.

'flaqueza, debilidad':

Apolonio, 321b: "Fallo biua la duenya, maguer con *flaquedat.*"

FLAQUEZA.   V. FLACO.

'debilidad':

El Bonium, 299.3: "...e sentio *flaqueza.*"

B. Proverbios, 27.19. "...por *flaqueza* de su coraçon."

Flores de Filosofía, 27.16: "...e mansedad sin *flaqueza.*"

Berceo, S. Lor. 71a: "Nos commo somos viejos, caidos en
flaqueza."

P. Fernán González, 513a: "El conde don Fernando, coraçon
syn *flaqueza.*"

Apolonio, 208b; "Que es de la *flaqueza* en enfermedat cayda."

FLEMA.   De phlegma.

'mucosidad, humores orgánicos':

Poridad de poridades, 67: "Et fregat uuestros dientes con
corteza de arbol amargo e aspera, et echaredes la *flema.*"

Corominas la documenta a fines del XIII y *fleuma* a mediados del XIII.

Docs. posteriores: don Juan Manuel, Libro del Cavallero e
del Escudero, XXXVIII.

FLOR.   De florem.

Sta. M.ª Egipciaca, 158,222: "que tal era como la *flor.*"

Razón de Amor, 53: "En mi mano prys una *flor.*"

Fazienda de Ultramar, 124.9: "Nazaret fue en tenptaciones

flor o verdugo e es coraçon, que en aquella çibdat nacio verga."

El Bonium, 113.20: "...e coger la miel de la *flor* puede lo fazer el abeja, e non el omne."

Buenos Prov., 24.26: "Las mugeres son atales commo el arbol del adelfa que ha fremosa color e fremosa *flor*."

Flores de Filosofía, 79.3: "Aquí se acaba este libro de *Flores de Filosofía*."

Nobl. e Lealtad, 1: "... vergel de muchas *flores*."

Berceo, Milagros, 2c: "Caeçí-en un prado de *flores* bien poblado."

Alexandre (P), 1121a: "Cubrieron las carreras de rosas e de *flores*."

'ejército escogido':

P. de Fernán González: "Estos (fueron) dozientos de la *flor* castellana."

Primera documentación: Glosas Emilianenses.

Docs. posteriores: Juan Ruiz, 1225c; Rim. de Palacio 242b.

FLORECER. V. FLOR.

Fazienda de Ultramar, 87.1: "Aqui *florecio* el blago de Aaron."

Berceo, Sta. Oria, 62d: "Tal fue commo el arbol que *florece* e non grana."

Alexandre (P), 764a: "El arbol que temprano comjença a *florescer*."

FLORENCIA.

'nombre propio':

Docs. lingüísticos, 181 (1228) Lerma: "aladanos ... e dona *Florencia*."

En el mismo documento aparece: *Florença*.

FLORESTA. V. FLOR.

'vegetación':

Alexandre (P), 1475a: "Las *florestas* son grandes derredor de la çibdat. "En O. 1333a: çereças.

FLORIDA. V. FLOR.

P. de Roncesvalles, 32: "... por las barbas *floridas* bermeja sallia la sangre."

Buenos Proverbios, 42.12: "Madre, ¿non vedes las yerbas *floridas*?"

FLUMEN. De flumen, -inis.

'río':

Sta. M.ª Egipciaca, 1307: "En poco d'ora el *flumen* ovo pasada."

Fazienda de Ultramar, 61.2: "... *flumen* Jordan."

Berceo, Sto. Domingo, 229b: "Oriella de *flumen* tan fiero como mar."

Alexandre (P), 1762c: "Podiste el *flumen* todo fasta en cabo andar."

FONSARIO. V. Fosa.

'cementerio':

El Bonium, 308.2: "¿Por que moras todavia en los *fonsarios* e dexas de ganar el estado de tus padres?"

Buenos Proverbios; 139.21. "E dixieronle que en el *fonsario* morava."

Apolonio, 532b: "A *fonsario* sagrado non te puedo levar." V. Fosario.

FORMA. De formam.

'forma, aspecto':

Buenos Proverbios, 31.24: "...y la letra es en rrason de la *forma.*"

Sta. M.ª Egipciaca, 227: "En buena forma fue taiada, njn era gorda njn muy delgada."

El Bonium, 122.14: "... e de fermosa *forma.*"

Berceo, Sto. Domingo, 328a: "Prendie *forma* de sierpe."

Alexandre (P.) 663b; "Priso *forma* de Paris, su misma figura."

'opuesto a materia':

El Bonium, 205.8: "... e non fagades mucho comer nin mucho beber que son de la propiedad de que es mas vil que la forma. E pugnad en semejar a la *forma,* e non a la materia que se cumple por la *forma,* e bien dixo Omirus que la materia tira a fenbra e la *forma* a masculo."

'imagen':

Berceo, Sto. Domingo, 681c: "Parósele delante una *forma* non poco vistie una almática más blanca que la toca..."

'esencia':

Berceo, S. Millán, 21d: "Entendió la *forma* de la perfeçión."

'parte del cuerpo, órgano':

Berceo, S. Mill., 328d: "La *forma* destorgada (la ceguera) tornó toda complida."

Docs. posteriores: P. de Alfonso XI, 642c.

FORMAR. V. FORMA.

'crear, formar':

Sta. M.ª Egipciaca, 1370: "... que en çielo fueron *formadas*"

Berceo, Milagros, 7d: "Nin que pudieran *formar* sones más acordados."

'escribir':

Alexandre (P), 31c: "Auje un sylogismo de lógica *formado*."

FORNICACION. De fornicationem.

Fazienda de Ultramar, 185.3: "Ve e prent mugier fornaguera e faz fijos de *fornicacion*."

Diez Mandamientos, 380.34: "... si va veder *fornicaçiones*."

Buenos Proverbios, 57.8: "... e fizo *fornicacion*."

FORNICARIO. De fornicarium.

'fornicador':

Berceo, Milagros, 78d: "Que corrompio al monge, fizolo *fornicario*."

FORNICAR. De fornicare.

Fazienda de Ultramar, 76.16: "Non *forniques*."

Docs. posteriores, APal, 227b; Nebrija.

FORNIÇIO. De fornicium.

'fornicación':

F. de Soria, 211.11: "Sj algun omne fiziere *forniçio* con alguna mugier ..."

Diez Mandamientos, 380.17: "No farás *forniçio*."

El Bonium, 81.16: "la novena es que guarde de *forniçio*."

Poridad de poridades, 38.16: "Alexandre, non querades *fornicio* seguyr que es de natura de los puercos."

Berceo, Milagros, 192b: "Los miembros que fazen el *forniçio*."

Alexandre (P), 2351b: "*Forniçios,* adulterios, e otras poluçiones."

FORNICIOSO. V. Fornicio.
'fornicador':
Poridad de poridades, 62.12: "Onde sabet que el que es muy aluo et muy ruuio, et demas zarco, es sennal de desuergonçado, et de traydor et de *fornicioso,* et de poco seso."

FORNJQUERO. V. Fornicar.
'fornicador':
Alexandre (P), 2352d: "... en que arden e cuezen las almas *fornjqueras.*"

FORTUNA. De fortunam.
Buenos Proverbios, 29.20: "Los que han su amor por provecho son los que la han por *fortuna.*"
Nobl. e Lealtad, IV: "Et la *fortuna* de sí mesmo ayuda a los osados."
Alexandre (P), 877a: "Touos dona *Fortuna* mucho por denostada."
P. Fernán González: 439a: "Non es dicha *fortuna* (por) ser syempre en un estado."
Docs. post.: Zifar, 9.7; C. Baena, 215; Santillana; APal. 167b.

FOSSA. De fossam.
'fosa, sepultura':
Alexandre (O), 1471c: "Danle cuemo a puerco enna *fossa* de mano / Nunca diz más nadi: aqui iaz fulano."

FOSSALARIO. V. Fossa.
'cementerio':
Berceo, Milagros, 107d: "Metanlo con los otros en en buen *fossalario.*"

FOSSARIO. V. Fossa.
'osario, cementerio':
Alexandre (O), 1471b: "Los omnes de la uilla al que es estranno / En cabo del *fossario* lo echan orelano."
Documentaciones posteriores. Juan Ruiz, 1554b.
V. Fonsario.

FRAGILIDAD. V. Fargiridat.

FRANCIA.
'Francia, la nación francesa':
Razón de Amor, 78.

Roncesvalles, 51.

Apolonio, 548b. En 583b, *França*.

Berceo, Mil. 661a.

FRATERNIDAT. De fraternitatem.

'fraternidad, cordialidad':

Berceo, Sto. Dom., 438c: "Vinolos el mensage de *fraternidat.*"

FRIGIA.

'Frigia, región de Asia':

Alexandre (P), 305a.

FRUCTA. De fructam.

'fruta de los árboles':

En Fuero de Sepúlveda, §§ 82,87 (V. Alvar, Vocabulario). Poridat de las poridades, 70.18: "Et deue comer ... de la *fructa.*"

Berceo, Milagros, 4c: "E muchas otras *fructas* de diversas monedas.". Parece 'árbol frutal'.

Documentaciones posteriores: Rim. de Pal., 66c; Sem Tob, 404.2; Conde Lucanor, 95.96; Juan Ruiz, 862a.

FRUCTAL. V. Fruto.

'árboles frutales':

Doc. ling. de 1242 (M. Pidal, 94): "Con tus *fructales* e tierras e ..."

Berceo, Mil. 26a: "Las aves que organan entre esos *fructales.*"

FRUCTERO. V. Fructo.

'frutales, árboles frutales':

Doc. ling. de 1205 (M. Pidal, 3): "...la heredad de Sancta Mariana de Bolua, con sus casas e con orrios e con *fructeros ...*"

Doc. ling. de 1223 (M. Pidal, 46): "*fruteros.*"

FRUCTO. De fructum.

'fruto'; 'producto del campo en sentido genérico':

Santa María Egipc., 130d: "Si me quisieres fer plaçer / deste *fructo* auras ha comer."

Fuero de Soria, 14.14: ...e guardense de derraygar nin de cortar arboles que son pora levar *fructo* o pora madera."

Fuero de Sepúlveda, §§ 27,109; 155. Alvar da también 'cría de los animales', § 200. (Véase Alvar, Vocabulario).

Fructo alçado 'cuando la deuda os sea restituída':

Doc. ling. de 1230 (M. Pidal, 52): "e quando vos diero estos moravedís, vuestro *fructo alçado* que dexedes mi heredat."

'fruto': Doc. ling.: de 1200 (M. Pidal, 154): "...por el *fructo* que desta uinna saccaren."

Flores de Filosofía, 37.12: "E el saber syn el obrar es commo arbol syn *fructo*."

Nobleza y Lealtad,II: "Cobdicia es camino de dolor e árbol sin *fructo*."

El Bonium, 72.18: "en aprender a sacar *fruto* ante que mueran."

Poridad de las poridades, 43.28: "El mundo es huerto; so *fructo* es regno."

En sentido figurado, Buenos Proverbios, 7.15: "da *fruto* de graçia," En 42.11, *fruyto*.

Fazienda de Ultramar, 177.19: "arbol ... e sus ramas eran fermosas e so *fructo* mucho."

Berceo, Mil., 15a: "El *fructo* de los arboles era dulz e sabrido."

Apolonio, 32d: En lazerio sin *fruto* non quiso contender", 'sin provecho'.

'el Señor':

Berceo, Mil. 827a: "el tu *Fruto* laudado."

1.ª doc.: *fruito* (Glosas Silenses). *Fruto*, doc. de 1192.

En Berceo, *fruto* y *frucho* (Sac.' 181d: "Esso es flor sin *frucho*, prometer e non dar.")

FUNDAMENTO. De fundamĕntum.

'fundamento, base esencial':

Nobleza y Lealtad, XXXVI: "... aunque el *fundamento* de cada cosa sea buena razón tan ayna."

Apolonio, 637b: "El rey Apolonio, ... / auye a sus faziendas buen *fundamento* dado". En 361a: *de fundamenta*, 'a fondo'. "Conto le la estoria toda de *fundamenta*."

Alexandre (O), 40c: "De los signos del sol siquier del *fundamento* / non se me podria çelar quanto val un acçento." En P., 44c: *fundamiento*.

'fundación':

El Bonium, 298.6: "El *fundamiento* de las villas non puede seer sin tuerto ..."

Berceo, Loores, 186c: "Mas fue tu fijo, madre, piedra de *fundamiento*."

Docs. posts.: Rim. de Pal. 73a; Alfonso Onceno, 37c.

FUNDIR. De fŭndere.

'confundir':

Berceo, Loores, 65a: "Alli falssó justiçia, *fundióse* la verdat."

FURCION. V. Enfurción.

'tributo que se pagaba al señor del lugar por razón del solar de las casas' (V. Alvar, Sepúlv. Vocab.):

Fuero de Sepúlveda, § 185.

'tributo, en general':

Berceo, San Millán, 397d: "Más valdrié seer muertos que dar tal *furçión*."

FURFURA. V. Purpura.

FUSTE. De fŭstem.

'fuste, vara':

Berceo, Mil., 40a: "El fust de Moisé enna mano portava."

S. Dom. 176d: "Xugo del *fuste* seco, ¿qui lo podrie sacar"?

Alexandre (P), 133d: "syn fierro e sin *fuste* te faré yo *morir*".

FUTURO. De futurus.

'futuro, venidero':

Berceo, Sto. Dom., 226d: "Una visión vido por ond fue confortado / del laçerio *futuro* siquier del pasado".

G

GABAYCA.
'callaica, piedra preciosa':
Alexandre (P), 1452a: "Ally han la *gabayca* esas de buen mercado".

GABRIEL.
'el ángel Gabriel':
Poema del Cid, 406: "El ángel *Gabriel* a él vino en visión."
Sta. María Egip. 485: "Sant *Gabriel* te aduxo el mandado."
Fazienda de Ultramar, 182.23: "*Gabriel*, fazle entender a aquella visión".
Berceo, Mil., 52d: "Quando *Gabriel* vinco con el rico *mandado*."
Apolonio, 614b: "el ángel *Gabriel*."

GALAÇIO, GALAÇIOR.
'chalacias, piedra preciosa':
Alexandre (P), 1460a: "*Galaçio* es fermosa mas de fría manera."
Poridat de poridades, 75.13: "*Galaçior* es una piedra fermosa."
San Isidoro: "*chalazías*".

GALLIZIA.
'Galicia':
Fazienda de Ultramar, 112.17: "Sant home de *Gallycia*."
Documentos lingüísticos, 94 (1242).

Documentos lingüísticos 226 (1234).
Documentos lingüísticos 219 (1236) Valdeande.—Osma: *"Galleçia."*
Berceo, Sto. Domingo, 388a: "Un conde de *Galiçia."*
Alexandre (P), 1767b.

GALIENUS.

'Galeno':
Buenos Proverbios, 5.6.

GALILEA.

'Galilea':
Fazienda de Ultramar, 124.8.
Alexandre (P), 1111c.

GANANCIA.

'ganancia, bien', 'interés':
Documentos de 1225 y 1228 (M. Pidal, 214): "Damos todo cuanto auemos en Senoua, o auer podremos en alguna guisa, por compra o por camio o por *ganancia* en todos nuestros días."
El Bonium, 93.3: "E quitadvos de viles *ganancias."*
Buenos Proverbios, 18: "Este sieglo es *ganancia* de los que son de buen recabdo."
Flores de Filosofía; 64.11: "Sabed que non ha mejor *ganançia* que el seso."
Nobleza y Lealtad, XVIII: "Justicia es medida derecha e *ganancia* igual."
Fuero de Soria, 113.21: "... maguer si otro heredamyento ouiere y de compra o de *ganancia* ..."
Berceo, San Millán, 88b: "El cabdal sen *ganançia* non lo deves render."
Apolonio, 247c: "Ganariés tal *ganançia* que series plazentero."
'presa, botín':
Cid. 1085: "De la *ganançia* que ha fecha maravillosa e grand."
Berceo, San Millán, 458c: "Partieron las *ganancias."*
P. de Fnán. Glez., 276d: "...con toda su *ganançia* a San Pedro venieron."

Alexandre (P), 81c: "Parte bien la *ganançia* e la tu gent lasrada."

'bien en general':

Berceo, Duelo, 62b: "Siempre buscó a todos *ganançia* e plaçer."

Fuero de Sepúlveda 20.62: V. Alvar, Vocabulario.

'donativo, regalo':

Apolonio, 503c: "Levar hía la *ganançia* que me mandeste dar."

GANANCIOSO.

Apolonio 422d: "que es mas *ganançioso* e es mas ondrado."

GANIMEDES.

'el copero divino':

Alexandre (O), 301b.

GASPAR.

'Rey Mago':

Reys d'Orient, 43: "e *Gaspar* le dió ençienso."

GEMIDO. De gemĭtum.

'gemido, suspiro':

Nobleza y Lealtad.—VII: "Castidat es ... *gemido* de luxuriosos."

Berceo, Milagros 394b: "Non desdennó los *gémitos* de los omnes lazrados."

Berceo, Duelo, 145b: "*Los gemidos* que fago".

Poema Fernán González 283c: "(mas) commo leon bravo dió un *gemido*".

Documentaciones posteriores: J. Ruiz, 1138c; Rimado de Palacio, 116b; Libro de las Proverbios de Salomón, 193, 56; APal., 177b; Nebrija.

Antiguamente existió una forma popular *yemdo*.

GENERACION. De generationem.

'familia, linaje, descendencia':

Fazienda de Ultramar, 61.3: "Murio Josep e todos sos ermanos e toda su *generación*."

Documentos lingüísticos 208 (1212). Los Vid (Burgos): "E si algun de nos o de nuestra *generación*."

Documentos lingüísticos 40 (finales del siglo XII) Busto Castilla del Norte: "Estos solares con estas hereditates ganaron por assi e a ssue *generaciones* que fuessen abbates e seniores del monasterium usque in perpetuum."

L. Regum, 1.12: "Esta es la *generación* de Adam."

'generación':

Fazienda de Ultramar, 63.12: "e esta es mi remembrança de *generaçion* en *generaçion*."

'procreación'

Diez Mandamientos, 382.4: "si de luxuria o de fazer *generación*."

'nacimiento':

El Bonium, 160.8: "Esta villa en la que fazen a mi esto es la villa de mi *generación*."

'corresponde a un solo paso en la descendencia natural':

Liber Regum, 1.12: "Tro aqui a una edat e X *generaciones*."

Alexandre (P), 1806d: "Recudeles la sangre bien a diez *generaçiones*."

'los hijos de un padre determinado, considerados como representando un solo paso en la descendencia':

Liber Regum, 18,24: "Aquí s'estallo la *generación* de Charles."

'descendencia linaje, familia':

Berceo, Duelo, 84b; "Toda su *generacion* por ellos fue perdida". En Duelo, 116d: "Revisclaron de omnes grandes *generaçiones*."

Alexandre (O), 310d: "Por aquellos que fueran de su *generaçión*."

Documentaciones posteriores: Libro Infinido 78,10; Poema Alfonso XI, 185b; Sem Tob, 62,42; Poema de Yuçuf, 183c.

GENERAL.   De generalis.

'general':

Diez Mandamientos, 382.13: "E faga la confesión *general*."

Sta. María Egipciaca, 278: "a huna fiesta que es anyal, grande e *general*."

Apolonio, 19d: "la corte *general*".

Berceo, Milagros, 65b: "*En general* concilio fue luego confirmada*."

Alexandre (P), 1226a: "Ally eran los prophetas, convento *general*."

Documentaciones posteriores: Libro de los Estados, 471.24;

L. del Caballero y del Escudero, 1, 28; Libro de la Caza, 74.21; Libro Infinido, 14.5; Poema de Alfonso Onceno, 317b; Sem Tob, 565.2; APal.; Nebrija.

GENESI.

'Génesis, el libro de la Biblia':

Faz. de Ultr., 61.27: "Aquí fina *Génesi* e conpieça Exodi."

GENITALES. De genitalis.

'órganos genitales':

Berceo, Mil. 193c: "Cortó sus *genitales* el fol malaventurado."

Docs. posts.: APal. 395d.

GENTE. De gĕntem.

'pluralidad de personas, muchedumbre':

Cid, 463: *yientes.* Cid, 29: "*yentes* christianas."

Nobleza y Lealtad, Introd.: *gentes*

Buenos Proverbios, 3.1: "E vinieron y grandes *gentes* de cada parte."

El Bonium, 72.15: "... en todos los lugares de *gentes* (que) hay pobladas."

Santa María Egipciaca, 802: "Mas nunqua viestes huna *gent(e)*."

Reyes Magos, 6: "... que es de las *gentes* senior."

Liber Regum, 9.15: "Hi vinieron grandes *gentes.*"

Berceo, Loores, 15c: "O *gente* çiega e sorda (los judíos), dura de corazón."

Apolonio, 66b: "Auie grant carestia, era de *gente* menguada."

Alexandre (P), 2440d: "Tierra de fuertes *gentes* e bien encastillada."

'pueblo, nación':

Poridat de poridades, 31.4: "...et fueron los de Persia mejor mandados que ningunas de las otras *gentes.*"

'descendencia, linaje':

Fazienda de Ultramar: 47.14. "E dixo (Ntro. Señor) a ella: "*gentes* a en to vientre e II pueblos de tus entrannas ystrán."

Fuero Sepúlveda, 48.12. V. Alvar, Vocabulario, s. v.

'tropa de soldados':

Poema del Cid, 968: "entre moros e cristianos *gentes* se le allegan grandes."

Gent ordenada 'clerecía': Berceo, Sac. 9d: "Si non los *sacerdotes* e la *gent ordenada*."

Documentaciones: Rimado de Palacio, 464d.

La forma popular *yente* es frecuente hasta Berceo, quien emplea ya las dos. Se generaliza en el s. XIV (J. Ruiz y Conde Lucanor), y s. xv (APal.; Nebrija).

GENTIL. De gentilis.

'pagano':

Poridad de poridades 29.13: "e fallado fue en el libro de las eras de los *gentiles* que Dios le dixo".

Fazienda de Ultramar, 123.8: "En el tiempo de los *gentiles* la combatió Alexandre."

Buenos Proverbios, 8.15: "porque los rreyes de los griegos e de los *gentiles*."

El Bonium, 76.7: "Sepas que los nobles omnes de los *gentiles* e los grandes rreyes de los griegos."

El Bonium, 290.4: "E quemo Alexandre todos los libros de la ley de los *gentiles*."

'noble':

Poema del Cid, 672,829: "Castiella la *gentil*."

Alexandre (P), 2615d: "Por ser tantos huérfanos de tan *gentil* Señor".

La evolución semántica se puede formular de la siguiente forma: 'propio de una familia', de donde, 'linajudo, noble, perteneciente a una nación, especialmente extranjera' 'no judío, pagano'. (Véase Corominas, DCELC).

Documentos: Glosas Silenses, ya en la ac. 'pagano'; Juan Ruiz, 463d; don Juan Manuel; Libro de los Estados 559,33.

GENTILEZ. V. GENTIL.

'nobleza':

Alexandre (P), 7d: "Sy non que fuese de linage o de grant *gentilez*."

GENUFLEXION. De genus+flexionem.

'genuflexión, reverencia':

Berceo, Milagros, 301b: "Fizo el sacristano su *genuflexión*."

Alexandre (P), 1122b: "Fizo antel obispo su *genuflecçión*."

Corominas no lo registra hasta 1612 en Márquez. En Alex. dice que es imitación, con la forma *ginojo felcción*.

GEOMETRIA. del gr. φεωμετρία.

'geometría, agrimensura':

El Bonium 117.3: "e fizo ay una grand figura de *geometría* en la tierra."

Poridat de poridades 48. 4-5: "...et que sepa de toda sciencia, et mas la *geometria,* que es sciencia verdadera."

Buenos Proverbios, 13.8: "despues la *geometría."*

Documentaciones posteriores; Setenario, f.º 9 V.º; APal.; Nebrija.

'geometría':

Ibn Garsia. Véase Simonet, Glosario, *Chometrica.*

GEOMETRAL. V. Geometria.

El Bonium, 247.13: "el libro de los engenios *geometrales."*

GEOMETRICO. del gr. γεωμέτρης.

'agrimensor':

El Bonium, 351.18: "E fue un padre *geométrico."*

GESTA. Del pl. neutro gesta, 'hechos realizados'.

'gestas, hechos notables':

Alexandre (P), 2552b; "Las *gestas* del buen rey súpolas bien contar."

Berceo, Milagros, 370d: "Metieron este miraclo entre la otra *gesta."*

'cantar':

Poema del Cid, 1085: "Aquis conpieça la *gesta* de mio Cid el de Bivar."

Para más documentación véase Menéndez Pidal, *Cantar de Mio Cid, Vocabulario,* página 703.

GESTO. De gestum.

'signos de actitud':

Nobleza y Lealtad, XI: "e mostrarles *gesto* alegre e pagado."

El Bonium, 78.22: "e vió los *gestos* dél e la manera del apercibimiento de mi palabra."

Berceo, Sto. Dom., 255c: "Vediendo malos *gestos."*

Poema Fernán González, 474b: "Fazen muy malos *gestos* con sus esperamentos."

Alexandre (P), 1974c: "Nunca fazie el uno tan poqujllo de *gesto* que dixese el otro."

Documentación en Berceo, donde tiene el sentido de 'actitud

moral', 'disposición o comportamiento general de una persona' (S. Domingo 90c, 205d), pero en Sto. Domingo 670
aparece ya en la especialización *fazer gestos* 'hacer visajes';
en J. Ruiz 169a es 'porte, aspecto', mientras que en 549a
parece ser 'hecho, obra'. APal. y Nebrija definen ya enteramente con el matiz moderno (Véase Corominas, DCELC, s. v.).
Documentaciones posteriores: don Juan Manuel; Libro de
los Estados, 514.14.

GIGANTE. De gigantem, gr. γίγας-αντος.

'gigante':
Fazienda de Ultramar, 43.26: "Ebron fue cibdat (de) *gygan-
tes*."
Poema Fernán González, 488b: "entre todos los otros seme-
java *gygante*."
Berceo, Mil. 34d: "Con la qual confondió al *gigant* tan felón."
Alexandre (P), 971c: "Jaçia de los *gigantes* y toda la memoria". Fem. en Alex. (O), 1204c: "Fijo de padre nigre e de
una *giganta*."
1.ª documentación: Fazienda de Ultramar.
Documentos posteriores: Juan Ruiz, 401a; Rimado de Palacio, 68c; APal.; Nebrija.

GLADIO. De gladĭum.

'espada':
Apolonio 40c: "Por *gladio* o por yerbas si matar lo pudieres."
Alexandre (P), 2197c: "Dixo: yo prometo e juro por el mi
gladio."
Berceo, Duelo, 44c: "Sin *gladio* e sin lanza."
1.ª documentación: Berceo; Apolonio.

GLERA. De glarea.

'arenal, cascajar':
Poema del Cid 2242: "La *glera* de Valencia."
Apolonio 222c: "que las diese al rey que estava en la *glera*."
Poema de Fernán González, 359c: "Ordenó las sus azes en
medio de una *glera*."
Berceo, Mil. 442b: "Cataron a la *glera*."
Sta. María Egipciaca 290: "jugando por la *eglera*."
La e- inicial posiblemente por la alternancia *glera / eglera*,

lo mismo que *glesia/eglesia*. Sin embargo, Corominas (DCELC) se inclina a pensar en la posibilidad de una errata en este caso concreto de Sta. María Egipciaca.

GLESIA. Véase EGLESIA.

Poema Fernán González 590a: "Fue del rey (don) Garçia la *glesia* bien lidiada."

GLORIA. De gloriam.

'gloria, cielo':

Diez Mandamientos, 382.16: "e en l'otro la *gloria* del paradiso."

Buenos Proverbios, 53.16: "Pues tu vida es en *gloria* perdurable."

Reys d'Orient: 7-8: "La *gloria* tamaña será / que nunca más fin habrá". La cita es corrección de Alvar, que lee *gloria* en lugar de *gloriosa,* como dice el manuscrito.

Berceo, Duelo, 11c: "Ca eres en la *gloria* de Dios nuestro Sennor."

Alexandre (P), 1792d: "El bueno verá *gloria* qual non sabrá pedir."

'gloria, honor':

Fazienda de Ultramar, 72.22: "Sabet que Dios nos aduxo de tierra de Egypt e mannana veredes la *gloria* del Criador."

Apolonio, 114a: "El Rey de *gloria*."

Alexandre (P), 2192c: "Oujeron de grant *gloria* a cuyta a venir."

'contento, placer':

Nobleza y Lealtad, V: "Esfuerço e fortaleza son *gloria* de voluntad e grandeza de corazón."

Berceo, Sto. Dom., 316c: "Façer a Dios serviçios, essa era su *gloria*."

'vanagloria, presunción':

Alexandre (P), 2373d: "Mas suele una *gloria* en ellos abitar."

'Glorias, oraciones de difuntos':

Fuero de Soria, 111.23: "El primer anno que el defunto fuese finado, por onrra de sus parientes, uayan a las *glorias* a casa del defunto."

Documentaciones posteriores: don Juan Manuel; Juan Ruiz.

1222c; Rimado de Palacio, 1c; APal.; Nebrija. Frecuente en todas las épocas.

GLORIARSE. V. Gloria.

'gloriarse, alabarse'; 'honrarse':

Berceo, Sto. Dom. 721a: "El Señor que te tiene, por más se *gloriar* / quiere ti esse dia de la cueua sacar."

Alexandre (P), 2379d: "Tanto que se deleyta en ello *gloriar*". En O, 2237d: *glorificar*.

Documentaciones posteriores: APal.; Nebrija; Celestina (V. Corom., DCELC., s. v.).

GLORIFICAR. De glorificare.

'glorificar, alabar':

Poema del Cid, 335: "Pastores te *glorificaron,* ovieron te a laudare."

Buenos Prov., 10.28: "El Señor... sea sanctificado e *glorificado."*

Berceo, Mil., 460c: "A ti e a tu madre, todos *glorificamos."*

'estar en la Gloria':

Berceo, Duelo, 13b: "Ca so *glorificada."*

Documentaciones posteriores: APal.

GLORIOSA. V. Gloria.

Sust. 'la Virgen':

Cid, 221: "Vuestra vertud me vala, *Gloriosa,* en mi exida e me aiude."

Reys d'Orient, 33: "Dezir vos he una cosa / de xpistus e de la *gloriosa."*

Berceo, Sto. Dom., 1b: "E de Don Ihesu Christu, Fijo de la *Gloriosa."*

Fnán. Glez., 635d: "Sy desto vos falliere falescam'la *Gloriosa."*

Berceo usa con frecuencia esta designación de la Virgen María, conocida en multitud de textos medievales. Para empleos idénticos en nuestra literatura gallego-portuguesa, véase F. De Cunha "O cancionero de Joan Zorro (1949). Véase para esto Alvar, *Reys d'Orient,* Vocabulario.

GLORIOSO. V. Gloria.

Adj. aplicado al Señor:

Cid, 330: "Ya señor *glorioso,* padre que en el çielo estás."

Alexandre (P), 1016c: "Señor, diz, tú me valas padre rrey *glorioso*."

'noble, honrado':

Berceo, Sto. Dom., 226a: "El confessor *glorioso*, un cuerpo tan laçrado."

'noble, espiritual':

Nobleza y Lealtad, VII: "Castidad es vencimiento de voluntat e *gloriosa* naturaleza.

'hermoso':

Alexandre (P), 1229a: "El mes era de mayo el tienpo *glorioso*."

GLOSA. De glossam, gr. γλωσσα.

'explicación, comentario':

Alexandre (P), 1935d: "Descobrir vos he el testo, enpeçer vos la *glosa*."

Documentaciones posteriores: Juan Ruiz, 927b; Poema de Yuçuf, 132a; Proverbios morales de Don Sem Tob, 2.2; A. Pal. y Nebrija.

GOLGOTA.

'el monte Gólgota':

Poema del Cid, 348: "Pusieronte en cruz por nombre en *Golgotá*."

Observa Menéndez Pidal que lleva el acento etimológico de las voces hebrea y latina. Modernamente se sigue la acentuación latina (V. Menéndez Pidal, Cid, Vocab.).

Fazienda de Ultramar, 203.7: "Ad aquel logar dizen *Golgota*."

GOMITO. (Por *vómito*). De vomĭtum.

'vómito':

Alexandre (P), 2579c: "Demandó una copa por *gómito* fazer."

GRACIA. De gratiam.

'gracia divina':

Documentos lingüísticos de 1220 (M. Pidal, 167): "Cumo yo, donna Sancha, por la *gracia* de Dios abbadessa del monesterio de Burgos."

Documento de 1227 (M. Pidal, 86): "*Gracia* de Dios."

Santa María Egipciaca, 490: "Llena fuste de la ssu *gracia*."

El Bonium, 74.26: "E da fruto de *gracia*."

Fazienda de Ultramar, 43.1: "Por la *gracia* de Dios."

Berceo, Duelo, 1c: "Si ella me guiasse por la *gracia divina.*"

'favor, privilegio', 'perdón':

Cid, 50: "Del rey non avie *gracia.*"

Cid, 2068: "Los bendixieron e dieron les su *gracia.*"

Cid, 2682: "Hyré con vuestra *gracia.*"

El Bonium, 288.1: "...dieron salto a Dario dos de los sus mayorales por matarlo por tal que hoviessen la *gracia* de Alexandre."

Fuero de Soria, 22.7: "Et por esta *gracia* que ha la collation de Sancta Cruz."

Fazienda de Ultramar, 49.33: "E enbiól dezir a mio sennor Esaú por trobar *gracia* delant él."

Fazienda de Ultramar, 52.24: "Trobó *gracia* delant Furtifar Josep."

Flores de Filosofía, 26.18: "E sabed que la *gracia* del rey es el mejor bien terrenal que omne puede aver."

Nobleza y Lealtad, VII: "...por tal de aver la su *gracia* e mercet."

Poridat de poridades, 44.9: "Alexandre, entendet este dicho e preçiat lo mucho, ca por la nuestra *gracia* mucho y dix de sciencia et de philosophía."

'acción de gracias':

Poema del Cid, 248: "¡*Gracias*!"

Diez Mandamientos, 382.14: "E amos den *gracias* a Dios."

Buenos Proverbios, 32.4: "E *gracia a Dios.*"

Fnán. Glez., 136b: "Rendieron a Dios *gracias* que les avya guiados."

'don de Dios':

Nobleza y Lealtad, XXXVI: "Que muchas bezes envía Dios su *gracia* en personas que non se podia pensar."

F. de Sepúlveda, § 254. (V. Alvar, Vocab., s. v.).

Apolonio, 656b: "El (Señor) nos da la ssu *gracia.*"

Documentos posteriores: Juan Ruiz, 682b; Rimado de Palacio, 13a.

GRACIOSO.

'lleno de gracia, generoso':

Nobleza y Lealtad XII: "Largueza es contetamiento de voluntad, e *gracioso* deseo."

Fazienda de Ultramar, 82.4: "Sennor, Sennor, poderoso e piadoso e *gracioso.*"

Himnos III, 7c: "E con el Spiritu Sancto de donos *gracioso.*"

GRAMATICA. De grammatĭca, gr. γραμμάτιχα.

'ciencia de la gramática':

Buenos Proverbios, 13.8: "Y despues de aquesto muestra la *gramática* a versificar."

Apolonio, 350c: "Apriso bien *gramática* e bien tocar viu[e]la."

Alexandre (O), 38a: "Connesco bien *grammática,* sé bien toda natura."

Documentaciones posteriores: Don Juan Manuel, Libro del Caballero e del Escudero, cap. XXXI, 1.37; APal.; Setenario; Buenos Proverbios.

GRAMATICO. V. GRAMÁTICA.

'conocedor de la gramática':

El Bonium 244.3: "E fisolo ay su padre llegar a los rretóricos e a los versificadores e a los *gramaticos,* e apriso dellos nueve años."

Poridat de poridades, 48.19: "La duodecima (manera) que sepa muy bien escreuir, et que sea *gramatico,* et retenedor de las eras del mundo."

Reyes Magos,122: "i por meos *gramatgos.*"

GRECIA.

Fazienda de Ultramar, 182.30: "rey es de *Grecia.*"

Berceo, S. Lorenzo, 6.

GRECIANO. V. GRECIA.

'griego':

Alexandre (P), 2002c: "al rey *greciano.*"

GREGORIO.

'nombre de persona':

Documentos lingüísticos 183 (1235) Villamayor de los Montes (Burgos): Entre los firmantes: "*Gregorio* de Landrades."

El Bonium, 366.4.

GUARNICION.

'armadura, defensa':

Alexandre (P), 168c: "nol presto mygaja toda su *guarnición*."
Alexandre 1682c: "veye que nol fincaua njnguna *guarnición*."
Poema de Fernán González, 64a: "Faredes della fierros, e
de sus *guarniçiones* / rejas e açadera...".
En Poema del Cid *guarnizon*: en Berceo, San Millán, 428c.
guarniçon. (ed. Dutton).

H

HABITAR...De habĭtare.
'habitar, vivir':
Docs. ligüísticos, 213 (1230) Molina, Sigüenza: "...e a todos los frayres que in la casa *habitaran.*"
V. Abitar, Abito, Abitamiento.
HECTOR.
Alex. (O), 302c.
HECUBA.
Alex. (P), 332a.
HELONIA, HOLONIA...Probable corrupción de *chelidonia.*
'Nombre que deban en el Occ. a una especie de *celidonia*':
Véase Simonet, Glosario, s. v.
HERCULES.
Alexandre (O), 15d: "Semeiaua *Hércules*". En P., *Ercoles.*
HEREDITARIO. Quizás latinismo pleno.
Doc. ling. de 1.200 (M. Pidal, 155): "damos e atorgamos la agua que... a uos don Epsalón, abbat de Bussedo e tot el conuent ibidem Deo servientibus, iure *hereditario*..."
HERENCIA. De haerĕntĭa.
'bienes que se heredan':
Doc. ling. de 1.210 (M. Pidal, 268): "...e de casas e de solares, quanto ad ellos pertenecje de *herencia* de so padre". En el mismo doc., *erentja* y *herentia.*
Fuero de Soria, 115.14: "...que heredarie su padre o su madre de qual parte les uiniere el *herençia,* si biuo fuere."

Fuero de Sepúlveda, §252.17: "Del que oviere *erencia* en frontera." 'hacienda de bienes raíces' (Alvar, Vocabulario).

Según Corominas *herencia* sufrió el influjo semántico de *heredad, heredero* y su familia, tomando el significado de 'bienes y derechos que se heredan' (DCELC).

HERMITA. V. ERMITA.

HIPOCRESIA. V. IPOCRESIA.

HISTORIA. De historiam.

'hechos históricos':

Fazienda de Ultramar, 85.8: "Estos conpeçaron estas *istorias.*"

'historia, fuente escrita':

Berceo, Sac., 64c: "Ofrecie Melchisedek, como diz la *historia.*"

V. ESTORIA.

HOLOCAUSTO. De holocaustum.

'sacrificio':

Fazienda de Ultramar, 68.18: "e faremos *holocausto* al Criador e fiesta."

Alexandre (O), 499d: "Por fer sus *holocaustos* matavan los ganados."

Corominas no lo documenta hasta el siglo XVII.

HOMERO.

'Homero, el poeta griego':

El Bonium, 114.7: "*Omirus* fue el más anciano versificador..."

Poridat de las Poridades, 31.9: "*Homero* el Mayor."

HOMICIDA. De homicida.

'homicidio':

Fazienda de Ultramar, 161.26: "...ca vuestras manos son plenas de *homicidas.*"

Homicida debe ser error por *homicidio.*

V. OMECIDIO.

HOMICIDIO. V. OMECIDIO.

HONESTAD. Deriv. de honĕstus.

'honestidad':

Berceo, Duelo 205c: "Conseio de las almas, flor de grant *onestat.*"

HONESTO. De honĕstus.

Berceo, Sac., 245c: "Quando en cruz fue puesta la persona *honesta.*" 'el Señor'.

HONORIFICENCIA. De honorificentiam.
'honor, gloria':
Berceo, Sto. Dom., 189d: "Pora Sancto Domingo dar *hono-rificencia.*"

HORACIO.
Alexandre (O), 1712d. En P. 1853d: *Ouidjo.*

HOSPITAL, HOSTAL. De hospĭtalem.
'hospital, monasterio, convento':
Doc. ling. de 1.184 (M. Pidal, 305): "...Si por propia salut del *ospital* de los captivos."
Doc. ling de 1.214 (M. Pidal, 209): "el *ospital* de Quinta-niela."
Doc. ling. de 1.237 (M. Pidal, 56): "...e connosçemos que vendemos auos, don Iohan, prior del *hospital* de Frías..."
Berceo, Sac., 50d: "Que non se acostassen a essi *hospital.*"
Otras documentaciones: Doc. aragonés de 1.154 (Oelschlä-ger), *spital*; don Juan Manuel, *ospital.*"

HOSPITALERO. V. Hospital.
Doc. ling. de 1.228 (M. Pidal, 87): Entre los testigos: "Juan Martin, el *ospitalero* de Logrono."

HOSTIA. De hŏstĭam.
'la Hostia consagrada':
Fazienda de Ultramar, 215.5: "e en media la sethmana faldra la *hostia* e el sacrificio."
Berceo, Sac., 23c: "Todo esto remiembra la *hostia* que que-branta."
Documentaciones posteriores: don Juan Manuel; Libro de los Estados, 504.23; Libro del Cavallero e del Escudero, cap. XVII.

HOXANNA. De hosanna.
Simonet lo atestigua en el C.C. Esc. (1049) y en C. Bíblico Matritense (V. Glosario, s. v.).

HUMANAL. V. Umanal.

HUMANIDAD. De humanĭtatem.
'humanidad, propio del hombre'; 'naturaleza humana':
Santa María Egipciaca, 491: "en ti priso *humanidat.*"
Fazienda de Ultramar, 44.11: "la qual linnage veno Christus segunt la *humanidat.*"

El Bonium, 218.2: "e se consume la tu *humanidad* en la tierra."

Berceo, Sto. Dom., 632c: "Fiçieron contra el, toda *humanidat.*

Documentaciones posteriores: don Juan Manuel, Libro de los Estados, 474.8; Libro del Cavallero e del Escudero, cap. XXXVIII; Rim. de Pal., 1640a E.

V. UMANIDAD.

HUMANO. V. HUMANIDAD.

'propio del hombre, humano':

Reyes Magos, 95: "in carne *humana* venida."

Berceo, Loores, 41c: "En las *humanas* cosas al fijo ministrabas."

HUMERAL. Deriv. de hŭmĕrus.

'vestidura exterior del sacerdote':

Berceo, Sac., 110d: "Lo ál en las espaldas: dizien le *humeral.*"

HUMILDAT. De hŭmĭlitatem.

'humildad, modestia':

Nobleza y Lealtad, LXIII: "Quando te uieres en mayor poderío entonce sea en ti mayor *humildat.*"

El Bonium, 71.25: "los mirabolanos de la *humildad.*"

Buenos Proverbios, 11.11: "En la *humildat* se acaban todas las cosas."

Flores de Filosofía, 19.14: "e los mirabolanos de la *umiláad.*"

Fazienda de Ultramar, 50.5, *humilitat*: "con gran *humilitat.*"

Berceo, Loores, 24a: "El mensage reçebiste con grant *humildat.*"

Alexandre (P), 2069b: "Quien quier lo puede vençer con *umildat.*"

Documentaciones posteriores: don Juan Manuel, Libro de los Estados, 458.39.

HUMILDE, HOMILDE. De hŭmĭlitem.

El Bonium, 317.19: "E dixo: los sabios quanto son más *homildes* tanto son más sabios."

Nobleza y Lealtad, XVI: "a los buenos e *omildes.*"

Berceo, Sto. Dom., 326b: "*Humilt* e verdadera."

Documentaciones posteriores: Rim. de Pal., 240c, *humil.*

HUMILDOSO, HOMILDOSO. V. Humilde.

'humilde':

Reys d'Orient, 35: "Entraron los reyes mucho *omildosos*."

El Bonium, 284.17: "E que so cercano del *homildoso* e alongado del soberbioso."

Santa María Egipc., 541: "Tú eres duenya mucho *omildosa*."

Poridat de las poridades, 29.10: "Et era *humildoso*."

Flores de Filosofía, 46.6: "Mas debe ser *umildoso*."

HUMILLAR, HOMILLAR y variantes.   V. Humilde.

'inclinarse delante de uno para saludarle':

Cid, 1516: "a Minaya se van *homilar*."

Cid, 2215: "delant se le *omillaron*."

Flores de Filosofía, 48.5: "E quien se *umillare* a Dios."

'humillar':

Buenos Proverbios, 28.30: "si fuere por flaquesa de coraçon, si se le *humillare* o si echare a su mesura."

El Bonium, 215.14: "Conviene el sabio que se non alce sobre el nescio, mas que se *omille* en tanto quanto Dios lo alçó sobrél."

'inclinarse':

Fazienda de Ultramar, 56.16: "Veno Josep a la casa e presentáronle el present e *omillaronse* fasta tierra". En 81.23: "*humilliaronse* a Moysén."

HUMILLOSO. V. Humilde.

'muy humilde':

Berceo, Sto. Dom., 224b: "*Humilloso* e manso, amó obediençia."

V. Omilloso.

HUMIDA. De humĭdus.

Poridat de las poridades, 66.7: "El que a la carne *humida* et blanca..."

HUNCION. De unctionem.

'acto de aplicar un ungüento':

Apolonio, 300a: "Su cosa aguisada por fer la *hunçión*."

V. Unción.

HIMNO, HYMNO. De hymnus.

'himno, cántico':

Berceo, Sac., 43b: "Le laude... es *hymno* que en el alma pone plazentería."

I

IACINTO. V. Jacinto.

IACOB.

'el patriarca Jacob':
Berceo, Loores, 15.
Fazienda, 43.29: *Jacob*.

IACTANCIA. Derivado de jactare.

'jactancia, engreimiento':
Berceo, Milagros, 747b: "Cogió muy gran *iactancia*..."
Alexandre (O), 581d: "Pero los fazedores non cogieron *iactança*."
Docs. posteriores: A. de Guevara, *jactar*.
La acepción señalada procede de la latina 'alabar'.

IDIOTA. De idiotam, gr. ἰδιώτης.

'ignorante':
Berceo, Milagros, 221b: "Que era *idiota*, mal clérigo provado."

IDOLA. De idōlum, del gr. εἴδωλον.

'figura de una falsa deidad a que se da adoración':
Liber Regum, 10.29: "Aquest se fazie tener por Deus a sos omnes e puso la ymagen do so *ydola* en el temple de Iherusalen."
Fazienda de Ultramar, 71.2: "Di a fijos de Israel que posent delant la mar, delant la *ydola* de Caphon."

IDOLATRIA. V. Idolo.

En Alvaro de Córdoba. V. Simonet, Glosario, s. v.

IDOLO. De idōlum, del gr. ἔἰδολον.

'imagen de una falsa deidad':

Buenos Proverbios, 21.27: "Tu dizies que los *ídolos* non tenien pro ni danno."

Nobl. y Lealtad, VII: "...e en el rey Salomón, que adoró los *ídolos.*"

Fazienda de Ultramar, 92.13: "Clamaron al pueblo e a sacrificio de esos *ydolos,* e camió el pueblo e amó sus *ydolas.*"

El Bonium, 158.1: "E los de su tiempo preguntaronle si adorarian en los *ydolos.*"

Berceo, S. Lorenzo, 38c: "Los que oran los *ídolos* non lo deven aver."

Apolonio, 96b: "Fizieron en su nombre hun *ídolo* labrar."

P. Fernán González, 20c: "Conosçieron que eran los *ydolos* pecados."

IDOLATRE. V. Idolo.

'idólatra':

Liber Regum, 1.22: "fo *ydolatre* que fazia las ydolas."

IEIUNIO. De ieiunius.

'ayuno':

Diez Mandamientos, 381.32: "deve façer penitençia de *jejunios.*"

Fazienda de Ultramar, 183.11: "...en *ieiunio.*"

Berceo, S. Millán, 265c: "Por todos los *ieiunios* io nada non daría."

IEREMIAS.

'el profeta Jeremías':

Auto de los Reyes Magos, 41: "los que nos dixo Ieremias."

Berceo, Loores, 16.

IERICO.

Apolonio, 482d.

IFANTE. V. Infante.

IGLESIA. De ecclesiam.

Sta. María Egipciaca, 657: "cabo la *yglesia* de sant Iohan."

Docs. lingüísticos, 28 (1223): *iglesia.*

F. de Sepúlveda, §§ 205, 254: "los clérigos de la *iglesia* lo demanden."

Buenos Proverbios, 3.1: "en la su *yglesia*."

Berceo, Sacrificio, 280d: "Ca non farie la *yglesia* cosa desordenada."

Alexandre (O), 265a: "Toda sancta *Yglesia* dent prisol çimiento."

V. Eglesia.

IHERONIMO. V. Jeronimo.

Berceo, Signos, 1.

ILLESO. De illesum.

'sin mancha':

Berceo, Milagros, 20d: "*Illesa,* incorrupta en su entegredat."

ILLUMI(NA)DO. De illuminare.

'iluminar, dibujar un libro':

Buenos Proverbios, 1.9: "una figura del philosopho *illumi-*
(na)do."

'dar esplendor':

Berceo, S Lorenzo, 20a: "Era sancte ecclesia por él *illumi-*
nada."

IMAGEN. De imagĭnem.

'imagen':

Sta. María Egipciaca, 475: "vio huna *ymagen* de Santa
Marya."

El Bonium, 66.8: "...quando fiso al omne primeramente a
su *ymagen* y a su semejança."

'escultura, pintura':

El Bonium, 292: "e mandoles fazer veynte e cuatro *yma-*
genes de omnes cauadas de dentro."

Documentos lingüísticos, 93 (1241): "una lampada que anda
siempre de noche ante la *ymagen* de Sancta María."

Fazienda de Ultramar, 45.38: "La mugier de Loth torno
la cabeça e (fi)zos *ymagen* de sal."

Fazienda de Ultramar, 157: "...ally puso Manasses las
ydolas, e fizo *ymagines* e aorolas."

Poema de Fernán González, 662a: "Fycieron *ymagen,* com
antes dicho era."

Berceo, Milagros, 318d: "Altar de la Gloriosa rico e mui onrrado. / En él rica *imagen* de precio mui granado."

Alexandre (O), 1904c: "Mandó fer a Apelles *omágenes* destanno". En (P), 2046c: *ymagenes*.

Liber Regum, 10.29. Vid. IDOLA.

Documentaciones posteriores. Juan Ruiz 1242a 'figura', 1205c 'imagen religiosa'; Rimado de Palacio 187a; don Juan Manuel, 469.23.

IMAGINE. V. IMAGEN.

'imagen, estatua':

Fazienda de Ultramar, 93.7: "Maldito el barón que fiziere *ymagine*."

IMAGINACION. De imaginatĭonem.

'fantasía':

El Bonium, 361.12: "el sabio fabla con mediamiento del pensar, e non para mientes a la *ymaginacion,* e el que non es sabio para mientes en la *ymaginacion* e non usa del pensar."

Poridat de poridades, 47.19: "la IIª es que sea de buen entendimiento, et muy sabio, et que sea su *ymaginación* muy ayna de quantol dixieren."

IMNO. V. HYMNO.

IMPERIO. V. EMPERIO.

IMPETRAR. De impetrare.

'pedir, suplicar':

Berceo, Duelo, 203a: "Qui con Dios se aprende duramientre *impetra*."

INCARNACION. V. ENCARNACIÓN.

Liber Regum, 10.23: "A cabo de XLII annos que regnaua Cesar Augustus, fo la *incarnacion* de Ihesu Crist."

INCIDENCIA. De incidentiam.

'incidencia':

Alexandre (P), 1228a: "Las otras *inçidençias* de las gentes paganas."

INCLINAR. V. ENCLINAR.

'inclinar, reverenciar':

Berceo, Milagros, 116c: "Siempre se *inclinava* contra la su pintura."

INCORRUPTO. De incorruptum.

'incorrupto, puro, sin mancha':

Berceo, Milagros, 20d: "Illessa, *incorrupta* en su entegredat."

INCREDULO.

'infiel':

Alexandre (O), 258d: "La cruz... on deuien los *incredulos* prender la mala çisma". En P., 264d: *jncrueles.*

INCREPAR. De increpare. V. Encrepar.

'increpar, reprender':

Berceo, Milagros, 548a: "Empezola el bispo luego a *increpar.*"

Berceo, Sac., 294b: "De la su grant duriçia *encrepolos* assaz."

Documentaciones: Juan Ruiz, *encrepar.*

INDEX.

'el dedo índice':

El Bonium, 164.9: "...quando fablaua mouía el dedo que es dicho *index.*"

INDIA.

El Bonium 287.13: "E quando sopo Dario que Alixandre venia a el fuyando para el rey de *India.*"

Alexandre (O), 234d: "El regno de *Yndia.*"

INDIVIDUE. Latinismo.

'indivisible, referido a la Sma. Trinidad':

Fuero de Sepúlveda, prol. 59: "*individue Trinitatis.*"

INDULYENXIA. De indulgentiam.

En C. C. Escorial. V. Simonet, Glosario, s. v.

Docs. posts.: Juan Ruiz, 1205a.

INFANCIA. De infantiam.

'infancia, niñez':

Apolonio, 583d: "Perdrás todas las cuytas que prisiste en *infançia.*"

Documentaciones posteriores: Rimado de Palacio, 635b; APal.

INFANCON. V. Infante.

'individuo correspondiente a la segunda clase de la nobleza, colocada bajo la de los *ricos hombres* y sobre la simple de los *fijos dalgo*' (V. Menéndez Pidal, Cid, Vocabulario, pp. 718-20); 'infanzón, título de nobleza':

Poema del Cid, *yfançón* (V. M. Pidal, Cid, Vocabulario, s. v.).

Fuero de Soria, 98.7: "Et por ent, si rricos omnes o *inffançones* o otros quales quier que sean a Soria vinieren poblar..."
Fuero de Sepúlveda, 10.42b: "Si algunos ricos omnes, comdes o potestades, cavalleros o *infançiones* de mio regno..."
Berceo, Sto. Dom. 731b: "Que el Padron de Silos non saca *Infaçón*."

Alexandre (P), 185b: "Esfuer non se qujsieron merinas njn *infançones*."

Poema de Fernán González, 661d: "Respondieron le luego mucho (de) buen *infançón*."

Documentaciones posteriores: Juan Ruiz, 1086a; Libro de los Estados, de don Juan Manuel, 498.44; Poema de Alfonso Onceno, 1121c.

INFANTAR. V. Infante.

'dar a luz, parir':
Fazienda de Ultramar, 155.11: "en atal peligro (cuemo) somos cumo la mugier que a *ynfantar* a este suso en la muerte."

INFANTE. De infantem.

'infante, hijo del rey, noble':
Poema del Cid, 1485: "Prisieron el ju(d)izio *ifantes* de Carrión."
Documentos lingüísticos (1213) 163, Grijalbo: "regnante rege Alfonso cum regina Alionor e *infante* Enricho."
Documentos lingüísticos (1282) 329, Béjar. Plasencia: "... commo yo *ynffante* don Sancho, fijo mayor e heredero del muy noble don Alfonso por la gracia de Dios rey de Castiella, de León..."
Documentos lingüísticos (1242) 281, Toledo: "regnant el rey don Fernando con su madre... e con su muger... e con su fijo el *infante* don Alfonso."
Poridad de poridades, 46.6. "Et quando crecio el *yfante* punno el rey de mostrarle sciencias."
Nobleza y Lealtad. Introd.: "para que vos, e los nobles señores *infantes*, vuestros fijos..."
Apolonio, 224c: "Demandó que qual era ell *infante* venturado."
Alexandre (P), 162d: "El *infante* cuando los vió luego los fue ferir."

Poema de Fernán González, 649a: "La *infant*(a) donna Sancha, duenna tan mesurada."

Poema de Fernán González, 622c: "Enbyó la *infanta* esta mensajeria."

Liber Regum, 14.17: "ouo fillo al *ifant* Garcia, el que matoron en Leon, et una filla qui ouo nomne la *ijant* dona Albira."

'infante, niño':

Cid, 269: "Fem ante vos yo e vuestras fijas, / *iffantes* son e de dias chicas."

Berceo, Sto. Dom., 37a: "Vinié a su escuela el *infant* grant mañana."

Alexandre (P), 8a: "Conteçieron grandes signos quando este *jnfant* nasçió."

Documentaciones post.: Juan Ruiz (131c); don Juan Manuel, Libro de los Estados (450.32); Rimado de Palacio (1562b); Poema de Alfonso XI (9d).

1.ª documentación: Cid. *ifante. Infante,* doc. de 1198.

INFERNAL. V. Infierno.

'infernal':

Berceo, Sig., 36d: "Pressos serán los ángeles, ángeles *infernales*".

Nobleza y Lealtad. Intrd.: "La cobdiçia que es cosa *infernal.*"

INFIERNO. De ĭnférnum.

'infierno':

Documentos lingüísticos, 119 (1246): "...sit dampnatus in *infermo* cum Juda traditore."

Documentos lingüísticos, 159 (1209) Villasandino: "et abeat parte con Iudas en *inferno.*"

Fuero de Sepúlveda § 254: "e dicen en el *infierno* postrimero con Iudas el traidor."

Sta. María Egipc., 574: "Del *infierno* quebrantó las çerraduras..."

Buenos Proverbios, 33.14: "y mis mandamientos pasan a los *infiernos.*"

Reys d'Orient 237: "Este fue en *jnffierno* miso / e el otro en parayso."

Fazienda de Ultramar, 51. 29: "Descendré al *infierno.*"

Berceo, Sac. 155d: "Al *enfierno* la otra [sangre] diol mala pescoçada."

Poema de Fernán González 444d: "Con Judas en (el) *inf(y)erno* quando moriese."

Berceo, S. Mill, 100d: "Lo que fizo a Luçifer en *infierno* caer."

Alexandre (P), 1890d: "Jazie dentro en *infierno* con Judas abraçado."

Documentaciones posteriores: don Juan Manuel, Libro de los Estados (486.16); Poema de Alfonso XI (589a).

La forma del plural en Cid y Berceo, mientras que la del singular en el poeta riojano, en Sta. María Egipciaca, y en los documentos de Oelschläger y en los escritores del siglo XIV aducidos por Boggs. (Corom. DCELC).

INFINIDAT.

Berceo, Sta. Oria, 25c: "Vido de *ujsiones* una *infinjdat.*"

INFINITA, INFINITO.

Nobleza y Lealtad — VI: "Sabiduría es cosa *infinita* e depende del *infinito* Dios."

INGENIO. De ingenium.

'ingenio, inteligencia':

El Bonium, 371.1. "adelante en el *ingenio* omne ante que venga la cosa, que despues que la cosa viene fallescen los *engenios.*"

Buenos Proverbios, 63.26: "Y viedovos de los comeres por tal que aguardedes el *yngenio* por endereçar las cosas."

Flores de Filosofía, 63.11: "con seso y con *yngenio*". En otro manuscrito (h): "consejo e non enganno."

V. Engenio.

INIQUIDAT. De iniquitatem.

'iniquidad':

Berceo, Sto. Dom., 770a: "Padre, nuestros pecados, nuestras *iniquitades.*"

Apolonio, 27a: "Maguer por encobrir la ssu *inyquitat.*"

INIMICO.

'enemigo':

Fuero de Madrid, p. 30.23: "et real *inimico.*"

Fuero de Madrid, p. 316: *enemico.*

INJUSTICIA.
   'injusticia':
   Flores de Filosofía, 23.16: "De la justicia e de la *injusticia.*"

INMUNDICIA.   V. ENMUNDICIA.

INOCENTE.   Derivado de nocĕns, -ĕntis.
   'los Santos Inocentes':
   Fazienda de Ultramar, 202.15: "e este Herodes fizo matar
   todos los *innocentes* e todos los ninnos que trobo en tierra de
   Judea e de Israel."
   Berceo, Sta. Oria, 200a: "Entre los *inoçentes* so, madre, he-
   redada..."
   Documentaciones posteriores: Juan Ruiz (166a); Rimado de
   Palacio (53d). Libro de los Estados: *ynocencia.*

INSTRUMENTO.   De instrumentum.
   'instrumento, utensilio':
   El Bonium, 90.4: "toma el / su *estrumento* e dexa el *estrumento* de la carpentería."
   Poridat de poridades 56.19: "...et de los suenos que espantan,
   es que es tal como el *estrumento* que uos yo fiz fazer quando
   lidiaste con Benhael."
   Alexandre (P), 2117a: "Boluyen los *estrumentos* buelta con
   las aues."
   'medio':
   El Bonium, 117, 19-20: "E *instrumento* del sennorio es es-
   paciamiento de coraçon."
   Buenos Proverbios, 26.20: "ca non saber o non connoscer es
   mengua del *estrumento* del bien."
   'instrumento musical':
   Alexandre (P), 2498d: "Muchos los *instrumentos,* muchos
   los tocadores."
   Berceo, Mil. 698b: "los pueblos de la villa pauperes e poten-
   tes / fazien grand alegria todos con *instrumentes.*"
   Berceo, Mil. 9c: *estrument.*
   Documentaciones posteriores: Juan Ruiz 1515 a T, *estrumentos*; Juan Ruiz 203b, *estrumentes;* Poema de Alfonso XI
   406, *estormento;* don Juan Manuel, Conde Lucanor, 84.20,
   esturmento; 51.12, *estormento;* APal., 75b, *instrumento.*

INTEGRA. V. Entegra.

'integra':

Documentos lingüísticos, 111 (1152): "dono mea parte tota *integra* de illas casas que sunt ad parentem de D. Johannes Amargo."

INTELECTUAL. De intellectualis.

'espiritual':

El Bonium 123-124: "muerta es (el alma) porque pierde la vida *intelectual*."

El Bonium, 228.5: "vevimos vida natural por fazer la vida *intelectual*, porende pues que la vida natural non la queremos sinon por la vida *intelectual*, non demos a la virtud natural mas de lo que es necesario para ella."

INTENCIONE. De intentio, -onis.

'intención':

Fuero de Madrid p. 41.2: "per bona *intencione*."

Documentaciones posteriores: don Juan Manuel, Libro de la Caza (72.16).

INTERPRETAR. De interpretare.

'interpretar':

Alexandre (P), 2369b: "otra guisa se deve esto *interpetrar*."

En Alexandre (O): *enterpretar*.

Otras docs.: Berceo, *enterpretador*, así como en la 1.ª Crónica General.

INTERPRETATOR.

'traductor':

Liber Regum, 10.8: "Est Tholomeo ouo LXXII *interpretatores* e torno l'ebien en grec."

V. Enterpretador.

INVIDIA. V. Envidia.

INVIDIOSO. V. Envidioso.

El Bonium, 95.9: "de los malos e de los *invidiosos* e de los nescios."

El Bonium, 99.16: "*envidioso*."

Berceo, Sig., 46a: "Los que son *invidiosos* aquesos malfadados."

IOGLARIA. V. Juglar.
 'juglaría':
 Alexandre (O), 2a: "...non es de *ioglaría.*"
IONGLERIA. V. Juglar.
 'juglaría'; 'burla, broma':
 Berceo, Sto. Dom., 89c: "Por nula *ionglería* non le farien reyr."
 Berceo, San Millán, 384d: "*joglería*", 'juglaría'.
 Probable influjo sobre la forma de la palabra del francés *jongleur.*
IPOCRAS.
 'Hipócrates':
 Liber Regum, 9.11: Ypocras.
IPOCRESIA. Del gr. ὑποκρισία.
 'hipocresía, mentira':
 El Bonium, 332. 19: "Si fizieres bien dirán que lo fazes con *ypocresía.*"
 Buenos Proverbios, 12.4: "La *ypocrisia* es vestido de los torpes."
 Berceo, San Millán, 264d: "Que quebrarie en esta la tu *ipocrisía.*"
 Documentaciones posteriores: Juan Ruiz, 319a; Rim. de Palacio, 1431c; Corbacho; Nebrija.
IPOCRITA. De hypocrïta, gr. ὑποκριτής.
 'hipócrita':
 El Bonium, 333.3: "...e si fueses manso e te allegases a 'los omnes dirán que eres *ypócrita.*"
 Documentaciones posteriores: Rim. de Palacio, 977a.
IRISIUS.
 'iris, piedra preciosa':
 Alexandre (P), 1467a: "*Irisius* sola cosa del sol fuere ferida."
ISAAC.
 Fazienda de Ultramar, 43.29: "*Ysaac.*"
ISAIAS.
 Berceo, Mil., 28c: *Isaía.*
ISMAEL.
 Fazienda de Ultramar, 46.14: "*Ysmael.*"

ISRAEL.

Fazienda de Ultramar, 53.27: "Vinieron fijos en *Israel* en Egipto por país."

ISYNCIO.

'apsyctos, piedra preciosa':

Alexandre (P), 1464a: "*Isynçio* / commo disen es negra espesada."

V. ABSYNCIO.

ITROPICO. Del lat. hydropĭcus, gr. εδρωπιχός.

'hidrópico':

Alexandre (P), 1903c: "Semejas al *itrópico* que muere por bever."

Documentaciones posteriores: Gr. Conq. de Ultr., *drópico.* Rimado de Palacio, *trópico;* APal., *ydrópico;* Nebrija, *idrópico.*

IUBILEO. V. JUBILEO.

IUDICIO. De iudĭcĭum.

'juicio':

Berceo, Sto. Dom., 430a: "*Iudicio* fo del çielo esta tu maiadura". Aparecen las variantes JUDICIO, JUICIO, JUYCIO.

Alexandre (P), 2308d: "*juycio*"; 312b, *juyçio;* 296b, *judiçio,* etc.

Documentaciones posteriores: *Jodicio.* Doc. arag. de 1090. *Ju(v)izio, Cid. Juizio,* G. de Segovia, APal., Nebrija, y general desde el siglo xv. Juan Ruiz, 'sentencia de un tribunal'; Rimado de Palacio, 35c.

V. JUICIO.

IUGLAR. V. IOGLAR.

IULIANO.

'Juliano el apóstata':

Berceo, Loores, 202.

IULIO. De iulĭum.

'el mes de julio':

Berceo Sto. Dom., 378: "En el *iulio* mediado."

Alexandre (O), 835a: "El mes era de *iulio.*"

1.ª documentación: Berceo.

V. JULIO.

IUSTICIA.   De iustitiam.

'justicia':

Apolonio, 640a: "fazer *iustiçia*."

Berceo. Mil. 562a: "Esta cosa non puede sin *iustiçia* pasar."

Alexandre (O), 341d: "Et se que non podremos de *iustiçia* fallir."

1.ª documentación: Documento de 1132. (Oelschläger).

V. Justicia.

IXCAMONIA.

'escamonea, medicina':

V. Simonet, Glosario, s. v.

J

JACINTO. De hyacinthus.

'piedra preciosa, jacinto' ·

Poridad de las poridades, 75.3 : "*Jacinto* es una piedra que se torna del color del día."

Alexandre (P), *iaçinto;* Alexandre (O), *yaçeto;* S. Isidoro, *hyacinthus.*

V. Kasten. Vocabulario.

JACOBO.

'Santiago' :

Doc. lingüístico de 1206 (M. Pidal, 309): "e si el filio de don Garcia muriese que non aia filios, toda la avandicta heredat assi quemo la deuie auer el filio, con quanto que ouiere, remanezca a la orden de sancto *Iacobo,* por sue alma e de sos parientes."

Fazienda de Ultramar, 112.3.

JASPES. De iaspis, gr. ἰάσπις

'piedra preciosa semejante al ágata' :

Poridad de poridades, 74.13 : "El *iaspes* es una piedra que omne que la trae non le podran yerbas empeçer nin fazer mal ninguno."

Alexandre (P), 1449c: "El *jaspis* que es bueno para ome lo traer."

S. Isidoro, *iaspis.*

Docs. posteriores; APal., 233d, Nebrija.

JERONIMO.
'san Jerónimo':
Fazienda de Ultramar, 201.31.
Berceo, Signos, 1: *Iheronimo.*

JESUCRISTO.
Razón de Amor y Denuestos, 251: "así co(m) dize en el escripto, de (mi) fazen el cuerpo de *Iesu Cristo.*"
Reys d'Orient, 3. "El nombre del Salvador" se recoge en el P. del Cid, Berceo y Sta. M.ª Egipciaca. (V. Alvar Vocabulario).
P. de Roncesvalles, 79: "Agora ploguiés al Criador, a mi sennor *Jesuchristo.*"
El Bonium, 349.18.
Nobl. y Lealtad, Introd.: "Nuestro Señor *Jesu Christo.*"

JHERUSALEM.
Reys d'Orient, 5.
Santa María Egipc., 273.
Roncesvalles, 70.
Fazienda de Ultramar, 43.8.
Liber Regum, 3.2.
Alexandre (P), 1.113a.

JOACHIM.
'Joaquín, rey de Jerusalén': Faz. de Ultr., 159.29.

JOGLAR. V. Juglar.

JORDANE.
Roncesvalles, 70: "Pasé Jerusalén, fasta la fuent *Jordane.*"

JUBILEO. De jubilaeus, hebreo yōbel.
Berceo, Loores, 149c: "Era por esti gozo *iubileo* clamado."

JUDEA.
Alexandre (P), 1.111b.

JUDICE. De judicem.
'juez':
Documento de 1169 (M. Pidal, 112): "*Judices civiles...*"
Fuero de Madrid, 42.29: "...a los fiadores e al *iudice.*"
Fazienda de Ultr., 101.15: "...e los cabdiellos e los *iudices* e los prepostes."

JUGLAR.

Berceo, Milagros, 647d: "Caçurros nin *joglares*". En Sto. Dom., 775b: *iuglar.*

Alexandre (P), 1730d: "Que non quiero que digan que so medio *juglar.*"

Femenino: Alexandre (P), 1863b: *juglaresa.* En O., 313d: *iugraressas.*

Apolonio, 483a: *iuglaresa.*

Documentaciones posts.: J. Ruiz, 1440d; don JManuel, C Lucanor, 195.25; P. de Alfonso Onceno, 111c: *juglar.*

JUICIO. De iudĭcĭum.

'juicio, sentencia':

Cid, 3485: "Prisieron el *ju(d)izio* ifantes de Carrión."

Documento de 1.223 (M. Pidal, 28): "Et pasamos por fiador a don Vitores de la Calzada, a *iuditio* del fuero e del rei...

F. de Soria, 17.21; "De todo montadgo, tambien de pasto como de taio, que los deheseros delas aldeas cobraren por *juyzio* de los alcaldes..."

F. de Sepúlveda, § 42b, § 63: "Et todo omne que oviere *juizio* con omne de Sepúlvega."

F. de Madrid, p. 33: "...et cumplan el *iudicio* los fiadores."

Fazienda de Ultramar, 45.21: "Non sé juez en toda la tierra que fyzies este *judizio.*"

El Bonium, 297.17: "...nin jues que tal *juysio* judgase."

Buenos Proverbios, 12.22: "En todas las cosas puede omne fazer arte sinon en *juyzio.*"

Poridad de poridades, 35.15: "...et la lit es contraria al *iuyzio.*"

Flores de Filosofía, 28.10: "...dexe passar la sanna ante que dé *juysio.*"

Alexandre (P), 1227b: "Salomón faze el templo, justos *judizios* dando."

'el juicio final':

Sta. M.ª Egipciaca, 873: "miembrales del grant *juyçio.*"

Diez Mandamientos, 381.38: "demandará el día del *judiçio.*"

'pleito':

Documentos lingüísticos de 1223 (M. Pidal, 29); "...e sobresto fue a *iudizio* con fra Sebastian de Bovada"; Id. 1100 (M. Pidal, 147): *iudicium;* Id. 1209, Burgos (M. Pidal, 161):

yuicio. También aparece la solución *judiço* en el de 1218, Plasencia (M. Pidal, 327).

Fazienda de Ultramar, 149.23: "Alli en Jherusalem iudgo Salomon el *iudicio* a las dues mugeres que contendian sobre los fijos."

'palabras, órdenes', 'normas':

Fazienda de Ultramar, 148.26: "E tu (si) ...myos fueros e myes *iudicios* guardares."

Nobl. y Lealtad, Introd.: "Et aunque sea en sí breve, grandes *juiçios,* e buenos trae ella consigo para en lo que vos mandastes."

'pensamientos buenos':

Fazienda de Ultramar, 161.28: "Mantenet *iudicios* derechos, e yo perdonaré vuestros pecados."

V. IUDICIO.

JULIAN.
'Julián, nombre de persona':
Documento de 1.206 (M. Pidal, 266).

JULIANO.
'Juliano, el apóstata':
Fazienda de Ultramar, 136.2.

JULIO.
'el mes de julio':
Documento de 1.220 (M. Pidal, 168): "Esta carta fue fecha en el mes de julio..."
Fuero de Soria, 46.2: "...fastal postremero dia de *julio.*"
Alexandre (P), 2525a: "Sedie el mes de *julio...*"
'Julio. nombre de persona':
Nobleza y Lealtad, XXIX: *Julio César..*
V. IULIO.

JUNIO. De junius.
Documento de 1.250 (M. Pidal, 120).
Fuero de Soria, 16.9: "Del primer dia de *Junjo,* fasta el dia de Sant Mjguell."
Alexandre (P), 2524a: "Maduravan al *junio,* las mieses e los prados."
1.ª doc.: 1.211 (Oelschläger).

JUNO.
'Juno, diosa mitológica':
Alexandre (P), 324a.

JUPITER.
'Júpiter':
Alexandre (P), 350b: "Rencoróse a *Júpiter,* mostróli la plaga."

JUSTICIA. De iustitiam.
F. de Madrid, p. 33.26: "faciant una *iusticia.*"
Fazienda de Ultramar, 146.15: "...e por dar a el segunt sue *justicia.*"
El Bonium, 73.3: "...en las poridades ascondidas de la *justicia.*"
Poridad de las poridades, 29.10: "e emana *iustiçia* et verdat."
Buenos Proverbios, 11.17: "Con *justicia* vence omne los enemigos."
Flores de Filosofía, 20.13: "e la tercera es la *justicia.*"
Nobl. e Lealtad, Intrd.: *justicia.*
Liber Regum, 16.14: *iusticia.*
Apolonio, V. IUSTICIA.
Berceo, V. IUSTICIA.
Alexandre (O), V. IUSTICIA.
P. de Fernán González, 67d: "E quel den (a) tal *justyçia* com(mo a) tr(a)ydor provado."
'Justicia', personificado:
Fazienda de Ultramar, 161.31: "*Justicia* mouie en ella, e agora homicidio."
'justicia, cargo oficial':
Documentos lingüísticos de 1223 (M. Pidal, 28): "...e enviolo querelar a Roi Gonzalvez de Lutio, qui era *justitia* del rey don Alfonso."
F. de Sepúlveda, § 69.96 (V. Alvar. *Vocabulario*).
'castigo':
F. de Sepúlveda, § 242 (V. Alvar. *Vocabulario*).
F. de Soria, 24.9: "...prender los mal fechores e fazer *justiçia* dellos en esta manera."
'sentencia':
F. de Sepúlveda, § 68.71 (V. Alvar. *Vocabulario*).

JUSTICIADOR. V. Justicia.

'que hace justicia':

El Bonium, 105.13: "...e jues *justiciador*."

JUSTICIAR. V. Justicia.

'ajusticiar':

F. de Soria, 36.6: "e (los andadores) *justiçien* los malfe-chores."

Alexandre (P), 112a: "Quando auje el rey a *justiçiar* ladron."

P. de Fernán González, 67c: "Mando que (luego) el su cuerpo sea *iustiçiado*."

'castigar':

Fazienda de Ultramar, 56.37: "Dixu Juda: que non *justicio* Dios por el peccado que fiziemos e seremos siervos de ty, mio sennor."

JUSTICIERO. V. Justicia.

'justo':

Flores de Filosofía, 20.16: "e el rrey *justiciero* es guarda de la ley."

Nobl. y Lealtad, XVIII: "que el principe que non es *jus-ticiero* e non obra justicia, non es digno de su oficio."

Poridad de las poridades, 43.7: "...que mas uale rey *iusti-ciero* por la tierra que grant lluuia."

JUSTIFICAR.

'hacer justicia':

Fazienda de Ultramar, 146.15: "...por *justificar* el justo e por dar a el segunt sue justicia."

Docs. posteriores: Rim. de Palacio, 1230d.

JUYCIO. V. Juicio.

L

LACERIO, LAZERIO, LAZERYO. De lacĕrium.
'sufrimiento, padecimiento, miseria':
Fazienda de Ultramar, 62.4: "Castiga a sos merinos que los (a) gravassen del *lazerio*."
Fazienda de Ultramar, 126.10: "E dixo el Rey. Sit salve Dios quet salvaré de la *lazería* e del travaio."
Flores de Filosofía. 21.18: "nyn bien nyn *lazerio*."
Buenos Proverbios, 18.21: "e por el oro e por la plata viene la *lazeria.*"
Poridat de poridades, 53.2: "...et ser uos a muy lieue la *lazeyra* que an los otros en ordenarlos et en fazer les uenir."
Poridat de poridades, 53.22: "et facerse a lo que uos quisieredes mas ayna et sin *lazerio*."
El Bonium, 76.1: "...que empleara bien la *laseria* que havia pasado fasta aquel dia."
El Bonium, 143.2: "Tu, mancebo, si non sofrieres el *laserio* de aprender havras a sofrir el *laserio* de la necedad."
Apolonio. 585a: "Mientre que él contava su mal e su *laçerio*."
Berceo, S. Mill, 33d: "Con todo el *lazerio*, avíe grant alegría."
Alexandre (P), 880d: "todo nuestro *lazerio*."
Poema de Fernán González, 519b: "Por el muy mal *lazerio* que (vos) non desmayades."
Documentaciones posts. G. de Segovia; Rimado de Palacio,

lazerio Setenario, Calila; Juan Ruiz; Conde Lucanor; Alfonso XI, *lazeria*.

LADRONICIO.   De latrocinĭum.

Diez Mandamientos, 380.10: "o consiente o cubre *ladroniçio*."

LAGRIMA.   De lacrĭma.

'lágrima, llanto':

Reys d'Orient, 157; "...sino cayer *lagrimas* por su faz."

Santa María Egipc., 1030: "Las *lágrimas* corren por su faz."

Fazienda de Ultramar, 156.15: "Oy tu oración e vi tu *lácrima* e yo ennadré en tos dias XV annos."

Nobleza y Lealtad, XXXIX: "Non se muevan tus orejas a las *lágrimas* e decires de las simples personas."

Berceo, San Millán, 310d: "Vertiendo vivas *lágremas* de sospiros cargadas."

Apolonio, 326c: "Siempre traye de *lágrimas* la cara remoiada."

Alexandre (P), 1217b: "Que non podian los otros las *lágremas* tener."

Documentaciones posteriores: don Juan Manuel, Conde Lucanor, 221.20; Juan Ruiz, 741d; Rimado de Palacio, 34c.

LALATIRES.

'piedra preciosa':

Alexandre (P), 1459a. En O, 1317a: *calatides*.

LAPIDA.   De lapĭdam.

'lápida, piedra, losa':

Berceo, Sac., 270d: "Significa la *lápida,* assi lo diz el dictado."

1.ª doc. en Berceo y no vuelve a aparecer hasta mediados del siglo XVII.

LAPIDAR.   V. Lápida.

'lapidar, matar a pedradas':

Apolonio, 559d: "Non fuesse *lapidado* o muerto a espada."

Alexandre (P), 1886a: "Demandado fue Filotas por seyer *lapidado*."

LATIN.   De latine.

'lengua latina, romance':

Fazienda de Ultr., 43.7: "como ovieron nombre en *latín*."

Buenos Proverbios, 1.5: "e traslandamosle nos agora de arabigo a *latín*."

Poridad de poridades, 31.15: "et començe con ayuda de Dios...

a trasladarlo de lenguage de gentiles en *latin* et de *latín* en aráuigo."

En Ibn Chochol, Ibn Buclárix, etc. Véase Simonet, Glosario. Plural 'escritos latinos': Apol., 31d: "Rezo sus argumentos, las fazannas caldeas e *latines* tres o quatro vegadas."

Documentaciones posteriores: Don Juan Manuel, Libro de los Estados, 510.21; Poema de Alfonso XI (1928a); Libro de Salomón (43.15b); Tratado de la Asunçion (1.9).

LATINADO.   Part. de latinare. V. M. Pidal (Gram., p. 117.1). 'ladino, que sabe la lengua romance':

Poema del Cid, 2667: "Un moro *latinado* bien que ge lo entendió."

LATINIDAT.   V. LATÍN. 'latinidad', 'lenguaje latino':

Berceo, Himnos 1, 3d: "Tu fáçes a los barbaros fablar *latinidat.*"

LATINO.   V. LATÍN. 'la raza latina':

Alexandre (P), 1493a: "Los unos son *latinos,* los otros son ebreos."

Adj. 'en lengua latina': Berceo, Sto. Dom., 1c: "ca non so tan letrado por fer otro *latino.*"

LAUDAR.   De laudare. 'loar, alabar':

Cid, 335: "Ovieron te a *laudare.*"

Berceo, Mil., 138d: "Levarónla al çielo, Dios sea end *laudado.*"

Alexandre (P), 2562d: "Señor, *laudado* seas, que lo deves estar."

Apol., 61d: "Deviemos a tal Señor *laudar* e bendizir."

Poema de Fernán González (A.Z.), 680c: "al Rey de los çielos bendezian e *laudaban.*"

1.ª documentación: Cid. En Berceo se encuentra junto a *loar.* Documentaciones posteriores: Juan Ruiz, 1639c.

LAUDE.   De laudem. 'cántico de alabanza':

Apolonio, 178d: "Começo una *laude,* omne non vió atal."

Berceo, Sto. Dom., 270d: "Unos cantauan *laudes,* otros diçien canciones."

LAURENCIO.

'Lorenzo':

Berceo, 242a; "Violo San *Laurencio.*"

LAZARO.

'Lázaro':

Berceo, Sto. Dom., 319a: "De la soror de *Lazaro* era much
enbidiosa."

LECCION, LECTION, LICION.   De lectionem.

'lección':

Nobleza y Lealtad. XII: "Largueza es *lección* de vertudes
e nobleza de voluntad."

Apolonio, 354d: "Su *liçion* acordada viny a almorzar."

Berceo, Sto. Dom., 567a: "La *lection* acabada, que es de
sapiençia."

Alexandre (O), 17a: *"liçion".* "Aprendía de las VII. artes
cada dia *liçión."*

Documentaciones posteriores: Partidas y aún en el Siglo del
Oro, *"liçion".* Don Juan Manuel, Libro de los Estados (511.22);
Rimado de Palacio (1254a: *liçion); Juan* Ruiz (1131b: *lyçion).*
Nebrija prefiere *leción.*

LECTUARIO.   De electŭarĭum.

'electuario, bebida medicinal', 'productos de repostería':

Poridat de poridades, 68.3: "Et prendet cadal dia del *lectuario* del ligno aloe et del ruybarbo."

Berceo, Sac., 35d: "Que daba más dulce fumo que un dulz
lectuario."

Apolonio, 488b: "Yo trayo *letuarios* e espeçia tan sabrida."

Alexandre, 888b: "De todos los más finos tempró sus *letuario."*

Documentaciones posteriores: Juan Ruiz 1336a; Siete Partidas, IV, 2,9; Conde Lucanor: *Electuario,* 1680.

LEGACIA.   Deriv. de legatum.

'mensaje, comisión':

Alexandre (P), 2488d: "que mas gent non pesava en esta
legaçia."

LEGION.   De legionem.

'legión':

Fazienda de Ultramar, 112.28: "Vyo Ihesu Christo, demoniado e echo de so cuerpo V mil e de e LXVI diablos, una *legion* entera."

Alexandre (P), 934c: "Que serían a lo menos bien doze *legiones*."

Poema de Fernán González, 196d: "Serien unos por cuenta de cinco mill *legiones*". A. Z. corrige: "cinco *legiones*."

Otra documentación: 1.ª Crónica Gral.

LEGIONARIO.   De legionarius.

'legionario':

Alexandre (P), 1531d: "Puso *legionarios* sobre las legiones."

LEGISTA.   De legistam.

'legista, abogado, jurisconsulto, legislador':

Berceo, Loores, 10d: "Rey fue et obispo, et savidor *legista*."

Alexandre (P), 329d: "Semeiavan las duennas unas fieras *legistas*". En O. 322d: *iuristas*.

LEGITIMO.   De legitimus.

Fuero de Soria, 116.18: "Et si fijos *legitimos* ouiere dotro marido ante que casasse con este..."

Berceo, Sac., 27a: "El Saçerdot *legitimo* que nunca descamina..."

Documentaciones posteriores: Poema de Alfonso XI (112d); don Juan Manuel (Libro de los Estados, 535.18); Juan Ruiz (4b); Rimado de Palacio (1579a: *ligitimo*).

LENTERNA.   De lantĕrna, gr. λαμπτήρ.

'linterna', 'lámpara':

Berceo, Sto. Dom., 531d: "Lucerna de grant lumne en *lenterna* oscura."

Du Cange (Cbos. IV) dice. "*lenterna* es species vasis."

En Zifar: *linterna*. (13,8); APal, 255d. (V. DCELC).

LEPIDION.   De lepidium.

'el mastuerzo silvestre':

En Ibn Chólchól. Véase Simonet, Glosario, s. v.

LEPRA.   De lĕpram.

'lepra':

Berceo, Sto. Dom., 478d: "Mas non pareçio de la *lepra* un grano."

Fazienda de Ultramar, 67.12: "...e sera gofedat en toda

tierra de Egypto e *lepra* que se levantara a ampollas en toda la tierra."

LEPROSA.   V. Lepra.

Fazienda de Ultramar, 63.32: "Mete to mano en to seno. E metiola e sacola *leprosa* e blanca commo la nief."

LESION.   De laesionem.

'lesión, daño':

F. de Soria, 139.11: "...o sil fiziere cosa por que deua morir o prender *lision.*"

F. de Sepúlveda, § 45: "De *lisión.* Qui quebrantare oio..."

F. de Madrid, p. 38.2: "De fidamento per morte aut per *lisionem.*"

El Bonium, 94.8: "E si vierdes en alguno alguna *lision* o alguna tacha o algund estado feo non le denostedes."

Alexandre (P), 1209b: "Porque non vos tenades de nula *lisión*". En O. 1180b: *occassion.*

Berceo, S. Millan, 119d: "Tú me defendi oy d'esti tan fuert bestion, [com] él sea vençudo e yo sin *lisión.*"

'pecado, mancha':

Berceo, Loores, 7d: "Et tu pariste Virgo sin toda *lesión.*"

LETANIA.   De lĭtanĭa.

En C. C. Esc. (V. Simonet, Glosario).

'historia':

Berceo, Milagros, 97a: "Contólis por su lengua toda la *ledanía.*"

Alexandre (O), 58c: "Non farien de Achilles tan longa *ledanía.*"

Fernán González, 267a: "Por non vos detener en otras *ledanías.*"

'letanía', 'canto litúrgico':

Berceo, S. Millán, 33b: "Reçava bien sus oras, toda su salmodía, / los imnos e los cánticos, toda la *ledanía.*"

LETUARIO.   V. Lectuario.

LETICIA.   De laetitia.

'alegría':

Buenos Proverbios, 25.27: "e la *leticia* es lumbre."

Apolonio, 527b: "Que en otra *letiçia* le pudiesse tornar."

Berceo, Duelo, 47c: "Qui fablarme quisiesse palabras de *le-tiçia*."

Alexandre (P), 1210: "mas por esto deuemos *letiçia* demos-trar."

LETUARIO. V. Lectuario.

LEVITA. De levitam (lat. tardio, del hebreo lewi).

'levita, diácono':

Berceo, S. Lorenzo, 70a: "Disso el sancto bispo al su *levita* sancto."

'sacerdote israelita de la tribu de Leví':

Fazienda de Ultramar, 197.19: "los sacerdotes e los *levitas*."
Corominas (DCELC) lo documenta por primera vez en 1542 con la acepción 'sacerdote israelita'; 'prenda de vestir' en Acad. en 1843.

LEXATIVO. De laxativum.

'laxativo':

Apolonio, 308b: "Aguiso hun hunguente caliente e *lexativo*."

LIA.

'esposa de Jacob':

Fazienda de Ultramar, 43.70.

LIBANO.

Fazienda de Ultramar, 150.5: "Estonz guarnio Salomon una casa en Monte *Libano*"

LIBERAL. De liberalem.

'generosa':

El Bonium, 209.14: "el sabio que es de *liberal* alma es sennor de la natura."

LIBIA.

El Bonium, 69.9.

Alexandre (P), 1149b. En O., 1353c: *libiano*.

LIBRE. De lïber.

Fuero de Soria, 90.19: "...e despues que pagare lo que deuiere, quel finque su rraiz *libre* e quita dent adelant."

LIBRO. De lïbrum.

Cid, 3731 en el explicit de Per Abbat: "Quien escrivió este *libro* del Dios parayso, amem."

F. de Sepúlveda, § 254: "Et yo rrey don Alfonso et mi mugier donna Ignés mandamos fazer aqueste *libro* d'este fuero."

Diez Mandamientos, 382.15: "El preste que este libro aiuva."

El Bonium, 66.1: "Este *libro* es llamado..."

Buenos Proverbios, 1b: "Este es el libro de los Buenos Proverbios."

Flores de Filosofía, 34.12: "Et sabet que el mundo es commo el *libro*."

Nobleza y Lealtad, 1: "*Libro* de todas sciençias."

Fazienda de Ultramar, 74.1: "Escribo este remembrança a *lybro*."

Berceo, San Millán, 317d: "Ca el segundo *libro* en cabo lo tenemos."

Apolonio, 322d: "Deuye seyer escripta, en hun *libro* notada."

Alexandre (P), 5a: "Quiero fer un *libro* que fue de un rey pagano..."

LICENCIA. De licĕntiam.

'licencia, permiso, autorización':

Documento de 1.241 (M. Pidal, 93): "...con *licencia* de mi senior el abbad..."

El Bonium, 198.17: "Non es sabio el que da *licencia* por fazer mal."

Buenos Proverbios, 48.6: "¿Cómo pudo entrar la muerte en la tu cámara sin *licencia*?"

Berceo, Milagros, 92c: "Quando ixió de casa, de mí priso *licencia*."

Apolonio, 255b: "Que me des *licencia* de buena voluntat."

Alexandre (P), 1900a: "En cabo sy oujesses *liçençia* o vagar..."

LICION. V. Lección.

LIDIA.

'Lidia, país de Africa':

El Bonium, 69.12.

LIGNO. De lignum.

Poridat de poridades, 68.3: "Et prendet cadal día del lectuario, del *ligno aloe* et del ruybarbo."

LILIO. De lilĭum.

En Ibn Buclárix, Ibn Wáfid, Ibn Chólchol, etc. Véase Simonet, Glosario, s. v.

Razón de Amor, 46: "...y el *liryo* y las violas."

Fuero de Sepúlveda, § 144: "Qui cogiere rosas o *lilio*."

Berceo, Sta. Oria, 28d: "Que fue más bella que nin *lilio* nin rosa."

Alexandre (O), 540c: "Ornaron los altares de rosas e de *lilios*". En P., 552c: "*lirios*."

Documentaciones posteriores: Según Corominas *lirio* desde 1400 y antes *lilio* (1220-50). Aparece también en Documentos de Ultramar, p. 377a; en el F. de Plasencia, 131, etc.

LIMNAR. De liminarem.

'liminar, umbral, dintel de la puerta':

Berceo, Sacrificio, 163c: "De las sanctas palabras essi es el *limnar*."

LIMOSNA. De eleemosina.

'limosna, ayuda':

Documento de 1.184 (M. Pidal, 305): "...e que sea por siempre ualedera la carta, que el antedicho capital dé *helemosina* a los captivos."

Documento de 1.224 (M. Pidal, 171): "Hy recebimos nos en quantos bienes y en quantas *alimosınas* hy quantas oraçiones fueren fechas en esta casa."

Documento de 1.225 (M. Pidal, 48): "Esta *helemosina* a esta heredad assi commo es nomnado..."

Documento de 1.241 (M. Pidal, 280): *halmosna*.

Diez Mandamientos, 381.31: "...deve tornar lo ageno e por perdón e por *almosna*."

Flores de Filosofía, 59.11: "E la mejor *alimosna* que omne puede fazer..."

El Bonium, 87.2: "Quando la *limosna* es en los flacos que la han menester..."

El Bonium, 244.6: "...e tornose en trabajar e bien fazer a los omnes e *alimosna* a los pobres."

Fazienda de Ultramar, 126.22: "...e salieron los gafos de la villa por pedir *almosnas*."

Berceo, Milagros, 135c: "...ca partiés tus *almosnas,* diziés Ave María."

Apolonio, 132b: "Que las limosnas aya sin grado a pedir."

Alexandre (P), 1596a: "Los que con grant vergüença han *alimosna* pedir."

LINENCIA.   Probablemente de negligentiam.
'daño, lesión':
Fuero de Soria, 53.4: "...o omne flaco por vejez o linençioso de tal enfermedat o de tal *linençia* que non pueda andar."

LINENCIAR.   V. Linencia.
'lesionar':
Fuero de Soria, 172.14: "Et si *lineçiase* galgo o alan... peche lo como si lo matasse."

LINENCIOSO.   V. Linencia.
'lesionado, paciente, enfermo':
Fuero de Soria, 3.4: "...*linençioso* de tal enfermedat."

LISIAR.   V. Lesión.
Fuero de Soria, 173.10: "Et si muriesse, o se perdiese o se *lisiasse...*"
Cultismo muy dudoso. Corominas lo documenta en el siglo XIII como derivado romance regional de *lesión*.

LISION.   V. Lesión.

LISIONADO.   V. Lesión.
Berceo, Sto. Dom., 639d: "Trayen las mesquiniellas *lisionadas* ojeras."

LOGICA.
'la ciencia de la Lógica':
El Bonium, 247.9: "veynte e ocho libros en *lógica*."
Alexandre (P), 31c: "Auje un sylogismo de *lógica* formado."
Documentaciones posteriores: Don J. Manuel, L. del Caballero e del Escudero, XXXI, 38; Rim. de Palacio, 808a.

LOOR.
'alabanza':
El Bonium, 74.2: "¿E que podría omne dezir en *loor* de los sabios?"
Nobleza y Lealtad, 1: "Lealtanza es movimiento spiritual, *loor mundanal*."
Berceo, Sto. Dom., 588d: "Dixo la paralítica: a Dios rendo *loores*."

LOQUELAS.
Berceo, Sto. Dom., 232d: "Non dirien al adobo *loquele* nec sermones."

Apolonio, 558d: "Que non podrían cantar las *loquelas* ni sermones."

Alexandre (P), 1518d: "Non lo sabrien dezir *loquelle* nyn sermones."

Sólo se usa en la frase *loquelas ni sermones* 'ni lenguaje ni habla'. Cp. Psalmos, XVIII, 4: "Non sunt *loquelas* neque sermones quorum, non audiantur voces eorum" (V. Marden Apolonio, Vocabulario).

LUCENCIA. De lucĕntĭam.

'luz, resplandor':

Berceo, Sto. Dom., 708c: "Entró una *luçençia* grant e maravillosa."

LUCIANA.

'Luciana, nombre de persona':

Apolonio, 126b.

LUCIFER.

Berceo, Signos, 32b: "Para vos e a *Luçifer* e a todo su fonsado."

Alexandre (P), 2305d: "Nunca mayor soberuia comjdio *Luçifer.*"

LUMINARIA. De lumĭnarĭam.

'luces, estrellas, astros':

Berceo, Loores, 81b: "De *luminarias* nuevas el cielo fue poblado."

'resplandor, gloria':

Berceo, San Millán, 40d: "Ca non devié tal cosa el Criador sofrir / por tan grand *luminaria* (assi) se encobrir."

LUNATICO. De lunatĭcus.

'loco':

Alexandre (P), 2307c: "Dixo a este *lunático* que non cata mesura."

LUSTRO. De lŭstrum.

'período de cinco años':

Alexandre (P), 593b: "Auje que enpeçara bien un *lustro* pasado."

No aparece en O. 566b.

LUXURIA. De luxŭrĭam.

'lujuria':

Santa María Egipciaca, 87, 100, 467: "Tanto fue plena de *luxurja.*"

· Diez Mandamientos, 381.2: "...e beuen el vino puro e las carnes calentes e muytas por razon de *luxuria.*"

Buenos Proverbios, 53.14: "Quito eres de la *luxuria* e del enturbiamiento."

Nobleza y Lealtad, VIII: "Tempranza es olvidamiento de *luxuria.*"

Alexandre (P), 2349d: "Mas puede los en cabo *luxuria* cofonder."

Documentaciones posteriores: Don Juan Manuel, L. del Caballero e del Escudero, XXXVIII, 169; Juan Ruiz, (*loxuria* y *luxuria*); Rim. de Palacio, 85a: A. Pal., 646; Nebrija.

LUXURIOSO. V. LUXURIA.

'lujurioso':

Santa María Egipciaca, 543: "...e yo so pobre ergullosa e de mj cuerpo *luxuriosa.*"

Diez Mandamientos, 380.8: "...e demando si canto cantares *luxuriosos.*"

Nobleza y Lealtad, VII: "Castidat es gemido de *luxuriosos.*"

Alexandre (P), 2377c: "Los otros venturosos, los otros *luxuriosos.*"

M

MACABEO.
　Berceo, Loores, 92c.
　Alexandre (P), 1.736b.
MACEDONIA.
　'Macedonia':
　El Bonium, 70.2.
MACEDONIO.
　'natural de Macedonia':
　El Bonium, 280: "Ennio dezir... de Alexandre, el *macedonio*,
　a fulan e a fulan."
MACULA. De macŭlam.
　'mancha, pecado':
　Berceo, Mil., 20b: "Ca nunca ovo *macula* la su virginidat."
MAGDALENA.
　'nombre de persona, María Magdalena':
　Documentos lingüísticos de 1214 (M. Pidal, 209): "e otro
　en la Uid al altar de Sancta María *Magdalena*."
　Fazienda de Ultramar, 207.3.
　Berceo, Loores, 125a.
MAGESTAT. De maiestatem
　'majestad, gloria':
　Fazienda de Ultramar, 162.13: "Era plena toda la tierra de
　la sua *magestad*."
　Sta. M.ª Egipciaca, 492,877: el fi del Rey de la *magestat*."

Alexandre (P), 1424d: "que aun bien desiremos a la su *magestat."*

Berceo, Mil., 144d: "Credie en la Gloriosa de toda voluntat, saludavale siempre contra la su *magestat."*

Poema de Fernán González (A. Z.), 679c: "Tod esto vos gradesce el Rey de *Magestat."*

Documentaciones posteriores: Juan Ruiz, 493d; Rimado de Palacio 1c.

MAGNETES.

'piedra imán':

Alexandre (P), 1450c: *"Los magnetes* que son unas piedras calientes."

MAGNIFICAR. De magnificare

'engrandecer, ensalzar':

Berceo, Mil., 543b: "Laudar, *magnificar,* adorar, e servir."

1.ª documentación: Berceo.

MAGNIFICENCIA. De magnificentiam.

'grandeza';

Berceo, S. Mill., 334d: "Embiólis conseio de grant *magnifiçencia."*

Alexandre (P), 2106c: "Toda la peor era de grant *magnifiçencia."*

Nobleza y Lealtad. XII: "Largueza es *manificencia* de los grandes."

MAGNIFICO. De magnificus.

Nobleza y Lealtad: "Et por ende en los *magnificos* son gracias incomparables, e muy complideras."

Nobleza y Lealtad, VIII: "Castidat es *magnifica* eslección."

MAGNO. De magnum.

'grande' (siempre como epíteto aplicado a ciudades célebres: Babilonia, Troya, etc.) (Keller, s. v.).

Berceo, Milagros, 47b. "En Toledo la *magna,* un famado logar."

Alexandre (P), 274a: "Babilonia la *magna."*

MAIORDOMIA. V. MAIORDOMUS.

Corominas lo documenta por primera vez en 1253.

Documento lingüístico de 1235 (M. Pidal, 277): "E otro si nos sobredichos don Miguel dean y el cabildo arrendamos al sobredicho arcidiano que fueron de la *maiordomia,* que son cabo los mios por XI morauedis cada anno."

MAIORDOMUS, MERDOMO. Del bajo latín mejor-domus. 'el mayor de la casa':

Documento lingüístico (1227), 86: "Entre los testigos don J., *maiordomo* del obispo."

La forma popular en Documentos lingüísticos (1231), 90: "Don Pedro Domingoz de Burodon, *merdomo.*"

Corominas no lo documenta hasta 1120. Frecuente en textos jurídicos.

MALACHIAS.
'el profeta Malaquías':
Berceo, Loores, 34.

MALATIA. V. MALETIA.
'enfermedad':
Fazienda de Ultramar, 116.8: "A postremos ouo Nuestro Sennor mercede de Job e sanol de la *malatia.*"

MALDICION. De maledictionem.
'maldición':
Fazienda de Ultramar, 45.31: "Trametio Nuestro Sennor sobre aquellas cibdades su *maldicion.*"

Apolonio, 389b: "Si no, averás luego la *maldiçión* del Criador."

Berceo, Mil., 372d: "Mas diçien denosteos e grandes *maldiciones.*"

Alexandre (P), 1382d: "Yva dando a todos muy mala *maldiçión.*"

Documentaciones posteriores: D. Juan Manuel, Libro de los Estados, 477.32; Rimado de Palacio (1215); Poema de Alfonso XI (1863c); P., de Yuçuf (51d).

MALDIGNOS. De male-dignum.
'indignos, malos':
Berceo, Duelo, 171b: "Ca son omnes *maldignos,* traviessos criazones."

MALDITO, MALEDICTO, MALEITO, MALEDITO. De maledictum.
'maldito':
Fazienda de Ultramar, 48.4: "Qui te maldiciere sea *maldito.*"

Fazienda de Ultramar, 59.25: *"maldicha* mi *fellonya."*

Documentos lingüísticos (1214), 209: "sea *maldito* e descomulgado."

Documentos lingüísticos (1227) Bugedo de Juarros (Burgos), 179: "Qui esta vendida a este... que io fago, quisiere quebrantar o temptar, aia la ira de Dios e sea *maledicto* e excomulgado..."

Documentos lingüísticos (1223), 223, Valladolid: *"maldicto."*

Documentos lingüísticos (1229) Burgos, 183: *"maldito* e descomulgado."

Berceo, S. Mill., 263a: "La bestia *maledicta,* parosseli de cuesta."

Berceo, Sto. Dom., 123c: "Al lobo *maleito* de las almas contrario."

Alexandre (P), 1724a: "Narboçones e Belsu *malditos* seyades."

Alexandre (P), 571a: "Avíe el *maledito* tal escarmiento fecho."

Poema de Fernán González, 389a: "(E) eran en Fazias ya la gente *maldicta."*

Documentos lingüísticos: (1245) Silos, 194: "sea *maldicho* (popular) e descomulgado."

MALENCONIA. Del latín melancholia, gr. μελαγχολία.

'melancolía, enfermedad':

Buenos Proverbios, 65.4: "y estonce se quema la sangre y se torna en *malenconia."*

Alexandre (P), 316b: *"malanconia".* En (O) *melanconia:* "(El peccado) cogio con esta paz una *melanconia."*

Alexandre (P), 2103 *"malancolia."*

Documentaciones posteriores: D. Juan Manuel, Conde Lucanor, 217,19: *malenconia.*

MALEFICIO.

Berceo, Milagros 722c: "Savie encantamientos e muchos *maleficios."* (ed. Dutton).

MALETIA. De malitiam.

'enfermedad, dolencia':

Apolonio, 199d: "Nin arte porque pudiessen purgar la *maletia."*

Berceo, Sto. Dom., 539d: "Grant fo la *malatia,* e muy prolongada."

Según Keller (Vocabulario) en Alexandre es provenzalismo. En Berceo (Mil., 902d) aparece el popular *maleza* con el sentido de 'maldad'.

MALICIA. De malitiam.

'maldad, pecado, iniquidad':

El Bonium, 93.2: "e non los llevedes a las *malicias* nin a las cosa feas."

Fuero de Soria, 127.19: "...saluo ende si alguno dellos fuese rebelle que por *maliçia* non quisiese uenir a la partiçion con los otros herederos..."

Nobleza y Lealtad, XII: "Largueza es menospreciamiento de cobdicia, e vencimiento de *malicia.*"

Fazienda de Ultramar, 80.25: "Dixo Aaron: "Non se ensanne el mio Sennor. Tu sabes que este pueblo que en *malicia* es e dixieronme". Alterna con *maleza* (Fazienda de Ultramar, 80.5: "con *maleza* los saco por matarlos en los montes).

Apolonio, 499b: "Siempre de tu *malicia* avremos de dezir."

Alexandre (P), 2329b: "Matarse quiere toda con derecha *malicia.*"

Documentaciones posteriores: D. Juan Manuel, Libro de los Estados (362.34); Sem Tob (14.4); Rimado de Palacio, 22b; APal.; Calila.

MALICIOSO. V. Malicia.

'de malas cualidades':

El Bonium, 113.8: "E conviene al rrey que non use con omne mentiroso e *malicioso.*"

'peligroso, dañino':

Fuero de Soria, 48.18: "...pero si el lugar do endidieren (los montaneros) fuere *malicioso* porque los cauallos non y pudieren entrar o andar, que los dexen en el pueblo más cercano."

MALIGNO. De malignum.

'maligno, muy malo':

Berceo, S. Millán, 182b: "Un demonio *maligno* pleno de malveztat."

Documentaciones posteriores: Juan de la Encina; Ercilla, *ma-*

lino que es la forma más extendida. También en los Diccionarios de C. de las Casas y de Covarrubias.

MALINCOLICO. V. MALENCONIA.

'meláncolicos, enfermos':

Poema de Fernán González, 418a: "Commo todos estavan *malincólicos* con gran(d) despecho."

MALQUERENCIA. De male-querentiam.

'odio, mala intención':

Fuero de Sepúlveda § 32: "nin por *malquerencia*."

Fuero de Sepúlveda § 47: "*malquerentia*."

Fuero de Madrid, 41.3: "...qued por *malquerencia* desordenauit eum."

Buenos Proverbios, 31.4: "La muestra apresenta los coraçones y la *malquerencia*."

Berceo, S. Mill., 48d: "Con los viçios deste mundo avié *malquerencia*."

Documentaciones posteriores: Juan Ruiz, 304d; Rimado de Palacio, 112b.

MALVAVISCOS.

Citado por Gili y Gaya *(Cultismos y semicultismos en nombres de plantas)* y Asín *(Glosario).*

MANDACION. De mandationem.

'orden, encargo':

Apolonio, 784c: "Entró luego en ello, cumplió la *mandación*."

MANIFESTAR. De manĭfěstare.

'decir, afirmar, declarar':

Documento de 1.244 (M. Pidal, 59): "*Manifiesta* cosa sea que quantos esta cosa vieren..."

Documento de 1.252 (M. Pidal, 222): "Que yo don Juan Narellano se *manifieste* e fago testimonio como compré el molino..."

Fuero de Soria, 70.17: "Et si *manifestase* que fizo el encendimiento, mas non de su grado..."

Fazienda de Ultramar, 99.22: "...e *manifesto* que avie furtado I. palio vermeio muy bueno..."

Buenos Proverbios, 3.10: "E ovieronle de *manifestar* commol' avien muerto."

Berceo, Loores, 60d: "Fueron *manifestadas* las malas poridades."

Alexandre (P), 1707a: "Fue preso el mal omne, ouo a *manifestar*."

Fnán. Glez., 230a; "A ty me *manifyesto* Virgen Santa María."

Documentaciones posteriores: don Juan Manuel, Libro de los Estados, 473.2; Sem Tob, 174.1; Rimado de Palacio, 352b.

MANIFIESTO. De manĭfĕstum.

'claro, evidente, declarado':

Fuero de Soria, 23.14: "Si el juez e los alcalldes ujejos touieren omne preso por calonna que non fuere *manyfiesta* ni judgada, el juez e los alcalldes nueuos yudguen los."

Fuero de Sepúlveda, §§ 113,114: "si non dire dannador *manifiesto*."

Fuero de Soria, 81.2: "...dannadores *manifiestos*."

El Bonium, 87.3; "quando la limosna es en los flacos que la han menester es la su pro *manifiesta*."

Nobleza y Lealtad, XIV: "...es qualles *manifiesto* yerro."

Documentaciones posteriores: Don Juan Manuel: Libro de los Estados, Conde Lucanor, Libro de la Caza, Libro Infinido.

MANIFIESTA MIENTRE. V. Manifestar.

Fuero de Soria, 160.15: "Qui touiere pennos dotro o que peyudrre a otro, tenga los pennos o la peyudra *manifiesta mjentre*."

MANIPULO, MANIPLO. De manĭpŭlum.

'manípulo, el que usan los sacerdotes':

Documentos lingüísticos (1244), 193: "e I, *maniplo* de ciclaton de oro."

Berceo, Loor., 219c: "Con estolas e *manípulos* cantan a ti loores."

MANSAMENTE. V. Manso.

El Bonium, 214.17: "e guiarle *mansamente* es sabiduria."

MANSEDAD. V. Manso.

Flores de Filosofía, 27.16: "Fortalesa con mesura e *mansedad* sin flaquesa."

Documentaciones posteriores: Sem Tob, 135,1.

MANSEDUMBRE. V. Manso.

'mansedumbre':

El Bonium, 94.15: "sinon con *mansedumbre* (e con leal palabra).

Buenos Proverbios, 11. 17-18: "Con la *mansedumbre* sirvese omne/s e los coraçones."

Flores de Filosofía, 54.15: "E disen que mejor fecho la fecho el que fas sus cosas con *mansedumbre* e con vagar."

Apolonio, 376d: "Començo a rezar con toda *mansedumbre*."

Berceo, Himnos, 2,5b: "Plena de *mansedumbre,* plus simple que cordera."

MANSO. De mansus.

'manso, tranquilo, apacible':

Sta. M.ª Egipc., 1391: "Maguer que era bestia fiera / *manso* va do el cuerpo era."

El Bonium, 385.14: "si predicares a algund pecador sey le *manso* por que non vengas a afrenta."

Buenos Proverbios, 16.5: "...seer *manso* por ser sabidor de las cosas."

Flores de Filosofía, 62.6: "que sea *manso* e mesurado quando fuere sennor."

Berceo, Sto. Dom., 84c: "*Manso* e abenido. sabroso compannero."

Alexandre (P), 1854c: "Fazíe una sombriella tan *mansa* e tan queda."

Documentaciones posteriores: Don Juan Manuel, Libro del Cavallero e del Escudero (XIX,66); Juan Ruiz, 728d; Sem Tob, 50.3.

A pesar de que se ha rechazado su origen culto, dando diversas explicaciones a la conservación del grupo —ns—, ninguna convincente en absoluto, lo cierto es que está documentada en el Liber Glossarum, lo que nos indica que debió sufrir influjo culto. (V. Corominas, DCELC, s. v.).

MANSURA. V. Manso.

'mansedumbre, obediencia':

Alexandre (P), 1138c: "Dale grant reverençia, mostrale toda *mansura.*"

MANTENENCIA. De manutenentiam.

'manutención, género de vida':

Berceo, Sto. Dom., 101d: "Si non, non ixiría de esta *mantenencia.*"

Alexandre (O), 1942c: "Dastrosa *mantenençia* son astrosos barones."

'trato':

Alexandre (P), 2358a: "Toda su *mantenençia* trahen con los garçones."

MAPAMUNDI.

Alexandre (O), 2412b: "Era la *mapamundi* escrita e notada."
En P, 2540b: *papamundi.*

MARAVILLA. De mirabĭlĭa.

'maravilla, prodigio, milagro':

Reyes Magos, 1: "Dios criador, quel *maravila.*"

Sta. M.ª Egipciaca, 1529: "Non es *maravilla* ssi es denegrida / fembra que mantien tal vida."

Reys d'Orient, 52.5: "E quando vio esta *maravilla* / fuerte fue sanyoso por mira."

Fazienda de Ultramar, 43.8: "e las *maravyllas* que Nuestro Señor Dios fezo en Jherusalem."

Fazienda de Ultramar, 63.20: "Echaré mi yra entre los Egyptos e todas mis *maravillas* que faré entre ellos."

El Bonium, 67.8: "...e muy noble cosa e grande *maravilla.*"

Buenos Proverbios, 18.19: "¡Qué *maravilla* es la del que aborrece la muerte!"

Flores de Filosofía, 49.16: "E es *maravilla* cómmo se puede preciar mucho."

Nobleza y Lealtad, XXIX: "e non seria *maravilla...*"

Apolonio, 200b: "Non avye *maravylla* que fija la avie."

Berceo, Mil., 215a: "Sonó por Compostella esta gran *maravilla.*"

Alexandre (P), 1143d: "Que non fue *maravilla* sy Dario fue rancado."

Poema de Fernán González, 615b: "Vyó (la) tan apuesta (cosa) que era *maravy(e)lla.*"

También las variantes *maravella, maraviella; marauiella* en Alexandre, 838b; *maraviella,* Berceo, Loores, 29.

Documentaciones: Juan Ruiz, 265d; Rimado de Palacio,

2676; P., de Yuçuf, 42a: *marabeja*. (V. M. Pidal, Cid, *Vocabulario*).

MARAVILLAR. V. Maravilla.

Refl. 'maravillar, admirarse':

El Bonium, 72.8: "fue muy *maravillado*."

Sta. M.ª Egipciaca, 53: "non sse deven *maravillar* / de algun omne ssil veyen pecar."

Buenos Proverbios, 35.18: "e *maravillars'an* de ti."

Fazienda de Ultramar, 45.9: "Sys *maravilla* de la obra del Criador."

Fazienda de Ultramar, 66.24: "e *maravillase* en es dia de la tierra de Gossen."

Apolonio, 181c: "Demandó le e dixol que se *maravellaba*."

Alexandre (P), 1037a: "*Maravillóse* el rey fue fuert espantado."

Poema de Fernán González, 292b: "De el un des(a)fyar so-(yo) muy *maravjllado*."

MARAVILLOSAMENTE. V. Maravilla.

El Bonium, 71.10: "e quand *maravillosamente* le respondiera."

MARAVILLOSO. V. Maravilla.

'maravilloso, excelente':

Cid, 1085: "de la ganançia que han fecha *maravillosa* e grand."

Sta. M.ª Egipciaca, 519: "*maravillosa* cosa."

El Bonium, 67.30: "e oyran fechos de reyes e dichos de sabios muchos e *maravillosos*."

Nobleza y Lealtad, IV: "...e por esfuerzo, e fortaleza vimos acabados muy grandes fechos, e obras *maravillosas*."

Fazienda de Ultramar, 164.2: "e clamo so nombre: el *Maravilloso* e Conseiero, Dios Fue(r)t, Padre de siempre, Mirano de paz."

Berceo, Milagros, 679c: "Tenié que su ventura era *maravillosa*."

Alexandre (P), 1272b: "Tiene plegada hueste grant e *maravillosa*."

Documentaciones posteriores: Don Juan Manuel (Conde Lucanor, 3,3); Rimado de Palacio (918c); Sem Tob (691.1).

MARGARITA. De margaritam.

'piedra preciosa, perla':

Poridat de poridades, 75.6: "*Margarita* es una piedra que se cria en el rocio."

Berceo, Sto. Dom., 44c: "Tornó al oro *margarita* quando fue evangelistero."

Alexandre (P), 1456a: *Margarita* que siempre quiere yazer señera."

MARTIR. De martÿrem.

'mártir':

CC. Esc. (1049). V. Simonet, Glosario, s. v.

Poema del Cid, 2728: "cortadas las cabeças *mártires* seremos nos."

Disputa del alma y del cuerpo, 21 : "apóstol ni *mártir* (nunca) quisist servir."

Fazienda de Ultramar, 123.7: "Allí yazen muchos *mártires*."

Fazienda de Ultramar, 206: "San Estefan *mártir*."

Berceo, S. Mill., 294b: "De voluntat bien *martir*, de Dios leal obrero."

Liber Regum, 11.15: "Est Domicianus mato muitos sieruos del Criador, christianos que son *martires*."

Poema de Fernán González, 10c: "Apostoles e *martyres* (e santos), esta mesnada."

M. Pidal dice que es semicultismo si se acentuaba como actualmente (parece probable). V. Gram. p. 158,2. Pero "*martir*" aparece en la "Disputa" acentuado "*martir*", como consonante de servir. (Gram, p. 168,31).

1.ª documentación : Cid.

Documentaciones posteriores: Don Juan Manuel; Juan Ruiz, 1570b; Rimado de Palacio, 193c.

MARTIRIAR. V. MÁRTIR.

'martirizar':

Liber Regum, 11.22: "regno Troianus en Roma, qui ouo muit uoluntat de ançalçar e de *marturiar* todos aquellos qui credianen Christus."

Reys d'Orient, 74: "Por quien fueron *martyrjados* / suso al çielo son leuados."

Berceo, San Lor., 29d: "Los que non lo fiçiesen quierelos *martiriar*."

Apolonio, 382c: "Io, mal non meresçiendo, he a ser *martiriada*."

Otras formas constan en Apolonio (*martiriada*, 382c) y en Berceo (*martiriaua*, Sta. Oria, 17c); el participio se registra en Miseria (166b), en La Partida I (edic. Acad. p. 1), Primera Crón. Gral. (ed. M. Pidal, p. 128b). Véase documentación de Boggs y Oelschläger. (Véase Alvar, Vocab.).

MARTIRIO. V. MÁRTIR.

Sta. M.ª Egipciaca, 1262: "que por uos priso *martirio*."

Poema de Roncesvalles: "el cuerpo priso *martirio* por que le... diuo."

Berceo, S. Lorenzo: "*Martyrio* de Sant Laurençio."

MASLO. MASCULO.

'macho':

Fazienda de Ultramar, 62.6: "quando nasciesse el fijo *maslo* que lo matassen, a las mugieres dexassen de bevir."

El Bonium, 205.9: "la materia tira a fembra e la forma a *masculo*."

'tronco de la cola de los cuadrúpedos':

Fuero de Sepúlveda, § 96: "Otrosi, qui buey o vaca de arada descornase, si desarraigase el *maslo*, peche V mencales."

Berceo, Sac., 146d: "Que cordero matassen, *maslo* e non cordera."

En Alexandre (P), 1845b: *mascio* (aragonés, según Keller); Calila, *macho*.

Documentaciones posteriores: Don Juan Manuel.

MATERIA. De matĕriam.

'materia, asunto':

El Bonium, 75.20: "e faze conoscer la *materia* de las agudesas."

Buenos Proverbios, 8.9: "e faze conoscer la *materia* de los saberes."

Berceo, S. Mill., 320c: "La *materia* es larga de omne de prestar."

Apolonio, 285c: "Entendió la *materia* e todo el asunto."

Alexandre (P), 326a: "Esta fue la *materia*, es verdadera cosa."

'materia, opuesto a espíritu':

El Bonium, 300.20: "...piensa commo todos los cristianos del mundo son so la generación e corrupcion e han de tornar a la *materia* donde se fisieron."

Alexandre (P), 1789c: "Encarna el pecado en el onbre mezquino... / faz el olujdar la *materia* onde vino."

Documentaciones posteriores: J. Ruiz, 1312; don Juan Manuel; Rim. de Palacio, 2b.

MATERIAL. V. Materia.

'material, no espiritual':

Berceo, S. Mill., 610b: "Obra era angélica, ca non *material*."

MATHEMATHICA.

En CC. Esc. (1049). V. Simonet, Glosario, s. v.

MATHEO.

'San Mateo':

Berceo, Loores, 164. Duelo 43: "San Matheo."

MATHIAS.

'apóstol San Matías':

Berceo, Loores, 141.

MATINADA.

'maitines que se leían o rezaban hacia el amanecer':

Apolonio, 377a: "Mientre la buena duenya leye ssu *matinada*."

Berceo, Sac., 30c: "Rezar los *matinades*, antes de los alvores."

MATINAL. Latín vulgar matutinalem.

'de la mañana':

Berceo, S. Mill., 361b: "Vdieron los matines las missas *matinales*."

MATUTINO. De matutinum.

'de la mañana':

Berceo, Mil., 33b: "Es clamada... estrella *matutina*."

Se trata de un duplicado culto de *matino*.

MAURICIO.

Alexandre (P), 1403d.

MAURITHANIA.

En C. C. Esc. (1049). V. Simonet, Glosario, s. v.

MAXIMO.

'Nombre propio':

Berceo, San Mill., 177b.

MEATAD.   De medietatem.

'mitad':

Berceo, San Millán, 39d: "Del so bien non podrie contar la *meatad*."

MEDICINA.   V. MEDICINA.

MEDIA.

'País de los Medos':

El Bonium, 39.8.

Alexandre (P), 273c.

'medida de cantidad'. De medium:

Fazienda de Ultramar, 45.2: "E fizol amasar III *medias* de farina."

V. MEDIO.

MEDIADO.   V. MEDIO.

'que cae o cuadra en medio':

Cid, 324: "A los *mediados* gallos" 'el canto del gallo que se oye entre media noche y al amanecer". (V. M. Pidal, Cid, Vocabulario).

Fuero de Soria, 11.15: "Fasta el día de sancta María, *mediado* agosto."

Fuero de Sepúlveda, § 112: "De entrada de março fasta iulio *mediado*."

Alexandre (P), 863d: "Segunt esto pareçe que era bien *mediado*."

MEDIANEDO.   V. MEDIO.

'intermedio':

Por. de las porid., 63.26: "El que a los cabellos ruuios... el que a los cabellos negros... et el que los a *medianedos* destos es temprado."

'lugar al que concurren las partes litigantes':

Fuero de Sepúlveda § 35: "...adugan la muger a *medianedo*." (V. Alvar, Vocabulario).

Alexandre (P), 916b: "Avríen el *medianedo* sobre tuya e mia."

Según Keller, en el Libro de Alexandre parece significar, no el lugar donde se celebra el pleito, sino el pleito mismo (V. Alexandre, Vocabulario, s. v.).

MEDIANERO. V. Medio.

'intermediario':

El Bonium, 385.5: "...e el *medianero* entrellos es la muerte."

Nobleza y Lealtad, XVIII: "... es amado por Dios, e halo por *medianero* en sus fechos."

'intermedio':

Berceo, Sac., 8d: "Los sex eran de cuesta, el otro *medianero*."

MEDIANO. V. Medio.

Berceo, Milagros, 625d: "Preciarlo edes mas que *mediano* comer."

Alexandre (P), 187d: "Los de media hedat pusieron los *medianos.*"

Fnán. Glez., 167b: "Rodrigo el *mediano*, Fernando el menor."

MEDIAS. V. Medio.

'a medias':

Documento de 1202 (M. Pidal, 2): "Si caer hi omezielo o nuptjo o manneria, qelo partan a *medias.*"

MEDIERO. V. Medio.

'persona que va a medias en una explotación agrícola o ganadera':

Fuero de Sepúlveda, § 198: "de *mediero*". (V. Alvar, Vocabulario).

MEDICINA. De medĭcinam.

'medicina, remedio':

Fazienda de Ultramar, 174.2: "Las aguas estas que ixen a la isla antigua, descendrán sobre la plana e vernan a la mar, e los que ixtran de la mar seran *medeçinas.*"

Berceo, Mil., 515b: "La que fue poral mundo salut e *medicina.*"

Fnán. Glez., 106d: "Tu da a nuestras llagas conorte e *medeçinas.*"

Alexandre (P), 73d: "Con esta *medesçina* guarirás aquesta plaga." En O., 68d: *melezina.*

V. Melezina.

MEDIODIA. V. MEDIO.

El Bonium, 286.15: "e duro la lid entre ellos desde la mannana fasta *mediodia.*"

MEDIO. De mědĭu.

'mitad':

P. del Cid, 751: "cortól por la çintura el *medio,* echo en campo."

Reys d'Orient, 201: "Pero que media noche era."

P. de Roncesvalles, 12: "el escudo crebantado por *medio* del braçale."

Documentos lingüísticos de 1210 (M. Pidal, 45): "La serna conna *media* quen es de Sancta Eulalia."

F. de Soria, 83.14: "...partan amos el fructo por *medio.*"

F. de Sepúlveda, § 60: "*medio* morabedí."

F. de Madrid, 34.25: "et pectet lo *medio* a los fiadores."

Buenos Proverbios, 12.1: "En dezir omne: no sé es *medio* saber."

Fazienda de Ultramar, 107.10: "Quando ovo dicho fizolo partir por *medio.*"

El Bonium, 330.6: "la *media* noche."

Apolonio, 110c: "Los árboles de *medio.*"

Berceo, S. Millán, 389d: "Que cerca de la *media* de Carrión ardida."

P. de Fernán González, 696c: "Metyol toda la lança por *medio* (de) la tetyella."

'centro':

Fazienda de Ultramar, 203.9: "Adelant un poco, es (el) logar, de Sancta María, del *medio* del mundo."

F. de Sepúlveda, Prol., 59.10: "Et del rio de Riaça como va por *medio* del campo."

Razón de Amor, 149: "uolando uiene por *medio* del uerto."

Poridad de las poridades, 64.6: "Et el que a la nariz gorda en *medio* et roma es mintroso et parlero."

Sta. M.ª Egipciaca, 659; id. 180: "por *medio* de."

El Bonium, 77.2: "en un alto lugar que era en *medio* del Palacio."

Nobleza y Lealtad, VIII: "...tempranza... e es *medio* entre todas las cosas."

Alexandre (O), 184a: "El rey estava en *medio* a toda parte catando."

'en medio' adv. de lugar.

Reys d'Orient, 242: "*medio* diujna potestas". (V. Alvar, *Vocabulario*).

'término medio':

Poridad de las poridades, 33.16: "Ya dixieron los sabios que los cabos de todas las cosas son malos et los *medios* son buenos."

'mediano':

Alexandre (P), 187d: "los de *media* hedat."

Docs. posteriores: J. Ruiz; Rimado de Palacio.

MELCHIOR.

Reys d'Orient, 41: "*Melchior* mirra, por dulçura."

MELEZINA. V. Medicina.

'medicina. remedio':

Flores de Filosofía, 19.6: "¿sabrás *(melesina)* para los pecados sanar?"

Sta. M.ª Egipciaca, 74: "¿qui fara mas *melezina*"

El Bonium, 71.8: "¿Darías *melesina* para los pecadores."

Poridad de las poridades, 70.9: "Et non a timpo en todo el anno bueno para sangrar, et para fazer ventosas, et para tomar *melezina* et pora seguir muger."

Nobleza y Lealtad, II: "Cobdicia es dolencia sin *melecina*."

Apolonio, 310a: "Entro de la *melezina* dentro en la corada."

Poema de Fernán González, 577d: "Seria el danno grand(e) (syn) (aqu)esta *meleçina*."

MELEZINABLES. V. Medicina.

'remedios':

Fazienda de Ultramar, 46.11: "Aquella enzina que fue en Manbre... fue cara mientre tenuda e era *melezinable* cosa provada que ya omne que daquel arbor subestia ovieste ya non se aguarie."

Sta. M.ª Egipciaca, 498: "A las mjs llagas, que son mortales, non quiero otros *melezinables*."

MELEZINAR. V. Medicina.

'medicinar':

Flores de Filosofía, 19.6: "Estos enfermos cuidas *melezinar*."

El Bonium, 87.10: "E *melesinar* las enfermedades que acaecen."

Buenos Proverbios, 184: "¿cómo puede *melezinar* a otro?"

MELEZINAMIENTO.   V. MEDICINA.

'medicamento', 'consuelo':

El Bonium, 123.6: "amochigua los amigos que son *melesinamiento* de las almas."

Poridat de las poridades, 70.11 : "Et todo yerro que acaece en este tiempo de sangris o de melezina o de otro *melezinamiento* puede lo sofrir el cuerpo más que en otro tiempo."

MELOCIO.

'melochites, piedra preciosa':

Poridat de las poridades, 74.20: "el *melozio* es bueno para descobrir furto."

Alexandre (P), 1452c: "es en esa ribera el *meloçio* trobado."

Alexandre (P): *meloçio;* Alexandre (O): *melozio*: S. Isidoro: *melochites.*

MEMORIA.   De memŏrĭam.

'memoria':

Fuero de Soria, 109.3: "los que non fuesen de hedat, o non fuesen en su *memoria* o en su sesso, o..."

El Bonium, 105.5: "E la tu olvidança en derecho de la tu *memoria.*"

El Bonium, 78.14: "non parara mientes qual era la *memoria* de aquel moço."

Buenos Proverbios, 25.19. "e ni *memoria* sea segunt el entendimiento."

Poridat de las poridades, 36.18: "Et que sea de buen sen et de buena *memoria.*"

Nobleza y Lealtad, VI: "Sabiduría es amor de todos amores e agua de todas fuentes, e *memoria* de todas las gentes."

Documento lingüístico de 1237 (M. Pidal, 116): "...que jo dona Felicia, sana e alegre e mj bona *memoria* stando."

Apolonio, 585b; "Perdió la *memoria.*"

Berceo, S. Mill., 329c: "Tovieron un grant dia la *memoria* turbada."

Alexandre (O), 167d: "Recobró la *memoria* que perdida avía."

De memoria exir, 'recordar':

Alexandre (P), 2179d: "Que farien a Sansón de *memoria exir.*"

'historia':

Alexandre (O), 971c: "jazie de los gigantes y [en el escudo de Dario] toda la *memoria.*"

1.ª documentación: Glosas, donde puede ser latino.

Documentaciones posteriores: Juan Ruiz, 1365d; Don Juan Manuel (Conde Lucanor, 204,10); Rimado de Palacio, 625b.

MENCION. De mentionem.

'mención, memoria, recuerdo':

Berceo, Sac., 140b: "De tal apartamiento façemos *mençión.*"

Alexandre (P), 562b; "El que fizimos ante de suso *mençión.*"

Poema de Fernán González, 151b (A. Z.): "De los buenos cavallos *mençión* non (vos) fyziemos."

Documentaciones posteriores: Juan Ruiz, 1365d; Don Juan Manuel (Libro de los Estados, 558.37); Rimado de Palacio, 1153d; En Nebrija, *mentio* 'memoria'.

MENELAO.

Alexandre (P), 372b.

MENOSPRECIAMIENTO.

Nobleza y Lealtad, XII: "Largueza es *menospreciamiento* de cobdicia."

MENOSPRECIAR. V. Precio.

Fuero de Soria, 26.17: "si alguno su juyzio *menospreçiase.*"

Flores de Filosofía, 16.2: "*Menosprecia* este mundo."

MENSURA, MESURA. De mensuram.

'medida':

Berceo, Sto. Dom., 730a: "Sonó por la Castiella su virtut sin *mensura*". Falta en la ed. del P. Andrés.

Mensura es duplicado culto de *mesura.*

MENUDENCIA. Derivado de minuare 'menguar'.

'detalles':

Alexandre (P), 2512b: "En esta *menudencia* non quería tardar."

MERADGUES.

Poridat de poridades, 75.22: "El *meradgues* es una piedra negriella."

Alexandre (P): *metades;* Alexandre (O): *adat;* S. Isidoro: *achates.*

MERCENARIO. De mercenarius.

'mercenario, asalariado, jornalero':

Berceo, Sto. Dom., 123b: "Commo pastor derecho, non commo *mercenario.*"

MEREDION. De meridion.

'sur, meridional':

El Bonium. 164.15: "E allegó la ley que él puso a los orientes de la tierra e a sus ocedientes e al setentrión e al *meredión*". V. MERIDIE.

MERETRICES. De meretrix, -icis.

'rameras':

Sta. M.ª Egipciaca, 151: "las *meretrices,* quando la vieron de buena mjente la recebieron."

Alexandre (P), 1833c: "El omne traydor, fillo de *meretriz.*"

MERIDIANA. De merĭdĭanus.

'la siesta':

Berceo, Sta. Oria, 161c: "Hora cuando los omnes fazen *meridiana.*"

Berceo, Mil., 113: *Merediana.*

Alexandre (P), 921b: "Alli vivíen las aves, tenien *merediana.*"

'mediodía':

Alexandre (P), 2136c: "non serie entradera a la *merediana.*"

MERIDIE.

'mediodía, sur':

Fazienda de Ultramar, 102.10: "E despues descendieron e lidiaron con los Cananeos que estavan a los montes y a los planos a parte de *meridie.*"

Poridat de poridades, 53.6: "et asi son las partes del mundo quatro: orient et occident, et *meridie* et septentrion."

MERITO. De meritum.

'mérito, virtud':

Berceo, Sto. Dom., 75b: "Era por el su *mérito* el logar más onrrado."

MESSIAS.

'el Mesías, Jesucristo':

Fazienda de Ultramar, 210.28: "...*Messias, qui dicitur: Christus.*"

Alexandre (P), 2360b: "non oujera Mesías presa tal pasión."

Berceo, Mil., 53c: "Dissoli que paririe a *Messia.*"

MESOPOTAMIA.

'Mesopotamia':

El Bonium, 69.8.

Fazienda de Ultramar, 58.29.

Alexandre (O), 267c.

MESTRUA. De menstruus.

'menstruación':

Diez Mandamientos, 382.1: "o quando a de so tiempo, que es *mestrua.*"

Menstruo. APal., 45b: "yerva que... mueve a las mugeres el *menstruo* o camisa". APal., 139d. De menstruum (por lo común en plural, *menstrua*) neutro del adjetivo menstruus, -a, -um, 'mensual'. (Corominas, DCELC).

METADES.

'piedra preciosa':

Alexandre (P), 1463a: En O., 1321a: *Adat.*

METAFISICA.

El Bonium, 274.11: "el libro de *metafisica.*"

METAL, METALLO.

'metal':

Fuero de Soria, 225.5: "los orebres, con los otros menestrales que lavran oro o plata. si fiziesen vaso o otra obra ffalssa en piedras o en qualquier de los *metales* para vender o para otro enganno fazer..."

Fuero de Sepúlveda §§ 2,6, 223: "...o sal, o fierro, o otro *metal.*" § 1: *metallo.*

También en el Fuero de Plasencia (p. 23). V. Alvar *Vocabulario.*

Corominas lo documenta hacia 1250; posiblemente entró a través del catalán *metall.*

METAUROR.

Buenos Proverbios, 13.10: "e saber lo que es *metauror.*"

METRO.

'sentido general de medida':

C. C. Esc. (1049), Simonet, Glosario, s. v.

METROPOLITANO. De metropolitanus.

'Arzobispo':

Berceo, Mil., 712a: "Enbiaron sus cartas al *metropolitano*."

C. C. Esc. y escritores mozárabes de Toledo, V. Simonet, Glosario, s. v.

Documentaciones posteriores: 1499, Hernán Nuñez.

MIDAS.

'el rey Midas':

Alexandre (P), 813b.

MILLARIA. De miliaria.

'el que mandaba mil soldados':

Fazienda de Ultramar, 82.5: "Sennor, poderoso e piadoso e gracioso, alogant sanna e creciente misericordia e a *millarias* perdonant vicios e yerros e peccado, al sin culpa non culpar, e visita(n) al pecado de parientes e sobre (fijos de fijos) e sobre terceros e sobre quartos."

Fazienda de Ultramar, 84.15: "Torna Sennor *miliarias* de Israel."

Alexandre (P), 1531a: "Ordeno *millarias* por mandar mill varones."

MILLESIMO. De millesimum.

'la milésima parte':

Berceo, Mil., 100c: "Non serien los *millésimos* [miraclos] por nul omne contados."

MINERVA.

Alexandre (O), 349b.

MINISTERIO. De ministěrĭum.

'ministerio, cargo, servicio, tarea':

Berceo, Sac., 88c: "Fazíe el *ministerio* commo la ley dizie."

Alexandre (P), 1779d: "Todo su *ministerio* tenía bien decorado."

Apolonio, 283a: "Quando fue el *ministerio* todo acabado."

'arte u oficio de narrar o versificar':

Apolonio, 325c: "Con el rey Apolonyo tornemos el *ministerio*."

'el oficio de difuntos':
Sta. M.ª Egipciaca, 1380: "le ffizo el *ministerio*."
Documentaciones posteriores: Juan Ruiz, 1170c:; Rimado de Palacio, 1250b.

MINISTRA.
'servidora de Satanás':
Apolonio, 445b: "*Ministra* del pecado."

MINISTRACION.
'administración eclesiástica':
Berceo, Mil., 717d: "El bispo methio otro vicario enna *ministraçion*."

MINISTRAMIENTO.
'cargo, ministerio':
Berceo, Sto. Dom., 211a: "Confirmolo el bispo, diol *ministramiento*."

MINISTRAR.
'celebrar el oficio litúrgico':
Fazienda de Ultramar, 145.8: "(E) non podyan los sacerdotes estar por *ministrar* delant la nuf, ca se inplie de la gloria del Criador la casa."
Berceo, S. Lorenzo, 21a: "*Ministrava* Sixto en el sancto altar."
'dar, enviar':
Berceo, Sto. Dom., 25b: "Con la sancta gracia que Dios le *ministrava*."
'realizar, administrar':
Berceo, Sac., 91a: "El obispo que esso avie de *ministrar*."
'servir':
Berceo, Sto. Dom., 113b: "*Ministrar* a los pobres."
Loores, 40d: "Josep te *ministrava* commo tal servidor."

MINISTRO. De mīnīstrum.
'ministro, sacerdote':
Berceo, S. Mill., 144b: "Sirvieli un *ministro* rectamente doctrinado."
Alexandre (P), 1802a: "Si los que son *ministros* de los santos altares."
'servidor':

Alexandre (P), 2384b: "Todos son sus *mjnjstros* que traen sus mandados."

Documentaciones posteriores: Juan Ruiz, 1238a; Tratado de la Asunçion (99.25).

MIRABLE. De mirabĭlis.

'admirable':

Berceo, Loores, 192c: "Ligereza mas de viento, sotileza *mirabile*."

MIRABOLANOS.

'mirobálano, árbol':

El Bonium, 71.25: "los *mirabolanos* de la humildad e los *mirabolanos* de la caridad e los *mirabolanos* del miedo de Dios..."

En el Dr. A. Laguna: *myrabolanos*.

MIRACULO, MIRAGLO. De miraculum.

'milagro':

Poema del Cid, 344: "mostrando los *miraclos,* que por en avemos que fablar."

Reys d'Orient, 188: "Et aquell njnyo que alla jaz / que tales *mjraglos* faz."

Sta. M.ª Egipc., 1044: "grandes *mjraglos* faze Dios mostrar."

Buenos Proverbios, 57.13: "Grant *miraglo* e grant maravilla."

Fazienda de Ultramar, 15: "Quant cayo Ocozias por el *miraculo* de su casa en Samaria..."

Berceo, Mil., 46a: "Tenelo por *miragulo* que lo faz la Gloriosa." Mil., 869d: "*miraclo.*" Sto. Dom., 315c: "*miraglo.*"

Poema de Fernán González, 118c: "Ally quiso don Christo (un) grand *miraglo* (de) mostrar."

En Azaïs, 11,596, Simonet, Glosario, s. v.

Documentaciones posteriores: don Juan Manuel; JRuiz; Alfonso XI; Rimado de Palacio; APal. y aún admitido por Nebrija, aunque este prefiere *milagro.* (Corom. DCELC, s. v.).

MIRACLOSA.

'milagrosa':

Berceo, S. Mill., 486d: "Tannense por si mismas (las campanas) por suerte *miraclosa.*"

MIRATION.

'admiración':

Berceo, Sto. Dom., 538c: "Enfermo tan fuerte-mientre que era *miration*."

MIRRA. De myrrha.

'mirra':
Cid, 338: "M. G. e B. oro e tus e *mirra* te offreçieron."
Reyes Magos, 68: "Oro, *mirra,* i acenso a él ofreceremos."
Reys d'Orient, 38: "Offreçieron oro e ençjenso e *mjrra*."
En Ibn Chólchol, véase Simonet, Glosario, s. v.
Berceo, Loores, 32d: "*Mirra* para condir la mortal carnadura."
Documentaciones posteriores: Don Juan Manuel (Libro de los Estados, 570, 30), Juan Ruiz, 27a.
1ª documentación: Cid.

MISSA. De missam.

'misa':
Poema del Cid, 320: "La *missa* dicha, penssemos de cavalgar."
Sta. M.ª Egipciaca, 834: "su abat *missa* les canta."
Fuero de Soria, 17.5: "o el domingo sallida de *missa* que monten a derecho."
Fuero de Sepúlveda, §§ 239.17: "De la donation que non vala sinon la que fuese fecha al domingo despues de la *misa*."
Diez Mandamientos, 380.33: "que los pecadores enujan de odir la *misa*."
Documentos lingüísticos (1214), 209: "cante *missa* cada día."
Documentos lingüísticos (1214), 193: "el altar de San Benito, enque siempre sea cantada una *missa* de requiem."
Documentos lingüísticos (1217), 222: "Et esta compra fue fecha en la colaçjon de Sancta Marina, el dia del dominco exida de *missa*."
Berceo, Sac., 39a: "Quando cantan la *missa* en el sancto altar."
Alexandre (P), 117c: "...el cual *misa* dizie."
Fnán. Glez., 510b: "Todos oyeron *misa* otro día mannana."
Documentaciones posteriores: Don Juan Manuel, Conde Lucanor, 114.5; en el Libro de Cavallero e del Escudero, *missacantano*. Poema de Alfonso Onceno, 1915c; en 135d: *misal*. Rimado de Palacio, 123d.

MISACANTANO.

'sacerdote misacantano':

Santa M.ª Egipciaca, 1040: "Tú eres clérigo *missa cantano.*"

Berceo, Sto. Dom., 42d: "Fue en pocos de tiempos fecho *missacantano.*"

Documento de 1.244 (M. Pidal, 193): "e dado al altar de Sant Benito guarnimiento para *missacantano.*"

MISAL. V. Misa.

Berceo, Sta. Oria, 171d: "Por ende de la su vida fizo libro caudal / yo ende lo saque esto de essi su *misal.*"

MISERIA. De miseriam.

'miseria, desgracia':

Berceo, Signos, 15a: "En el octavo día verná otra *miseria.*"

'pobreza':

Berceo, San Millán, 323b: "Vivién en grant *miseria* de todo bien menguados."

MISERICORDIA. De misericordiam.

Fazienda de Ultramar, 46.30: "Faga *misericordia* con myo sennor Abraam."

Berceo, Milagros, 526b: "Fuent de *misericordia,* torre de salvedad."

MISSION. De missionem.

'gasto, precio':

Documento de 1.220 (M. Pidal. 25): "E la *missión* por pastorgar las bacas e assoldar que exca de las bacas."

Fuero de Madrid, 57.22: "...e esto sea dado por toda la *mission* de la boda."

Fuero de Soria, 14.8: "e la *missión* que fuese fecha, peche la aquel que fizo la çerradura o la lauor."

Fuero de Sepúlveda, § 201: "Et si de su casa quisiere fazer su *missión,* a la venida aya todos mis escusados."

Berceo, Sto. Dom., 358a: "De toda la ganançia, con toda su *mission...*"

Alexandre (O), 273a: "Adobauan grandes comeres e fazien *missiones.*"

Apolonio, 558c: "Fazien tan grandes gozos e tan grandes *missiones.*"

'esfuerzo, empeño':

Flores de Filosofía, 78.5: "E cosas ha el omne que le valdrían más venderlas que meter *missión* en ellas."

Berceo, San Millán, 397b: "Asmaron alçarse, meter toda *missión.*"

Apolonio, 447d: "Non pudo echar lágrima por nenguna *misión.*"

Alexandre (P), 1257c: "...e a commo as de fer sobre grant *mjsión,* / avrias ayuda buena por esta quitaçión."

MISIONADO. V. Misión.

'esforzado, empeñado':

Alexandre (P), 2176a: "Las gentes por veyer cosa tan *misionada,* fazienda tan cabdal, lucha tan guerreada."

MISTERIO. De mysterium.

'misterio':

Berceo, Sacrificio, 241a: "Conviene que catemos est santo *misterio.*"

Apolonio, 585c: "Entendió la materia e todo el *misterio.*"

'ministerio, oficio', probable error por *ministerio*:

Alexandre (P), 1110d: "Fueron fer su *misterio* en que eran usados." En O., 1082d: *mester.*

Documentaciones posteriores: Rimado de Palacio, 1388d.

MITAD, MEYTAD, MEETAD, METAD. De medietatem.

'mitad':

Fazienda de Ultramar, 196.20: "levaran la *meytad* de los de la cibdad en cativerio."

Fazienda de Ultramar, 197. 1-2: "la una *meetad* covera a la mas anciana e la otra a la postrimeria."

Fuero de Madrid, 33.14: "accipiant dona de la casa la *madietate.*"

Fuero de Soria, 27.9: "...peche cada uno dellos v. ss., la *meytat* a los alcaldes."

Fuero de Soria, 77.167: *Meatad.*

Fuero de Sepúlveda, § 27, 53,64a: "...e peche las setenas, la *meetat* a los alcaldes, e la otra *meetat* al sennor e al iuez."

El Bonium, 338.5: "la pregunta es la *meytad* del saber."

Nobleza y Lealtad XXVI: "E la *meitat* de tu conquista tienes fecha."

Documentos lingüísticos (1144), 38: "Enna tierra de illo

molino de Mal Anda la quinta parte; al molino de Torrentero de duas terras la *mediedad*."

Documentos lingüísticos (1210), 4: "Eual Pinero la *medietat* con suas seturas es de Sancta Eulalia."

Documentos lingüísticos (1109), 72: "e la *medietate* dellas casas de Lotello que od me pertinet."

Documentos lingüísticos (1232), 7: "...e por tal pleito, que de quanto ganare que dedes al abbat la *meatad* por fé e sin mal enganno."

Documentos lingüísticos (1224), 30: "*meatad*".

Documentos lingüísticos (1209), 84: "*meitad*".

Documentos lingüísticos (1209), 84: "*meatade*".

Documentos lingüísticos (1227), 86: "*metad*".

Documentos lingüísticos (1181), 260: "e de istos cauados aueth poder sachar en la *meetate* quando nunquam volueretis."

Documentos lingüísticos (1206), 266: "dieronle *meatad* de quantas tierras an oy en dia."

Alexandre (P), 262a: *meytad*. En O., 256a: *meatad*.

MITRA. De mitra gr. μιτρα.

'mitra';

Alexandre (P), 1119b: "puso en su cabeça una *mitra* preçiada."

Berceo, Sta. Or., 62c: "Pero que trago *mitra*, fue cosa muy llana." En San Millán, 438c: "*Mitra* pontifical."

Documentaciones posteriores: Juan Ruiz (1149b); Don Juan Manuel (Libro de los Estados, 593.17).

MODULAR. De modulari.

'modular, someter a cadencia':

Berceo, Mil., 7b: "Odi sones de aves dulces e *moduladas*."

Alexandre (P), 2117b: "*Modulauan* a çierto las cuerdas e las claues."

MONARQUIA. De manarchia, gr. μοναρχια.

Alexandre (O), 1097b: "leyo en Daniel en una proffeçia / que tornaria un griego Asia en *monarchia*"

MONESTERIO, MONASTERIO.

'monasterio, convento':

Poema del Cid, 252: "Non quiero fer en el *monasterio* un dinero de daño."

Documentos lingüísticos (fines del siglo XII), 40: "et una era tras la ecclesia de Sancti Michaeli en che trillan las messes del *monasterio*."

Sta. M.ª Egipciaca, 107.365: "Si tú mantoujeres el *monesterio*."

Fuero de Sepúlveda, § 14: "e nol'vala eglesia, nin palatio, nin *monesterio*."

Fuero de Soria, 110.8: "...fueras si la mandasse a su orden o a su *monesterio*."

Apolonio, 585d: "Non le podíe de gozo caber el *monesterio*."

Berceo, S. Mill., 282a: "Exió del *monasterio*, fuélos a predicar."

MONUMENTO. De monŭmĕntum.

'monumento, lápida sepulcral'; 'sepulcro':

Poema del Cid, 358: "En el *monumento* oviste a resucitar."

Fazienda de Ultramar, 206.15: "...es ally el *monumento* o fue soterrada Sancta María". También en 207.1.

Berceo, Loores, 125d: "Paresçio a dos fembras la segunda vegada, / del sancto *monumento* quando façien tornada."

Apolonio, 445c: "Fizo un *monumento* rico e a muy grand guisa."

MORADOR. V. MORAR.

'morador, habitante':

Berceo, Loores, 40c: "Torneste de Egipto do eras *morador*."

MORANCIA. V. MORAR.

'vivienda, domicilio':

Documento de 1.191 (M. Pidal, 261): "...e doles solar en ke moren fagan casas e en ke moren, e ke moren hi con suas mulleres e con sos fillos e non cambien la *morancia* en otro lugar, foras end Toledo dentro."

MORAR. De mŏrarī.

'habitar':

Cid, 2271: "El Cid e los yernos en Valençia son rastados / *moran* los yfantes bien cerca de dos años."

Documento de 1223: "...quantos *moraren* en este solar."

Sta. M.ª Egipciaca, 585. "conellos XL dias *moró*."
'tardar, permanecer':
Cid, 953: "En aquessa corrida X dias ouieron a *morar*."
Reflex. 'quedarse':
Berceo, Mil.. 12d: "Qui allí *se morasse* serié bienaventurado."
Documentaciones posteriores: según Corominas es palabra
frecuente desde la aparición del español literario (V. DCELC.)

MORISCA. De mauriscu.
'moruno':
Cid, 178: "Una piel vermeia, *morisca* e ondrada". (V. M.
Pidal, Cid, Gramática, p. 244-3, para quien -iscu es literario.)

MORISCADA. V. Morisca.
Berceo, San Mill., 452c: "La gent *moriscada*", 'los musulmanes'.

MORTALIDAT. De mortalitatem.
'mortandad':
Fazienda de Ultramar, 67.6: "enbiare mi ira a todo el ganado
que es en el campo e morra *mortalidat*."

MORTIFICAR. De mortificare.
'mortificar, castigar':
Berceo, Sac., 182b: "Quando en nos mismos el mal *mortifi-
camos*."
Documentaciones posteriores: Rim. de Palacio, 1079; Aut.

MOYSEN, MOYSES.
Fazienda de Ultramar, 67.12: *Moysen*. En 62.32: *Moysés*.
Berceo, Sac., 3: *Moysen*. En Loores, 17: *Moysés*.
Alexandre (P), 1223c.

MULTIPLICARE. De multiplicare.
'aumentar, multiplicar':
Fazienda de Ultramar, 61.32: "Fyjos de Israel crescieron e
multiplicaron e implios toda la tierra dellos". La forma culta
alterna con la solución popular *amochiguar* (Cf. 140.10: "El
Poderoso e el Abastado acrez *amuchigua* yent."
Berceo, Milagros, 612c: "Que cantan a su madre laudes
multiplicadas."
Alexandre (P), 2482a: "Enbiaronle parias, ruegos *multipli-
cados*."

MUNDANAL. V. Mundo.
　'mundano':
　Nobleza y Lealtad, 1: "Loor *mundanal.*"
MUNDANO. V. Mundo.
　Nobleza y Lealtad, V: "Esfuerço e fortaleza son... fama on-
rrosa, *mundano* ensalçamiento."
MUNDO. De mŭndus.
　'el mundo, la humanidad':
　Poema del Cid, 361: "Tú eres rey de los reyes e de todel
mundo padre."
　Sta. M.ª Egipciaca, 522: "todo el *mundo* salvo."
　Razón de Amor y Denuestos, 212: "e io (derribo) a muchos
ualientes; e si farya a qua(n)tos en el *mundo* son."
　Documentos lingüísticos (1237), 115: "e demas los frayres de
Casa nueua que lo puedan defesar como so e enparar e pren-
dar a todos los omnes del *mundo* fueres al conceio de..."
　Fuero de Soria, 99.13: "...si non que Dios los confonda en
este *mundo* los cuerpos."
　Reyes Magos, 40: "que es senior de todo el *mundo.*"
　Fazienda de Ultramar, 203.9: "Adelant un poco, (en) es (el)
logar de Sancta Maria, del medio del *mundo.*"
　Poridat de poridades, 29.1: "El Sennor de todo el *mundo.*"
　Diez Mandamientos, 382.16: "que bien aya en este *mundo.*"
　El Bonium, 68.6: "...los grandes fechos e maravillosos de
las partidas del *mundo.*"
　Nobleza y Lealtad, VI: "*mundo.*"
　Buenos Proverbios, 12: "Todas las cosas del *mundo* se pue-
den cambiar."
　Berceo, Duelo, 118a: Mientre que por el *Mundo* corrien estos
roydos."
　Berceo, S. Mill., 223b: "Que por salvar al *mundo* naçio de
su esposa."
　Apolonio, 339a: "El curso deste *mundo*, en ti lo has pro-
vado."
　Poema de Fernán González, 24c: "E fueron de tod(o) el
mundo pueblo escogido."
　Poema de Fernán González, 25a: "Quando los reyes godos
deste *mundo* pasaron."

Alexandre (P), 120a: "Señor, dixo, que tienes el *mundo* en poder."

Liber Regum, 10.18: "Est Iulius Cesar conquerie la maior partida de tod el *mundo*."

Flores de Filosofía, 24.2: "el mejor de los tiempos del *mundo* es el tiempo del rey justiçiero."

Flores de Filosofía, 63.7: "ca la braveza es la más loca manera del *mundo*."

'vida mundana':

Fuero de Sepúlveda, § 24: "Otrosi, mando que ninguno non aya poder de vender nin de dar a los Cogolludos raiz, ni a los que lexan el *mundo,* ca como su Orden las vieda a ellos vender..."

'gentío':

Alexandre (P), 1247c: "Dario tiene todo un *mundo* de gentes asemblado."

1.ª documentación: Cid.

Documentaciones posteriores; Conde Lucanor, Juan Ruiz, 268d; Rimado de Palacio, 7a.

MURMORIO. De mŭrmŭrĭum.

'ruido, rumor, murmuración':

Alexandre (P), 1176c: "Entendio el *murmorio* que era leuantado."

Berceo, Sto. Dom., 447c: "Dixo ueyo amigos: que traedes *murmorio.*" En Orduna, *mormorio.*

MURMURAR. De mŭrmŭrare.

'murmurar':

Berceo, Sto. Dom., 453c: "Tu uees est conviento, de qual guisa *mormura.*"

Apolonio, 506b: "El rio es la casa que corre *murmuriando.*"

MUSICA. De mŭsĭca.

El Bonium, 172.2: "E vieronle aprender la *música,* seyendo viejo."

Buenos Proverbios, 12.9: "después *música.*"

Alexandre (O), 39a: "Sé arte de *música,* por natura cantar."

En Ibn Garsia y otros; véase Simonet, Glosario, s. v.

MUSICO.

Sust., 'músico, intérprete':

El Bonium, 105.6: "El *músico* mueve la cuerda segund su manera de esfuerço."

N

NABUCODONOSOR.
  'rey de Babilonia':
  El Bonium, 128.8: "E pareció Ypocras despues (de) ciento
  e querenta (e seys) annos de *Nabucodonosor*."
  Fazienda de Ultramar, 158.32.
  Liber Regum, 6.5: "el rei Nabucodonosor".
  Alexandre (O), 833b.
NAÇENÇIA. De nascentia.
  'nacimiento':
  Sta. M.ª Egipciaca, 514: "Creyo bien en mi creyençia / que
  Dios fue en tu *nasçençia*."
  Buenos Proverbios, 29.14: "es porque el sol y la luna que
  es en sus *naçençias* en un signo."
  Fuero de Soria, 16.19.20: "mas por la criazon que mamare
  que non peche ninguna cosa de su *naçençia* fasta un anno."
NATAL. De natalem.
  'Natividad':
  Berceo, Milagros, 55b: "Que pusso essa festa cerca de la
  natal."
NATURA. De naturam.
  'la naturaleza':
  Alexandre (O), 2161a; "La *Natura* que cria todas las crea-
  turas."
  'naturaleza, índole humana':

Sta. M.ª Egipciaca, 40. "El pecado non es criatura / mas es viçio que viene de *natura*."

F. de Soria, 108.17: "Njngun sieruo, njn... nj mudo, nj sordo por *natura*."

Diez Mandamientos, 382.8: "que es omne que jaçe contra *natura*."

Poridad de poridades, 35.15: "et la lit es contraria al iuyzio et desfaze el pueblo et vençe la *natura*, et la contraria de la *natura* es danno de todas las cosas del mundo."

El Bonium, 109.14-15: "e toda cosa se puede cambiar sinon la *natura*."

Buenos Proverbios, 12.21: "Todas las cosas del mundo se pueden cambiar sinon las *naturas*."

Alex. (P), 1205d: "El pueblo que es nesçio fazes maraujllado / non sabe la *natura* e es mal espantado."

Alexandre (P), 1278b: "Los pueblos de los griegos... / aun que por *natura* eran mucho enforçados."

Apolonio, 52a: "Esto façie el pecado que es de tal *natura*."

Berceo, Sto. Domingo, 490a: "Commo es la *Natura* de los omnes carnales."

'naturaleza, esencia';

Berceo, Sac., 1a: En el nomme del rey que regna por *natura*."

Alexandre (O), 99c: "Venial de la madre ligerez por *natura*."

'linaje':

P. del Cid, 3275: "Los de Carrión son de *natura* tan alta."

P. de Fernán González, 601d: "Mas que seamos syervos nos e nuestra *natura*."

Alexandre (P), 205d: "de la onta que aujan feyta en su *natura*."

Apolonio, 623b: "Porque de la *natura* del Senyor non saldrien."

Berceo, Sto. Domingo, 5b: "Natural fue de Cannas, non de bassa *natura*."

'carácter, cualidades':

El Bonium, 221.11: "Si quisieres saber la *natura* de algun omne demandale consejo en algunas cosas."

'conocimientos, ciencias':

Alexandre (P), 2139d: "de todas las *naturas* era bien decorado."

'ciencias de la naturaleza':

El Bonium, 247.9: "e los que agora son fallados son veynte e ocho libros en logica, e ocho en *naturas* e el libro de etica."

'asunto, materia':

Alexandre (P), 2402b: "Tanto amamos la razon alongada, / dexamos la *natura* sola desamparada."

'curso natural de las cosas':

Alexandre (P), 2192c: "*natura* es del mundo deçender e sobir." En 809c: 'ventura, suerte'.

"tomar en *natura*", 'acostumbrar': Alexandre (P), 2243c.

"La *natura* del anno", 'los meses': Alexandre (P), 2518b.

'nobleza':

Alexandre (P), 1563a: "Da el rregno a Belsus que es de grant *natura*."

'especie':

Alexandre (P), 1957d: "todos de su *natura* (los elefantes) trayen esti vezado."

Docs. posteriores: J. Ruiz, 405a; Nebrija.

NATURAL. V. Natura.

'que es por origen o linaje':

P. del Cid, 1500: "sus fijos *naturales*."

P. de Roncesvalles, 18: "Digádesme, don Oliveros, cavallero *naturale*."

Documentos lingüísticos, de 1223 (M. Pidal, 28): "...desapodero el abbad don Andrés... a don Petro de..., e tolliol el benefitio, e dond es *natural* davolengo e de patrimonio."

Berceo, Sto. Dom., 563a; "Prisieron la enferma omnes sus *naturales*."

Alex. (P), 958c: "Todos sus *naturales*."

P. de Fernán González, 27a: "Fyno es el rey Ci(n)dur, un *natural* (sen(n)or."

'oriundo':

Roncesvalles, 55: "De mi tierra *natural*."

Berceo, Sto. Domingo, 557a: "Una mugier que era *natural* de Palencia."

Apolonio, 2a: "El rey Apolonio de Tiro *Natural*."

Alexandre (O), 217a: "Alçides tu avuelo daqui fue *natural*."

'que es por deudo de Naturaleza':

P. del Cid. 1479: "myo amigo *natural*."

'propio de la Naturaleza':

Sta. M.ª Egipciaca, 1318: "ungüento *natural*."

F. de Soria, 145.6: "mas si dixiere quel acaheçio por su desaventura o por su muerte *natural* e non por ferida..."

Poridad de las poridades, 29.15: "Et algunos dizen que murió su muerte *natural*."

El Bonium, 228.5: "vevimos vida *natural* por fazer vida entelectual."

Flores de Filosofía, 13.5: "non ha peor cosa que mala cobdiçia *natural*."

Apol., 178b: "Tempró bien la vihuella en hun son *natural*."

Apolonio, 195c: "vinos *naturales*", 'vinos del país'.

'por esencia':

Nobleza y Lealtad, VIII: "Tempranza es *natural* razón."

Berceo, Milagros, 33; "La benedicta Virgen es clamada Seniora *natural*."

'ciencias de la Naturaleza':

El Bonium, 245.5: "quiso saber las ciencias éticas e las quedriviales e las *naturales*."

'fiel, leal':

Berceo, Milagros, 48d: "Fue de la Gloriosa amigo *natural*."

Docs. posteriores: J. Ruiz, 135b: Rim. de Palacio, 1356a.

NATURALEZA. V. Natura.

'modo de ser':

Nobleza e Lealtad, VIII: "Castidat es vencimiento de voluntad, e gloriosa *naturaleza*."

NATURALMENTE. V. Natura.

'por linaje':

Nobleza y Lealtad, XVIII, "que el rey tómenlo *naturalmientre*."

NAVIDAD. De nativitatem.

Documentos lingüísticos de 1227 (M. Pidal, 314), Uclés,

Cuenca: Tot conegero de Uclés o de suo termino, dé 111 pielles de conegos por *Navidat* poral hospital."

F. de Soria, 57.10: "el dia de *Navjdat*."

F. de Sepúlveda, §§ 72a, 204, 238: Por este tiempo los judíos debían pagar los tributos (72), no podían comprar carne (238) y tenían lugar la confirmación de las compras (204). (V. Alvar, *Vocabulario*).

Fazienda de Ultramar, 205.17: "e nunció la *navidat* de so fijo sant Juan baptista."

Berceo, Milagros, 62d: "Oy en el dia sancto de *Navidad*."

En la ed. de Dutton: *Natividat*.

Docs.: 1205 (Oelschläger), *nadvidad*.

Docs. posteriores: Don Juan Manuel (Libro de la caza, 81.16).

NECESARIO. De necessarium.

'necesitados, faltos':

Nobleza y Lealtad, VI.

Documentos lingüísticos de 1249 (M. Pidal, 98): "por que viemos que eran mucho *necessarios* e a grant pro del prioradgo."

El Bonium, 244.10: "e desian qui non eran *necesarios* en ninguna sapiencia."

NECESIDAD. De necessitatem.

Documentos lingüísticos de 1242 (M. Pidal, 94): "uino nos tal *necessidat* e tal voluntad que uendemos a muertas a uos don Juan Sanchez ..."

F. de Soria, 23.19: "Si acaheçiere por auentura que el juez por alguna *neçesidat* fuere fuera de la ujlla ..."

Nobleza y Lealtad, XXVI: "atanta *nescesidad* podrian tener que se irian a perder con desesperación."

Apolonio, 643c: "Contó los su fazienda, por qual *necessitat*."

Alexandre (P), 1155d: "non fuese de su *nesçesidat*."

NESCIEDAT. V. NECIO.

'ignorancia':

Berceo, Milagros, 224b: "Dissoli el obispo: preste, dime la verdat, si es tal commo diçen la tu *neçiedat*."

NECIO. De nĕscius.

'ignorante':

Flores de Filosofía, 56.9: "e si fuere callado dirán que es *necio*."

El Bonium, 85.6: "más vale callar que fablar con *nescios*."

Nobleza y Lealtad, LVIII: "Fuye de los *necios* e de los omes sin descrición."

Berceo, Milagros, 92a: "Fablas a guis de cosa *nescia*."

Alexandre (P), 642a: "Non es ome tan *nescio* que vidiese el escudo."

Documentaciones posteriores: J. Ruiz, 16a; Rim. de Palacio, 335b; P. de Alfonso XI, 1175a; Sem Tob, 41.1; don Juan Manuel, Conde Lucanor, 24.22.

NEGLIGENCIA. De negligentiam.

'negligencia, error, descuido':

Berceo, Sto. Domingo, 71a: "Cuntió grant *negligencia* a los que lo sopieron."

Documentaciones posteriores: Rimado de Palacio, 119a: *nigligençia*.

NEGOCIO. De negotium .

'asunto, encargo':

Documentos lingüísticos de 1228 (M. Pidal, 87): "...los que fiziemos en Roma por *negocios* de nuestra eglesia."

Apolonio, 48b: "Teníe que su *negocio* avíe bien recabado."

Berceo, Milagros, 170b: "¿Que *negocio* vos trae con esta compannia?"

Alexandre (O), 250c: "...que todo su *negoçio* serie bien acabado."

Docs. posteriores: Rimado de Palacio, 316c.

NEOFITHO. Del gr. νεοφυτος.

C. C. Esc. (Simonet, Glosario, s. v.).

NERO.

'Nerón':

Berceo, S. Lorenzo, 25.

NESTOR.

'personaje homérico':

Alexandre (O), 683a.

NICOMANO.

'padre de Aristóteles':

Poridad de las poridades, 29.4.

NIGROMANCIA. Del gr. νεχρομαντεια.

Apolonio, 20d: "Por mala de *nigromancia* perdió buena salut."

Docs. posteriores: Don Juan Manuel, Conde Lucanor, 40.26: *ynigromancia;* Calderón; Nebrija: *nagromancia.*

NINIVE.

'la ciudad de Ninive':

Alexandre (P), 1013a. En O, 1354c: *ninivitano.*

NOBLE. De nŏbilem.

'persona de la nobleza':

Documentos lingüísticos de 1184 (M. Pidal, 305): "el muyt *noble* rey don Alfonso..."

Nobleza y Lealtad, Introd.: "el muy alto e muy *noble*... Señor..."

Flores de Filosofía, 48.7: "E el *noble* quanto mayor poder ha, atanto se deue omillar más."

Apolonio, 360a: "El rey Apolonio, un *noble* cavallero."

Alexandre (O), 667a: "Memoria... un *noble* cavallero."

'noble', en sentido amplio, aplicado a personas, ciudades y cosas:

El Bonium, 93.14: "e será lo que ganaredes por ello de la *noble* virtud mas provechosa que thesoro de oro e de plata..."

Flores de Filosofía, 46.1: "E commo omne deue pugnar en ser *noble.*"

Berceo, Milagros, 413a: "En Toledo la *noble* que es arzobispado."

Mil., 237b: "varon sabio e *noble,* del papa cardenal."

Id., Sacrificio, 35c: *nobre.*

Alexandre (P), 181a: "Era esta Corrintio atan *noble* cibdat."

En Documentos de 1184: *nobile,* descendiente semiculto del latín nobilis 'conocido, ilustre', derivado de nascere.

NOBLEMENTE.

Adv. 'con nobleza':

Apolonio, 629a: "Fue *noblemente* soterrado."

NOBLEZA. V. Noble.

'nobleza', acepción moral:

Flores de Filosofía, 35.7: "Del saber e de su *nobleza* e de la pro que uiene dél."

El Bonium, 343.9: "E dixo la buena rriquesa es la *nobleza* del anima."

Apolonio, 73c: "Grant es la tu *nobleza*."

Alexandre (P), 1125c: "e toda su *nobleza* auje menoscaba."

'cosas notables':

Berceo, S. Millán, 488a: "Muchas otras *noblezas* de preçio muy mayor."

Alexandre (P), 1481a: "Que todas sus *noblezas* vos queramos dezir."

'buenas cualidades':

Berceo, Loores, 191d: "Non serie asmado quantas son sus *noblezas*" (las de Dios).

'alhajas, adornos':

Berceo, Sacrificio, 109d: "Entrava bien guarnida de *noblezas* cabdales."

En Mil., 535d, 'cosa de valor muy apreciada', ac. moral: "Ca de verdad bien era una rica *nobleza*."

NODRICIA, NODRIÇA. De nŭtrix, nŭtricis.

'nodriza':

Apolonio, 12b: "la mi *nodricia* ondrada."

Id. 331d: "La que fue por *nodriça* ha Luçiana dada."

NOTA. De nŏtan.

F. de Soria, 30.4: "Et tengan las *notas primeras* de las cartas que ficieren."

Corominas (DCELC), la documenta hacia mediados del siglo XIII.

NOTADO.

Adj. 'notable':

Berceo, Milagros, 51b: "Dos iaçen en escripto, estos son más *notados*."

Alexandre (P), 2578d: "escriptos *notados*."

Docs. posteriores: J. Ruiz, 1518; Rim. de Palacio, 605c.

NOTAR. De notare.

'contar':

P. del Cid, 185: "*notolos* don Martino, sin peso los tomara."

'copiar, escribir':

Berceo, Mil., 410a: "Fue luego est miraclo escripto e *notado*."

Alexandre (P), 637c: "que sy por orden todo lo quesiesen *notar*."

Apolonio, 96c: "Fizieron en un marbor el escrito *notar*."

NOTARIO. De notarium.

'notario, secretario' (V. Devoto, BH, LIX, págs. 6-7).

F. de Sepúlveda, § 178: "Otrosí, los alcaldes iuren esto mismo tras el iuez et d'ende el escrivano o *notario,* o el almutacén o el sayón."

Berceo, Milagros, 106d: "Que iaz el mi *notario* de vos tan apartado."

Alexandre (O), 128c: "Cuando ovo leidas las cartas el *notario*."

Docs. posteriores, J. Ruiz, 355b.

NOTEFICAR. De notificare.

'dar noticia':

Nobleza y Lealtad, VII: "lo qual las estorias maravillosamente *notefican*."

NOTICIA. De notitiam.

'noticia, conocimiento':

Berceo, S. Millán, 164b: "Ca queríe la *nodicia* e los nommes saber."

'hecho, acontecimiento':

S. Millán, 364a: *noticia,* "Secund esta *notiçia* que avemos contado."

Docs. posteriores: Rimado de Palacio, 1221c; Nebrija.

NOVICIO. De novicium.

'sacerdote':

Berceo, Sto. Domingo, 43a: "Cantó la sancta missa el sacerdote *noviçio*."

'recién casado':

Alexandre (P), 1947a: "El rey, maguer *novjçio,* non fizo grant vagar". En O., 1806a: *nouio.*

Berceo, S. Millán, 97b: "Maguer era *novicio* maestro semejaua."

Docs. posteriores: J. Ruiz, 1540c.

NUNCIO. De nŭntius.

'dar anuncio', 'anunciar'. (V. Corominas, DCELC).

Documentos lingüísticos de 1223 (M. Pidal, 6): "...que asi

como fallaron en pesquisa que an a fazer por fuero a sancta
Juliana quantos moraren en este solar e esta heredad, cada
uno por si, dar *nunçio* e non otro fuero."

NUTRICION.   De nutritionem.

'alimentación, educación':

Berceo, S. Millán, 21c: "Dioli tal *nudrición*."

NUTRIZ.   De nutrix.

'nodriza':

Fazienda de Ultramar, 140.3: "Murio alli Ebora, la *nutriz* de
Rebeca, e alli fue soterrada."

V. Nodricia.

O

OBEDICIMIENTO.
'obediencia':
Poridad de las poridades, 54.12: "et por que nos ayan pauor et por que nos fagan grant ondra et grant *obedicimiento*."

OBEDIENCIA.   De obedientiam.
Documentos lingüísticos de 1220 (M. Pidal, 5): "a vos promis *obedientia*."
Poridad de las poridades, 39.17: "Alexandre, *obediencia* de los omnes al rey no puede ser menos de cuatro cosas..."
El Bonium, 71.27: "e la simiente de la *obidencia*."
Buenos Proverbios, 40.23: "...por tal de saber la vuestra *obediencia*"; id. en 43.8: *obidiciencia*.
Flores de Filosofía, 16.7: "En la *obediencia* yase el solas."
Nobleza y Lealtad, X: "las sennales de *obediencia*."
Berceo, S. Millán, 79d: "Que a la *obediença* vino tan conoçido."
Alexandre (P), 1287a: "Mas la *obediença* non pudo traspasar."
P. de Fernán González, 37b: "Al Fyjo de la Virgen (Maria) fazian todos *obediencia*."
Docs. posteriores: Partidas, *obidiença*; Sem Tob, *obidencia* J. Ruiz, 1071a; Rim. de Palacio, 236d.

OBEDIENTE. V. Obediencia.

Flores de Filosofía, 23.5: "e los que son *obidientes* a su rey son seguros de non aver bulliçio en su rregno."

OBISPADO. V. Obispo.

P. del Cid, 1299: "en tierras de Valencia fer quiero *obispado.*"

Liber Regum, 12.30: "Est rei Bamba establie los arcebispados e los *bispados* de Espanna d'ond ad ond fossen."

Berceo, Milagros, 737b: "Esti solié seer vicario del *obispado.*"

P. de Fernán González, 31a: "Partjó todas las tierras, ayuntó los *(o)bispados.*"

OBISPAL. V. Obispo.

Milagros, 57d: "Que non fueron a missa a la sied *obispal.*"
Berceo, Sacrificio, 111: *bispal.*

OBISPO. De episcopum.

P. del Cid, 1303: "A este don Jerome yal otorgan por *obispo.*"

Documentos lingüísticos de 1127 (M. Pidal, 109): *episcopo.*

Id. de 1179 (M. Pidal, 150), *uispo.*

Id. de 1220 (M. Pidal, 26), *bispo.*

Id. de 1223 (M. Pidal, 27), *obispo.*

Liber Regum, 18.14: "Mencensem, *episcopum.*"

Fazienda de Ultramar, 204.17: "Sant Simeon... *obispo* en Jherusalem."

Diez Mandamientos, 372.6: "quales casos deven ir al *bispe.*"

F. de Soria, 34.14: "seello de rey o de arçobispo o de *obispo.*"

F. de Sepúlveda, §§ 11,205: "... e deven dar a cada uno sus derechos, tanbien al *obispo.*"

Berceo, Milagros, 232a: "Fo con estas menazas el *bispo* espantado." En Sto. Domingo, 269a: "Convido los *obispos* e los provinciales."

Alexandre (P), 2475c: "Esta es de la diestra del *espiscopu* santiguada." En P., 1119a: *obispo.* En O., 1091a: *bispo.*

P. de Fernán González, 13b: "Papas e *arcouyspos* (e) *ovyspos* (e monjes) e abades."

Escritores árabes de Granada y Almería. (V. Simonet, Glosario.)

OBLACION. De oblationem.

'ofrenda':

Berceo, Sacrificio, 140d: "Sobre essa familia, e en su *oblación*."

Alexandre (O), 310b: "e dioron *oblaçion*" En P. 317a: *oblaçion*.

OBSCURIDAD. V. Obscura.

Fazienda de Ultramar, 68.70: "Tient tu mano a los cielos e sera *oscuridat*."

Berceo, Sacrificio, 133c; "Guardemos las almas de la *obscuridad*."

Alexandre (P), 1182b: "...un grat rato la *obscuridat*."

Docs. posteriores: Rim. de Palacio, 318a.

OBSCURO. De obscurum.

'oscuro, tenebroso':

Fazienda de Ultramar, 196.29: "En ese dia non sera luz, tiniebra *obscura*."

'oscuro, difícil de entender':

Alexandre (P), 977c: "el *obscuro* dictado". En O., 949c: *escudo*.

OBSEQUIO. De obsequium.

'exequias':

F. de Soria, 112.17: "Aquel que fiziere dezir *obsequio* alguno por algun defunto."

Berceo, Sac. 30d: "Cantar sobre los muertos *obsequios* e clamores."

Alexandre (P), 635a: "Fue con grandes *obsequios* el cuerpo balsamado."

'agasajo, honor';

Berceo, Sta. Oria, 178d: "Estos façien *obsequio* e todo cumplimiento."

OBSINTO. V. Asencio.

OCASION. De occasionem.

'daño':

P. del Cid, 1365: "atrégoles los cuerpos de mal e de *ocasión*."

Documentos lingüísticos de 1219 (M. Pidal, 166) Hornillos del Camino (Burgos): "e que sea ejchado en término, o padre o hermano quel mate por *ocasion,* e dotras *ocaziones* que jazen j mochas."

El Bonium, 82.2: "por las *ocasiones* que acaescen en el mundo."

Poridad de las poridades, 71.15: "la otra es feneçimiento accidental que uiene por las enfermedades, et por las *ocasiones* et por las malas guardas."

Buenos Proverbios, 27.10: "E vió un omne triste por una *ocasión* quel'conteçió."

Apolonio, 467b: "Cayó en tal tristiçia e tal *ocasión.*"

P. de Fernán González, 381d: "Sennor, tu me aguarda derror e *docasion.*"

Alexandre (P), 53d: "Puede caher en grant *ocasión.*"

'mala suerte, azar':

F. de Sepúlveda, § 127: "Otrosí, si el que encendió el fuego manifestare o dixiere que por *ocasión* le conteció..."

F. de Soria, 71.1: "Et si manifestare que fizo el encendimiento..., que acahecio por *ocasión...*"

Liber Regum, 18.30: "Philip el maior, qui era ia rei coronado, morie por *ocassion* en uida de so padre."

Fazienda de Ultramar, 179.12: "Por esta *occasion* fue preso Daniel, a pesar del rey que lo querie anparar."

'causa, motivo':

F. de Sepúlveda, § 123: "Otrosí, si el ganado muriese de fambre, o de set o de otra *ocasión.*"

Fazienda de Ultramar, 202.25: "Est Herodes tollyo la mugier a so ermano Felip e por aquella *occasion* fizo degollar Sant Juan Baptista."

Flores de Filosofía, 33.15; "e es *ocasion* de muerte en las batallas."

Nobleza y Lealtad, XVI: "...a que *ocasion* traxo..."

Apolonio, 175d: "Renovó se le el duelo e la *ocasión* pasada."

Berceo, Milagros, 103d: "Deçir non lo sabría sobre qual *ocasion.*"

Alexandre (P), 1598a: "Quando al ome biene alguna *ocasión.*"

Docs. posteriores: J. Ruiz, 1670g; Rim. de Palacio, 26c; Don Juan Manuel, Conde Lucanor, 60.11; Sem Tob, 262.4.

OCASIONADO. V. Ocasión.

'dañado', part. sustantivado.

El Bonium, 217.10: "ayuda al *ocasionado* si non lo ocasionó la su mala obra."

OCASIONAR. V. Ocasión.

'ocurrir, suceder':

Berceo, Milagros, 195d: "Non sabié de qual guisa fuera *ocasionado.*"

'dañar':

El Bonium, 217.10: "ayuda al ocasionado si non lo *ocasiono* la su mala obra."

OCCIDENTE. De Occidens -entis.

Reyes Magos, 26: "de todos hasta in *occidente.*"

Documentos lingüísticos de 1215 (M. Pidal, 273) Toledo: De Torre Mocha en ayuso, contra Torre Alba e contra *occident.*"

Documentos lingüísticos de 1235 (M. Pidal, 335): *hoccient.*

El Bonium, 28 25: "guerrear todos los rreyes de *ocidente.*"

En 164.14: *oce-dientes.*

Poridad de las poridades, 53.6: "et asi son las partes del mundo quatro: Orient et *occident* et meridie et septentrion."

Fazienda de Ultramar, 157.25: "...e pues frago cibdat a *occident* en Gran."

P. de Fernán González, 413c: "Entre la otra faz de parte *doçidente.*"

Alexandre (P), 262b: "Los otros dos alcançan a *Oçidente.*"

En O., 256c: *occidente.*

Docs. posteriores: Don Juan Manuel, Libro del Cavallero e del Escudero, XXXV. 105.

OCTAVA. De octavam.

'octava parte':

Documentos lingüísticos de 1210 (M. Pidal, 4).

F. L. de Sepúlveda, § 46.22.

OCTAVO. De octavum.

Ordinal 'octavo':

Fazienda de Ultramar, 194.9: "En el mes *octavo,* a II annos de Dayres el rey."

Diez Mandamientos, 380.21: "El *octavo* es: ..."

Poridad de las poridades, 48.7: "La *octava* manera es que sea de grant corazon."

Nobleza y Lealtad, 1: "El *octavo* sabio dixo:..."

Berceo, Signos, 15a: "En el *octavo* dia verná otra miseria."

Alexandre (O), 295b: "Festino el *octavo*."

OCTUBRE. De octobris.

Documentos lingüísticos de 1223 (M. Pidal, 27): "In ipso anno X° VIII die mensis *octubre*."

F. de Soria, 57.17: "e del dia de sant Miguell fasta las tres semanas andadas de *octubre* por razon de las uendimjas."

Fazienda de Ultramar, 152.24.

Alexandre (P), 2528a: "Estaua don *Otubre*..." En O., 2400a: *Octubrio*.

En C. C. Esc. (1049) y Rabi ben Zaid en su "Calendario astronómico y agronómico": *octubar, octuber*. (V. Simonet, Glosario).

V. Otubre.

OCHAVARIO. Sufijo culto.

'octavario':

Apolonio, 459d: "E fiziessen rica fiesta e *ochavario* plenario."

Alexandre, 1113d: "darlye mala fiesta e peor *ochavario*."

ODIÇEPÇON.

Apolonio, 300d: "Entendió hun poquiello de la *odiçepçon*."

Según Marden parece errata por *concepcion*. Me inclino a creer que puede ser *disección*.

ODIO. De odium.

Poridad de las poridades, 35.14: "et por el departimiento uiene *odio*."

Berceo, Milagros, 552c: "Fizieron su cabillo la ira e el *odio*."

Docs. posteriores: APal.; Nebrija.

OFIÇIAL. V. Oficio.

'cargo público':

F. de Soria, 19.4: "El lunes primero despues de sant Juan el conçeio ponga cadanno juez e alcaldes e pesquisas e montaneros e desheseros e todos los otros *ofiçiales* e un cauallero que tenga a Alcaçar."

Nobleza y Lealtad, XXI: "Pon en las cibdades villas e logares de tu reyno tales alcaldes e justicias e *oficiales* e corregidores."

Docs. posteriores: Don Juan Manuel (Libro de los Estados, 466.33) Sem Tob, 357.4.

OFICIO.   De officium.

'cargo':

F. de Soria, 19.5; "Por esto dezimos cadanno, que njnguno non deue tener *ofiçio* nj portiello del conçeio si al *conçeio* non plogjere con él."

F. de Sepúlveda, § 180: "...si non fuere (el iuez o el alcalde) al *officio* fiel..."

El Bonium, 142.6: "e si fallaren que alguno dellos non guarda como deve, (pénelo) e tuellale aquel *oficio.*"

Diez Mandamientos, 371.5: "demande... qué *ofiçio* a."

Poridad de las poridades, 51.13: "et cada uno querrá algo para si et por fazer servicio a los que mantienen en su *officio.*"

Nobleza y Lealtad, IV: "que el *oficio* la persona lo faze seer grande e menguado siguientes la cantidad o calidad del que tiene el *oficio.*"

Berceo, Mil. 840d: "Por cobrar un *officio* que toviera primero."

'tarea, trabajo':

Apolonio, 507c: "Del blanco fago negro que es *oficio* mio."

Berceo, Milagros, 63c: (en la ed. de Dutton, 64c): "Acabó su *officio* la persona preçiosa."

Alexandre (P), 1684b; "Segunt el que debia nin complir ni *oficio.*"

'oficio religioso':

Berceo, Mil., 363a: "Dizienli mal *oficio,* facienli mal ofrenda."

Docs. posteriores: J. Ruiz, 744b; Rim. de Palacio, 237b; Don Juan Manuel, Conde Lucanor, 45.12; Sem Tob, 362.3; P. de Yuçuf. 105d.

OFRECION.   De offertione.

'regalo, oferta':

Alexandre (P), 1214c: "queriele ofrescer *ofreciones.*"

OFRENDA.   De offrenda.

'tributo, ofrenda':

P. del Cid, 3062; "e su *ofrenda* han fecha muy buena e a sazon."

Documentos lingüísticos de 1240 (M. Pidal, 117); "et el padaço mec que io habeo cerca la vjnea dAngebjn, a San Miguel Dalfaro por meo anniversario e per oblada a *offrenda*, por secula cuncta."

Disputa del Alma o del Cuerpo, 16: "nunca fust a altar por y buena *oferda* dar."

Berceo, Sacrificio, 18a: "Todas estas *offrendas*, las aves e ganados."

Alexandre (P), 317a: "Echaron grant *ofrenda* dieron grant obleçion."

'ofertorio':

Berceo, Sacrificio, 59a: "Mientre que la *offrenda* cantan los ordenados."

OLALIA.

'Eulalia':

Berceo, Sta. Oria, 27.

OLIO. De oleum.

'aceite':

F. de Soria, 46.4: "Et cada una dellas (las medideras) y que den sendos mencales a la collaçion donde fuere, pora *olio*."

El Bonium, 323.7: "asi commo crece la lumbre del crisuelo por el *olio* que ponen en el."

Buenos Proverbios, 32.15: "rrasimos de una y *olio* y vestiduras."

Liber Regum, 11.16; "en una fina plena de *olio* fervient..."

Fazienda de Ultramar, 120.20: "Biva el sennor Dios que non é pan, si non un poco de farina en la tinyella e un poco de *olyo* en la *olyera*."

Apolonio, 309a: "Fizo a un sin esto ell *olio* calentar."

Berceo, S. Millán, 331c: "Nunqua dias nin noches sin *olio* non estaua."

P. de Fernán González, 38b: "De *olio* (e de açeite) e de çera estavan (bien) avastados."

OLYERA. V. OLIO.

'aceitera':

Fazienda de Ultramar, 120.20: V. OLYO.

OMICIDA. V. OMICIDIO.

Apolonio, 370a: "Dicíe entre su cuer la mala *omiçida*."

OMICIDIO.   De homicidium.

'homicidio':

F. de Madrid, 30.20: "De omne qui abuerit suspecta de *omicidio*."

F. de Sepúlveda, § 14: "Tot omne de otra villa que *omezilio* fiziere en Sepúlveda sea despennado o enforcado."

Fazienda de Ultramar, 161.32: "Justicia manie en ella, e agora *homicidio*."

Apolonio, 388c: "As fecho *omeçidio* e muy grant trahición."

Alexandre (P), 2346a: "Esta fas a los omes *omesidios* obrar."

F. de Sepúlveda, § 32: *omezilio*. Id. 42b: *omizillo*.

En documentos de los s. x al xii (Oelschläger), *omecilio*, en 1157; *Homezilio* en 1262, Staaf, 57.39; *omecillo* desde 1219. Esta última forma aparece todavía en Nebrija (V. Corominas, DCELC).

OMILLAR.   De hŭmĭliare.

Fazienda de Ultramar, 44.35: "e *omilloso(les)* III vezes tro a tierra."

V. Homillar.

OMIRUS.   V. Homero.

OMNIPOTENTE.   De Omnipotentem.

Sta. M.ª Egipciaca, 1276: "dios *omnipotente*."

Fazienda de Ultramar, 48.24: "E Dios *omnipotent* te bendiga."

Berceo, Milagros, 1a: "Amigos e vassallos de Dios *omnipotent*."

Berceo, Loores, 31c: "Sopieron que era signo del rey *omnipotente*."

Alexandre (O), 256b: "Et fizola un rey que es *omnipotente*."

ONDECIMA.

Ordinal, 'undécima':

Poridat de las poridades, 48.16: "La *ondecima* manera que sea firme en las cosas que debe fazer."

OPINION.   De opinionem.

'parecer':

El Bonium, 89.1: "e estableció a cada pueblo de cada parte del mundo la ley que les convenía, e que les (pertenecía) a sus *opiniones*."

'juicio, saber':

El Bonium, 204.1: "E havia el apriso de Cayubus e de Sócrates, e tomo dellos los mas de sus *opiniones*."

Docs. posteriores: Setenario; J. Ruiz, 1153c; APal., Nebrija; frecuente en el Siglo de Oro, Calderón le da el sentido de 'honra', acepción que pudo nacer como eufemismo; el antecedente inmediato es el matiz de 'fama', nada raro en los clásicos (Corominas, DCELC).

ORACION.   De orationem.

P. del Cid, 54: "la *oraçion* fecha."

Disputa del alma y del cuerpo, 18: "ni feçist *oraçion* nunca de corazo(n)."

Sta. M.ª Egipciaca, 610: "A Dios ffizo *oraçion*."

Documentos lingüísticos de 1224 (M. Pidal, 171) Hornillos (Burgos): "...hy quantas *oraciones* fueren fechas en esta casa y en nuestra orden."

F. de Sepúlveda, 210: "que se paró a fazer *oratión*."

Diez Mandamientos, 381.29: "deve façer penitençia de *oraçiones*."

El Bonium, 96.5: "...e pobladlos con *oracion* e con clamor."

Buenos Proverbios, 9.4: "después que avien fecha su *oración*."

Fazienda de Ultramar, 46.29: "fizo *oracion* al Criador."

Apolonio, 384a: "Seyendo Tarsiana en esta *oración*."

Berceo, Sto. Domingo, 98c: "Oró al cuerpo sancto *oraçión* breviada."

Alexandre (O), 110a: "Cuando el infante ovo la *oraçion* acabada."

P. de Fernán González, 190a: "Fyzo su *oraçion* el moço byen complida."

'súplica':

Liber Regum, 4.27: "...odielos de la *oraçion* que fizieron."

(V. Cooper, p. 22, nota 35).

ORADOR.   De oratorem.

'decidor, chistoso':

Berceo, Sto. Domingo, 326c: "...*orador* e alegre, de limpia continençia."

ORAR.   De orare.

Apolonio, 274d: "Cuando sobre Licorides soviesse *orando*."

Berceo, Sacrificio, 123c: "Visitava el pueblo que de fuera *oraba*."

Docs. posteriores: Rim. de Palacio, 27d; APal.; Nebrija.

1.ª documentación en Berceo.

ORATORIO. De oratorium.

'oratorio, santuario';

Berceo, S. Millán, 57b: "Un *oratorio,* dizen que él lo ovo fecho."

ORDEN. De ordĭnem.

'orden religiosa', 'órdenes sagradas':

P. del Cid, 2373: "Mi *orden* e mis manos querrielas ondrar."

Documentos lingüísticos de 1218 (M. Pidal, 327) Plasencia: "e otro si promet Roy Bermudez a Dios e al concejo e a la *orden* que leal mient sea, assi como en estas cartas jaz."

F. de Soria, 109.6: "...o omne de religión passado el anno que entró en la *orden*."

F. de Sepúlveda, § 24: "Que non dé omne ninguno heredamiento a omnes ninguno de *Orden*."

Diez Mandamientos, 382.15: "o faze simonía, que es comprar *ordenes* o beneficio de glesia."

Buenos Proverbios, 71.21: "E castigovos otro tal que sirvades a los sabios e a los philosophos e a los de las *ordenes* en sus reglas."

Apolonio, 324d: "*Duenyas de orden*", 'religiosas'.

Berceo, Milagros, 874d: "mugier de *orden*", 'monja'.

Id. Sto. Domingo, 256a: "Dessend entró en *orden* fizo obedientia."

Alexandre (P), 395d: "...e fizolo en *orden de sorores* entrar."

'orden, clase':

El Bonium, 163.18.

Fazienda de Ultramar, 180.11: "E despues veya otra bestia que semeiava orso e una part se levantava e avie III *ordenes* de dientes en su boca."

'ordenadamente, por orden':

Alexandre (P), 1706d: "Contéjalo por *orden* como avíe passado."

ORDENADOR.

'Dios':

Berceo, Loores, 79d: "De los quatro elementos sabio *ordenador.*"

ORDENAMIENTO. V. ORDEN.
'orden espiritual':
Alexandre (P), 270d: "que es Roma cabeça de todo *ordenamiento.*"
Berceo, Loores, 168b: "Toda sancta iglesia aqui ovo comienzo / Daquende ovo forma e todo *ordenamiento.*"

ORDENAR. V. ORDEN.
'disponer':
Berceo, Sacrificio, 205d: "commo iaz *ordenado.*"
Alexandre (P), 330c: "que lo que Dios *ordena* commo aue de estar."
'fundar':
Berceo, Sacrificio, 29c: "*Ordenaron* eglesias do fuesse Dios servido."
'determinar':
Alexandre (P), 280c: "aujen *ordenado* en los sus coraçones."
'coronar':
Alexandre (P), 182a: "Quando auje en Gresçia el rey a *ordenar.*"
'administrar el sacramento del orden':
Berceo, Sacrificio, 30a: "*Ordenaron* obispos, otros prestes menores."
Apolonio, 646c: "*Ordenaste* en Pentapolin a tu fijo por vicario."

ORDIO. De hŏrdĕum.
'cebada':
Documentos lingüísticos de 1230 (M. Pidal, 51): "...e medio almud de *ordio.*"
Poridat de las poridades, 73.9: "Et si muelen dello peso de elos granos de *ordio.*"

ORFEO.
Apolonio, 190b.
Alexandre (P), 2117d.

ORGANAR. V. ORGANO.
'curar, sanar':
Razon de Amor y Denuestos, 249: "...y al enfermo *organar.*"

'cantar':

Berceo, Milagros, 26a: "Las aves que *organan* entre essos fructales."

Alexandre (P), 2523c: "*organeando* las mayas e cantando de amores."

'celebrar':

Berceo, Milagros, 43b: "Los quales *organamos* ennas fiestas cabdales."

ORGANISTA.   V. ORGANO.

Berceo, Milagros, 9a: "Non seríe *organista* nin seríe violero."

ORGANO.   De organum, gr. ὄργανον.

'organo, instrumento musical':

Berceo, Milagros, 7c: "Nunqua udieron omnes *organos* mas temprados."

Docs. posteriores: J. Ruiz, 1232c; Rim de Palacio, 1150c.

ORIENTE.   De orientem.

Cid, 109: "A *orient* exe el sol."

Santa María Egipciaca, 930: "Tornó los ojos a *Oriente*." (V. M.ª Soledad de Andrés, Vocabulario, p. 224).

Roncesvalles, 14: "Tornado yaze a *orient*, como lo puso Roldane."

El Bonium, 164.14: "E allegó la ley que él puso a los *orientes* de la tierra e a sus oçedientes."

Fazienda de Ultramar, 172.28: "La una parte puesta avie a *orient* e la otra a occident."

Berceo, Loores, 31a: "Nueva estrella paresçio estonçe a *Oriente*."

Alexandre (P), 262a: "Mas de la meytat es contra *oriente*."

Documentaciones posteriores: Libro de Salomón, 42.154; Don Juan Manuel, Libro del Cavallero e del Escudero, 35.87.

ORIGINAL.   De origĭnalem.

'el pecado original':

Alexandre (P), 2398b: "Que son por el pecado *original* dapnadas."

Documentaciones posteriores: don Juan Manuel, Nebrija.

ORINA.   De urīna.

Alexandre (P), 2130b: "Otros beujen sin grado las *orinas* botadas."

Para la explicación del cultismo, v. Corominas, DCELC, s. v.

ORINAL. V. Orina.

Alexandre (P), 42b: "Connosco bien los pulsos, bien judgo *orinal.*"

OROLOGIO. De horologium.

'reloj':

Fazienda de Ultramar, 156.20: "Quieres que suba la sombra en los grados del *orologio* d'Acaz X grados e que torne otros X grados."

ORSO. De ursum.

Forma latinizante de 'oso':

Fazienda de Ultramar, 108.11: "E despué́s veye otra bestia que semeiava *orso.*"

OSOLUCION. V. Absolución.

OSTIA. De hostiam.

'consagración':

Faz. de Ultramar, 184.1: "...e en media la setmana faldra la *ostia* y el sacrificio."

Fnán. González, 482c: "La *ostya* consagrada todos la resçebjeron."

V. Hostia.

OTORGAMIENTO. V. Otorgar.

'autorización':

Documentos lingüísticos de 1227 (M. Pidal, 177), Burgos: "Yo dona Sancha... con *otorgamiento* de todo nuestro conviento façemos camio con uos don Rodrigo..."

Id. en 1234 (M. Pidal, 226), Tovilla. -Valladolid y Cerrato: "Este *atorgamiento* que..."

OTORGAR. De auctoricare.

Documentos lingüísticos de 1226 (M. Pidal, 176), Bugedo de Juarros: "damos e *otorgamos* al abbat don Vidal..."

V. Atorgar.

OVISPO. V. Obispo.

OTUBRE.

Alexandre (P), 2528a: "Estava don *Otubre* sus miesegos faziendo."

V. Octubre.

P

PACIENCIA. de patientiam.

'paciencia, resignación':

El Bonium, 181.1: "E el noble es el que rrinde el denostar con *paciencia.*"

Flores de Filosofía, 39.15: "Sabed que es *paciencia* que non peche omne mal en dicho nin en fecho."

Berceo, Sto. Dom., 119a: "El perfecto cristiano de la gran *paciencia.*"

Documentaciones posteriores: Juan Ruiz, 707b; Rimado de Palacio, 385c; Poema de Alfonso XI, 113a.

PACIFICO. De pacíficum.

'pacifico, el que vive en paz':

Berceo, Loores, 227d; "Conserva los *pacíficos,* reforma los yrados."

PACTO. De pactum.

'pacto, promesa':

Berceo, Sto. Dom., 78d: "Por no perder el *pacto* que fizo en el baptismo."

PADRIMONIO. V. Patrimonio.

'patrimonio':

Documentos lingüísticos de 1212 (M. Pidal, 113): "Et todo quanto que en el termino de Tudullen auemos de nuestro *padrimonio* o deuemos auer."

PALACIANIA.
'cortesía palaciega':
Alex. (O), 214b: "En ti son aiuntados seso e clerizia/esfor-
çio e franqueza e grant *palaçiania.*"
En P. 220b: *palçiania.*

PALACIANO.   V. Palacio.
'cortesano, noble, excelente':
Poema del Cid, 1727: "Un castiello *palaciano.*"
Alexandre (P), 921d; "Mas non y cabie ave que non fuese
palaciana."
Alexandre (P), 342b: "En cara *palaciana* e muy doñeador."
Berceo, Sto. Dom., 485a: "Qui pudo ver nunqua cuerpo tan
palaciano."
Nobleza y Lealtad, XI: "...e sea alegre, e *palanciano.*"
Documentaciones posteriores: Juan Ruiz, 6788b.

PALACIO.   De palatium.
'palacio, residencia del rey':
Poema del Cid, 2929: "*Palaçio* do estava la cort."
Poema del Cid, 115: "casas e *palaçios.*"
Poema del Cid, 3373: "Ansuar Gonçalez entrara por el *pa-
lacio.*"
Documentos lingüísticos (1102), 36: "...damus nostros *pala-
cios...*"
Documentos lingüísticos de 1185 (M. Pidal, 14); "Vendimus...
palacium de Ferrand Carçiez con sus molinos e con toda su
heredad."
Documentos lingüísticos (1186), 15: "*palacio.*"
Fuero de Madrid, 51.8: "aut de homines de *palazio,* vel de
moros..."
Fuero de Sepúlveda § 11: "Onde mando que non aya en Sepúlveda más de dos *palaçios,* del rey e del obispo". También
en § 14 *palatio.*
Fazienda de Ultramar, 129.17: "des(pues) fue el rey a sos *palacios*". También en 140.
Buenos Proverbios, 8.17: "e fazienlas *palacios* con oro e con
plata."
El Bonium, 72. 5-6: "e que librasse commo podiese entrar
en el *palacio* a oyr los dichos de los sabios."

Berceo, Sta. Oria 196b: "En la noche primera non entré al *palacio*."

Apolonio, 154c: "Non quiso de verguença al *palacio* entrar."

Alexandre (P), 319d: "Quj qujere en *palaçio*, quj qujere en su tienda."

'Palacio Nuevo', nombre de lugar;

Documentos lingüísticos de 1231 (M. P., 53): "...tres solares que avemos en *Palacio nueuo* con sus eras e con sus huertas..."

1.ª documentación: documento de 970 (Oelschl.).

Documentaciones posteriores: Juan Ruiz, 1250c; Conde Lucanor. 23,12; Yuçuf, 177b; Rimado de Palacio, 425d; Poema de Alfonso XI, 102a.

PALAS.

'Palas Atenea':

Alexandre (P), 324a.

PALENCIA.

'la ciudad de Palencia':

Documentos lingüísticos de 1220 (M. P., 167): "don Tellez, obispo de *Palentia*."

Documentos lingüísticos de 1217 (M. P., 222): "episcopado de *Palencia*."

Berceo, Sto. Dom., 557a.

PALESTINA.

'Palestina':

El Bonium, 69,9.

PALLIO. De pallĭum.

'capa, manto':

Fazienda de Ultramar, 50: "E fizol vestidura de *pallyo*."

Fazienda de Ultramar, 51.14: "e despoiaronle del *palio* e echaronle al pozo."

Berceo, Sac., 110a: "Los nombres de los padres levavalos escritos en un *pallio* cabdal."

C. C. Esc. y muchos escritores árabes. Véase Simonet, Glosario, s. v.

Documentaciones posteriores; Juan Ruiz, 1149b; *Paravicino*. Como latinismo en docs. del XI y XII.

PALPAR. De palapare.

'palpar', 'tocar levemente, tentar':

Berceo, Mil., 538c: *"Palpóse* e catóse la vegada tercera."
1.ª documentación: Berceo.

Documentaciones posteriores: Rimado de Palacio, 1444b, d, e:
Poema de Alfonso XI; Don Juan Manuel, Libro del Cavallero e del Escudero, cap. XXXII, 16.

PAPIRELLA.

En Ibn Thárif, véase Simonet, Glosario, s. v.

PARACLITHO, PARACLIT.

En C. C. Esc., véase Simonet, Glosario, s. v.

PARADISO, PARAISO. De paradisum, gr. παραδεῖσος.

'paraíso, gloria':

Sta. M.ª Egipciaca, 554: "echo de *parayso."*

Reys d'Orient, 230: "Nuestro Senyor dixo oy seras comjgo en el santo *paraiso."*

Fazienda de Ultramar, 43.15: "a dally los metio en el huerto de *parayso."*

Diez Mandamientos, 382.16: "la gloria del *paradiso."*

Nobleza y Lealtad, I: "Lealtanza es camino de *paraiso."*

Flores de Filosofía, 18.9: "Fue echado Adam de *parayso."*

El Bonium, 71.7: "commo Adam fue echado del *parayso* por un pecado solo que fizo."

Buenos Proverbios, 33.3: "llevale a *parayso."*

Berceo, Sto. Dom., 219a: "El rey don Fernando sea en *paradiso."*

Alexandre (P), 2314c: "El santo *paraíso* do no pueden morir."

Poema de Fernán González, 32d: "En *parayso* sea tan vuen rey eredado."

Documentaciones posteriores: Juan Ruiz, 1564a; Rimado de Palacio, 75c; Alfonso XI, 926c; Conle Lucanor, 8.29.

PALALITICO. Derivado de parálisis, gr. παράλυσις.

'tullido, paralítico':

Berceo, Sto. Dom., 300d: "Para la *paralítica* salut le acabdar."

PARESCENCIA. De parescere -sufijo culto -entia.

'apariencia, ejemplo':

El Bonium, 78.24: "E el moço subió a la trebuna muy mal arrapado, e la *parecencia* del non era de omne de grand saber."

Berceo, Mil., 93a: "Serié en fervos fuerza non buena *paresçençia."*

Alexandre (P), 2666c: "Bien fazíen *paresçencias* amas e denodadas."

Documentaciones posteriores: Castigos del rey don Sancho.

PARGAMINO. V. Pergamino. De pergaminum, gr. περγαμηνή

Buenos Proverbios, 1,7: "*pargamino rosado.*"

Sta. M.ª Egipciaca, 1375: "Don Gozimas las leyó festino, como si ffuessen en *pargamino.*"

Fuero de Sepúlveda, § 223: De la dozena del *pargamino,* II dineros."

El Bonium, 157.6: "que el por bien tenía de non (meter) la sapiencia en *pargaminos.*"

En Berceo, *pergamino* y *pargamino.* Apolonio, 136b: *pargamino.* También otros; es la forma preferida por Nebrija.

La pronunciación de la *e* griega como *i* es propia del griego helenístico, medieval y moderno. (Corominas, DCELC, s. v.).

PARIA. De păriăre.

'paria, tributo':

Poema del Cid, 866: "metió en *paria* a Daroca."

Fazienda de Ultramar, 24: "Dyo Nuestro Sennor saber a Salomon cuemol prometio, e ovo paz en toda su tierra e cogio *paria* de toda su tierra."

Berceo, S. Mill., 459c: "Confirmaron las *parias* que fueron prometidas."

Alexanlre (P), 791d: "dixo darme ha las *parias* el ynfant refertero."

PARICION, PARIZON.

'parto, alumbramiento':

Berceo, Loores, 25b: "El tiempo de la *paricion* vino."

Berceo, Loores, 35a: "*Parizon.*"

PARIS.

'héroe homérico':

Alexandre (P), 328d.

PARLATORIO. De parlatorium.

'locutorio':

Berceo, Sto. Domingo, 447b; "Mandó todos los monges venir al *parlatorio.*"

Alexandre (O), 352a: "Mas genta non exió a aquel *parla-*

torio". Alexandre (P), 360b: "mas genta non yxio de todo el confesorio."

PARMÉNIDES.
'el filósofo Parménides':
Alexandre (O), 295a.

PARTICION.   De partitionem.
'división, parte de la herencia':
Poema del Cid, 2567: "los fijos que oviéremos en qué avran *particion.*"
Fuero de Soria, 32.15: "De cartas que fiziere sobre mandas e sobre pleytos de casamientos o de *particiones* o de donadíos..."
Documentos lingüísticos de 1197 (M. Pidal, 153): "Esta es la *particion* que fizo el abbatissa Sancta Maria Regalio per nomine donna M.ª Guterreç."
Liber Regum, 14.26: "...el rei don Garcia, el que dixieron de las *particiones.*"
Reys d'Orient, 109: "Dixo el ladrón mas follón / assi seya la *partición.*"
Alexandre (O), 254c: "Cuemo se parte el mundo por treb *particion.*"
En Oelschläger se recoge la voz, pero sin dar su valor. Esta acepción sólo aparece en autores literarios del siglo XIV (Boggs), aunque en un documento de Sobrarbe (1090) aparece *Particigon* como 'partición, reparto' (Orig. p. 43) e idéntico valor en otros docs. notariales de 1187 (Burgos) y 1206 (Cuenca), segun consta en Documentos lingüísticos de M. Pidal (números 153 y 309). V. Alvar, *Vocabulario.*
Documentaciones posteriores: Juan Ruiz, 88a; Rimado de Palacio 900b, *particionero;* Conde Lucanor, 159.2c.

PARROQUIAL.   V. PARROQUIA. Derivado del latín parochia.
'párroco':
Berceo, Mil., 312a: "Trobaron a Ierónimo, preste *parroquial.*"
Documentaciones: Nebrija, V. PEROCHIAL.

PARROQUIANO.
'amigo, compañero':

Berceo, Mil., 201c: "Es por todas las guissas nuestro *parroquiano*."

Documentaciones posteriores: Juan Ruiz, 1144c; Nebrija.

PASCUA.

'Pascua de Resurrección':

Fuero de Soria, 193.2: "en dia de festa o de *Pascua* o de sant Johan."

Fuero de Sepúlveda; § 225: "De Sant Martin fasta *Pasqua* mayor."

Fazienda de Ultramar, 70.2: "Esta es la *pascua* del Sennor."

Alexandre (P), 2091c: "Oujessen ally las *pasquas* a çelebrar."

Berceo, Sac. 160a: "En el dia preçioso de la *Pascua* mayor."

PASCUAL.

Berceo, Sac., 145b: "Del cordero *pascual* vos querría deçir."

PASION.   De passionem.

'pasion, sufrimiento, martirio':

Sta. M.ª Egipciaca, 1263: "priso muerte e *passion*."

Fazienda de Ultramar, 202.12: "Quando Ihesu Christo priso la *passion*, Herodes era rey de Jherusalem."

Liber Regum, 7.23: "la *passión* de Ihesu Christ."

Berceo, San Lor., 1c: "Quiero por la *passion* del Sennor sant Laurent."

Documentaciones posteriores: Juan Ruiz; Don Juan Manuel, Libro de los Estados, 471.5: Rimado de Palacio, 1022a; Danza de la Muerte.

En don Juan Manuel, Libro de los Estados, 474.31: 'malas pasiones':

PATENA.   De patenam, gr. πατήν.

'patena':

Berceo, Sac., 268b: "Devuelve la *patena* que estaba volopada."

1.ª documentación: Berceo.

Documentaciones posteriores: APal; Nebrija; A. de Morales.

PATRIARCA.   De patriarcha, gr. πατριαργής.

'patriarca':

Berceo, Sto. Dom., 523a: "Los sanctos *patriarchas* de los tiempos primeros."

Fazienda de Ultramar, 116.26: "Alli en Repleti fue Sant Peydro *patriarca*."

Alex. (P), 269a: "Dent son los *patriarcas,* omnes de Santa vida."

En C. C. Esc.: véase Simonet, Glosario, s. v.

'consejero':

El Bonium, 309.3: "e entraron a el los sus *patriarcas* e dixieronle."

Documentaciones posteriores: Juan Ruiz, 1561a; Rimado de Palacio 1022a; Danza de la Muerte; don Juan Manuel, Libro de los Estados, 27.28.

PATRIARCAL.

Berceo, Sac. 109c: "E los nomnes derechos que son *patriarchales.*"

PATRIMONIO. V. Padrimonio.

Fuero de Sepúlveda, § 29: "De la heredat de *patrimonio.*" Fuero de Soria, 94.9: "...alli do ouieren sus heredamientos quier sean de *patrimonio,* quier de compra, o de otra parte quel quier."

Documentos de 1223 (M. Pidal, 28).

Documentos de 1231 (M. Pidal, 54). "vende a ... dos solares que compré don ..., el uno de su *patrimonio* e el otro que compro en que moraba il..."

PATROCLO.

Alex. (O), 596a: *Patroco.*

Alex. (P), 620a: *Patrucolo.*

PAULO.

'San Pablo':

Berceo, Mil., 860a.

PECUNIA. De pecŭniam.

'dinero':

Sta. M.ª Egipciaca, 1050: "njn cobdiçia njn *pecunia.*"

Berceo, Sto. Dom., 175b: "Nin *pecunia* agena non tengo comendada."

Documentaciones posteriores: Fuero Juzgo.

PEDRICAR. V. Predicar.

El Bonium, 60.71: "...una hermita do *pedricava* un pedricador."

PEDRICO. V. Predicar.

'prédica, sermón':

Alexandre (P), 688b: "(fazien) candelas e limosnas, oraçiones e *pedricos.*"

En Alexandre (O), 660b: "*prigos.*"

PEDRO, PEIDRO, PERO.

'nombre de persona, Pedro':

Poema del Cid; "*Pero* Vermuez". V. M. Pidal, Manual,
p. 140.

Fazienda de Ultramar, 112.2: "Sant *Petro.*"

Fazienda de Ultramar, 112.24: "Sant *Peydro.*"

Fuero de Soria, 26.2: "Sant *Peydro.*"

Fuero de Soria, 98.14: "...la campana mayor de Sant *Peydro.*"

Documentos de 1212 (M. Pidal, 208): "*Peidro* Ferrandez."

Documentos de 1228-1232: "e dio M. Thome por el bispo
fiadores a los herederos *Pedro* Megro."

Documentos de 1240 (M. Pidal, 191): "cuemo yo don *Peidro,*
abbat de Bugedo."

Documentos de 1179 (M. Pidal, 150): "el uispo don *Peydro*
em Burgos."

Documentos de 1184 (M. Pidal, 305): "el coal don Tello Periç
e don *Pero* Gutierriç dieron a Dios."

Berceo, Sac., 252b Sant *Pedro.* Milagros 17d: *Peidro.*

PELEGRINO. V. Peregrino.

PELIGRAR, PERIGRAR. V. Peligro.

'peligrar, correr riesgo':

Berceo, Duelo, 206b: "Tu eres benedicta carrera de la mar
/ en que los peregrinos non pueden *periglar.*"

Berceo, Mil., 615a: "El pesar que ovieron de los que *peri-
glaron.*"

Alexandre (P), 1762b: "Fuero en el Sequero oujeste a *peligrar.*"

Apolonio, 274b: "Si non podriamos todos ayna *peligrar.*"

'enfermar de gravedad, morir':

Alexandre (P), 104d: "de postema nin de gota non podrie
peligrar."

En esta última acepción en Juan Ruiz 944b y en Ayala, Aves
de caça Bibliograf. Esp., V. p. 69.

PELIGRO, PERIGLO. De periculum.

'peligro, riesgo':

Flores de Filosofía, 53.3-4: "E non disen esforçado por el que se mete a *peligro* conoscido."

Buenos Proverbios, 11.27: "El omne sannudo es *peligro* para su compannero."

Buenos Proverbios, 46.6: "*periglos.*"

El Bonium, 111.9: "El callar es torcimiento de *peligro.*"

P. de Roncesvalles, 6: "que finca en gran cuita con moros en *peligro.*"

Sta. Maria Egipciaca, 884: "*periglo.*"

Apolonio, 251d: "Ca so en grant *peligro...*"

Berceo, Mil., 448c: "Non sentie nul *peligro* más que cuando dormíe."

Alexandre (P), 2206b: "Que por ningund *peligro* nunca fue esmayado."

Documentaciones posteriores: Juan Ruiz, 1711c; Rimado de Palacio, 213c; don Juan Manuel, Libro de los Estados, 488.17; Libro del Cavallero e del Escudero: *periglo;* Tratado de la Asunción, 91.7; Sem Tob, 174.33. *Periglo / peligro* alternan ya en Berceo, continuando en el s. XIII (F. Juzgo, F. Real, Buenos Proverbios), alternancia que no desaparece hasta muy tarde.

PELIGROSO, PERIGLOSO. V. Peligro.

Diez Mandamientos, 382.2-3: "o en tiempo *peligroso.*"

Berceo, S. Millán, 300d: "Que ellos lo guardassen de tacha *periglosa.*"

Alexandre (P), 155d: "asmo un consello malo e *peligroso.*"

Alexandre (O), 149d: "*perigloso.*"

Documentaciones posteriores: Juan Ruiz, 497b; Rimado de Palacio, 7b; P. de Alfonso XI, 2016c; don Juan Manuel, Conde Lucanor, 36.11.

PENITENCIA. De penitentiam.

'penitencia, arrepentimiento':

Fazienda de Ultramar, 157.22: "...e fizo sua *penitencia* grant delant el Criador."

Disputa del Alma y del Cuerpo, 17: "ni diez(mo) ni primiçia ni buena *penitencia.*"

Sta. María Egipciaca, 35: *penitença*. "En 32: por *penitençia*."

Diez Mandamientos, 38.14: "que a *penitençia* lo quiso adozir."

Berceo, Mil., 92d: "Del pecado que fizol yol daré *penitençia*."

Alexandre (P), 1738b: "Viene por *penitencia* en el campo morir."

Documentaciones posteriores: F. de Avilés, 1155; Juan Ruiz, 250b; Rimado de Palacio, 188c; don Juan Manuel, Conde Lucanor, 8.26; P. de Alfonso XI, 1517a; Libro de Salomón, 59.152.

PENITENCIAL. V. Penitencia.

'penitencial, penitente, arrepentido':

Fazienda de Ultramar, 185.10: "A casa de Juda, ça son *penitençiales* avré piedad e salvarlos hé."

Berceo, Mil., 401a; "Estos *penitençiales* quando fueron maestrados e fueron absolvidos de todos los pecados."

PENITENCIARSE. V. Penitencia.

'hacer penitencia':

Berceo, Mil., 708d: "que se *penitenciassen* de todos fallimientos."

PENSADOR. V. Pensar.

'filósofo, pensador':

Buenos Proverbios, 52.28: "e los cuerpos son enxiemplo a los *pensadores* e castigo a los que temen a Dios."

PENSAMIENTO. V. Pensar.

El Bonium, 73.15: "e el alimpiamiento ha de seer de buen *pensamiento*."

Poridat de poridades, 43.24: "Pues pensat en el *pensamiento* uerdadero."

Buenos Proverbios, 6.20: "e guardanse las almas con (lo) que an alcançado con los buenos *pensamientos*."

Nobleza y Lealtad, II: "Cobdicia es sepultura de vertudes, *pensamiento* de vanidad."

Berceo, Loores, 180b; "Los *pensamientos* vanos de seso me sacaban."

Alexandre (P), 28a: "Contendje el jnfante en aqueste *pensamiento*."

Documentaciones posteriores: Juan Ruiz, 691b; Rimado de

Palacio, 27c; don Juan Manuel, Conde Lucanor, 32.11; Sem Tob, 525.2.

PENSAR. De pensare.

'pensar, meditar':

Apolonio, 80a: "*Pensando* en esta cosa, mas triste que pagado."

Berceo, Sto. Dom., 245a: "*Pensemos* de las almas, fraires e companneros."

Fazienda de Ultramar, 48.18: "e *penso* en su coraçon quel matase."

Nobleza y Lealtad XXXIII: "e quando *pensares* que tienes algo non tienes nada."

Flores de Filosofía, 68.13: "e el esforçado es el omne que mete en obra lo que quiere fazer sol que aya bien *pensado* en ello."

Buenos Proverbios, 7.12: "segunt cree el omne las poridades assi *piensa* en ellas."

Poridat de las poridades, 36.21: "El si sanna le uiniese, que non la quiera demostrar por fecho menos de *pensar* en ello."

El Bonium, 71; "e *pensando* mucho en aquella palabra."

Sta. M.ª Egipciaca, 456: "comiença a *pensar*."

Razón de Amor, 139: "Yol dix: "yt, la mia senor, pues que yr queredes, mas de mi amor *pensat,* fe que deuedes."

Alexandre (P), 669c: "Señor *piensa* de Troya la mal aventurada."

Poema del Cid, 1889 "*pensó* e comidió."

'intentar, empezar a':

Poema del Cid, 2501: "non lo *piensso*."

Poema del Cid, 10: "*pienssan* de aguijar."

Alexandre (P), 1261b: "rrebolujense los omnes *pensauan* de çenar."

Alexandre (P), 1723c: "Lexaronle por muerto, *pensaron* de andar."

Berceo, Sto. Dom., 574b: "Metiose en carrera, *pensó* de pressear."

Apolonio, 29c: "*Pensó* de naveyar."

Poema de Fernán González, 714d: "Con todos sus compannos *pensó* de cabalgar."

Reys d'Orient, 91, 198: "levantosse Josep mucho espantado *penso* de complir el mandado."

'cuidar de, ocuparse':

Poema del Cid, 3251: "dellas *penssaran.*"

Apolonio, 322a: "*Pensaron* amos de la duenya fasta que fue levantada."

En Reys d'Orient el sintagma pensar de infinitivo es el único en que entra este verbo; aparece en 123 ("*pensemos* de andar"), 90 ("*pensó* de cumplir"), 198 ("*Pensó*... des'levantar") V. Cid, s. v. (donde figura la etimología *pensare*), Apolonio, Berceo, Alexandre, Sta. M.ª y demás textos recogidos por Oelschl. y Boggs (V. Alvar, *Vocabulario*).

Documentaciones posteriores: Juan Ruiz, 230b; Rimado de Palacio, 7a; don Juan Manuel, Libro de los Estados, 459.34; Sem Tob, 247.4; Poema de Alfonso XI, 1234b.

PENTADOLIS.

'región de Africa':

El Bonium, 69.12.

PEORUS.

'paederus, piedra preciosa':

Alexandre (P), 1457a: "*Peorus* que tanto val non es de olvidar."

PERDICION. De perditionem.

'gasto inútil de tiempo':

Buenos Proverbios, 12.17: "En trabajarse omne de lo passado es *perdición* del tiempo."

Apolonio, 584a: "Razón non alonguemos que sería *perdiçion.*"

'perdición, ruina':

Faz. de Ultr., 66.27: "...e todo lo que poblaron fue a *perdición.*"

Santa María Egipciaca, 417: "Agora oyt qual *perdiçión.*"

Berceo, Mil., 592d: "Avie a ir la cosa toda a *perdición.*"

Alexandre (P), 2561d: "Por que avien de yr todos su *perdición.*"

Documentaciones posteriores: Juan Ruiz, 1a; Rim. de Pal., 98d; don Juan Manuel, Libro de los Estados, 500.4; P. de Alfonso Onceno, 1005b: *perdeçión.*

PERDIDA. De pĕrdĭtan.

'daño, perjuicio':

Cid, 2320: "Catamos la ganançia e la *pérdida* non."

Buenos Proverbios, 9.7: "Mayor seria la *pérdida* que la ganancia que a ti farás."

Apolonio, 10c: "Maguer grant es la *pérdida,* más val que lo calledes."

Alexandre (P), 1598b: "O de muerte o de *pérdida* o de grant lisión."

1.ª doc.: Cid.

PERDURABLE.

'eterno':

Santa María Egipciaca, 1499: "*perdurable* vida."

El Bonium, 90.18: "...e los que aduzen al omne a la vida e al vicio *perdurable.*"

Poridat de las poridades, 35.25: "et esto es conuenient a la natura pues paresçe que demandar al regno commo deue es cosa loada e *perdurable.*"

Buenos Proverbios, 7.3; "A la vida *perdurable.*"

Berceo, Loores, 192a: "Vida da que non fin, e salut *perdurable.*"

PEREGRINANTE. De peregrinantem.

'peregrino':

Berceo, Sto. Dom., 773c: "A los *peregrinantes* ganalis seguridad."

V. PEREGRINO.

PEREGRINO, PELEGRINO. De peregrinum.

'peregrino, romero':

Sta. M.ª Egipciaca, 269: "lena (una galeya) era de *pelegrinos.*"

Fazienda de Ultramar, 74.7: "*peregrino* fuy en tierra estranna."

Fazienda de Ultramar, 193.21: "*pelegrino.*"

Reys d'Orient, 101: "Que robauan los camjnos / e degollauan los *peregrinos.*"

Berceo, Sac. 171d: "Que es en este siglo huespet e *peregrino.*"

También en Mil., 595a.

Alexandre (P), 1104b; "En gis de *peregrino* todo muy denodado."

Apolonio, 151c: "dixo al *pelegrino*."

PERENAL. De perennalem.

'perenne, constante, eterno':

Razón de Amor, 37: "Plegen a una fuente *p(er)enal,* nu(n)ca fue omne que uies tall."

Berceo, Sac., 81d: "Voçes tales que plegan al rey *perennal.*"

Alex. (P), 919a: "Manaual de sjniestro una fuent *perenal.*"

Docs. posts.: Juan Ruiz, 937b.

PERENTORIA. De peremptorius.

'urgente':

Berceo, Sto. Dom., 491b: "Entendio bien que era quitaçion *perentoria.*"

Documentaciones posteriores: Juan Ruiz, 553a.

PERFECCION. De perfectionem.

'perfeccion':

Berceo, Sto. Dom., 118d: "Commo con companneros de tal *perfecçion.*"

Nobleza y Lealtad, 1: "Lealtanza es movimiento espiritual, loor mundanal... *perfición* de ser..."

Documentaciones posteriores: Rimado de Palacio, 984a.

PERFECTO. De perfectus.

Adj. 'perfecto, intachable':

Nobleza y Lealtad, VII: "Castidat es... *perfecta* bienaventuranza."

Berceo, Sto. Dom., 115c: "Tan *perfecto* christiano de vida tan fermosa."

Alexandre (P), 1855d: "A xristiano tan *perfecto* torlía la pereza."

Sust. 'prefecto':

Alexandre (P), 1066c: "Mataron al *perfecto* que los auje sacados."

En 1523b: "Cónsueles e *perfectos.*"

Documentaciones posteriores: Rimado de Palacio, 1071c.

PERGAMINO. V. Pargamino.

Berceo, Sto. Dom., 609b: "Non departe la villa muy bien el *pergamino.*"

En Mil., 848d: *pargamino*.

Documentaciones posteriores: *Pergamino* es preferido por Nebrija. En el s. XV (APal y otros) y en ejs. del s. XVI aparece *pargamino*.

PERIGLAR.   V. PELIGRAR.

PERIGLOS.   V. PELIGROS.

PERIURADO.

'embustero', 'perjuro':

Cid, 164: "Que si antes las catassen (las arcas) que fuessen *periurados*."

Berceo, S. Mill., 196c: "Espantarlo cuydaua el falso *periurado*."

Alexandre (P), 158c: "bastio toda enemiga commo ome *perjurado*."

PERJURAR.

Corominas lo cuenta en P., Cid como cultismo, pero sólo se encuentra el adj. *periurado* 'perjuro' (M. Pidal, Vocabulario). Apolonio, 53b: "Por encobrir una poca de nemiga / *perjura* se omne..."

PERJURO.

'perjuro':

Fuero de Soria, 29.6: "...sea echado del oficio por *perjuro*."

Fuero de Soria, 183.12: "...que sea achado por *preiurio* e nunca mas uala su testimonio."

Fuero de Madrid, p. 37.17: "e si non, cadat eis in *(per)iurio*."

Diez Mandamientos, 379.7: "En este pecan los *perjurios*."

PERLADO.   De praelatus.

'prelado, obispo':

Berceo, Sac., 31a: "Las vestimentas limpias que visten los *perlados*."

Alexandre (P), 2346d: "Sabe a los *perlados* de mesura sacar."

PEROCHIAL.   V. PARROQUIAL.

'parroquial':

Fuero de Soria, 25.21: "en las eglesias *perochiales*."

PERPETUA.   De perpetŭa.

Nobleza y Lealtad, XXI: "prisión *perpetua*."

Documentaciones posteriores: Rimado de Palacio.

PERPETUALMIENTRE. V. Perpetua.

Documentos lingüísticos de 1249 (M. P., 98): "...nos conviento diemoli aquellos tus collaços sobredichos, *perpetual mientre* para el prioradgo de Sancta Maria de Nagera."

PERSECUCION. De persecutionem.

'persecución':

Liber Regum, 11.12. "Domicianus, qui fizo la segunda *persecución* de los cristianos apres Nero."

PERSECUTOR. De persecutorem.

Berceo, Mil., 455d: "Mas los *persecutores* todos se enfagaron."

PERSEGUIR. De persequi.

'perseguir':

Berceo, Sto. Dom., 696d: "Que tu non te trabaies tanto me *perseguir.*"

Documentaciones: Juan Ruiz.

PERSERVAR. De perseverare.

'perservar, continuar':

Nobleza y Lealtad, XVII: "...e siempre *perseveran* en malas obras."

Berceo, Sto. Dom., 243a: "Si tú *perseveras* en las mannas usadas."

Documentaciones posteriores: Rimado de Palacio, 88d; A. de Morales; Aut.

PERSIA.

'el país de Persia':

Fazienda de Ultramar, 164.24: "est es Cyrus, rey de *Persia.*"

El Bonium, 66.3: "rrey de *Persia.*"

Poridat de poridades, 30.11.

PERSIANO.

'habitante de Persia':

El Bonium, 267.20: "el rrey de los *persianos.*"

Alexandre (O), 770d: "Los pueblos *persianos.*" En P., 797d: *presiano.*

PERSONA. De personam.

'persona':

Nobleza y Lealtad, III: "Et más razon es quel grado dependa de la *persona,* que la *persona* del grado."

Flores de Filosofía, 27.5: "el rrey e su regno son dos cosas e commo una *persona*."

Diez Mandamientos. 380.8: "Catando el homne a la *persona* que es."

Documentos lingüísticos de 1244 (M. P., 57): "...son fiadores; el concejo de Uilla Nora, chicos e grandes por sus *personas*."

Berceo, Sto. Dom., 530a: "Avié un grant conviento de *personas* granadas."

Alexandre (P), 1136a: "*Persona* tan honrrada."

'ninguna persona, nadie':

Fuero de Sepúlveda, § 178: "iure el iuez sobre Sanctos Evangelios que nin... ni por vergüença de *persona*, nin..."

Fuero de Soria, 21.13: "...ni por miedo ni por uergüenza de *persona* ninguna."

'las tres personas de la Santísima Trinidad':

Berceo, Sto. Dom., 534a: "Como son tres *personas* e una Deidad que sean tres los libros e una certenedad."

Documentaciones posteriores: Juan Ruiz, 475d; don Juan Manuel, Libro de los Estados, 479.9; Rimado de Palacio 684a; Sem Tob 636.2.

PERSONERIA.

'apoderamiento':

Fuero de Soria, 54.5: "Toda cosa que fuese yudgada contral personero o por él, que la otra parte, demientre estúdiese en la *personeria*, tenga e uala."

PERSONERO. V. Personeria.

'apoderado':

Fuero de Soria, 53.1: "Capitulo de los *personeros*."

Corominas documenta *personero* en el s. XIII.

PERTENENCIA, PERTINENCIA.

'pertenencias':

Documentos de 1202 (M. Pidal, 2) "...quod ego Dia Gomez enpenne un solar en Huelva... a frater Didacus con suas *pertinencias* por XX moravedis."

Documentos de 1205 (M. Pidal, 3): *pertenencias*.

Documentos de 1229 (M. Pidal, 88): *pertinentias*.

Documentos de 1229 (M. Pidal, 88): *pertenentias*.

Fazienda de Ultramar, 59.23: "Simeon a Levy ermanos tengan sus *pertenentias.*"

PERTIGA. De pĕrtĭca.

'vara':

Alex., (O), 2139a: "Aguisaron sus *pértigas* bien derechas e sanas." En P., 2276a: *piértegas.*

Berceo, Mil., 39d: "*Piertega* en que sovo la serpiente alzada."

PERTURBAR. De perturbare.

'perturbar':

Berceo, Mil., 415d: "Udieron unna voz de gran tribulaçion por ond fo *perturbada* toda la proçesion."

PESTILENCIA. De pesti!entiam.

'pestilencia, enfermedad':

Berceo, Sto. Dom., 557b: "Cayo por sus pecados en fiera *pestilencia.*"

Documentaciones posteriores: *Pestelencia,* P. de Alfonso XI. *Pestilencia.* J. Ruiz; Glosarios de 1400 (A. Castro); APal.; Nebrija.

PETAFIO. V. Pitafio.

PETICION. De petitionem.

'petición, plegaria, demanda':

Doc. lingüístico de 1206 (M. Pidal): *Peditión.*

Nobleza y Lealtad, XX: "e veer las *peticiones* por si mismos."

Fuero de Madrid, 38.14: "et sua *petición* per lo quel venzieset."

Fuero de Sepúlveda, § 181, 182, 207: "...peche... e al querelloso la *peticion* doblada."

Berceo, Duelo, 4c: "Façie a la Gloriosa esta *petiçion.*"

Apolonio, 412d: "pedir *petiçion*", 'pedir favor':

Alexandre (P), 1861d: "Vuestra *petición* non sera reputada."

Poema de Fernán González, 391c: "De los ojos llorando fyzo (a Dios) su *petyçion.*"

Documentaciones posteriores: *Petiçion,* Juan Ruiz, 358d; Rimado de Palacio, 183b; don Juan Manuel, Conde Lucanor, 19.12.

PETRA. De pĕtram.

'piedra':

Berceo, Duelo, 203c: "Ca mal cae el pied, si se fiere en la *petra* / la ferida del dedo a corazón lientra."

PETRO.   V. Pedro.

PHARAON.

Fazienda de Ultramar, 53.21: "A cabo de II an(n)os sonno *Pharaon* que estava sobre el rio."

PHILISTEO.

Fazienda de Ultramar, 70.23: "...por tierra de los *Philisteos.*"
Berceo, Sac., 36d: "El que al *philisteo* dio la mala pedrada."
Alexandre (O), 1194c: "Cayó el *filisteo* con toda su guarida."
En O., 1134c: *filisteo.*

PHILOSOPHIA.   V. Filosofía.
PHILOSOPHOS.   V. Filósofos.
PIADOSO.

'piadoso':
Nobleza y Lealtad, XVI: "*Piadoso* debe ser el rey..."
Fazienda de Ultramar, 82.4: "Sennor, Sennor, poderoso e *piadoso* e gracioso."
Berceo, Sto. Dom., 363a: "El padre *piadoso* empezó de *plorar.*"

PIEDAT, PIADAT.   De pĭĕtate.

'piedad, misericordia':
Poema del Cid, 604: "sin *piedat.*" V. la explicación del cultismo en M. Pidal, Cid, 160.22.
Reys d'Orient, 142: *piedat.*
Reys d'Orient, 122: "Et oyas me amjgo por *caridat* e por amor de *piedat.*"
Sta. M.ª Egipciaca, 182: "núlla *piedat* no le prendie."
Fuero de Soria, 130.12: "Sj el fijo, moujdo por *piadat,* a su padre o su madre menguados mantouiesse en su casa."
Fazienda de Ultramar, 56.21: "ca ovo *piadat* de so hermano."
Fazienda de Ultramar, 62.14. "ca ovo *piadat* dél."
Nobleza y Lealtad, XVI: "por quanto la *piedat* es espejo del alma."
El Bonium, 177.10: "¿Quales son los omnes de que ha omne de haver *piedat.*"
Berceo, Sac., 226c: "Que los saque de pena Dios por su *piedat.*"

Berceo, S. Lorenzo, 12b: *piadat*.

Alexandre (P), 968d: *piedat*: "...uos contiene Dios por su *piedat*."

Alexandre (P), 1417d: *piadad*.

PIELAGO. De pelăgus.

'mar':

Fazienda de Ultramar, 45.36: "Aquellas cibdades fizieronse *pielago* de agua e dizenle el Flum del Diable e Mar Muerto."

Documentos lingüísticos de 1247 (M. P., 337): "...que tengades siempre una barca en Medelin en el ryo de Guadiana, en aquel logar e en aquel *pielago*, o andan las otras barcas del conceio de Medelin."

PILATO.

Reys d'Orient, 220: "E fazian mal atanto / fasta on los priso *Pilato*."

PIROPUS.

'piedra preciosa':

Poridat de las poridades, 75.7: "*Piropus* non es omne quel pueda deuisar la color, et non puede fallar par de beltad."

Alexandre (P), *peornos;* Alexandre (O), *peorus;* S. Isidoro, *poederos*. (V. Kasten, Vocab.).

PISCINA. Derivado de pĭscis.

Fazienda de Ultramar, 45.35: "Segor dize en ebraico Zoarço es *piscina*."

En Nebrija *pecina,* 'estanque de peces'; *piscina* en 1596 (DCELC).

PISTOLA. De epistolam. V. Epístola.

'epístola':

Berceo, Sac., 42a: "Luego que ha la *pistola* dicha el *pistolero*."

PISTOLERO. V. Pistola.

'epistolero, subdiácono':

Berceo, Sac., 42a.

PITAFIO. De epitaphium.

'epitafio, inscripción':

Alexandre (O), 309a: "Quando ovo el rey el *pitafio* catado."

Alexandre (P), 316a: *petafio*.

Documentaciones posteriores: *Petafio,* Juan Ruiz 1571a; Nebrija. *Epitafio,* Santillana; Sem Tob. 323.3; Covarrubias.

PITAGORAS.
'Pitágoras, filósofo':
El Bonium 203.
Liber Regum. 8.29: "*Pitagoras* el filósofo."

PLAÇA.   De plattea. (V. Cid. Vocabulario).
'plaza, lugar desocupado, sitio en las poblaciones donde se reune el mercado':
Cid 595: "vio que entrellos y el castiello mucho avié grant *plaça*."
Poema de Roncesvalles, 11: "vido en la *plaça*."
Apolonio, 427d; "Non les cabie en las *plaças*, subiense a los poyales."
Alexandre, 1179d: "Mas la *plaça* de enmedio era bien defesada."
Corominas explica pl- por la aparición preferente del vocablo en el uso oficial y administrativo, con el consiguiente predominio de la pronunciación de las clases elevadas (DCELC). Esto es, se trata de un semicultismo según nuestra opinión.
Documentaciones posteriores: Juan Ruiz, 653a; Rimado de Palacio, 378c; APal; Nebrija. Con el sentido de 'mercado' aparece ya en Juan Ruiz y en Nebrija.

PLAÇENTIA.
'Plasencia':
Documentos lingüísticos de 1218 (M. P., 327): "Est es el plecto que faze Roy Bermudez, fide Bermud Pedrez cruçado, con el concejo de *Plaçentia*." En el mismo documento: *Plaçencia*.

PLANA.   De planam.
'llanura':
Apolonio, 579b: "Fuera yaze de la villa en huna buena *plana*."
Poema de Fernán González, 447b: "Que fues(e) en puestos los azes en medio de la *plana*."
'página, hoja de un libro':
Flores de Filosofía, 34.13: "E sabet que el mundo es commo el libro, e los omnes son commo las letras e las *planas* son commo los tiempos, que cuando se acaba la una *plana* comiença la otra."

PLANETA. De planeta, gr. πλανήτης.

Sust. femenino 'planeta':

Poridat de poridades, 73.18; "Et quiso fiziere en ella figura de leon et el sol en el et las *planetas* mal auenturadas que nol caten, non le uençra ninguno."

El Bonium, 89.12: "e a los tiempos de las conjunciones de las *planetas*."

Buenos Proverbios, 29.22. "o menguara todo aquesto por catamiento de las *planetas* buenos o malos."

Alexandre (O), 613c: "...e las VII *planetas*."

Corominas lo documenta por primera vez en Setenario, fº 10 vº.

Libro de Acedrex, 372.8; Juan Ruiz, 129d (DCELC).

PLANTA. De plantam.

'planta del pie':

Alexandre (O), 308c: "Matóme por la *planta* Péris el periurado."

Documentaciones posteriores: Yuçuf, 157b.

'planta, vegetal':

Poridat de las poridades, 33.1: "El ochauo es de los saberes escondidos et de propriedades de piedras et de las *plantas* et de las animalias et de poridades estrannas de fisica."

Documentaciones posteriores: Juan Ruiz, 163c; Rimado de Palacio, 817g; Poema de Alfonso XI, 412c; don Juan Manuel, Libro del Cavallero e del Escudero, XXXVIII, 78.

Semicultismo con dos acepciones: 'parte inferior del pie' y 'plantón o estaca para plantas'. Corominas documenta la 1ª acepción en Calila, y la 2ª en Setenario y Juan Ruiz (DCELC, s. v.).

PLANTAR. De plantare.

'plantar':

Documentos de 1223 (M. Pidal, 46): "con salces *plantados* e con fruteros e con..."

Alexandre (P), 631d: "Dizien que avie Etor *plantado* mal majuelo."

PLASMAR. De plasmare.

'crear':

Fazienda de Ultramar, 43.23: "En Ebron trobamos que *plas-*

mo el Nuestro Sennor e aspiro a Adam, nuestro padre, e a su mugier Eva, nuestra madre, e dally los metio en el huerto de parayso."

Corominas no lo documenta hasta el s. XVI (DCELC).

PLATON.

'Platón, nombre del filósofo':

El Bonium, 178.11: *"Platon* veno a él, e fizose su desciplo fasta que fino."

Buenos Proverbios, 4.21: "En el seello de *Platón* avie escripto."

PLAZENTERIA.

'placer, agrado':

Berceo, Mil., 30d: "Estos son rossennoles de gran *plaçenteria.*"

Apolonio, 220d: "Avre de vuestra hondra muy grand *plazenteria.*"

Alexandre (P), 1433c: "Entrarie por la tierra a su *plazenterya.*"

Documentaciones posteriores: Juan Ruiz, 673a.

PLAZENTERO. V. PLAZER.

'placentero, agradable':

Berceo, Mil., 90d: "Nol place la fuerça, nin es end *placentero.*"

Apolonio, 217d: "Con cuyo casamiento ella fuese *plazentera.*"

Poema de Fernán González, 744d: "De es el quel dezia que era bien *placentero.*"

Documentaciones posteriores: Juan Ruiz, 71d.

PLAZER. De placere.

Sust., 'placer, alegría':

Nobleza y Lealtad, II: "Cobdiçia es sennora flaca, *placer* con pesar..."

Apolonio, 545c: "Ove por vos tristiçia, ahora he *placer.*"

Berceo, San Millán, 235b: "Non lis podrié allora venir mayor *placer.*"

'agrado':

Buenos Proverbios, 23.12: "ca el tiempo muestra *plazer* el uno enemigo del otro."

'favor':

Poema del Cid, 2149: "este *plazer* quem feches."
Verbo, 'agradar':
Poema del Cid, 304: "*plogo* a Mio Cid por que creçió."
Berceo, Mil., 759b: "Todos me fazien onrra e *plazielis* conmigo."
Poema de Fernán González, 567b: "(Con) la venida del conde *plazia* de voluntad."
Alexandre (P), 556c; (O), 544c: "A esto dixo Ector; fijo, esto me *plaz*."
Documentaciones posteriores: Juan Ruiz, 1440b; Rimado de Palacio, 98d.

PLAZO. De placitum.

'plazo, período de tiempo':
Poema del Cid, 212: "mucho es huebos, ca çerca viene el *plazdo*." En 306: *plazo*.
Buenos Proverbios, 5.15; "el *plazo* es seguramiento de la esperanza."
Flores de Filosofía, 34.6: "han *plazo* e dias contados en que han de durar."
Apolonio, 567a: "meter en otro *plazo*", 'posponer'.
Berceo, Mil., 128c: "Non podió la alma tal *plazo* reçebir."
Alexandre (P), 1328a: "Sepades que non les quiso dar luengo *plazo*."
'pleito':
Fuero de Madrid, 36.2: "Toto homine (de) Madrid qui habuerit *plazo* cum suo contendor."
1.ª documentación: *Plazo*, Doc. Leonés de 1055. *Plazdo*, E. de Medinaceli (hacia 1125). Véase M. Pidal, Orígenes, 95-97.
Documentaciones posteriores; Juan Ruiz, 330c: Rimado de Palacio, 149c; don Juan Manuel; Nebrija.
Mayor Lübke (REW, 6561) supone que es un semicultismo. Corominas atribuye pl- al influjo de las clases elevadas. Para nosotros, semicultismo propio del lenguaje jurídico-administrativo.

PLEGARIA. V. PREGARIA.
'oración':

Berceo, Sto. Dom., 543d: "Fincaron los ynoios, su *precaria* fizieron."

Documentaciones posteriores: Santillana; APal, 69d; C. de Baena, p. 189; Nebrija.

PLUMA. De plumam.

Alexandre (P), 549b: "Que sin viento sin *pluma* nin roçin ensellado." En O., 337b: *luuia.* Falta *pluma.*

1.ª documentación: doc. de 1.195 (Oelschl).

Documentaciones posteriores: Juan Ruiz, 288c; don Juan Manuel, L. de la Caza, 12.3; Nebrija. Los deriv. *plumega* y *plumeda* también en el Libro de la Caza, 4.14 y 16.6 respectivamente.

PLURAL. De plŭralis.

'plural, vario':

Berceo, Sto. Dom., 535c: "Singular en natura, *plural* en conplimiento."

PLURALIDAD. V. Plural.

'variedad':

El Bonium, 319.10: "E el temor tuelle el solas de la *pluralidad.*"

POBLACION. De poblationem.

'poblamiento':

Alexandre (P), 280d: "Asmaua cada uno do farien *poblaçiones.*"

PODEROSISIMO. Superlativo absoluto de carácter culto. V. Altísimo.

Flores de Filosofía, 10.11: "*Poderosissimo* libro de Flores de la Filosofía."

PODESTAD. De potestatem.

'ricos omnes investidos en un alto cargo inferior al de condes':

Cid, 198: "cuendes e *podestades.*"

Berceo, Mil., 236d: "El uno era clérigo, el otro *podestat.*"

PODESTADIA.

'poder, posesión':

Berceo, Mil., 97c: "Como lo quitó ella de su *podestadía.*"

Alexandre (P), 2039d: "Non aujen de correr nula *podestadía.*"

'poder, fuerza':

Berceo, Mil., 368b: "Dio grant *podestadía* Dios a la gent pagana."

POETICA.

'el arte de la Poesía, la Retórica':

El Bonium, 202.11: "E començo primeramente a aprender el lenguaje e la arte *poética*."

POLUCION. De polutionem.

'vicio, pecado':

Alexandre (P), 2351b: "Forniçios, adulterios e otras *poluciones*." Falta en O.

PONTIFEX. De pontifex. Latinismo crudo.

Fazienda de Ultramar, 158.10: "...e era mugier de Joiade, que era *pontifex*, e era ermana de Ochazia."

PONTIFICAL. De pontificalem.

'Pontifical, del Pontífice':

Berceo, Sac., 108b: "Officio *pontifical*." En S. Millán, 438c: "mitra *pontifical*."

Docs. posts.: J. Ruiz, 1160c: *pontifical*.

PORFIADAMENTE. V. Porfidia.

El Bonium, 331.15: "demandara *porfiadamente*."

PORFIAR. V. Porfidia.

'insistir':

El Bonium, 340.4: "E nos *porfies* ca la porfia faze verter la sangre."

Buenos Proverbios, 2.11: "sino que *porfiaron* por matarle."

Berceo, S. Lor., 70b: "Fijo, assaz as dicho, non me *porfiques* tanto."

Documentaciones posteriores: *Porfiar,* Calila; *prohiar,* Auto de los Reyes Magos.

PORFIDIA. De porfidiam.

'obstinación, terquedad':

Berceo, Sto. Dom., 112c: "Ovo en su *porfidia* la vieja a morir."

Alexandre (P), 743d: "A qual parte que fueron *porfidia* mantovieron."

1.ª documentación: Berceo.

Documentaciones posteriores: Conde Lucanor, 252.22 (Ed. Knust); Juan Ruiz, 518d; Rimado de Palacio, 884a.

La evolución semántica ha sido la siguiente: 'mala fe' > 'herejía' (en los Padres de la Iglesia) > 'contumacia'. (Corom., DCELC).

PORFIDIAR. V. PORFIAR.

'porfiar, insistir':

Fazienda de Ultramar, 45.27: "*Porfidioles* mucho e vinieron a su casa e adobolos a comer."

PORFIDIOSO. V. PORFIDIA.

'terco':

Berceo, Milagros, 778d: "Eres muy *porfidiosa,* enojas sin mesura."

Alexandre (P), 1738a: "El omne *porfidioso.*"

'rabioso':

Alexandre (P), 548a: "Sedien commo berones que están *porfidiosos.*"

PORIDAD. De pŭrĭtatem.

'secreto':

Poema del Cid, 104: "...en *poridad* fablar."

Poema del Cid, 680: "Que non sopiesse ninguno esta su *poridad.*"

El Bonium, 73.2: "Echan al omne en la lumbre e en las *poridades* escondidas de la justicia."

Buenos Proverbios, 5.17: "Quien encubre su *poridat...*"

Flores de Filosofía, 17.3: "Quien dize so *poridad...*"

Fazienda de Ultramar, 43.13: "...por que a ti plaz que tan alta *poridat* e fazienda me enbias a demandar."

Berceo, San Millán, 286b: "Quierovos descubrir una fuert *poridat.*"

Apolonio, 373a: "Lamo lo luego ella en muy grant *poridat.*"

Alexandre (P), 343a: "Fue ayna sabida toda la *poridat.*"

Poema de Fernán González, 642b: "Que nos quieres tener aquesta *poridat.*"

Omnes de poridat, 'hombres dignos de confianza':

Berceo, Loores, 51c: "Testigos li vinieron, omnes de *poridat.*"

PORIDADERO. V. PORIDAD.

'guardador de secretos':

Berceo, Sto. Dom., 251c: "Foron mientre el visco bonos *po-ridaderos*."

PORPOLA. V. PURPURA.

PORPORA. V. PURPURA.

POSSESION. De possesionem.

'patrimonio':

Buenos Proverbios, 32.5; "y non des a otro tu *posesion*."

Berceo, Mil., 349a: "Dessó mugier fermosa, e muy grant *possesion*."

POSTEMA. De apostema.

'apostema, abceso supurado':

Alexandre (P), 104d: "de *postema* nin de gota non podrie peligrar." También en Juan Ruiz, 293b.

POSTRAR, PROSTRAR. De postrare.

'postrar, prosternar':

Berceo, Sac., 165a; "Aóralos la familia en la tierra *postrada*."

Berceo, Mil., 571b: "Cadioli a los piedes, en el suelo *pos-trado*."

Alexandre (P), 1122d: "*postrado* sobre tierra fiso grant oraçion."

Corominas lo documenta y dice que debe ser cultismo por su rareza en castellano antiguo, y el sentido y tono estilístico en que suele aparecer el vocablo. 1.ª documentación: Berceo. Hay, pocos ejemplos posteriores, hasta la época clásica, (DCELC, s. v.).

POSTULAR. De postulare.

'ser propuesto para prelado': (V. Devoto, BH, LIX, 1957).

Berceo, Mil., 714d: "E de todos los pueblos eres tú *pos-tulado*."

1.ª documentación: Berceo.

Documentaciones posteriores: Partidas.

POTENCIA. De potentiam.

'potencia, poder':

Apolonio, 275d: "Dios vos guíe, mi fija; la su *potençia* vera."

Berceo, Sto. Dom., 616d: "Non ovo más en ella el mal nulla *potençia*."

Alexandre (O), 6c: "Vençió Poro a Dario, dos reyes de grant *potençia*."

Documentaciones posteriores: Rimado de Palacio, 1e C.

POTESTAT, POTESTAS.   De potestatem.

'potestad, poderío':

Reys d'Orient, 242: "Divjna *Potestas*."

Berceo, Sto. Dom., 76c: "E a la yent pagana tolliese *potestad*."

Alexandre (P), 2460a: "Alixandre el bueno, *potestat* sin fractiza."

PRECES.   De prĕces.

'preces, ruegos, súplicas':

Berceo, Sto. Dom., 607b: "Cadió ant él a *prieçes,* mas non podie fablar."

Alexandre (P), 680c: "*priezes*."

1.ª documentación: Berceo.

Documentaciones posteriores: Juan Ruiz, *prizes*.

PRECIADO.   De prĕtiatu.

Adj. 'preciado, excelente':

Poema del Cid, 1774: "entre tiendas e armas e vestidos *preciados*."

Sta. M.ª Egipciaca, 548: "mas *preciado* es que oro."

Documentos lingüísticos de 1219 (M. P., 23): "...en el sieglo sean sos vierbos baldados e *preçiados* por tiesto frecho que non ha en el prod."

Apolonio, 130c: "Palafrés e mulas, cauallos tan *preçiados*..."

PRECIADORES.   V. Precio.

'tasadores':

Documentos lingüísticos (1227), 180; "...pagandonos ellos sobrestos cc. morauedis quanto lo preciaren más aquestos *preciadores* Guter goncaluet e Ferrand Aluarez."

PRESCIAMIENTO.

'vanidad':

El Bonium, 139,10: "e son estas: presuramiento e porfia e *presciamiento* e pereza."

PRECIAR.   De pretiare.

'preciar, estimar, apreciar':

Poema del Cid, 77: "non lo *precio* un figo."

40

Sta. M.ª Egipciaca, 104: "non *preciare* ssu castigamiento mas que ssi fuesse hun viento."

Razón de Amor y D. del agua y del vino, 178: "los buenos *precian* poco, que del sabio façedes loco."

El Bonium, 147.6: "mas pugna de te *presciar* por mostrar lo que ha en ti."

Nobleza y Lealtad, XIII: "e a los que non le *precian*."

Buenos Proverbios, 1.19: "aman mucho la sapiencia e la *precian* mucho."

Poridat de las poridades, 37.10: "nol *preciarien* en nada."

Poridat de las poridades, 44.8: "Alexandre, entende este dicho et *preciat* lo mucho."

Berceo, Sto. Dom., 69d: "El todo este lazerio no lo *preçiaua* nada."

Alexandre (O), 88d: "Diran que poco lo sabe aun *preciar*."

Alexandre (P), 123c: "*presçiar*."

Documentaciones posteriores: Juan Ruiz, 1537c,; Rimado de Palacio, 608c.

PRECIARSE.   V. PRECIO.

Refl., 'vanagloriarse':

Flores de Filosofía, 49.12: "Que nunca *se preçia* mucho synon el vil omne."

El Bonium, 141.14: "Conviene el rrey que non *se precie*."

Apolonio, 314d: "Non *se precia* cuanto a su çapato."

PRECIO.   De pretĭum.

'precio':

Documento de 1185 (M. Pidal, 14): "...e somos pagados de *precio* e robra." Frecuentemente en los documentos lingüísticos.

Fuero de Madrid, 54.30: "...e deffidiaren alium pro *precio* vel pro rogatu vel pro male."

Fazienda de Ultramar, 189.31: "...e falló una naf que yva a (Tarsis), e dio so *precio* e entro en ella."

El Bonium, 166.21-22: "E dixo: el alma es girgonça que non ha *presçio*."

Apolonio, 400d: "Escrivy en la puerta el *precio* del aver."

'premio, recompensa':

Berceo, Sto. Dom., 26ob: "Dieronli otro *preçio* Dios e Sancta María."

Apolonio, 404c: "Que le diese el *preçio* de la virginidat."

Alexandre (P), 778c: "Mas sy tu mandases en *preçio* te caye."

'aprecio, estima, honra, dignidad, prestigio':

Fuero de Soria, 12.14: "Nj por verguenza de persona ninguna, ni por *preçio,* ni por ruego de ningun omne."

Buenos Proverbios, 35.20: "E non tengas que aquesta mingua es tu *preçio* e tu alteza."

Nobleza y Lealtad, VII: "Castidat es... *preçio* de los reyes..."

Santa María Egipciaca, 136: "Por acabar más de *preçio.*"

Roncesvalles, 55: "Quis andar ganar *preçio* de Francia, de mi tierra natural."

Apolonio, 409c: "Omne de *preçio.*"

Alexandre (O), 58b: "Ganaron atal *preçio* que fablan dellos vuedía."

Fnán. Glez., 155d: "Desto por todo el mundo (muy) gran(d) *preçio* ganades."

1.ª doc.: Glosas Silenses.

Docs. posts.: J. Ruiz, 1244d; Rim. de Pal., 201c; Nebrija; APal.

PRECIOSO. V. Precio.

'valioso':

Poema del Cid, 1.762: "E ivan posar con el en unos *preçiosos* escaños."

Apolonio, 299b: "Despoiole los vestidos *preçiosos* que uestie."

Alexandre (P), 326c: "Ellos quando vidieron fazienda tan *preçiosa...*"

'amado, estimado':

Documento de 1.241 (M. Pidal, 93): "Que ella nos dé la su graçia e que nos acabe la de so fijo *preçioso.*"

Berceo, Sto. Dom., 58a: "El confesor *preçioso* que es nuestro vezino / San Millán el caboso de los pobres padrino."

Fernán González, 1b: "El que quiso naçer de la Virgen *preçiosa.*"

'piedra preciosa':

Buenos Proverbios, 9.26: "...de piedras *preçiosas.*"

Nobleza y Lealtad, VI: "Sabiduría es... piedra *preçiosa.*"

Alexandre (P), 348c: "Luzie en derredor mucha piedra *preçiosa*."

1.ª documentación: Documento de 977 (Oelschläger).

Documentaciones posteriores: Juan Ruiz, 916b; Rimado de Palacio, 8c.

PRECURSOR. De praecursorem.

'el Precursor, San Juan Bautista':

Berceo, Loores, 18a: "Zacharias el padre que fue del *precursor*."

1.ª documentación: Berceo.

PREDICACION. De predicationem.

'predicación', 'razonamiento':

Buenos Proverbios, 3.1: "por oyr predicación."

El Bonium, 202.8: "De los dichos e *predicaciones* de Platon."

Berceo, Sacrificio, 41b: "Es en significança de la *predicación*."

Documentaciones posteriores: Juan Ruiz, 503a; Rimado de Palacio, 30b; don Juan Manuel, Libro de los Estados, 453.10.

PREDICADOR. V. PREDICAR.

'predicador':

El Bonium, 71.1: "predicava un *predicador* a una gente."

Flores de Filosofía, 18.14: "Vido un *predicador* que predicava al pueblo."

Berceo, S. Millán, 288a: "La profeçía dicha el buen *predicador* / torno a sue eglesia."

Alexandre (P), 745a: "Pero, como es costumbre de los *predicadores*..."

Documentaciones posteriores: Juan Ruiz, 238a; Rimado de Palacio, 636b; don Juan Manuel, Conde Lucanor, 2.3; Libro de Salomón, 55.165.

PREDICAMIENTO. V. PREDICAR.

'exposición':

El Bonium, 305.8: "se predicaba del su *predicamiento*."

PREDICAR. De praedǐcare.

'predicar, hablar, razonar':

Buenos Proverbios, 16.11; "...e *predicaste* todos bien."

El Bonium, 305.8: "...que se *predicaba* de su predicamiento."

Flores de Filosofía, 18.4-5: "Un *predicador* que *predicava* al pueblo."

Liber Regum, 8.28: "Et en aquella sazon *predicaua* Jonás el propheta en Ninyve."

Fazienda de Ultramar, 119.16: "...quando el Nuestro Sennor lo enbiara a *predicar* a Ninyve."

Berceo, Mil., 793c: "*Predicó* evangelio, dessent priso passión."

Alexandre (P), 2060a: "Tanto non pudo Poro dezir njn *predicar.*"

Fnán. Glez., 7c: "Ca *predicó* por su voca muchas malas sentençias." V. Romania, IX, p. 74.

'reprender':

Apolonio, 527a: "Nunca tanto le pudo dezir ni *predicar.*"

'ordenar, obligar':

Berceo, Milagros, 185c: "Non tomó penitençia como la ley *prediga.*"

Apolonio, 53d: "Esto que yo vos digo la ley vos *pedrica.*"

PREGARIA. De precariam.

'plegaria, oración':

Liber Regum, 4.30: "...Por la *pregaria* de Ysaias el propheta."

Fazienda de Ultramar, 45.35: "...por la *pregaria* de Loth."

En 183.10: "en *plegaria.*"

PREIURIO. V. Perjurio.

PREMINENCIA. V. Primicia.

'primicias':

Poema de Fernán González, 38c: "Los diezmos e las *preminençias* leal m(i)ente eran dadas."

PRESBITERO.

En Cod. moz. Toledano. Véase Simonet, Glosario, s. v.

Aparece también en los documentos lingüísticos de Menéndez Pidal, bien en su forma latina *presbiter,* bien en la adaptada al romance *presbítero.*

PRESENCIA. De praesentiam.

'presencia, figura, forma':

Berceo, Sacrificio, 158c: "Pareçió en el mundo en *presençia* carnal."

Documento de 1.243 (Menéndez Pidal, 227): "...e demás dixieron que seyendo hy en *presencia* omnes de Ceuico e omnes de Duennas."

Documentaciones posteriores: Juan Ruiz, 343b.

PRESENTAR.   De praesentare.

'ofrecer un don':

Cid, 2849: "*Presentan* a Minaya essa noch grand enffursión."

Fazienda de Ultramar, 56.16: "Veno Josep a la casa e *presentaronle* el present e homillaronse hasta tierra."

Berceo, Sac., 196c: "La oblada... commo la qual ovo Abraham *presentada.*"

'conceder un favor':

Cid, 1.708: "Pidouos un don e seam' *presentado.*"

'mostrar':

Poema del Cid, 996: "...*presentemos* les las lanças." En el sentido de 'ataquémosles' (V. M. Pidal, Cid, Vocabulario).

PRESENTE.

'regalo, don':

Cid, 1649: "A poco que vinistes, *present* uos quieren dar."

Fazienda de Ultramar, 50.5: "Enbio Jacob *present* a so ermano Esaú."

El Bonium, 388: "...e si non lo fizieres serás tal como al que dieron un *presente*, e non lo comió."

Berceo, Sto. Dom., 364c: "Un cauallo tenemos en casa solament / Nos essi vos daremos de grado en *present.*"

Apolonio, 564a: "Enbia vos un poco de *present* prometer."

Alexandre (P), 92b: "Al rey Phelipo fuera en *presente* enbiado."

'estar presente', 'personas presentes':

Documentos lings. de 1229 (M. P., 183): "Sabido sea de los omnes que son *present* miente a los que son por venir."

Docs. lings. de 1217 (M. P., 210): "Estos son los testigos que vieron e oyeron e *presentes* fueron quando don Gutierre de Ual de Cannas mitio al abbath de la Uith."

Docs. lings. de 1184 (M. P., 305): "Cognoscida cosa sea a todos omnes, tambien a los *presentes* como a los uenideros."

Berceo, Sac. 269c: "Tambien de los *presentes* commo de los passados."

Alexandre (P), 1198d: "Todo lo viene del sol que le está *present.*"

PRESETE.

'vestido, tela':

Alexandre (P), 836c: "Todos vestien *presetes* muy nobles vestidos."

Alexandre (O), 809c: *pretexta* (latinismo), 'vestidura larga, toga' es puramente latina: *pretexta*, Sánchez, Glosario. Cf. Ford. *Old spanish readings.* p. 272 (Keller, s. v.).

PRESION. V. PRISIÓN.

'prisión';

Apolonio, 371c: "Omme de raiz mala que yaz en *presión.*"

Alexandre (P), 966d: "*prisión*"; 112b: "*presión.*"

Poema de Fernán González, 613b: "Fyncó en su *presión* al conde don Fernando."

Poema de Fernán González, 376a: "Mando a sus va(s)allos de la *presyon* sacar."

Documentaciones posteriores: Juan Ruiz: *Prisión;* don Juan Manuel; Nebrija.

PRIAMO.

'el personaje homérico':

Alexandre (P), 331a.

PRIMICIA. De primitiam.

'primicia':

Disputa, 17: "ni diez(mos) ni *primicia* ni buena penitençia."

Fazienda de Ultramar, 114.10: "Los decimos e sus *primiçias* fidel myentre los dava."

Apolonio, 405a: "Ovo esta *primicia.*"

Documentaciones posteriores: don Juan Manuel, Libro de los Estados, 474.35.

PRIMOGENITO. De primogeni̇tus.

Fazienda de Ultramar, 47.25: "Vendio Jacob aquel conducho a so ermano por su mayoría, que fuese el portuedgo, ço es *primogenito.*"

PRINCIPADO. V. PRÍNCIPE.

'poder de príncipe, de rey':

Alexandre (P), 2494c: "Tal era la su ventura e el su *prinçipado* / commo la flor del lirio que se cae priuado."

PRINCIPAL. De pri̇ncipalis.

'el principal, capital, importante':

El Bonium, 347.16: "La más *principal* dellas que es el seso..."

Berceo, Mil., 43c: "Los sus sanctos miraclos, grandes e *principales*."

Alexandre (P), 640a: "Allí estavan contrarios los vientos *principales*."

Documentaciones posteriores; Juan Ruiz, 1603a; don Juan Manuel, Conde Lucanor, 82.18; Nebrija.

PRINCIPE. De princep, -ĭpis.

'príncipe, rey':

Fuero de Sepúlveda, 254: "Donna Urraca... fija del *princep* Alfonso."

Liber Regum, 6.20: "Est Zorobabel fo princeb de los fillos de Israel..." En 3.29: "muitos de los *principes* de la tierra."

El Bonium, 93.19: "E obedeçer a vuestros *principes*..."

Poridat de las poridades, 36.15-16: "Et conuiene que ondre sus *principes*, et sus alcaldes et sus adelantados et sus prelados."

Nobleza y Lealtad, Introd.: "...que os demos por escripto todas las cosas que todo *principe* e regidor de reyno deue aver en sy."

Berceo, Sto. Dom., 393b: "Que uedie tan grand *princep* seer tan aterrado."

Apolonio, 411a: "El *princep* Antinagora."

Alexandre (O), 65a: "El *prinçepe* avariento non sabe qual contez."

'persona ilustre, importante':

Berceo, San Millán, 305a: "(Todos) doce apóstoles, *prinçipes* acabados."

'sacerdote':

Fazienda de Ultramar, 74.4: "Oyo Getro, el suegro de Moyssem, que era *princep* de Madian."

Documentaciones posteriores: 1.ª Crónica Gral.; Conde Lucanor; APal. y Nebrija; Rimado de Palacio, 67b.

PRIOR, PRIORA. De prior -us.

Docs. lings. de 1186 (M. P., 151): "exuna part el arroio, e ex duabus partibus el *prior* e exa alia Iohan de Castro."

Docs. lings. de 1223 (M. P., 6): "Et sin querella ovier... as a endereçar por cabildo e mandarse por *prior*."

Docs. lings. de 1237 (M. P., 90): "la *priora* dona Elvira Gil."

Berceo, Sto. Dom., 135d: "El *prior* entendido que eran embargados."

Berceo, Mil., 531d: "*prioressa.*"

Apolonio, 580b: "saldrá la *priora.*"

Alexandre (O), 113c: "abbat e *prior.*"

Docs. posts.: P. de Alfonso XI, 301c; Conde Lucanor, 147.17.

PRIORADO, PRIORADGO, PRIORIA. V. Prior.

Berceo, Santo Domingo, 168c: "Fo de la *prioria* que tenia despoiado."

Berceo, Sto. Dom., 122b: "El abbat de la casa diole el *priorado.*"

Docs. lings. (1249), 98: "pora el *prioradgo* de Sancta María de Nagera."

PRISION. V. Presión.

Fuero de Soria, 47.4; "...o por *prision,* o por enemigos..."
Aparece también la forma popular *preson* en 60.7.

Fuero de Sepúlveda, § 2: "...préndalo sin calonna ninguna, e sea en la *prisión* fasta o se renuda."

Poridat de las poridades, 40.22: "Alexandre, castigo uos que escusedes quando pudieredes matar en uuestras iusticias, que assaz auedes en *prision* luenga o en otras muchas penas que podedes fazer."

Nobleza y Lealtad, XXI: "...e el que non usase bien de su oficio pierdalo en la cabeza o con *prision* perpetua."

Alexandre (P), 112b: "Quando auje el rey a justiçiar ladrón / dauagelo al cauallo en lugar de *prisión.*"

Documentaciones posteriores: Juan Ruiz, 1462a; Poema de Alfonso Onceno, 233c; Poema de Yuçuf, 99a; Conde Lucanor, 93.10.

PRIVILEGIADO. V. Privilegio.

'metido en privilegio, escrito en documento notarial':
Berceo, San Millán, 432d: "Metido en escripto e *privilegiado.*"

'que goza de privilegios':
Loores, 104b: "De muchos privilegios es *privilegiado.*"

PRIVILEGIO. De privilegium.

'privilegio, documento notarial':
Documento de 1.229 (M. Pidal, 190): "Sepades que el abbat

e los monges de Onna uinieron ante mi e mostraron me *privilegio* plomado de mio auuelo el rey don Alfonso."

Fuero de Soria, 16.3: "...segund dize en el *privilegio*."

Poridat de las poridades, 50.5: "Alexandre, conuiene uos que sean uuestros escriuanos por escreuir uuestras cartas e uuestros *priuilegios*..."

Berceo, San Millán, 467b: "Dizlo el *privilegio* ond esto fue sacado."

'gracia, favor':

Berceo, Milagros, 866d: "Ca el tu *privilegio* val a peccador."

PROCESION. De processionem.

'procesión, comitiva':

Berceo, Loores, 54b: "En la sancta çiudad entró con *proçesión*."

Apolonio, 405c: "Fue con grant proçessión al apostol enviada."

Alexandre (P), 1122a: "Quando vio Alexandre tan noble *proçeçión*." En P., 1518c: *proçiçión*.

Docs. post.: J. Ruiz, 1235a Rim. de Pal., 1753d; Poema de Alfonso Onceno, 290b.

PROCURADOR.

'procurador, defensor':

Berceo, Mil., 797c: "Otro *procurador*, non me mandes buscar."

Documentaciones posteriores: Nebrija.

PROCURAR. De procurare.

'procurar, servir, atender':

Berceo, Sto. Dom., 508c: "Vínolis el obispo e fo bien *procurado*."

Documentaciones posteriores: Nebrija.

PROFECIA. V. Profeta.

'profecía, solución de un acertijo':

Reyes Magos, 140: "Non entendes las *profecías*."

Fazienda de Ultramar, 183.26: "...e por aduzir iusticia de sieglo, e por sellar la vision a la *prophe(z)ia*."

Alexandre (P), 1125a: "Dexo en Daniel una *profecia*."

Apolonio, 26a: "Fue de la *profecía* el rey muy mal pagado."

Berceo, Sto. Dom., 284d: "Que esta *prophecia* en él mismo caye."

Documentaciones posteriores: Juan Ruiz, 1061a; Rimado de Palacio, 254d; P. de Alfonso XI, 899b.

PROFESION. De professionem.

'profesión religiosa':

Berceo, Mil., 164b: "Ca en su monasterio fiziera *profession*."

PROPHETA. De propheta, gr. προφητής.

'profeta':

El Bonium, 80.23: "De los dichos e de los castigamientos del *profeta* Sed."

Poridat de las poridades, 29.11-12: "Et por eso metieronle muchos de los sabios en cuenta de los *prophetas* que prophetizaron sin libro."

Buenos Proverbios, 2.22: "Este es el avenimiento que avino a Anchos, el *propheta*, el versificador."

Fazienda de Ultramar, 71.28: "Priso Mariam la *propheta*, ermana de Aeron, pandero en la mano."

Liber Regum. 2.30: "Samuel, el *propheta*."

Berceo, Sig., 22a: "El dia postrimero, como diçe el *Propheta*."

Alexandre (P), 1226a: "Ally eran los *prophetas*, convento general."

Poema de Fernán González, 12a: "Los primeros *profetas* esto profetizaron."

Documentaciones posteriores: Juan Ruiz, 3a: Rimado de Palacio, 629a; Poema de Alfonso XI, 242; don Juan Manuel, Conde Lucanor, 451.1.

PROPHETISMO.

'doctrina':

Fazienda de Ultramar, 130.27: "Agora adozidme I, cantador e pues quant a Dios cantare sera sobrel *prophetismo* del Criador."

Fazienda de Ultramar, 166.24: "el fijo de Sosias, rey de Judea, fo est *prophetismo* de parte del Sennor a Jeremias."

PROPHETISSA.

Fazienda de Ultramar, 109.24: "Alli lydió Ba(r)ach con la

mugier *profetissa* que avya nombre Devora, la m(u)gier (de) Lépido(t)."

PROFETIZAR. V. Propheta.

'profetizar, vaticinar, predecir':

Liber Regum, 2.32: "En aquel tiempo *prophetizaron* Samuel e Gad e Nathan, estos tres prophetas". En 11.10: "Esto fo a cabo de XLII annos de la passion de Ihesu Crist assi com auia *prophetizado* Heliseus el propheta."

Poridat de las poridades, 29.12.

Berceo, Sto. Dom., 246b: "*prophetava* la cosa que avenir avie."

Alexandre (P), 1319b: "Dentro en Babilonia lo ovo *profetizado.*"

Poema de Fernán González, 12a: "Los mismos *profetas* esto *profetizaron.*"

Documentaciones posteriores: Gral. Est.; Juan Ruiz, 8a; Rimado de Palacio, 1753d; P. de Alfonso XI, 1532c.

PROFUNDADO. Derivado de profŭndus.

'profundo, muy versado':

Apolonio, 22a: "Como era Apolonio de letras *profundado.*"

Berceo, S. Mill., 22c: "En toda la doctrina maestro *profundado.*"

Documentaciones posteriores: Juan Ruiz y APal., *profundo.*

PROLIXIDAD. De prolixitatem.

'prolijidad, mucha duración':

Berceo, S. Mill., 72b: "De fablarvos en ellas serie *prolixidad.*"

PROLOGO. Gr. πρόλογος.

'prólogo, comienzo':

Berceo, Sta. Oria, 10a: "Havemos en el *prólogo* mucho detardado."

Alexandre (O), 4a: "Non vos quiero gran *prólogo* nin grandes novas fazer."

Documentaciones posteriores: Juan Ruiz, 1301d; APal.; Libro de Salomón; don Juan Manuel, Conde Lucanor, 2.16.

PROMJCIA. V. Primicia.

'primicia':

Alexandre (P), 2354b: "Esto prende del fumo déçimo o *promiçia.*"

PROMISSION. De promissionem.

'promesa, voto':

Fuero de Soria, 110.7: "Njnguno non puede mandar de sus cosas a njnguno que sea herege, ni a omne de religion despuez que fiziere *promissión.*"

Alexandre (P), 1928c: "Quiso complir a Dario la fecha de *promission.*"

'la tierra prometida':

Fazienda de Ultramar, 43.22: "tierra de *promyssion.*"

Liber Regum, 2.27: "entraron los fillos d'Israel en tierra de *promission.*"

Alexandre (P), 2086a: "Dixol commo entraron en tierra de *promisión.*"

PRONUNCIADOR.

Alexandre (P), 1932c: "dicen unas a otras buenas *pronunciadores.*"

PRONUNCIAMIENTO.

'noticias, palabras':

Berceo, Sto. Dom., 304d: "Diolis *pronunciamiento* de grant consolation."

Alexandre (P), 1930d: "Fazen unas a otras buenos *pronunciamientos.*"

PRONUNCIAR. De pronuntiare.

'pronunciar, decir':

Berceo, Sac., 181b: "Lo que *pronunciamos* debemos lo obrar."

'declarar':

Berceo, S. Mill, 477b: "Fueron en dar en esto todas [las ciudades el voto] *pronunciadas.*"

'vaticinar':

Berceo, Loor, 54d: "Ivan *prenunçiando* la grant resurreçion."

Documentaciones posteriores: Juan Ruiz, 343d.

PROPICIO. De propĭtĭus.

'propicio, favorable':

Berceo, Sto. Dom., 100d: "Sennor, merced te clamo, que me seas *propiçio*."

Alexandre (P), 2396d: "Que fuesse *propiçio* a señor San *Miguel*."

1.ª documentación: Berceo.

Docs. posts.: Oudin (1607); Aut.

PROPOSION.

Parece error del copista. Puede ser *proposiçion*, como lee Janer o *provisión* en el sentido de 'condición, estipulación, caución'. (V. Marden Apolonio, Vocabulario).

Aparece en Apolonio, 21c: "Pusol el rey la ssua *proposión*."

PROPOSITO. De praepŏsĭtum.

'propósito, resolución':

Berceo, Milagros, 335a: "Cambióse del *propósito* del que ante tenie."

Alexandre (O), 727d: "Señor deste *propósito* non nos uerás cambiados."

Documentaciones posteriores: Juan Ruiz, 692b; Rim. de Palacio, 1456aE; Zifar; APal.

PROPRIEDAD, PROPIEDAD. De proprietatem.

'propiedad, sustancia, naturaleza':

Poridad de poridades, 33.1: "El ochauo es de los saberes escondidos et de *propriedades* de piedras."

El Bonium, 205.1: "¿Qué pro vos tiene el oro e la plata?, o ¿qué *propiedad* han por que los amades?"

Santa María Egipciaca, 828: "Que non querien auer *propietat*." Parece en la ac. 'pertenencia'.

Berceo, Sac., 161d: "El sabor (de la hostia) non acuerda con la *propiedat*."

Alexandre (O), 2324b: "Predicoles el frayre de la *propriedat*."

En P., 2550d: *propiedades*.

Documentaciones posteriores: Juan Ruiz, 1627a; *propiedat*; don Juan Manuel, Conde Lucanor, 27.22.

PROPRIO. De proprĭum.

'propio, cosa propia':

Poridat de las poridades, 49.8: "Sepades, Alexandre, que el omne es de más alta natura que todas las cosas biuas del mundo, et que no a manera *propria* en ninguna creatura de quantas Dios fizo que no le aya en él."

Nobleza y Lealtad, XXXIV: "salvo lo que ouiesen menester para su mantenimiento *propio*."

El Bonium, 215.13: "que los omnes son *propios* e comunes e los *propios* conoscerte han mejoria por lo que has, (e los comunes por lo que sabes)."

Docs. lings. de 1237 (M. P., 115): "...ganados de los frayres de Casa nueua *proprios* e de sus pastores e de sus paniguados."

En 116: "de unas mias *proprias* casas."

Docs. lings. de 1307 (M. P., 158): "e la *propria* voluntade..."

Fuero de Soria, 87.9: "...si de suyo *proprio* entrada e exida ouiere..."

Fazienda de Ultramar, 124.8: "Nazaret, çibdat de Galylea, cibdat *propria* de Sant Salvador, por que en ella fue nodrido."

Fuero de Sepúlveda, § 72: *propia.* En § 245: *propria.*

Fuero de Sepúlveda, 45.5: (Latino).

Berceo, Sto. Dom., 178c: "Yo nunca alçé *proprio,* nin fiz cosa atal."

Alexandre (P), 2081b: "Trayen costumbres *propias.*" En O., 1939b, *proprias.*

1.ª documentación: docs. del siglo X, hasta el siglo XIII (Oelschl).

Documentaciones posteriores: *Propio,* Juan Ruiz, 1675d; Rimado de Palacio, 187d. *Proprio*: APal.

PROSA. De prōsa.

'poema':

Berceo, Sto. Dom., 2a: "Quiero fer una *prosa* en roman paladino."

'himno, coro':

Berceo, Sac., 44a: "la *prosa* rinde graçias a Dios nuestro Sennor."

Berceo, Mil., 697c: "Fazien muy alta fiesta con quirios e con *prosa.*"

PROSICION.. V. Procesión.

'procesión':

Alexandre (P), 317b: "fiçieron *prosiçion.*"

PROSPERIDAT. De prosperĭtatem.

Alexandre (P), 2446d: "Que non da a ninguno *prosperidat* complida."

Docs.: APal; Nebrija.

PROSTRAR. V. Postrar.

PROTOMARTIR. V. Mártir.

'protomártir':

Berceo, Sto. Dom., 26a: "Abel el *protomártir* fue el pastor primero."

PROVERBIO. De provĕrbium.

'proverbio, refrán', 'máxima, consejo':

El Bonium, 67, 21-22: "e los *proverbios* que los sabios a los filósofos dieron."

Buenos proverbios, 1.1: "Este es el libro de los buenos *proverbios.*"

Apolonio,57a: "Como dize el *proverbio* que suele retrayer."

Berceo, Sto. Dom., 620a: "Como diz el *proverbio* que fabla por razón."

Alexandre (P), 1884a: "Commo dize el *proverbio,* que non es cubierta."

'palabras, discurso':

Alexandre (O), 1206b: "Començo a dezir mucho de mal *proverbio.*"

Docs. posts.: Juan Ruiz, 869a; Conde Lucanor.

PROVIDENCIA. De providentiam.

'providencia, determinación':

Berceo, Milagros, 50d: "Facie en ello seso e buena *providencia.*"

También en Sac. 55a: "Fazen despues desto bien buena *providencia* / cantan un rico canto, todo de la creençia."

Apolonio, 93a: "El Rey de los çielos es de grant *prouençia* / siempre con los coytados ha su atenençia."

Documentaciones posteriores: Rim. de Palacio, 708a; Nebrija.

PROVINCIA. De provĭnciam.

'provincia, región, comarca':

Roncesvalles, 65: "por conquerir *prouencja* e demandar ljnage."

Liber Regum, 8.21: "et era rei sobre CCXX *provincias*."

Fazienda de Ultramar, 166.12: "...e la sennera de las *provincias* es metuda en paria."

Nobleza y Lealtad, XXVII: "...e traer muchas tierras e *provincias* a la fe de Dios."

El Bonium, 68.20: "...e quien pobló a primas las *provincias* e las cibdades del mundo."

Berceo, San Millán, 311d: "Que serié luminaria de toda la *provincia*."

Apolonio, 647d: "Que la vuestra *provinçia* nunqua será mesquina."

Alex. (P), 1591b: "O en esta *proujnçia* queredes aturar."

Fernán González, 57d: "Non serya en el mundo tal *provincia* fallada."

Documentaciones posteriores: *Provencia:* Poema de Alfonso Onceno, 1815. *Provincia:* Conde Lucanor, 87.16; APal., Nebrija. Para más documentación, véase M. Pidal, R.F.E., IV, 121.

PROVINCIAL. V. PROVINCIA.

'Padre provincial, el que tiene a su cuidado los conventos de una provincia eclesiástica':

Berceo, Sto. Dom., 269a: "Convidó los obispos e los *provinçiales*."

Documentaciones posteriores; Nebrija.

PROVISOR. De provisorem.

'provisor, proveedor':

Docs. lings. de 1219 y 1221 (M. P., 22): "Ego... vendo a vos, *provisor* fra Domingo de Sancta María de Aguilar..."

Berceo, Sto. Dom., 193b: "Somos sin recabdo non bonos *provisores*."

Corominas lo documenta por primera vez en el siglo XIII.

Docs. post.: Nebrija: "*provisor* de obispo."

PROXIMO. De prŏximum.

'prójimo':

Diez Mandamientos, 381.22: "O peca contra Dios, su *proximo* o contra si mismo."

Fazienda de Ultramar, 76.19: "ni cobdicies mugier de to *proximo*."

Berceo, Sig., 46b: "Que si por el bien del *Próximo* andan descolorados."

Alexandre (P), 1795b: "Njn a Dios njn a *proximo* non femos derechura."

Docs. post.: Rimado de Palacio, 1607d: APal.

Como adj. entró muy tarde y conservó la *x*, pero ambos son cultos (DCELC).

PRUDENTE. De prudĕntem.

'prudente':

Berceo, Sto. Dom., 22c: "Andava çerca dellos *prudient,* e muy despierto."

No vuelve a aparecer hasta el s. XV: APal.

PRUENCIA. De prudentiam.

'prudencia':

Alexandre (P), 1537a: "El rey Alixandre, thesoro de *pruencia."* En O., 1395a: "*proeza."*

Documentaciones posteriores: don Juan Manuel, Libro de los Estados, 596.18; APal; Nebrija.

PSALMISTA. V. Salmo.

'salmista':

Berceo, Loores, 10a: "Tu fuiste la cambariella que dize el *Psalmista."*

Documentaciones posteriores: Partidas.

PSALMO. V. Salmo.

PSALTERIO. V. Salterio.

PUBLICANO. De publicanus.

Fazienda de Ultramar, 204.14: "Sant Mateo apostol... fue *publicano."*

PUBLICAR. De publicare.

'hacer público':

El Bonium, 108.10: "E dale ayna por ello la pena e *publícalo."*

Nobleza y Lealtad, XV: "Et otrossí a los que... maneras e sofismas engannosas, a la uez destos tales fallará *publicada* en los pequeños e simples."

Docs. posteriores: Juan Ruiz; Conde Lucanor.

PUBLICO. De pūblĭcus.

'público':

Fuero de Soria, 25.13: "Et los yuyzios que dieren...e luego a la ora sean escriptos por los escriuanos *publicos*."

El Bonium, 359.4: "Non fazer omne en la su poridad por que sera afrontado en *publico*."

Diez Mandamientos, 382.11: "o logrero *publico*."

Docs. lings. de 1127 (M. P., 37): "alia tierra que dicunt la Toua ante el molino de don Didago iuxta uia *publica*."

Docs. lings. de 1236 (M. P., 278): "Et el emperador fezoles amor e gracia e consentimiento que qual quier dellos que cauallo ouiere e lo touiere, que sea forro complida mient, e aya ondra *publica* fueras ende desquilmo des primer anno."

1.ª documentación: *publigo*, doc. de 954.

Docs. post.: Juan Ruiz, 934b; Rimado de Palacio, 199c; en 1265b: *publicar;* P. de Alfonso XI, 642c; Sem Tob, 62,44; don Juan Manuel, Conde Lucanor, 173,8.

Otras documentaciones: "la carrera *publica*", doc. de 1175; Oelschläger (desde 1030, *publigo;* 1042, *publigo*). M. Pidal (Orígenes, 256) atestigua *públigo* y *póbligo* en el s. XIII.

PUGNAR. PUNAR.   De pŭgnare.

'procurar':

El Bonium, 67.18: "deven los omnes obrar bien e *pugnar* siempre en oyr buenas cosas." En 73.20: *punar*.

Flores de Filosofía, 23.13-14: "E nunca fue omne que *pugnase* en desobedecer al rrey."

PULCRO.   De pŭlcher, -a, -um.

'hermoso':

Liber Regum, 2.28: "estonz priso muller Booz a Ruth la Pagana, qui era nuera de Noemi la Fermosa, ond dizen: *pulcra* Noemi."

PULMON.   De pŭlmonem.

Alexandre (P), 2084d: "Cubdiçian dineros más que gato *pulmones*." En O., 1942d: *polmones*.

PULPITE.   De pulpĭtum.

'pulpito', 'celda, lugar escondido':

Berceo, Sac. 123b: "Quando (el ministro) exie del *púlpite* o la archa estaba."

1.ª doc.: Berceo, que ofrece una variante afrancesada.

Docs. post.: APal.

PULPODIA, PURPODIA. De polypodium.

'nombre vulgar del polypodium; en cast. polypodis':

En Ibn Chólchol: *pulpodia, purpodia, purpodio.* V. Simonet, Glosario, s. v.

PULSO. De púlsus, derivado de pellĕre.

'pulso, latido':

Apolonio, 301b: *polso:* "Fuel estando el *polso* sil queria batir."

Berceo, Mil., 125d: "Afuerzate, non temas, non seas desmarrido / ca dizlo el tu *pulso,* que es bueno conplido."

Alexandre (P), 42b: "connosco bien los *pulsos,* bien judgo orinal."

Docs. posts.: C. Baena, 120; Cartujano, 298, Quijote, Nebrija 1492, Cov. 1611. *Pulsar,* en Góngora, censurado por Jáuregui.

PUNGIR. De pŭngĕre.

'punzar, pinchar':

El Bonium, 163.4: "e un omne *pungóle* con una aguja en los pies."

PUNGIMIENTO. V. Pungir.

'pinchazo':

El Bonium, 163.5: "E un omne pungole con... e dixole: Este *pu(n)gimiento* (qui) te fago con el aguja en tus pies, ¿sienteslo?."

PURGAR. De pŭrgare.

'purgar, limpiar', 'penar en el Purgatorio':

Diez Mandamientos, 381.21: "Que a *purgarlos* as o aqui o en *purgatorio.*"

Poridat de las poridades, 67.21: "Et echat en la nariz poluos para *purgar* la cabeça segunt perteneçe al tiempo en que fueredes."

Berceo, Himnos, I, 1c: "*Purga* los nuestros pechos de la mala calumne..."

Berceo, Sac. 277b: "De las almas *purgadas* que son con Dios en gloria."

Apolonio, 312d: *porgar.* En 199d: *purgar.*

Alexandre (P), 1459c: "Faze *purgar* la fenbra maguer sea aneja."

Documentaciones posteriores: Don Juan Manuel, Libro de los Estados, 487.28.

PURGATORIO.   De purgatorium.

'Purgatorio':

Diez Mandamientos, 382.21. V. Purgar.

Adjetivo:

Berceo, Sac. 277d: "Ruega por los que lazran en la Ley *purgatoria.*"

Docs. posts.: Juan Ruiz, 1140b.

PURPURA.   De purpuram, gr. πορφύρα.

'púrpura', 'vestidos preciosos':

Poema del Cid, 2207: "tanta *pórpola* e tanto xámed e tanto paño preçiado."

Fazienda de Ultramar, 179.6: "Estonz mando Baltasar que vistiessen a Daniel *porpola* e orla de oro en so cuello."

Berceo, Sig. 21c: "Ardrá todo el mundo... balanquines e *púrpuras.*"

Alexandre (O), 1152c: *púrpuras.* En (P), 1694c: *porpora.*

Furfura: V. Dozy, 11.258. Cit. por Simonet, Glosario.

1.ª doc.: Cid, *porpola.* También aparece en la Crón. Gral. y en la Gr. Conq. de Ultr.

Documentaciones posteriores: P. de Yuçuf, 58c: *pulpura; Pórpora,* F. Juzgo y Partidas.

Q

QUADERNA VIA. De quaterna.

Alexandre (P), 2c: "Fablar curso rimado por la *cuaderna vía.*"

QUADERNO. De quaternus.

'cuaderno, pliego':

Berceo, Sto. Dom., 751c: "Perdió se un *cuaderno...*"

QUADRAGESIMA, QUARESMA. De quadragesima.

'Cuaresma':

Santa María Egipc., 1347: "la *quaresma* que tanto tardaua."

Fuero de Soria, 96.1.

Berceo, San Millán, 143b: "Toda la *quadragesima*, la que dizen mayor."

Milagros, 56a: "Tiempo de *cuaresma*, es de afliction." Dutton corrige: *quadragésima.*

Documentaciones posteriores: Juan Ruiz.

QUALIDAD. V. Cualidad.

QUERENCIA. Sufijo semiculto.

'amistad, amor':

Fuero de Soria, 21.14 'enemistad': *mal quarencia.*

Poridat de las poridades, 35.12: *mal querencia.*

Berceo, Mil., 50b: "Nunqua varón en duenna metió mayor *querencia.*"

Alexandre (P), 201c: *mal querencia.*

QUERIMONIA. De querimoniam.

'queja, disgusto':

Berceo, Sta. Oria, 151c: "Porque me despertaron so en grant *querimonia*."

QUERUBIN. Del latín cherubim, hebr. Kerubim.
'querubín, ser angélico', 'estatuilla':
Fazienda de Ultramar, 144.8: "E fiço dos *cherubins*..."

QUESTION. De questionem.
'pregunta, acertijo':
Apolonio, 523a: "Rafez es de contar aquesta tu *question*."
Berceo, Duelo, 67b: "A las sus *questiones*, non podién responder."
'ataques':
Alexandre (P), 2062c: "recudien firme ment a las sus *quistiones*." En O., 1920c: *questiones*.
Docs. posteriores: Rim. de Pal., 207c; Libro de los Estados, 587.25.

QUINCUAGENARIO. De quinquagenarius.
'jefe de un cuerpo de cincuenta hombres':
Alexandre (P), 1531c: "Otros *quincuagenarios*. Otros çituriones."

QUIRIOS.
Alexandre (O), 540d: "Todos cantauan *quirios*."

QUITACION. V. Quitar.
'libertad':
Doc. ling. de 1228 (M. Pidal, 87): *quitación*.
Berceo, Sto. Domingo, 491b: "Entendió bien que era *quitacion* perentoria / que le venie menssage del Rey de Gloria."
Apolonio, 612d: "De cativo que era dieron le *quitaçion*."
Alexandre (P), 1257d: "Avrías ayuda buena para tu *quitaçion*."
Documentaciones posteriores: Historia Troyana, 22.25; Gran Conquista de Ultramar, 474.

QUITAMIENTO.
'exención':
Doc. ling. de 1231 (M. Pidal, 317).

QUITAR. Derivado de quietus.
'eximir':
P. del Cid. 2989: "rruegan al rey que los *quiten* desta cort."

Como reflexivo, en Alexandre (P), 955c: "de toda la ga-
nançia me vos qujero *quitar*."
'libertar':
P. del Cid, 534: "Ciento moras quieroles *quitar*."
Berceo, Milagros, 97c: "Como los *quitó* ella de su podestadía."
Sacrificio, 129d: "Que nos *quitó* a todos de prisión pe-
ligrosa."
Apolonio, 497d: "Yo te *quitaría* de muy buen amor."
Alexandre (P), 1244a: "La madre e los fillos qujerelos
quitar."
'librarse', reflexivo:
P. del Cid. 984: "Que a menos de batalla nos pueden den
quitar."
Berceo, Mil., 205c: "Otra guisa de vos io non me *quitaria*."
Apolonio, 432d: "Sopo se, maguer ninya, de follia *quitar*."
'marcharse, abandonar':
Alexandre (P), 192c: "En grant premja bjvjeron, nunca des
quitaron."
'tomar, robar':
Alexandre (P), 1347d: "que oy no *quitades* a Darío el emperio."
'matar':
Alexandre (P), 2534c: "*quitava* ad Anteon muy aujltada
ment." (V. Keller, Vocabulario).
'pagar':
Cid, 822: "*quitedes* mill missas."
'separarse':
Cid, 2379: "de vos me quiero *quitar*."
Berceo, Mil., 885a: "De lo que avien priso non se podien
quitar."

Docs. posteriores: J. Ruiz, 575b; P. de Alfonso XI, 2209b;
Sem Tob., 456.2; P. de Yuçuf, 238a; D. Juan Manuel, Conde
Lucanor, 178.25. En el Libro de los Estados, *quitamente*.
Para el problema de la prelación *quietare, quietus* V. Corominas (DCELC). La voz ha sufrido una evolución semántica
'eximir de una obligación', 'libertar a alguien de un opresor';
'quitárselo'.

QUITO. De quietus.

'libre, exento':

Cid. 1370: "de mi sean *quitos* e vayan."

El Bonium, 73.7: "*quitos* de malvestad."

F. de Soria, 11.8: "e si los alcalldes non le quisieren yurar, salue se el sospechado por su cabeça e sea *quito.*"

Documento lingüístico de 1220 (M. Pidal, 167): "E por esta facendera sobrescripta que fagades uos a nos cadanno, que seades *quitos* de fonçado."

Berceo, Milagros, 165d: "Que entró sin mançiella e *quito* de peccado."

Apolonio, 433b: "bien *quita* de pecado."

Alexandre (P), 944b: "de toda cueyta tengo que me es oy *quito.*"

'quieto, tranquilo':

Apolonio, 126c: "Si con esso fincase *quito* en mio lugar." (V. Marden).

Documentaciones posteriores: J. Ruiz, 11.30c; P. de Alfonso XI, 372; Sem Tob., 183; P. de Yuçuf, 124b; Conde Lucanor, 160.4; Gran Conquista de Ultramar; Fueros de Aragón.

Hay mayor porcentaje de *quitar* que de *quito;* éste se hace cada vez más infrecuente. El primero en sus orígenes debió de ser vocablo perteneciente al tecnicismo religioso, jurídico y mercantil, como demostró Lerch para el francés, con pruebas válidas para todas las lenguas romances. (V. Corom. DCELC, s. v.).

R

RABIA. De rabiam.

'cólera', 'pena':

Berceo, Duelo, 34a: "Io con *rabia* del Fillo."

Alexandre (P), 1007a: "Aun por todo non amansó la *rabia.*"

P. de Fernán González, 543b: "yré con esta *rabia* mesquino pecador."

Docs. posteriores: Conde Lucanor, 103.9: *rravia.*

M. Pidal afirma que es semiculta, mientras que Corominas defiende su evolución popular, apoyándose en el hecho de que en los autores posteriores se halla con *v* labiodental. No creo que ésta sea una prueba concluyente.

RABIOSO. V. RABIA.

Berceo, Milagros, 25d: "La que dan al enfermo en la cuita *rabiosa.*"

Alexandre (P), 392a: "La sierpe *raujosa.*"

P. de Fernán González, 465b: "Venie por el ayre una sierpe *raviosa.*"

RACION. De rationem.

'porción en un reparto', 'limosna':

P. del Cid, 2467: "que a la *raçion* cadie de plata seys çientos marcos."

Documentos lingüísticos de 1219-1221 (M. Pidal, 22): "Don Iuan Martinez... vendió V *rationes* en el molino de medio."

Id. en el de 1224 (M. Pidal, 30): *racion.*

Berceo, Sto. Domingo, 217d: "A grandes e a chicos dauan egual *ration*."

Alexandre (O), 71d: "Te levarás el preçio que val *raçion* doblada."

Apolonio, 612a: "Dieron a Teófilo meiorada *raçion*."

'participación en un asunto':

P. del Cid, 3388: "aver *raçion*."

Id. en 2773: 'tener noticia o sospecha de', "saber *raçion* de".

Docs. posteriores: Sem Tob, 176.4; Conde Lucanor, 165.3; Don Juan Manuel, Libro de los Estados, *raçionero*.

RACIONERO. V. RACIÓN.

'cargo eclesiástico':

Documentos lingüísticos de 1233 (M. Pidal, 237) Avila: "Domingo Benito, *racionero*."

Berceo, S. Millán, 95a: "En Sancta Eolalia entró por *rationero*."

RACHEL.

Reys d'Orient, 71: "Que en el çielo fue oydo el planto de *Rachel*." (En el Evangelio del dia de los Inocentes: 'mujer de Jacob que lloró a sus hijos llevados cautivos a Babilonia'. V. Alvar, Vocabulario).

Berceo, Loores, 38.

RAPAZ. De rapacem.

'criado, mozo':

P. del Cid, 3289: "Quando pris a Cabra e a vos por la barba / non y ovo *rapaz* que non messó su pulgada."

Berceo, Milagros, 366c: "Iazie en paz el ninno en media la fornaz / En brazos de su madre non iazrie más en paz / Non preçiaba el fuego más que a un *rapaz*."

Alexandre (O), 739c: "Fazerte a los *rapaces* prender e desonrrar", con sentido despectivo.

'ladrón':

Apolonio , 567d: "Fueron al traydor, echaronle el lazo / Mataronlo a piedras commo a mal *rapaço*."

V. el importante artículo que dedica Corominas a esta voz en su DCELC.

Docs. posteriores: J. Ruiz, 1051d.

RAPINA. De rapinam.

'rapiña, arrebato':

Berceo, Milagros, 274b: "Por quanto la levarían diablos en *rapina*."

1.ª documentación: Berceo.

Docs. posteriores; Corbacho: *rapiña;* Cancionero de Stúñiga.

RAPONTHICO, RUPONTHICO.

'raíz del rheum rhaponticum':

En Ibn Buclariz, Simonet, Glosario, s. v.

REBECA.

'la esposa de Isaac';

Fazienda de Ultramar, 43.39.

RECITAR. De recĭtare.

'recitar, rezar':

Berceo, Milagros, 262c: "Mándote cada día un salmo *recitar*."

RECONCILIAR. De reconcĭliare.

'reconciliar, perdonar':

Berceo, Loores, 201b: "Fue *reconciliada* ante la tu figura."

RECONOCENCIA. Sufijo culto.

'reconocimiento, promesa':

Berceo, S. Millán, 462d: "De render cada casa esta *reconnocencia*."

RECLUSO. De reclusum.

Sust., 'enclaustrado, fraile, monja':

Berceo, Sta. Oria, 35a: "Respondió la *reclusa*."

Adj., 'recluido, enterrado':

Berceo, Duelo, 116b; "En qui iaçien *reclusos* (en los sepulcros) muchos sanctos varones."

RECTORICA. De rethorica, gr. ρητορικος.

Alexandre (O), 337a: "Apriso de *rectorica,* era bien razonado."

Docs. posteriores: Setenario; APal.

V. Retórica.

REDEMIR, REDIMIR. De redĭmere, deriv. de emere.

'rescatar de la esclavitud':

Doc. ling. de 1.184 (M. Pidal, 305): "por redemption de los

captivos e por *redemir* los e i por propria salut del ospital de los captivos."
Fuero de Sepúlveda, § 223.
Fazienda de Ultramar, 164.20: "E sera es dia, ennadra el Sennor secunda vez su mano por *redemir* remasaia de so pueblo que remaso de Assur e de Egipto."
Berceo, Sto. Dom., 362c. "Tu sabes en qué caye cativos *redemir*." En Orduna, *redimir*.
Reflexivo, 'rescatarse':
Alexandre (P), 193c: "aujense cada un anno todos a *redemir*."
'redimir, perdonar':
Buenos Proverbios, 44.24: "e si uno por otro se pudiesse *rredemir*."
Fuero de Soria, 11.6: "Si alguno... echenlo en el fuego, o *redimanlo* por quanto pudiere auer."
Berceo, Loores, 3b; "Commo vino al mundo Dios por te *redimir*."
Alexandre (P), 269d: "la fallençia de Adam *redemjda*."
1.ª doc.: 1155, Fuero de Avilés. En el Fuero Juzgo aparecen formas más populares: *remeir, remiir, remir*. Hay una forma enteramente popular *rendir* en la 1.ª Crón. Gral. y de ahí el sustantivo *réndimiento* 'redención' en el Fuero Juzgo y en el Tractado de la Doctrina. En el Conde Lucanor *redemir*, forma todavía preferida por Nebrija y Baltasar del Alcázar. (Véase Corominas, DCELC, s. v.).

REDENCION, REDEMPTION. De redemptionem.

'redención, perdón (de los pecados)':
Doc. ling. de 1227 (M. Pidal, 86): "...offresco e do misma a Dios... e alos pobres en mios dias, por mi alma e por *redención* de mios peccados."
Berceo, Sac. 98a: "*Redempçion* de pecados sin sangre nunca vino."
'redención, liberación (de cautivos)':
Doc. ling. de 1.184 (M. Pidal, 305): "...damos aqueste dado por fuero, por *redemption* de los captivos e por redemir los..."
Alexandre (P), 1257b: "Que dieses los cativos por esta *redempçión*."

Documentaciones posteriores: don Juan Manuel, Libro de los Estados, 584.40, *redempçion*.

REDEMPTOR. De redemptorem.

'el Redentor, Jesucristo':

Berceo, Sto. Dom., 498a: "Miembrevos commo fizo el nuestro *Redemptor*."

'liberador':

Alexandre (O), 263d: "Ca hy naçio don Bacus, que es nuestro *redemptor*." En P., 268d: *don Christus*.

REDIMIDOR. V. Redimir.

'redentor, redimidor':

Berceo, Mil., 664c: "Será por mi reptado el mi *redimidor*."

REFECCION. De refectionem.

'refección, comida':

Berceo, Sto. Dom., 304c: "Diolis la *refection*."

REFERIR. Derivado de referre.

'apartar, rechazar':

Berceo, Sto. Domingo, 77c: "Oraua... a los ereges falsos... que los *refiriesse*."

Alexandre (P), 1103b: "Mas sabíenlos los otros ricamente *referir*."

Tb. en Alexandre (P), 726c: 'perseguir'; 2056d: 'reunir las tropas dispersas'; 1071c: refl., 'defenderse, resistir'.

P. de Fernán González, 165d, 'rechazar': "Este fue *refiriendo* al pueblo descreydo."

Id. 161d, 'dirigir': "Posyeron quien podies(s) en las cosas *referir*."

REFICTORIO. De refectorium.

'comedor de los frailes':

Berceo, Sto. Domingo, 220b: "Unos en la eglesia, otros en *refictorio*."

REFORMAR. V. Forma.

Berceo, Sto. Dom., 216b: "Fo luego a las primas la orden *reformada*."

'corregir':

Berceo, S. Millán, 204b: "Trataron de *reformar* los viçios que avien oblidados."

REFRIGERIO.   De refrigerium.

'consuelo, descanso':

Nobleza y Lealtad, XII: "Larqueza es corona de los principes, e *refrigerio* de los mendigantes."

Berceo, Sacrificio, 225c: "Deles lugar pacífico de mayor *refrigerio*". En Sto. Dom., 67d: "Daualis a las carnes poco de *refrigerio*."

Alexandre (O), 1461d: "Algun *refrigerio* es contral su mal fado." En P., 1603: *rrefugio*.

Docs. posteriores: Rim. de Palacio, 1785c.

REFUGIO.   De refŭgĭum.

Alexandre (P), 1603d: "Ave qual que *rrefugio* contra su mal fadado."

V. Refrigerio.

REGALICIA.   De lĭquirĭtia.

'orozna, regaliz':

F. de Sepúlveda, § 223: "De la libra de la *regaliçia*, III dineros."

REGENERACION.   De regenerationem.

'la resurrección de la carne':

Berceo, Milagros, 794c: "Creo bien firme mientre la su Ascensión. / Creo la postremera, la *regeneraçion*."

REGIDOR.   V. Regir.

'rey, gobernante':

Nobleza y Lealtad, Introd.: "*regidor* del reyno."

REGIMIENTO.   V. Regir.

'gobierno':

Nobleza y Lealtad, IV: "nin de fazer ninguna cosa de las que a *regimiento* de reyno pertenescen."

Docs. posteriores: P. de Yuçuf, 174d.

REGINA.

Berceo, Milagros, 539c: "Empezo con gran gozo cantar Salve *Regina*." (Latinismo).

REGIR.   De regere.

'reiniar, gobernar':

Nobleza y Lealtad, Introd.: "Et otrosí de como deue *regir*, e castigar, e mandar, e conoçer a los de su reyno."

Docs. posteriores: Rim. de Palacio, 190b; P. de Alfonso XI°, 115a; don Juan Manuel, Libro de los Estados, 541.32.

REGION. De regionem.

'región, lugar, país':

Berceo, Sta. Oria, 48c: "Pusieronlas más altas en otras *regiones.*"

Alexandre (P), 834a: "Doze pueblos que eran de sendas *regiones.*"

'reino':

P. de Fernán González, 122c: "Quiso Dios que mandas(s)e poco (en) la *región.*"

REGISTRO. De regesta, -orum, derivado de regerere, 'transcribir'.

F. de Soria, 31.8: "Si el escriuano) muriere..., el conçeio ponga otro en su lugar e den le todos los *registros* que tenje aquel escriuano."

F. de Soria, 101.14: "Et si el uno de los alcaldes fuese muerto, aquel que fuere biuo firme con el *registro* del escriuano que fue fecho en el *rregistro* sobre aquel pleyto, e uala."

Corominas lo documenta en 1335 (DCELC).

REGLA. De regulam.

'norma', 'ley, doctrina':

Poridat de las poridades, 33.19: "...et el qui passa desto sale de la regla de franqueza et entra en *regla* de gastador."

El Bonium, 92.22: "E si alguno de vos saliere de *rregla* e usare de cosa en que ha pecado quítese della."

Flores de Filosofía: "e de non sallir de *regla* e de derecho."

Buenos Proverbios, 61.22: "e a los de las ordenes en sus *rreglas.*" Aquí se refiere a 'regla de una Orden religiosa'.

Berceo, Sto. Dom., 121a: "En logar de la *regla,* todos a él catauan."

Alexandre (O), 356d: "Falsaron de la *regla* quanto amas prometioron."

'medida, norma':

Berceo, Sto. Dom., 242d: "Irian por una *regla* iustos e pecadores."

1.ª doc.: docs. de Oelschläger (967, 1122).

Documentaciones posteriores: Juan Ruiz, 185a; Sem Tob, 173-1; don Juan Manuel, Libro de los Estados, 453.8.

REGLAR.

'perteneciente a la regla de una Orden':

Berceo, Sto. Dom., 176: "Calonges *reglares.*"

Sust., 'monje, clérigo':

Berceo, Sto. Dom., 228c: "Amigos, dixo, ruegouos com a buenos *reglares.*"

REGLON. Deriv. de *regla.*

'renglón, línea de escritura':

Fuero de Soria, 33.2: "Si el escriuano escriuiendo la carta errare en ella alguna parte por que la aya a raher o a entre-linnar, diga en ella en qual *reglón* es emendada."

Alexandre (O), 1794d: "Descobrir uos he el *reglón,* compe-çare la prosa."

Corominas doc. *reglon* en 1289 y *renglón* en 1386, por influencia de *ringlera.*

REGNADO. Derivado de *regno.*

'reino':

Reys d'Orient, 47: "sus *regnados.*"

'dominio, señorío' en sentido figurado:

El Bonium, 472: "el que llegó al cielo la su sapiencia e a los cabos de la tierra el su *rregnado.*"

Buenos Proverbios, 34.5: "(e) el *rregnado* de soberbia es denostado de muchas maneras."

'reino':

Berceo, Loores, 188d: "Si sopiessemos los bienes que Dios nos tiene alzados / mas valen que imperios, mas valen que *regnados.*"

Apolonio, 174c. Marden advierte que sólo se usa en rima.

Alexandre (P), 180d: "finco en poder del jnfante el *regnado.*"

REGNAMIENTO. Deriv. de *regno.*

'reinado':

El Bonium, 277.2: "E el rregno en *rregnamiento* siete annos."

REGNAR. V. Regno.

'reinar, gobernar':

El Bonium, 68.11: "e otrosi con gran voluntad que él hovo siempre desque *rregnó.*"

Fazienda de Ultramar, 44.7: "En Ebron *regnó* David VII annos."

Berceo, Signos, 30b: "Por seculorum secula conmigo *regnaredes.*"

Apolonio, 18a: "El Rey Apolonio que en Tiro *regnaua.*"

Alexandre (P), 976d: "que queríe *rregnar* zolo el que aya mal fado."

En sentido figurado 'dominar':

Alexandre (P), 1696d: "En lugar de justicia *regnaua* falsedat."

REGNO. De regnum.

'reino'; 'país, la nación':

Santa María Egipciaca, 135: "Marja sse va en otro *Regno.*"

Docs. ling. de 1227 (M. Pidal, 179): "ni todo su *regno.*"

Fuero de Sepúlveda, § 10: "de mio *regno* o de otro."

El Bonium, 77.7: "e aquel día le otorgava su *rregno.*"

Buenos Proverbios, 27.10: "Puedes connoscer quando se desfallesca el *regno.*"

Flores de Filosofía, 24.1: "el rey que non fiziere justicia non meresce el *rregno.*"

Nobleza y Lealtad, *reynos:* "Los doce sabios que la vuestra mercet mandó que viniesemos de los vuestros *regnos.*"

'reino espiritual':

Fazienda de Ultramar, 74.25: "E vos seredes *regno* sacerdotal e yent sancta."

Berceo, Mil., 137b: "el *regno* de mi Fijo que es bien tu amigo."

Berceo, Sto. Dom., 185a: *reyno;* Sto. Dom., 130d: *regnos.*

Berceo, Himnos, II, 7d: "Un *regno,* un imperio, un rey, una essençia. Amen."

Apolonio, 5.83b: "el *regno* de França." En 347b: *reyno.*

Alexandre (P), 65a: "Quj los *regnos* agenos cobdiçia conquerir."

REGUNCERIO.

'relato':

Berceo, San Lor., 17b: "Serie grant *regunçerio* podrievos enoiar."

Para la etimología de esta voz y su significado, veánse Cornu, Romania, X, 405, y Corominas, DCELC, s. v.

REITERAR. V. Reyterar.

RELIGION. De religionem.

'orden religiosa':

Flores de Filosofía, 43.1: "más amigo que el monge con su *religión.*"

Omne de religión, 'religioso, clérigo':

Fuero de Soria, 109.6: "...o los que fueren hereges, o *omne de religión* passado al anno que entró en la orden."

'santidad, devoción':

Berceo, San Mill., 312b: "Con muchos omnes de grant *religión.*"

Alexandre (P), 834d: "Estos dio que guardassen a essos *religiones.*" *Religiones* parece 'religiosos'.

Documentaciones posteriores: don Juan Manuel, Libro de los Estados, 489.32.

RELIGIOSO. V. Religión.

Sust., 'religioso, clérigo':

Fuero de Soria, 109.15: "Njngun sieruo, njn *religioso,* nj omne nj mugier (non) que sea de hedat..."

Nobleza y Lealtad, VII: "Castidat es... consolación de los *religiosos.*"

Berceo, Mil., 218b: "Don Ugo ome bueno de Grunniego abbat, / Varon *religioso* de muj grand santidat."

Documentaciones posteriores: Juan Ruiz, 231d; P. de Alfonso Onceno, 1230a; don Juan Manuel, Libro de los Estados, 471.22.

RELIQUIA. De reliquiae, -arum.

'reliquia, resto':

Apolonio, 447d: "Fue el al monumento su ventura plorar / Por algunas *reliquias* del sepulcro tomar."

Berceo, San Millán, 309b: "Finque con Dios la alma, en el cuerpo tornemos / *reliquias* tan preciosas non las desamparemos."

Alexandre (P), 832a: "Leuanan por *reliquias* un fuego consagrado."

También se halla en Fernán González, 86b en el sentido 'restos de ejército': "Tomaron las *rreliquias,* todas quantas podieron."

1.ª doc.: Glosas de Silos.

Documentaciones posteriores: Sem Tob, 207.2; APal.

RELIQUIARIO. V. Reliquia.

'reliquiario':

Berceo, Sac., 14a: "*Reliquiario* era esta archa nomnada."

REMEDIAR. V. Remedio.

'remediar, atemperar':

Nobleza y Lealtad, VIII: "Si el sennor, o príncipe o regidor non *remediase* su sanna con tempramiento..."

REMEDIDOR. V. Redimir.

'redimidor, liberador':

Fazienda de Ultramar, 200.13: "Be tu carrera, que (a) aquí I. to *remedidor* que es del nuestro parentesco."

REMEDIO. De remedium.

'remedio, alivio, consuelo':

Nobleza y Lealtad, VIII: "Temprança es... *remedio* de mala auenturanza."

Berceo, Duelo, 158c: "Por amor que oviesse *remedio* del pesar."

Documentaciones posteriores: Rim. de Pal., 798c; don Juan Manuel, Libro de los Estados, 472.42.

REMEMBRANCIA. Sufijo semiculto.

'recuerdo':

Doc. ling. de 1228 (M. Pidal, 276): "El tesoro de la *remembrancia* es la escriptura."

REMISSION. De remissionem.

'remisión, perdón (de los pecados)':

Doc. ling. de 1214 (M. Pidal, 209): "...por amor de Dios e por *remission* de mios peccados..."

Berceo, Sac., 166d: "Por ent de los peccados acabden *remissión*."

Documentaciones posteriores: don Juan Manuel, Libro de los Estados, 583.4.

REMUNERACION. De remunerationem.

'pago, compensación, recompensa' (Sentido figurado):

El Bonium, 258.2: "...e sepas que la sennal de la sapiencia es la más honrrada sennal (e la su *rremuneración* es la más sabrosa *rremuneración*) del mundo."

Corominas lo doc. en APal., 48d.

RRENCION. (Seguramente por *redención*). De redemptionem.
'redención, liberto';
Fuero de Soria, 173.13: "Qui matare moro ageno, peche por
él quanto su sennor lo fiziere sobre yura... Mas si fuere moro
de *rrençión,* pechelo quanto su sennor lo fiziere sobre yura
del precio ayuso que fuere fallado..."
V. REDENCIÓN.

RENUNCIAR. De renuntiare.
'contar, referir':
Alexandre (P), 104a: "Qujero dexa correa un poco *renun-
çiar."* En P., 2609d: *"arrenunçio* el mundo, a Dios vos aco-
miendo."
Berceo, Duelo. 6d: "Que non *renunçian* todos los maestros
de Françia."
Documentaciones posteriores: Juan Ruiz, 1699a; Rim. de
Pal, 799b; don Juan Manuel, Libro de los Estados, 582.26.
V. ARRENUNCIAR.

REPENTENCIA, REPINTENCIA. V. REPENTIR.
'arrepentimiento':
Santa María Egipciaca, 511: "e siempre auré *repitençia."*
Buenos Proverbios, 30.18: "nin ombre que comience cosa
apresuradamente que la pueda acabar sinon con *rrepentencia."*
Flores de Filosofía, 53.9-10: "e de la [ventura nasce] *rre-
pi(n)tencia."*
Berceo, Sig., 74c: "La mala *repentencia* de la vida passada."
En Mil., 99d: *repindencia.*
Alexandre (P), 794d: "Onde se que vos veredes en mala *re-
pentencia."*
Apolonio, 23a: "Auia grant *repintençia* por que era hi ue-
nido."

REPENTIR. De repoenitere.
'arrepentirse, sentir pesadumbre de haber hecho algo':
Cid, 3357: "Porque dexamos sus fijas aun no nos *repenti-
mos."*
'volverse atrás por lo ofrecido':
Cid, 2617: "nos pueden *repentir."*
'arrepentirse':
Santa María Egipciaca, 33: "se *repiente* de coraçon."

Doc. ling. de 1205 (M. Pidal, 309): "E maguer quiera ningun delos, non aia poder des *repentir* de aqueste pleito."

Buenos Proverbios, 12.16: "Qui se esfuerça non se *rrepiente*."

Berceo, Sto. Dom., 461c: "Los que ante dubdaron después *se repintieron*."

Apolonio, 552c: "Serviçio le he fecho, non sso ende *repentido*."

Alexandre (O), 124d: "Se pudiera Nicholao *repinterase* de grado."

P. de Fernán González, 482b: "Del mal que avjan fecho todos se *(a)rrepintieron*."

Es cultismo dudoso. Menéndez Pidal *(Cid, Gramática,* p. 188) habla de influjo culto. En efecto, existe la forma popular, *rependir* en los docs. lings. ("se *repindiessen*").

REPRESENTAR. V. PRESENTAR.

'representar, simbolizar':

Berceo, Sac., 77b: "Quando dize per omnia con la voz cambiada / a Christo *representa* quando fizo la tornada."

REQUERIR. De requirere.

'recoger, requerir':

Berceo, Mil., 213c: "Pora verter su agua fincóli el forado / *Requirió* su repuesto lo que traie trossado."

REQUIEM.

Latinismo puro:

Doc. ling. de 1244 (M. Pidal, 193): "una missa de *requiem*."

RESCEBTOR. De receptorem.

'receptor':

El Bonium, 163.15: "De la mi anima al *rresçebtor* de las almas de los sabios."

Hay una variante del manuscrito (hgpTV), *rrescebidor*.

RESCRIPCION. De rescriptionem.

'relato':

Alexandre (O), 254b: "Avemos a dezir una *rescripçión*." En P., 260b: *desputaçion*.

RESPIRAR. De respirare. V. ASPIRAR.

'respirar, alentar':

Berceo, Duelo, 115d: "Los iudios mezquinos non podien *respirar*."

Apolonio, 308d: *"Respiró* hun poquiello el espíritu cativo."
Semicultismo dudoso.

RESPLANDECER.   Deriv. de splendere.

'resplandecer, brillar':

Berceo, Loores, 179b: "E la su vana gloria en el *resplandecer."*

Alexandre (P), 1467c: "Astrión *resplandece* como luna complida."

Documentaciones posteriores: Juan Ruiz; APal.

RESPLANDOR.   Deriv. de splendere.

'resplandor, brillo':

Berceo, Mil., 850d: "Un *resplandor* tan fiero."

Alexandre (P), 838b: "Las ruedas eso mismo davan grant *resplandor."*

Documentaciones posteriores: Juan Ruiz, 1025h; Rim. de Pal., 34b; APal.

RESPONSION.   Derivado de respondere.

'respuesta':

Berceo, Milagros 546d: "Que fuesse a cabillo façer *responsión."*

Alexandre (P), 780c: "Enbia a ti Dario atal *responsión."*

Cultismo poco frecuente.

RESPONSO.   De responsum.

'respuesta':

Apolonio, 23d: "Dio a la pregunta buen *responso* complido."

Berceo, Sacrificio, 42c: "El *responso* le dize: eres buen mensagero."

'cántico eclesiástico':

Alexandre (P), 1520b: "cantando sus *rresponsos* de djuersas maneras."

Berceo, Sac., 45a: "Cantado el *responso,* la laude e la prosa."

Documentaciones posteriores: APal; Autoridades.

RESPONSORIO.   V. Responso.

'responso':

Berceo, Sto. Domingo 220d: "Otros en oficiero, otros en *responsorio."*

En C. C. Esc. (1049), Simonet, Glosario, s. v.: *rexposxorio.*

RESTAURAR. De restaurare.

'reconstruir':

Berceo, S. Millán, 292c: "(Los muros) nunqua jamás non fueron fechos nin *restaurados.*"

Alexandre (O), 221c: "Por un omne que hy vino fue despues *restaurada.*"

'recobrar la salud':

Alexandre (P), 24d: "disia ay, mesquino, quando vere el dia / que pueda *restaurar* esta subracanja."

'recobrar':

Sta. M.ª Egipciaca, 567: "Mucho fue la muerte bien aurada / por que fue *restaurada*". Alvar lee: "la vida fue *restaurada.*"

Berceo, Loor. 216b: "Por ti fue *restaurada* la mengua çelestial."

RESUCITAR. De resucitare.

P. del Cid. 346: "*resucitest* a Lázaro, ca fo su voluntad."

Razón de Amor, 50: "mas ell olor que d'i yxia / a omne muerto *ressuçitaria.*"

Sta. M.ª Egipciaca, 583: "*Ressuçito* a grant esfuerço."

El Bonium, 300.17: "E porque la nombradia que yo solia haver del rreynado (e del seso es distajada) *rresucitala* tu con el tu seso e con la tu sufrencia."

Fazienda de Ultramar, 109.21: "A la puerta de Naym *ressuscito* Jhesu Christo el fi de la byuda."

Berceo, Milagros, 95c: "*Resuscitó* el fraire."

Alexandre (O), 1147b: "*Ressuçitaron* todos quanto nunca morioron."

Docs. posteriores: J. Ruiz, 1645c; Rim. de Palacio, 1442d; P. de Alfonso XI°, 589c; don Juan Manuel, Libro de los Estados, 452.3.

RESURRECCION. De resurrectionem.

Fazienda de Ultramar, 191.35: "E por esso esperad a mi, diz el Sennor, en dia de mi *resureccion* que a a ser el mi iudizio por aplegar ientes."

Id., 203: *resureçio.*

Berceo, Sacrificio, 182c: "La su *resurrección* bien non la adoramos."

F. de Sepúlveda, § 204: "Pascua de *Resurrección.*"

F. de Soria, 15.15: "Pascua de *Resurection.*"

Docs. posteriores: Rim. de Palacio, 1457b; Don Juan Manuel, Libro de los Estados, 456.21.

RETORICA. V. Rectorica.

'arte de bien decir':

Alexandre (P), 246a: "El non pudo tanta *retorica* saber / que les podiese la dolor del coraçon toller."

'relación, discurso':

Alexandre (P), 208a: "Disjienle luenga *rretorica* de muchas trayçiones."

V. Keller, *Vocabulario.*

RETORICO. V. Rectórica.

'orador, retórico':

Reyes Magos, 124: "i por mios *retoricos.*"

El Bonium, 244.3: "E fizolo ay su padre llegar a los *rretoricos* e a los versificadores e a los gramaticos."

Alexandre (P), 1594c: "Era sotil *retórico,* non fue mal escuchado."

REVERENCIA. De reverentiam.

'reverencia, respeto':

F. de Soria, 57.6; "Son dias e oras e tiempos sennalados que por *reuerencia* de Dios e de Sancta María..."

Buenos Proverbios, 11.13: "Con el buen callar es la buena *rreverencia.*"

Flores de Filosofía, 26.4: "e le conosce mayor *rreverencia.*"

Nobleza y Lealtad, X: "...e ninguno non fable con él a igualanza, nin sin *reverencia* e omildanza."

Berceo, S. Millán, 337c: "Fizieron *reverencia* al sancto confessor."

Alexandre (O), 263c: "Debian le dar los otros *reverencia* e honor."

P. de Fernán González, 37c: "Pesava (mucho) al diablo con tanta *reverencia.*"

Documentaciones posteriores: Rim. de Palacio, 34b.

REVOCAR.

'disuadir, pedir que vuelvan':

Berceo, Mil., 623b: "governar los mesquinos, *revocar* los errados."

'perdonar':

Berceo, Loor., 200d: "Ca por tu guyonage fue, madre, *re-vocado*."

REYTERAR. De reiterare.

Berceo, Milagros, 847b: "Tibi laus, tibi gloria fue bien *rey-terado*."

Este ejemplo es único en Berceo y dudoso, pues sólo aparece en el texto I; el texto A aparece corrompido. Dutton lo acepta en su edición: *reiterado*.

Documentaciones posteriores: Quijote; Oudin; Autoridades.

ROBRACION. Sufijo semiculto.

'confirmación'(?).

Documentos lingüísticos de 1228 (M. Pidal, 181) Lerma: "Et por estas tierras e estas ujnas e el solar prendemos de nos don Petro Gonçaluet C morauedis en precio e un uaso de plata en *robración*."

RROGATIONES.

'rogativas, ruegos, súplicas':

Alexandre (P), 1116c: "Fisieron *rrogationes* por toda la santidad."

ROMA.

P. de Roncesvalles, 72: "Con vos conquis Truquia e *Roma* a priessa dava."

Berceo, S. Lorenzo, 6.

Alexandre (P), 270d.

RROMANIA.

'Rumanía':

El Bonium, 70.2.

'el dominio romano':

Berceo, S. Lorenzo, 18: "Sixto con sant Laurençio ovo grant alegría, / volaba el so preçio por toda *Romania*."

ROSA. De rŏsam.

Razón de Amor, 45: "y es la saluia y sson as *rosas*."

F. de Sepúlveda, § 144: "Del que cogiere *rosas*."

Berceo, Sta. Oria, 28d: "Que fue más bella que nin lilio nin *rosa*."

Alexandre (O), 540c: "Ornaron los altares de *rosas* e de lilios."

El influjo culto no procede sólo de los poetas y los botánicos, sino que también en el período primitivo del romance influyó en ella la letanía y las obras piadosas. (V. Corom. DCELC, s. v.).

Docs. posteriores: J. Ruiz, 378b; Rim. de Palacio, 823g; P. de Alfonso XI°, 372d; Sem Tob. 5.1.

ROSADO.

'de color rosa':

Buenos Proverbios, 17.

ROSARIO.   De rosarium.

Alexandre (P), 919c: "Avíe so el *rosario* fecho grant segajal."

Docs. posteriores: J. Ruiz, 1152d; Percivale; Autoridades.

ROTA.   De rŏtam.

'arpa pequeña':

Berceo, Duelo, 176d: "Tocando instrumentos, çedras, *rotas* e gigas."

Apolonio, 184c: "que cantes unna laude en *rota* ho en giga."

Alexandre (P), 1525b: "ay auje çinfonjas, farpa, giga e *rota*."

Docs. posteriores: J. Ruiz, 1229b: (M. Pidal, *Poesía juglaresca y juglares*, pp. 66, 249).

RUBIO.   De rŭbeus.

Adj., 'rubio':

Sta. María Egipciaca, 724: "...e los sus cauellos, que eran *Ruujos*."

El Bonium, 307.3: "E fue Alixandre *rrubio* e pecoso e delgado."

Apolonio, 521b: "Nin es *ruuio* nin negro, nin blanquo nin bermeio..."

S

SABENCIA. Sufijo semiculto.

'sabiduría':

El Bonium, 73.25: "dellos aprenden toda buena *sabencia.*"
Buenos Proverbios, 6.9: "Capitulo de un ayuntamiento de quatro filosofos que fablaron en *sabencia.*"

SABIDURIA.

El Bonium, 21.4: "e guiarle mansamente es *sabiduria.*"
Nobleza y Lealtad, LXVI; "En la muerte se fenescen los saberes e en la deste rey crescio la *sabiduria.*"

SACERDOCIO.

Fazienda de Ultramar, 184.16: "el *sacerdocio* de los judios de Jherusalem."

SACERDOTAL. De sacerdotalem.

Fazienda de Ultramar, 74.25: "E vos seredes regno *sacerdotal* e yent sancta."
Berceo, Sac., 19a: "El cabrón que mataba la gent *sacerdotal.*"

SACERDOTE. De sacerdotem.

'sacerdote':

Fazienda de Ultramar, 75.25: "e los *sacerdotes* e el pueblo uos debatan."
El Bonium, 163.18: "E havía ordenado los omnes en tres ordenes: *sacerdotes* e rreyes e pueblo."
Docs. lings. de 1220 (M. P., 26): "entre los firmantes": "don Martino *sacerdos.*"

Docs. ling. de 1199 (M. P., 79): "Nicolaus, Sancta Maria Rotunde, *sacerdos,* me scripsit."

Docs. lings. de 1209 (M. P., 84); "*sacerdotes*: don Garcia e don Peidro."

Liber Regum, 10.7: "Eleazar el *sacerdote.*"

Alexandre (P), 2607c: "Por a los *Saçerdotes* e por a los conventos."

Berceo, Sac., 9d: "Non comien dellos... sinon los *sacerdotes.*"

Docs. post.: Don Juan Manuel, Libro de los Estados, 484.43.

SACRAMENTO. De sacramentum.

'juramento':

Santa María Egipciaca, 343: "...fer vos e *sagramento* que..." Parece en el sentido de "iuro vos que..." (V. María S. de Andrés, Vocabulario).

Apolonio, 362a: "Dixole commo su padre fizole tal *sagramento.*"

Alexandre (O), 1297c; "Sol que essa lle ouies fecho el *sagramente.*"

'sacramento':

Berceo, Loores, 57b: "En el Pan, en el vino fizo gran *sacramiento.*"

Docs. posts.: J. Ruiz, 1558d; Rim. de Pal., 219a; C. Lucanor, 148.14.

SACRIFICANCA. V. Sacrificio.

Faz. de Ultr., 195.22: "Aquí es la *sacrificança* de Jhesu Christo."

SACRIFICAR. De sacrǐficare.

'sacrificar, inmolar víctimas':

Faz. de Ultr., 63.19: "Agora... e *sacrificaremos* al Nuestro Sennor Dios."

Liber Regum, 9.28: "...e priso (Alexandre) Iherusalem e entró en el templo e *sacrificó*..."

Berceo, Sacrificio, 2b: "Commo *sacrificaban* e sobre qual altar."

SACRIFICIO. De sacrǐficium.

'sacrificio, inmolación':

Fazienda de Ultr., 57.35: "Fizo *sacrificio* al Dios de Ysaac, so padre." También *sacreficio* en 83.10.

El Bonium, 92.1: "La cartorse(na) es un fazer *sacreficios* a Dios."

Buenos Proverbios, 14.10: "Ovieron fecho su oración e su *sacrificio.*"

Santa María Egipciaca, 1046: "Bien conyosce Dios tu *sacrifiçio.*"

Berceo, Sac., 4: "Quando... queríen fer *sacrificio.*"

Fnán. Glez., 392c: "Con est(e) cuerpo lazrado fago te *sacrificio.*"

Docs. post.: Juan Ruiz, 1597a; Rimado de Palacio; don J. Manuel, Libro de los Estados, 470.30; P. de Alfonso XI, 128c.

SACRILEGIO.   De sacrilegium.

Diez Mandamientos, 382.7: "o faze *sacrilegio.*"

Berceo, Mil., 877d: "Fazien grand *sacrilegio* por ganancia delgada."

SACRISTAN, SACRISTANO, SACRISTANA, SACRISTIANO.

'sacristán':

Docs. lings. de 1223 (M. P., 6): entre los firmantes: "*sacristán* don Martin Segonçia."

Docs. lings. de 1232 (M. P., 7): *sagristano.*

Docs. lings. de 1231 (M. P., 90): "dona Sancia Roiz, la *sacristana.*"

Berceo, Mil., 290a: "El monge de la casa que *sacristano* era."

Otras docs.: Oelschl., documento de 1177 y 1200, *sacristano;* de 1159, *sacristán;* Juan Ruiz, 384a.

SACRISTANIA.   V. Sacristán.

'sacristán':

Docs. lings. de 1241 (M. P., 93): "do e establesco e ordeno el panal que compré de... que sea de la *sacristanía* de Sant Millán per secula iuncto."

Poema de Fernán González, 90c: "Renovar los tesoros de las *sacristanías.*"

'el cargo de sacristán':

Berceo, Mil., 77c: "El abbad de la casa diol *sacristania.*"

SAFUMERIO.   Sufijo semiculto. De subfumario.

'alabanza', relacionado con salmo.

El Bonium, 143.5: "la buena palabra es el mejor *safumerio* que podedes dar a Dios."

SAGRAMENTE. V. Sacramento.

'juramento de homenaje':

Alexandre (P), 1438c: "Solo esa oujese fecho el *sagramente*."

SAGRARIO. De sacrarium.

'sagrario, lugar sagrado, cementerio cristiano':

Berceo, Mil., 107b: "Que el mi cancellario / non mereció seer echado del *sagrario*."

Documentaciones posteriores: Nebrija.

SALARIO. De salarium.

'salario, retribución':

El Bonium, 350.4: "...e fazia por el grande costa en dar grandes *salarios* a los maestros."

Alexandre (P), 1265c: "Ca non so mercadero nin so de tal *salario*."

Docs. posts.: Rim. de Pal., 355a; Sem Tob, 373.3; Bibl. med. rom., Gén., 29.15; Nebrija; APal.

SALISPACIO.

Berceo, Sac., 79a: "Dales buen *salispaçio,* ca trahe buen mandado."

SALMO. De psalmus, gr. ψαλμός.

Liber Regum, 2.31: "Dauid... fo buen rey e buen propheta, e fizo los *salmos* en la lienda."

Santa María Egipciaca, 1380: "Los *salmos* del salterio."

Buenos Proverbios, 1.12: "Fazen sus libros e sus *psalmos*."

Berceo, San Millán, 193d: "Rezando e diziendo ledanía e *salmos*."

Apolonio, 375d: "Por matarla rezando los *salmos* del salterio."

Documentaciones posteriores: Juan Ruiz y otros autores medievales; Nebrija; Autoridades.

SALMODIA. V. Salmo.

'los salmos':

Berceo, San Millán, 33a: "Reçava bien sus oras, toda su *salmodia*."

SALOMON.

'Salomón, rey de los judíos':

Santa María Egipciaca, 1287.

Fazienda de Ultramar, 145.

Berceo, Mil., 37c: "Ella es dicha trono del rey *Salomón*."

SALTERIADO. V. SALTERIO.

'instruido en rezar y cantar salmos':

Berceo, Sto. Dom., 38a; "Fue en poco de tiempo el infant *salteriado*."

SALTERIO. De psalterium.

'salterio, libro de salmos':

Sta. M.ª Egipc., 1380: "los salmos del *salterio*."

Apolonio, 291d: "Rezarán más de grado los ninnos el *salterio*."

Berceo, S. Mill., 33c: "Rezaba su *salterio* por uso cada día."

Alexandre (P), 1227a: "David con su *salterio*, sus salmos acordando."

Docs. post.: P. de Alfonso XI, 407d; Juan Ruiz, 1229c.

SALUT. De salūtem.

'salud, bienestar':

Sta. M.ª Egipciaca, 1104: "le mantenga paz e *salut*."

Apolonio, 20d: "perdio buena *salut*", 'perdió la vida'.

Buenos Proverbios, 11.23: "Con la salut es el sabor del comer e del beber."

El Bonium, 140.15: "e mermad vuestras cobdicias e durar vos ha la *salud*."

Berceo, Mil., 162b: "Por *salut* de su cuerpo e por vevir mas sano, / usava lectuarios ..."

Alexandre (P), 862d: "que la *salut* non dura siempre en un estado."

'salvación':

Alexandre (P), 2473d: "que fue muerto en Asia por *salut* de la gent."

Berceo, Duelo, 1b: "De qui nasció al mundo *salut* e meleçina."

Docs. posts.: Don Juan Manuel, Libro de la Caza, 14.25.

SALUDABLE. V. SALUD.

'saludable':

Berceo, Loores, 9c: "*Saludable* por vista, vidable por sabor / que resuçita los muertos por su suave odor."

SALUDACION. V. Salud.

'saludo':

Buenos Proverbios, 36.5: "e escribió en fondon de la carta su *saludación*."

Docs. posts.: Juan Ruiz, Libro de los Enxemplos; *salutacion* en APal., 431b.

SALUDAR. De salutare.

'besar':

Cid, 2040: "hynoios fitos las manos le besó, levós en pie, en la bocal *saludo*." (V. M. Pidal, Cid, Vocabulario).

'saludar':

Sta. M.ª Egipc., 1252: "Don gozimas luego la *saluda*."

El Bonium, 141.17: "E que sea de alegre cara a cate bien a los omnes, e que los *salude*."

Fazienda de Ultramar, 64.22: "Dixo (Dios a) Aaron: «Ve a la carrera, a Moyse, al desert.» E encontrol e *saludol*."

Alexandre (P), 554c: "qysolo *saludar* refuso el moçuelo."

Berceo, S. Mill., 147c: "Si yo essi [el blago] podiesse *saludar* o tanner*."

'honrar':

Berceo, Mil., 102b: "Commo quiere que era en el mal costummado, / en *saludar* a ella era bien acordado."

SALUDES. V. Salud.

'salutaciones':

Cid, 1818: "Con *saludes* del Cid que la manol besaua."

Berceo, Mil., 575a: "El obispo envió sus *saludes* al sancto ermitanno."

Buenos Proverbios, 36.5: "e embiote *saludes*."

'noticias de una persona ausente':

Cid, 1921: "¿Commo son las *saludes* de Alfonsso, si es pagado o reçibió el don?"

SALVACION. De salvatĭonem.

'salvación, gracia':

Sta. M.ª Egipc., 1264: "e dioses grant *saluación*."

El Bonium, 73.20: "e para *salvación*."

Berceo, Sac., 171c: "Todo es *salvación* para omne mesquino."

Docs. posts.: Poema de Alfonso XI, 921b; Yuçuf, 187b; Conde Lucanor, 19.20; Juan Ruiz, 492c; Rimado de Palacio, 395d.

SALVIA. De salvĭa.

Corominas lo documenta en 1399. Dice que parece ser derivado de *salvus* por las propiedades beneficiosas de esta hierba. Razón de Amor, 45: "y es la *salvia* y sson as rosas." También está en las jarchyas.

SAMARIA.

'país de Asia':
El Bonium, 69.13.
Fazienda de Ultramar, 125.12.
Alexandre (P), 1144a.

SAMARITANO.

Fazienda de Ultramar, 135.17: "A estos omnes dizian *samaritanos.*"

SANCTA SANCTORUM. Latinismo puro.

Fazienda de Ultramar, 144.26: "Las puertas de la casa de *sancta sanctorum,* todo dentro e de fuera, todo era d'oro en el palacio (de fuera)." Nota el editor que el autor no se preocupa de la declinación. Esto es una prueba de la lexicalización del sintagma.
Berceo, Sac., 17c: "Dizen *sancta-sanctorum* al rancón apartado."

SANTIDAD. Derivado de sanctificare.

'lugar sagrado':
Poema del Cid, 3056: "sabor e de velar en essa *santidad.*"
Fazienda de Ultramar, 78.26: "...e pannos de *sanctidad* para Aaron el sacerdot."
Liber Regum, 7.9: "beuie (Balthasar) con sos mulleres en los basos que so padre Nabuchodonosor aduxo de la *santidat* del temple de Iherusalem."
'santidad, virtud':
Berceo, Sto. Dom., 82b: "Nin que menoscabó de la su *sanctidat.*"
Poema de Fernán González, 230b: "Que desta *santydat,* Sen(n)ora, (yo) non salie."
'poder de ejecutar milagros':
Alexandre (P), 1155a: "Auje çerca la fuent una grant *santidat.*"

SANTIFICADO, SANTEFICADO.

El Bonium, 79.13: "e el sennor sea *santeficado* e ensalçado."
Buenos Proverbios, 10.28: "el señor que vos fizo sea *sanctificado.*"

SANCTIFICAR. De sanctificare.

'santificar, santiguar':
Berceo, Sac., 97b: "Tres vegadas *sanctifica* con la su diestra mano."
Docs.: APal; Nebrija.

SANCTIGUAR. De sanctificare.

Reflex., 'santiguarse':
Poema del Cid, 216: "la cara se *santigua.*"
Reflex., 'admirarse':
Poema del Cid, 1840: "seyse *santiguando.*"
Berceo, Mil. 605c: "*Sanctiguaronse* todos com o por qual manera finco en el mar vivo..."
Trans. 'bendecir':
Cid, 3583: "*Santiguaron* las sielas."
Sta. M.ª Egipciaca, 1255: "non la osó *santiguar.*"
Berceo, Sto. Dom., 16c: "*Sanctiguava* su çebo quando querie comer."

SANTI ESPIRITUS. Latinismo.

Sta. M.ª Egipciaca, 592: "*Santi spiritus* los enbio."

SANCTO. De sanctus.

'santo':
Alexandre (O), 270b: "Do con *Sancta* Iglesia Christo fizo sus bodas."

SANCTUARIO. De sanctuarium.

'santuario, monasterio':
Fazienda de Ultramar, 83.26: "E movieronse los gozniles que levaran el *sanctuario,* levantaron el tabernaculo troa so venida."
Berceo, Sto. Dom., 123d: "Tenielo... fuera del *sanctuario.*"
Alexandre (P), 1162b: "Fueron al *santuario* los griegos apllegados."
Docs. posteriores: don Juan Manuel, Libro de los Estados, 493.7.

SANCTUS ESPIRITUS. Latinismo.

'el Espíritu Santo':

Flores de Filosofía, 74.8: "es dono que dió *Sanctus espiritus.*"

SANIDAD. De sanĭtate.

'salud':

Docs. lings. de 1210 (M. P., 269): "E aquesta manda que nos fazemos, fazemosla en nuestra uida e en nuestra *sanidad,* e sin miedo, e sin apremia ninguna, e fazemosla por Dios e por nuestras almas."

Fuero de Soria, 62.9: "mas si en algun tiempo cobrare su *sanidat...*"

El Bonium, 84.8-9: "E dixo: la mayor rriqueza es la *sanidad* del cuerpo."

Poridat de poridades, 71.11: "dura la *sanidad* del cuerpo."

Buenos Proverbios, 39.29: "Vida sin fin, mancebez ni veged, e rriqueza sin pobreza, alegría sin pesar, *sanidat* sin mal."

Berceo, Sto. Dom., 76a: "Oraua a enfermos, que diesse *sanidad.*" (Ed. del P. Andrés).

Sanedat en Berceo y Juan Ruiz; *sanidad* en APal.

SANSON.

Razón de Amor y Denuestos, 213: "E si biuo fuese, *Sanson.*"

Fazienda de Ultramar, 209.15.

Alexandre (P), 302a.

SAPIENCIA. De sapientiam.

'sabiduría':

El Bonium, 74.18: "e vió que todos ellos amavan la *sapiencia.*"

Poridat de poridades, 62.1: "Alexandre, por que fue la *sapiencia* de fa ionia de las sciencias ondradas et pensadas, conuiene uos de saber esta sciencia."

Buenos Proverbios, 1.18: "porque aman mucho la *sapiencia.*"

Fazienda de Ultramar, 92.2: "Di tu Balaam, fil de Bear, di tu baron veyen palabra de podient e sabien *sapiencia* del altissimo e vision del abastado vee(n)."

Apolonio, 227d: "Ca era de buen seso e de grant *sapienҫia.*"

Berceo, Mil., 93c: "El que es poderoso pleno de *sapienҫia.*"

Alexandre (O), 41a: "Grado a ti, maestro, assas sé *sapienҫia.*"

También en Alexandre (P), 6b y 794b.

Docs. posts.: Gral. Est.; Rimado de Palacio, 718c; Nebrija;
Juan Ruiz, 46c: *sabiencia*.

SARRA.

'nombre de la esposa de Abraham':
Fazienda de Ultramar, 43.39.

SARDIA.

'piedra preciosa':
Poridat de poridades, 74.24: *"Sardia* faze venir assy las
nuues."

'piedra preciosa':
Alexandre (P), 1454a: *sagda*. En O., 1312: *sagita*.
En san Isidoro: *sagda*.

SATANAS.

'Satanás, el diablo':
Berceo, Duelo, 94b: *"Satan* será vençudo."
Alexandre (P), 158d: "Satanás andava en el todo encarnado."

SATISFACCION.   De satisfactionem.

'penitencia':
Berceo, Sto. Dom., 771d: "Guíanos que fagamos digna *sa-
tisfaçión.*"
Documentaciones posteriores: Juan Ruiz, 1136d; Rim. de Palacio, 718c: Nebrija.

SAULO.

'San Pablo':
Berceo, Duelo, 101: "Bien se trabaio *Saulo* que Xrto. non
regnara."

SCIENCIAL.   V. Ciencia.

'de la ciencia, científica':
Poridat de las poridades; 43.14: "Yo uos quiero mostrar
una figura *sciencial* philosophia de ocho partes en que mostré
quanto ha en el mundo et como podredes llegar a lo que uos
conuiene de la justiçia."

SCRIPTURA.   V. Escriptura. De scripturam.

'la Sagrada Escritura', 'el documento escrito':
Alexandre (O), 434c: "Otros no hy muchos como diz la
scriptura."

SEGREDOS.   Semicultismo. Interesante doblete de *secretos*.

Nobleza y Lealtad, 1: "Lealtanza es sennora de las conquis-

tas e madre de los *segredos,* e confirmación de buenos jui-
zios." V. SECRETO.

SECRETARIO. De secretarium.

'secretario':

Alexandre (P), 1899b: "Fiaba en él mucho, era su *secretario.*"

SECRETO. De secretum.

Sust. 'secreto, misterio':

Berceo, Loores, 20a: "Aquel tu gran *secreto* tal oviste a
saber."

Alexandre (P), 1238a: "Mas sy en tu *secreto* asy es ordenado."

Adj. en Alexandre (P), 2303d: "Que querie conquerir las
secretas naturas."

Docs. posts.: Rimado de Palacio, 639b.

SECTA, SETA. De secta.

'línea de conducta, partido, bando':

El Bonium, 125.17: "E dexo tus deciplos. E desacordaronse,
e fizieronse tres *sectas.*" Variante en nota 11: "*seta.*"

Secto: s. XIII, *Espéculo;* APal., 138d. *Seta*: Cavallero Zifar;
Nebrija, más datos ortográficos en Cuervo, Disq. 1939, 1,208,
215,217 ss.; Cej. IX, § 200. V. Corom. DCELC, s. v.

SECULA CUNTA. (Keller).

Latinismo, s.p. 'todos los siglos':

Alexandre (P), 1724d: "que por a *secula cunta* mal enxemplo
seades."

SEGLAR. De saecularem.

'seglar, mundano':

Docs. lings. de 1223 (M. P., 313): "E ningun omne fraire o
seglar que este mercado les quisier fer fazer muncha majs..."
Fuero de Soria, 155.9: "Sj clerigo *seglar* fiziere fiadura con
otri..."
Poridat de poridades, 49.1: "...que non se trabage en los
uiçios ni en los sabores *seglares.*"
Berceo, Mil., 101b: "Ennos viçios *seglares* fiera-miente em-
bebido."
Alexandre (P), 1802c: "Non seríen tan crueles los prínçipes
seglares."

'vulgar, popular':

Berceo, Mil., 321b; "En el *seglar* lenguaje dizenli moscadero."
Docs. posts.: Juan Ruiz, 1285c; Conde Lucanor, 185.28; documentos de 1212 y 1218 (Oelschl.).

SELENITES.

'piedra preciosa':

Poridat de poridades, 74.18: "*Selenites,* este creçe et mingua assy commo la luna."

Alexandre (P), *selenjentes;* Alexandre (O), *solmites;* S. Isidoro, *selenites.*

Alexandre (P), 1461c: "Creo que *selenyentes* val menos poqujllejo." En (O), 1319c.

SEMENCIA. Sufijo culto -entia.

'semilla':

Alexandre (P), 2106: "Las uvas de la viña eran de grant *semençia.*"

SEMITON.

'semitonos':

Apolonio, 189b: "temblantes *semitones.*"
Alexandre, 2118b: "plorant *semiton.*"

SENDIA.

'piedra preciosa';

Poridat de las poridades, 75.19: "*Sendia* es una piedra brugiella."

Alexandre (P), *sinndra;* Alexandre (O) *en medio;* S. Isidoro, *cynoedia.*

SENIORES.

'jerarquía angelical':

Berceo, Loores, 219a: "Apóstoles, martires, tronos e *seniores.*"

SENTENCIA. De sententĭam.

'dictamen, juicio':

Fuero de Soria, 155.16: "El juez fagalo venir ante si e constringalo fasta que pague por *sentençia* e cumpla por lo que ffió."

Berceo, S. Lor., 56b: "Ca por mala *sentençia* eran desheredados."

Apolonio, 302c: "Creyo que non ternás la *sentençia* por tuerta."

Alexandre (O), 321d: "Que Paris el de Troya diesse la *sentençia*."

'consigna, doctrina':

Poema de Fernán González, 7d: "Ca predicó por su voca mucha mala *sentençia*." También en Berceo, Sac., 55c: "Oyemos la tu *sentençia*."

'cuidado':

Berceo, Sto. Dom., 189c: "Ca avie enna casa puesto Dios tal *sentencia*."

'asunto, pensamiento':

Berceo, S. Mill., 210b: "Non podien tractar nulla otra *sentençia*."

'la fórmula de la Consagración':

Berceo, Sac., 169d: "la *sentençia* que él (Christo) dixo en esso la quebranta."

'fórmula, oración':

Berceo, Mil., 27d: "Todos fablavan d'ella, cascuno su *sentencia*."

Docs.: Juan Ruiz, 123d; Rimado de Palacio, 114d.

SEPELIR.   De sepelire.

'sepultar, enterrar':

Berceo, Sta. Oria, 182d: "Cerca yaze de Oria Amunna *sepelida*."

Docs. posts.: APal., 447d.

SEPTEMBRE.

'septiembre':

Docs. lings. de 1223 (M. P., 28): "...a XII dias andados del mes de *septembre*."

Docs. lings. de 1215 (M. P., 272): "Facta carta in mense *septembrio*, era Mª CCª LIIIª."

Docs. lings. de 1215 (M. P., 273): "*setiembre*."

SEPTENARIO.   De septenario.

Berceo, Loores, 143a: "El cuento *septenario* es de grant santidat."

V. STENARIO.

SEPTENO.

'séptimo':

Berceo, Sig., 13a: "En el dia *septeno* verná priesa mortal."

SEPTENTRION.

'norte':

Fazienda de Ultramar, 139.29: "Sera to linnage cuemo polvo de la tierra e acresçra al sol ponient e a *septentrionem* e a meridie."

Poridat de las poridades, 53. 6-7: "et asi son las partes del mundo quatro: orient, et occident et meridie et *septentrion.*"

El Bonium, 164.14: "E allegó la ley que él puso a los orientes de la tierra a a sus ocedientes e al *setentrion* e al meridion."

Alexandre (P), 272b: "Commo dizien a parte de *septentrion.*"

SEPTIMO.   De septĭmus.

'séptimo':

Docs. lings. de 1207 (M. P., 158): "Facta carta in Burgos, in mense iulij, *septimo* Kalendas hagustij, era Mª CCª XLª, Vª."

Fuero de Sepúlveda, § 42b: "la *séptima* parte."

Diez Mandamientos, 390.15: "El *septimo* es..."

Poridat de las poridades, 32.25: "El *septimo* es el ordenamiento de las batallas."

Buenos Proverbios, 14.3: "Dixo el *septimo.*"

Fazienda de Ultramar, 76.7: "E el dia *septimo* sabado el Sennor Dios."

Fazienda de Ultramar, 76.10: "e pasó el dya *septimo.*"

Berceo, Loores, 82c: "Folgó el día *séptimo.*"

Docs.: Aut. cita ejs. del s. XVII.

SEPOLTURA.   V. Sepultura.

SEPULCRO.   De sepŭlcrum.

'sepulcro, sepultura, panteón':

El Bonium, 289.16: "E fueron asi las ases ordenados fasta que llegasen al *sepulcro.* E soterráronlo."

Poridat de las poridades, 29. 15-16: "Es (dixeron) que su *sepulcro* es sabido."

Fazienda de Ultramar, 154.6: "Est foram murio e fue soterrado en Jherusalem, mas non en los *sepulcros* de los reyes."

Fazienda de Ultramar, 197.7: "fue soterrado en Jherusalem, a fuer de Aggum el propheta, en *sepulcro* de los sacerdotes."
Fazienda de Ultramar, 203.8: "el ver *sepulcro* o Jhesuchristo fue metido."
Liber Regum, 13.16: "trobaron un *sepulcre*... que alli iazia el rei Rodrigo."
Apolonio, 447d: "Por algunas reliquias del *sepulcro* tomar."
Berceo, S. Mill., 316d: "Sanaron el *sepulcro* muchos demoniados."
Alexandre (P), 1219c: "Debuxo el *sepulcro* en un mármole preçiado." En 1413c: *sepoltura*.
Poema de Fernán González, 84b: "El cual yazía en un *sepulcro* escrito desta figura."
'el Santo Sepulcro':
Berceo, Milagros. 588b: "Saludar el *sepulcro* la vera Cruz orar."
Docs. posts.: Juan Ruiz, 1053f; Rimado de Palacio 1592b E.

SEPULTORIO.
'sepultura, sepulcro':
Alexandre (P), 313b: "Que tenye cada *sepultorio* de suso su escriptura."

SEPULTURA. De sepŭlturam.
'entierro, sepultura, sepulcro':
Docs. lings. de 1220 (M. P., 5): "...iurando mi *sepultura* en Rio seco a mi muerth."
Fuero de Soria, 47.5: "...o por *sepultura* de padre o de madre o de algun annagado."
Nobleza y Lealtad, 1: "Lealtanza es vergel de los sabios e *sepultura* de los malos."
Fazienda de Ultramar, 205.6: "Tras Monte Syon, al sol ponient, yuso en el aval, es la *sepultura* de los pelegrinos, e dizenle Acholdemoc, hoc (est) ager sanguinis, si es campo de sangre."
Apolonio, 364c: "Mortaio la muy bien, diol *sepultura* honrrada."
Apolonio, 294b: "Fecha la *sepultura* con todo complimiento."
Berceo, S. Mill., 312d: "Por darli *sepultura* e farli proçesión."

Alexandre (P), 1235c: "Fizole *sepultura* rica e mucho bella."
Poema de Fernán González, 84a: "En Vyseo fallaron despues
una *sepultura*."

Docs. posts.: P. de Alfonso XI, 379c; Juan Ruiz, 1576a y
Nebrija: *sepultura*. Rimado de Palacio, 132b: *sepoltura*.

SEQUENCIA. De sequĕntĭam.

'secuencia, lo que sigue':

Berceo, Sto. Dom., 567c: "Luego que ovo dicho el lector
sequençia."

Procede del neutro plural del participo activo de *sequi*.

Docs. posts.: 1632, Aut.

SERAPHIN. Del latín seraphin, hebreo s'rāphīm.

'ser angélico':

Fazienda de Ultramar, 162.14: "*Seraphin* estava(n) d'iuso del
e avie VI alas cascuno."

SERMON.

'lengua':

Alexandre (P), 834b: "de diversos uestidos, de diversas *sermones*."

'oración':

Berceo, Sac. 253c: "Mostrolis el pater noster *sermon* abre-
viado."

'discurso':

Berceo, Sac. 41a: "Toda esa leyenda es sancto *sermón*."

Apolonio, 422a: "Dixo la buena duenya un *sermon* tan ten-
prado."

Alexandre (P), 47c: "oyd dixo jnfant un poco de *sermon*."

'historia, narración':

Berceo, Sig., 1c: "Un *sermon* que fue priso de un sancto
libriello."

El diminutivo *sermoniello* en Alexandre (O), 1599a.

SERMONARIO. De sermonarium.

'razonamiento, discurso':

Alexandre (P), 1936b: "Non vos quiero de un poco fer luengo
sermonario."

SERMONJA.

'predicación, sermón':

Alexandre (P), 1801d: "por ende a derechura non van las *sermonjas.*"

En (O), 1660d aparece como 'obra, negocio': "Por ende a derechas non uerán las sus *sermonias.*"

SERPIENTE. De serpĕntem.

Semicultismo probable según Corominas. (V. DCELC).

Berceo, Mil., 39d: "piertega en que sovo la *serpiente* alzada."

Alexandre (O), 1308b: "Que sacan los demonios e segudan las *serpientes.*"

SERVICIAL. V. Servicio.

'los que deben servicio, criado':

Poridat de las poridades, 48.26: "Et quando entendiesen los *serviciales* que el es sabidor de todas las ventas, non seran osados de fazer nemiga nin furto."

Apolonio, 195b: "...muchos *serviçiales.*"

Berceo, Sto. Dom., 553a: "Parientes del enfermo e otros *serviçiales.*"

Alexandre (P), 1694d: "De Dios sean confondidos tales *serviciales.*"

Docs. posts.: Leyes de Moros (ss. XIV-XV). Sem Tob, 357.2.

Como adjetivo aparece a principios del s. XVII (Aut).

SERVICIO. De servitĭum.

'servicio, acción de servir':

Poema del Cid, 69: "Pagos myo Cid el Campeador e todos los otros que van a so *çervicio*", -'servicio militar'.

Sta. M.ª Egipciaca, 855: "fazer *servicio.*"

Docs. lings. de 1227 (M. P., 86): "recebimos a uos dona María Pedrez en el hospital de la cadena, para *servicio* de Dios e de los pobres del lugar." En 1240 (117): "*servjcio*"; en 1221 (274): "*servitio.*"

Fuero de Soria, 25.2: "...que no tomen njnguna cosa ni *serujçio* njnguno."

Fuero de Sepúlveda, § 100, 184: "Qui firiere cavallo o roçin, o mulo, o mula, que non pueda fazer *serviçio* a su sennor..."

Fuero de Madrid, 35.16: "andando in isto *servicio* de concilia."

El Bonium, 81.15: "ser esforçado en *serviçio* de Dios."

Poridat de las poridades, 29.7: "Quando non pudo fazerle *servicio*."

Buenos Proverbios, 18.17: "La lengua es *servicio* del coraçon."

Flores de Filosofía, 22.6: "e que pugnedes en fazerle *servicio*."

Nobleza y Lealtad, Introd.: "Et sennor todo esto os avemos declarado largamiente, segund que a vuestro *serviçio* cumple."

Fazienda de Ultramar, 161.8: "...toda la vasiella que era en la casa poral *servicio* del Criador."

Apolonio, 319b: "Fazer *servicio*." En 73d: 'hacer rendimiento y culto a Dios'.

Berceo, Sto. Dom., 4d: "Que por poco *serviçio* da galardón larguero."

Alexandre (O), 171a: "Galardón deste *serviçio* el Criador vos lo renda."

'oficio, ocupación':

Fazienda de Ultramar, 53.9: "A cabo de III días sacaste a Pharaon de la carcel e to(r)naste as en to *serviçio*."

'obsequio, agasajo':

Poema del Cid, 1535: "Todos fueron alegres del *çervicio* que tomaron."

'función municipal':

Fuero de Sepúlveda, § 177: "...non sea iuez en sus dias nin tenga *ser(vicio)* nin portiello del conçeio." (V. Alvar, Voc.).

En Apolonio, 634c: "tornar *serviçio*", 'hacer el vasallo el servicio que debe a su señor'.

1.ª doc.. Glosas Emilienenses.

Docs. posts.: Juan Ruiz, 1408b; Conde Lucanor, 5.9; Rimado de Palacio, 238d; P. de Alfonso XI, 1258c; Sem Tob 108.1.

SERVITUD.

'servidumbre':

Fazienda de Ultramar, 75.29: "Fo, el to Sennor Dios, que te saqué de tierra de Egypto, de casa de *servytud*."

SETENARIO. V. SEPTENARIO.

Alexandre (P), 635c: "Los *setenarios* fechos e el clamor acabado."

SEXTO. De sĕxtum.

Diez Mandamientos, 380.12: "El *sexto* es..."

Poridat de las poridades, 32.14: "El *sesto* es del ordenamiento de sos combatedores."

Nobleza y Lealtad, I: "El *sexto* sabio dixo."

Berceo, Loores, 82a: "Al *sexto* fizo omne principal criatura."

Alexandre (O), 295a: "El *sexto* fue Praenides, Semifón el seteno."

Docs. posts.: 1.ª Crón. Gral.; Oudin.

SEX. De sĕx.

'seis':

Berceo, Sac., 8d: "Los *sex* eran de cuesta."

SIEGLO, SIGLO. De saecŭlum.

'siglo', 'mundo', 'este mundo':

Poema del Cid, 3726: "este *sieglo.*"

Reyes Magos, 85: "que mandara el *seclo* en grant pace sines guera."

Sta. M.ª Egipciaca, 597: "este *sieglo.*"

Docs. lings. de 1219 (M. P., 23): "est e tod qui viniere de quatro partes del *sieglo*..." En (1220), 24: *sieglo.*

Docs. lings. de 1207 (M. P., 158): "si hio don Armengot pasare dest *sieglo* antes que esta heredat saque, dolo por mia anima."

El Bonium, 73.17: "e trabajado en los engannos deste *siglo.*"

Poridat de poridades, 48.9: "...que despreçie las cosas accidentales del *sieglo.*"

Buenos Proverbios, 6.26: "e trabajados con las cosas destos *sieglos.*"

Buenos Proverbios, 14.1: "pasar deste *sieglo* al otro que es cosa verdadera."

Fazienda de Ultramar, 60.13: "Bendiciones de to padre acrecieron mas de bendiciones de myos parientes e tod esso con oteros de *sieglo* seran en cabeça de Josep e el pescueço de benedicto entre los ermanos."

Fazienda de Ultramar, 112.15: "El Antechristo el engannador del *sieglo.*"

Liber Regum, 1.9: "Visco Enoch en aquest *sieglo* CCCLXX annos."

Apolonio, 574c: "Quant el *sieglo* dure fasta la fin venida."

Alexandre (P), 64b: *siglo;* 107b: *Syglo*. Mal *siglo* aya: forma de juramento que significa 'sea condenado', en 160c.

También en Berceo, S. Mill., 370d: "Mal *sieglo* aya preste que prende tal ofrenda."

Poema de Fernán González; 64d: mal *sieglo* aya."

Passar del *sieglo,* 'morir', en Apolonio, 256b.

Berceo, S. Lor., 75a: "Elias quando ovo este *sieglo* a dessar."

Poema de Fernán González, 33c: "A cabo de dos annos del *sy(e)glo* fue sacado."

'tiempo actual':

Reyes Magos, 43: "de todas gentes senior sera / i todo *seglo* iugará."

Fazienda de Ultramar, 193.18: "E plazra al Sennor con el sacrificio de Judas e de Jherusalem, cuemo a dias de *sieglo,* cuemo (a) annos antigos."

'todo el tiempo, final del tiempo':

Fazienda de Ultramar, 190.28: "Porné la coxa por remaseia a la causada por yent fuert, e ganará el Sennor sobre ellos en Monte Syon, d'agora fata *sieglo*."

Alexandre (O), 21c: "Fué asmando las cosas del *sieglo* como andavan."

'el conjunto de todas las cosas creadas':

Liber Regum, 1.24: "las dos edades del *sieglo*."

1.ª doc.: Glos. Emilanenses, *sieculo*.

Documentaciones posteriores: *sieglo*. Rimado de Palacio, 180d, E.

Siglo: Se va imponiendo en el s. XIV (Juan Ruiz, 510d) y es forma general desde el XV (APal y Nebrija).

SIERPE. De sĕrpens>sĕrpes.

'la serpiente del Paraíso':

Berceo, Loores, 4a: "Quando engannó la *syerpe* los parientes primeros."

V. SERPIENTE.

SIGNA. De sĭgnam.

'seña, señal':

Berceo, Santa Oria, 168d: "Mas non fablavan nada nin querían *signas* fer."

SIGNAR. V. Signo.

'signar, hacer la señal de la cruz':

P. del Cid, 411: "*Sinava,* la casa a Dios se fo acomendar."

Berceo, Sto. Dom., 244c: "*Signéme* con mi mano alçada."

Docs. post.: Sem Tob, 118.2; Conde Lucanor, 20.12: *sinar*.

SIGNIFICANCIA. De significantiam.

'significación, símbolo':

Fazienda de Ultramar, 213.14: "E por esta *significança* fue comprado el campo de los arceros por los XXX dineros que Jhesu Christo fue vendido."

Berceo, Sac., 70a: "Esta *significançia* vos querría dezir."

SIGNIFICAR. De significare.

'significar, simbolizar':

Poridat de las poridades, 50.1: "...que en estas figuras *significa* la traycion et la enuidia et la arteria."

Berceo, Sac., 61b: "La agua *significa* el pueblo pecador."

Alexandre (P), 782c: "la bolsa *significa* todo el tu auer."

Sinjficar mal, 'ser mala señal', 1207c: "cuyden los pueblos nesçios que *sinjfica* mal."

SIGNO. De sĭgnum.

'signo, señal':

Fuero de Soria, 31.3: "Et en todas las cartas que fizieren, metan dos firmas o mas, e el anno e el dia en que la fizo, e su *signo* connoscido."

Poridat de las poridades, 45.15: "Et esto sigue a las nacencias de los omnes en que *signo* nacen."

Buenos Proverbios, 29.14: "Es porque el sol y la luna que es en sus nacencias en un *signo*."

El Bonium, 89.11: "E establecioles muchas fiestas en tiempos sabidos e fazer sacreficios, dellos a la entrada del sol en las cabeças de los *signos* e dellos a la vista de la luna..."

Berceo, Signos, 8a: "En el terzero *signo* nos conviene fablar."

Apolonio, 271c: "Non entendien en ella ningun *signo* de vida."

Alexandre (O), 8a: "Grandes *signos* contieron quando est infant nasçió."

Poema de Fernán González, 239c: "Veran un fuerte *sygno* qual nunca vyo omne nado."

Docs. posts.: Libro del Acedrex; Juan Ruiz, 1138d; Rimado de Palacio, 367d; Celestina; Aut.

La distinción gráfica entre *signo* y *sino* no se estableció hasta muy tarde.

SIGNO DE SALOMON.

'estrella de cinco puntas':

Fuero de Sepúlveda, 254: "E fago *signo de Salamŏn.*"

SILABA. De syllāba.

Alexandre (O), 2d: "A *sillauas* cuntadas, ca es grant maestría."

SILENCIO. De sĭlĕntium.

'silencio':

Berceo, Sto. Dom., 142c: "Paresçe de *silençio* que non sodes usado."

Alexandre (P), 1249b: "Todos tenien *çilençio* como monjes claustrales."

1.ª documentación: Berceo.

Docs. posts. Juan Ruiz, 362d; Rimado de Palacio, 813a; Nebrija.

La vía de entrada del cultismo es a partir de la ac. 'silencio monacal'.

SILOGISMO. De syllogismus, gr. συλλογισμόσ.

Alexandre (P), 31c: "Auje un *sylogismo* de lógica formado."

SIMIGIBLE.

'semejante':

Docs. lings de 1236 (M. P., 55): "e a vos, don Ramiro esta vendida con so precio sea dupplada e meiorada con otro tal *simigible* logar."

SIMONIA.

'simonía, herejía':

Diez Mandamientos, 382.10: "o faze *simonía.*"

Alexandre (P), 1804b: "En las elecciones anda grant benjconja / unas vjenen por premja, otras por *simonja.*"

SIMPLE. De sĭmplus.

'simple, sencillo, humilde':

Poridat de las poridades, 44.14: "Sepades que la primera cosa que Dios fizo fue una cosa *simple* spiritual et mui conplida cosa."

Buenos Proverbios, 61.23: "...porque son spiritus e *simples.*"
Nobleza y Lealtad, XXXVI: "Que el rey non desprecie el consejo de los *simples.*"
Berceo, Sac., 159a: "El cordero *simple* con su simpliçidat."
Alexandre (P), 1895c: "Omes de santa vida, *simples* e verdaderos."
'simple, único':
Berceo, Mil., 61b: "Hasme buscada onrra, non *simple,* ca doblada."
'puro, inocente':
Berceo, Himnos, II, 5b: "Plena de mansedumbre, plus *simple* que cordera."
'pura, única':
Berceo, Sto. Dom., 534d: "La materia ungada. la *sinple* deidad."
Docs. posts.: Setenario; primera Crón. Gral.; Gral. Est.; Zifar; Rimado de Palacio, 3d; APal; Nebrija.

SIMPLICITAT. De simpliçĭtatem.

'sencillez':
Berceo, Sac., 159a: "El cordero simple con su *simpliçitat.*"
Apolonio, 167b: "Fue contra Apolonio con grant *simpliçitat.*"
Alexandre (P), 2186c: "Deçendió del cavallo con grant *simplicitat.*"

SINAL. De signalem.

'señal, la de la Cruz':
Berceo, Sac., 50b: "Que non tienen del Dios nin ley nin su *sinal.*"

SINAR. V. Signo.

SINGULAR. De sĭngŭlaris.

'notable':
Nobleza y Lealtad, V: "en el nobre son *singulares* virtudes."
Berceo, Himnos, 2,5a: "Virgo madre gloriosa *singular* e sennera."
Alexandre (P), 1160a: "El rey Alixandre, guerrero *singular.*"
En O. 1131a: *seglar.*
'de una sola naturaleza, de una sola sustancia':

Berceo, Sto. Dom., 535c: "*Singular* en natura, plural en complimiento."

Docs. posts.: Tratado de la Asunçión, 100.5, 'único'; APal.

SINGULARIDAD. V. Singular.

'soledad':

El Bonium, 319.10: "E la segurança tuella la tristesa de la *singularidad,* e el temor tuelle el solas de la pluralidad."

SINNALAR. V. Signo.

Alexandre (O), 124a: "El infante çierto vieno el dia *sinnalado.*"

SIRIA, SURIA.

Fazienda de Ultramar, 154.9: "El rey de *Syria.*"

Fuero de Sepúlveda, § 223.

El Bonium, 69.9.

Alexandre (P), 274d.

SIXTO.

'San Sixto, papa':

Berceo, S. Lorenzo, 6b.

SOBERBIA. De sŭpĕrbiam.

'soberbia':

El Bonium, 112.5: "e con falago lo que non allega con bravesa e con *soberbia.*"

Poridat de las poridades, 51.5: "...guardat uuestro pueblo que non les faga ninguno mal nin *soberbia.*"

Flores de Filosofía, 24.6: "non consiente fuerça nin *sobervia.*"

Nobleza y Lealtad, II: "Cobdicia es cosa infernal, morada de avariz, cimiento de *soberbia.*"

Fazienda de Ultramar, 214.10: "la *sobervia* de to coraçon te enganno."

Liber Regum, 10.2: "Et entro en el temple con grant *superbia* e con grant orguello."

Fuero de Madrid, 32.22: "intrare... per *superbia* in casa de vecino."

Berceo, Loores, 49b: "Non quiso de los altos o la *soberbia* era."

Apolonio, 61a: "*sobervia.*"

Berceo, Mil., 204a: "Prisi, muy grant *superbia* de la vuestra partida."

Alexandre (P), 2298c: "De viçio e de superbia son todos entecados." También en 2302b, 'afrenta'. En 140b: "*soberuja.*" Poema de Fernán González, 284d: "Que pueda tal *sovervia* ayna arrancar."

Docs. posts.: Juan Ruiz, 1588a; Rimado de Palacio, 64a.

SOBERBIO.

'atrevido, orgulloso, soberbio':

Fuero de Sepúlveda, § 50: "Et qual enemigo quier que *sobervio* sea, o rebelde, que non quiera salir del término…"

Nobleza y Lealtad, LIX: "e abaxa los *soberbios* a todo su poder."

Buenos Proverbios, 32.30: "E non te ensalzes tanto que te tengan por *soberbio* e por esquivo."

El Bonium, 117.12: "si fueses sofrido seras presciado, e si *soberbio* fueses seras despreciado."

Buenos Proverbios, 28.17-18: "que perdona las *soberbias* de los ombres."

Alexandre (P), 407b: "Un mal omne… desleal e *soberujo.*" En O., 2266a: *soberuioso.*

SOBERUJADO.

'airado, enfurecido':

Alexandre (P), 480a: "Ca era por uerdat mala ment *soberujado.*"

SOCIEDAT. De sŏcĭetātem.

'compañía':

Berceo, Sac., 231a: "Que les de part alguna en la *sociedat* de los sanctos apostoles por la su piedat."

'monasterio, comunidad':

Berceo, Mil., 182d: "Oid otro miraclo fermoso por verdat, que cuntió a un monge de su *sociedat.*"

SOCRATES.

El Bonium, 156.11: "*Socrates* en griego quiere dezir: tenedor con justicia."

Buenos Proverbios, 4.11: "En el sello de *Sócrates* avíe escripto."

SODOMITA. De sodomĭta.

Diez Mandamientos, 382.8: "o es *sodomita* que es hombre que jace contra natura."

Corominas no lo documenta hasta Nebrija.

SODOMITICO.

Alexandre (O), 2209c: "...e el viçio *sodomitico.*" En P., 2351c: *sodomjco.*

SOFISMA. De sophisma, gr. σοφίσμα.

'sofisma, engaño, pecado':

Nobleza y Lealtad, XV: "...e usan maneras, e *sofismas* engannosas e malas."

Berceo, Sto. Dom., 78c: "Guardaselo de juro e de mortal *sofismo.*"

Docs. post.: Rimado de Palacio, 808a; Aut. Oudin, *sofisma.*

SOLATERIO. V. Solitario.

SOLEMPNIDAT. De solempnĭtatem.

'solemnidad, pompa o magnificencia de alguna función':

Berceo, Sac., 283d: "Canta el coro laude de gran *solemnidat.*"

En Sto. Dom., 671d: *sollenpnidad.*

Apolonio, 573c: "Diole en casamiento muy grant *solepnidat.*"

Docs. posts.: Juan Ruiz, 493c; APal; Nebrija; Sta. Teresa.

SOLITARIO, SOLATERIO. De solitarium.

'solitario':

Berceo, S. Mill., 17b: "e vevir *solitario* por la alma salvar."

Alexandre (P), 1602d: "Es bien atales omes *solitarios* bevir."

Docs.: APal.

SOLLICITO. De sollĭcĭtum.

'solícito, cuidadoso':

Berceo, Sto. Dom., 633d: "Non seríen más *sollicitos,* si fuessen sos ermanos."

1.ª documentación: Berceo.

Docs. posts.: APal; Cervantes.

SOLVER. De sŏlvĕre.

'resolver, aclarar, explicar':

Berceo, Loores, 42c: "Concludia los maestros, *solvia* las profecías."

Apolonio, 22b: "Por *solver* argumentos era bien dotrinado."

SOROR. De sororem.

'monja':

Apolonio, 324b: "Fizieron le un monesterio do visquiere *soror.*"

Alexandre (P), 395c: "E fizolo en orden de *sorores* entrar."
'hermana':
Berceo, Sto. Dom., 319a: "De la *soror* de Lázaro era much enbidiosa."

SORIA.

'la ciudad de Soria':
Fuero de Soria, 7.1: "Fuero de *Soria.*"

SOSPRIOR, SUPRIOR. De sub priorem.

'subprior, jerarquía inmediatamente inferior a la de prior':
Docs. lings. de 1220 (M. P., 25): "...e nul omne non aia poder de tollergelo nin abbad ni prior ni *sosprior.*" En (1186), 151: "*suprior.*"

SPECIAL. De especialem.

'especial':
Berceo, Sac., 187b: "Otras tres [cruzes] faze luego, essas son *speciales.*"
1.ª documentación: Berceo.
Docs. post.: Juan Ruiz, *especial;* APal; Nebrija.

SPIRITAL, SPIRITUAL. V. Espiritual.

'espiritual':
Berceo, Mil., 124c: "Amigo, dissol, salvate el Sennor *spiritual.*"
Buenos Proverbios, 6.11: "llegan los coraçones al seso *spiritual.*"

SPIRITU. V. Espíritu.

Nobleza y Lealtad, XVI.

SPIRITU SANTO.

'el Espíritu Santo':
Berceo, Sto. Dom., 1c: "Et del *Spíritu-Sancto.*"
El Bonium, 90.15.

STATUA. De statuam.

'estatua, imagen de la Virgen':
Borceo, Mil., 77a: "Façie a la su *statua* el enclin cada día."
1.ª doc.: Berceo.
Docs. post.: APal, 139d.

STEPHANIA.

'Estefanía, nombre de persona':
Docs. lings. de 1187 (M. P., 16): "madre *Stephania.*" Tam-

bién existe el popular en el mismo doc.: "Dominico de *Es-teuania*."

STOLA. De stŏla.

Docs. lings. de 1244 (M. P., 193): "e I. *stola*."

SUAVE. De sŭavĭs.

Alexandre (O), 275d: "Despertó Alexandre al canto de las aues / que fazien por los aruoles e los cantos *suaues*." En P., 2117c: "Fazien cantos *suaves*."

SUBDITOS. De sŭbdĭtum.

Nobleza y Lealtad, III: "e non aya a menguar los *súbditos* a su regidor de seer regidos, e castigados por él."

Corominas lo documenta por primera vez en Juan Ruiz.

SUBJECION. De subjectionem.

'sumisión':

Alexandre (P), 2408d: "A Media e Africa con su *subjeción*."

También en 158b: *subietion*.

SUBSCRIPCIONES. De subscriptionem.

'acción de suscribir':

Docs. lings. de 1235 (M. P., 277): "E por que est arrenda-miento sea más firme, fiziemos II cartas partidas por a.b.c. e con *subscriptiones* de algunos de nos, e que tenga la una el cabildo y el otro el arcidiano."

SUBSTANCIA. V. Sustancia.

SUCESOR. De sucesor, -oris.

Docs. lings. de 1221 (M. P., 274): "...al arzobispo don Ro-drigo e a sus *sucesores*."

Berceo, Sto. Dom., 70c: "Mas el buen christiano *suçessor* de Helias."

Alexandre (O), 1688d: "nostros *successores*."

SUFRENCIA.

'sufrimiento':

El Bonium, 155.1: "E rrescebi la tu mala rrespuesta con *sufrencia*."

Buenos Proverbios, 30.20: "la *sufrencia* son armas para el malo."

Flores de Filosofía, 41.3: "E la *sufrencia* es en cinco ma-neras."

SULGEMA.

'piedra preciosa':

Poridat las de poridades, 75.16: "*Sulgema* echa rayos, et da muy grant lumbre..."

Alexandre (P), *soliema,* en (O) *solgoma;* S. Isidoro, *solis gemma.* (V. Kasten, Poridat, Vocab.).

SUMMO. De summum.

'sumo, alto':

Berceo, Sac, 27c: "Vino de *summo* çelo en esta luz mezquina."

SUPERBIA. V. Soberbia.

SUPERFLUYDAD. De superfluïtatem.

'vanidad, frivolidad':

El Bonium, 219.10: "Muy fea cosa es que podemos de nuestras vinnas la rrama seca e non podemos de nuestras almas la *superfluydad* de las cobdiçias."

El Bonium, 245.12: "Ca opinion fue de Platon de melesinar el cuerpo con adnamiento aguisado por faser desfaser dél las *superfluydades.*"

Corominas lo documenta en APal., 18d y Nebrija.

SUPLICACION.

'súplica':

Berceo, Mil., 168c: "fueron ellas a Christo con grand *suplicación.*"

SURIA. V. Siria.

SUSTANCIA. De substantĭam.

El Bonium, 123.15-16: "maguer que en si es *sustancia* que se non corrompe."

Berceo, Mil., 874b: "Pobre era la freira que mantenie la çiella / avie magra *sustançia,* assaz para ropiella." En Mil., 661c: "creció la su *substancia.*"

SUSTANCIAL. V. Sustancia.

'esencial':

El Bonium, 230.10: "El que ha las buenas virtudes *sustanciales* es noble, e el que los ha accidentales fasese el noble e non lo es."

T

TABERNA. V. Tarverna.
TABERNERO. V. Tavernero.
TABERNACULO. De tabernaculum.
Fazienda de Ultramar, 78.17: "Comendo Nuestro Sennor a Moysen como fyziese el *tabernaculo.*"
Alexandre (P), 1224b: "Qual fue el *tabernáculo*", 'tienda de campaña'.
TALAMO. De thalamum.
Berceo, Sta. Oria, 97c: "Luego en esti *talamo* querria ser novia."
Alexandre (P), 1.941a: "Fizo al Apelles tal *tálamo* obrar."
Documentaciones posteriores. Santillana, 501; C. de Baena, 12; Nebrija; El Quijote.
TALENTO. De talĕntum.
'gusto, agrado':
Sta. M.ª Egipciaca, 238: "a su *talento.*"
Berceo, Sto. Domingo, 9d: "De oir uanidades non le prendie *taliento.*"
Alexandre (P), 2463b: "Por amor que oviesen *talento* de comer."
Alexandre (O), 27d: *taliento.*
Apolonio, 149d: "De deportar con ell tomo gran *taliento.*"
P. de Fernán González, 11c: "De los vyçios del mundo non ovieron *talento.*"

'voluntad, agrado':

Berceo, Mil., 365b: "mostróli buen *talent*."

'peso o moneda':

Alexandre (P), 1244b: "quiere te de fino oro çient myll *tallentos* dar."

Mal talento 'enfado, enojo' en Alexandre (P), 85c: "perdio el mal *talento*."

1.ª documentación: F. de Avilés.

La forma aprovenzalada *talent* es la más frecuente en los ss. XIII y XIV.

TAPETE. De tapetém, gr. ταπήσ,-ῆτος.

'tapiz, alfombra':

Alexandre (P), 2101b: "Non y fazien nula ninguna savanas ni *tapetes*."

Id., 308c: *tapedes*.

1.ª documentación: 1112 (Oelschläger).

Para Corominas es cultismo, pero García de Diego señala la posibilidad de que se haya introducido a través del catalán o del aragonés.

TARSIANA.

Apolonio, 351d.

TARSO.

Apolonio, 62c.

TARUERNA. De tabĕrnam.

Alexandre (P), según Keller, Vocabulario, mala grafía por *tauerna*. (En Alexandre O: *tauiernas*).

TAU. Letra griega.

Berceo, Sacrificio, 151d: "Blago es el *tau* en toda su manera, Cruz seríe si oviesse la cabeza somera."

Alexandre (P), 1222d.

TAVERNERO. V. Taberna.

'el que frecuenta las tabernas':

Alexandre (P), 2363a: "Otros son por el mundo que son *taverneros*."

TEDIO. De taedium.

'tedio, aburrimiento':

Berceo, Milagros, 704b: "Ca vos avriedes *tedio*, io podríe pecar."

'daño, mal':

Berceo, Sto. Domingo, 350d: "Ca será por tu *tidio* si faces recadia."

1.ª documentación: Berceo, no registrada por Corominas. Empleo escaso en el Siglo de Oro.

TELONIO.   De telonium, gr. τελονιον.

'impuesto':

Privilegios de Burgos (1079): "Nec sint subiecto *Teloneo*." (V. Lanchetas, s. v.).

Berceo, Sacrificio, 74c: "Pechan el *telonio*."

TEMPESTAD.   De tempestas -atis.

'tempestad, tormenta':

Sta. M.ª Egipciaca, 386: "e las lluujas con los vientos grandes, que trayen las *tempestades*."

El Bonium, 195.13: "Asosiega la tu alma a las *tempestades*."

Berceo, Milagros, 768c: "eVrrá rayo o fuego o otra *tempestat*."

Berceo, Milagros, 591a: *tempesta* (tomado del nominativo latino).

Apolonio, 456a: *tempesta*.

Berceo, Milagros, 11d: *tempestat*: "Non perdrie la verdura por nulla *tempestat*."

Alexandre (P), 1463b: "rrefiere las *tempestas* que vjenen en las nuues."

TEMPLO.   De tĕmplum.

Sta. M.ª Egipciaca, 429: "al *tenplo* van Rogar a Deos."

El Bonium, 318.12: "e pusose entre el (arenal) e el *tenplo*, e apartose dellos hasta que fino."

Poridat de las poridades, 31.6: "Non dexe *templo* de todos los *tenplos* o condesaron los philosophos sos libros de las poridades."

Fazienda de Ultramar, 108.24: "E pusieron las armas en el *tenplo* de Astaro(th)."

Id. 114.9: *tienplo*.

Id. 149.28: *temple*. Extranjerismo.

Liber Regum, 3.4: "*Temple* de Deu." Id. en 4.5: *templum* (Latinismo).

Apolonio, 578a: "El *templo* que dizen de Diana."

Berceo, Sacrificio, 68a: "Quando Salomón fizo el *tiemplo* consagrar."

Alexandre (P), 813a: "Estava en un *templo* un laço enredado."

Docs. posteriores: J. Ruiz, 259c; Rim. de Palacio, 685c; Nebrija.

TEMPORADA.   Deriv. de tĕmpus.

'período de tiempo':

P. de Fernán González, 105a: "Duro les esta coyta muy fyera *tenporada.*"

Para Corominas es cultismo, atestiguado en Aut. a principios del siglo XVII.

TENEBREDAT.   Deriv. de tenebrae.

'oscuridad', 'desgracia':

Alexandre (P), 2435b: "quieres tornar a Gresçia a grant *tenebredat.*"

TENEBROSO.   De tenebrosus.

'oscuro':

Berceo, Sta. Oria, 93d: Eran mas *tenebrosas,* de grant oscuridat."

Alexandre (P), 2566b: "amanesçio mañana çiega e *tenebrosa.*"

Docs. posteriores: Rim. de Palacio, 1006a; Santillana, 500; Mena, 135; Cartujano, 324.

TENENCIA.   Sufijo culto.

'posesión':

F. de Soria, 51.28: "...sea metido el querelloso por los alcaldes en *tenençia* dellos bienes de su contendedor en tanto quanto es la demanda."

'poder':

Alexandre (P), 6c: "Vençio a Poro e a Darío, reys de grant *tenençia.*"

TENTACION.   De temptatiŏnem.

Sta. M.ª Egipciaca, 611: "A Dios ffizo oraçion / que la guardasse de *tentaçión.*"

Fazienda de Ultramar, 124.9: "Nazaret fue en *tenptaciones* flor o verdugo e es coraçon, que en aquella çibdat nacio verga."

Berceo, Sacrificio, 72d. "Que de *temptación* mala non fuese embaida." En Sto. Dom., 74a: *tentationes* (ed. P. Andrés).

P. de Fernán González, 108d: "Libra nos (tu) Sennor de estas *tentaçiones*."

TEODORA.

'Teodora, emperatriz de Bizancio':

Berceo, Milagros, 886c: "Commo fazie Sisinnio el çeloso varon / Marido de *Teodora*, mugier de grant cançion / La que por Clemens Papa priso religion."

TEOFILO.

Berceo, Milagros, 703a.

Apolonio, 372a.

TERCIO, TERCIA. De tĕrtiam.

'la tercera parte':

Documentos lingüísticos, de 1210 (M. Pidal, 4): "En el Pinero tres fazas, enna de iuso ermun, in illa de medio la *tercia*, e enna otra *tercia* la *tercia*, e in illa de suso la octava es de Sancta Eulalia."

'hora de tercia':

F. de Soria, 25.21: "fasta la ora de la *terçia*."

F. de Madrid, 34.25: "usque ad alio dia ora *tercia*."

Apolonio, 354a: "Cerca podrie de *terçia* e lo menos estar."

Berceo, Sacrificio, 245b: "Las tres horas que fueron de *terçia* hasta sexta."

'un tercio':

F. de Soria, 17.22: "...aya el sennor el *terçio*."

F. de Sepúlveda, § 32: "et desta calonna aya el querelloso el *terçio*."

Fazienda de Ultramar, 178.15: "e prometio al que lo pudiesse leer quel darie grant aver e la *tercia* del regno."

Id. 179.7, empleado como adjetivo.

Alexandre (P), 808d: "De la lus cutiana más perdió de la *terçia*."

Otras documentaciones: Fuero de Avilés, 1155.

Docs. posteriores: J. Ruiz; Aut.

TERMINACION. De terminationem.

'muerte':

Berceo, Sto. Domingo, 28d: "Trae este oficio buenas *terminationes*." (Se refiere al buen fin a que han llegado muchos pastores: la muerte santa).

TERMINAR. De termĭnare.

'limitar, reunir':

Fazienda de Ultramar, 75.4: "E *atermynarás* el pueblo derredor e dizras."

'adivinar acertijos, resolver enigmas':

Apolonio, 24d: "Entre tu fija e tu se deue *terminar.*"

'finalizar, terminar':

Berceo, S. Millán, 180d: "enbióla su via, del mal bien *terminada.*"

Alexandre (P), 2142b: "fue el pueblo guarido, de la sed *treminado.*" En O., 2000b: *terminado.*

'determinar':

Alexandre (P), 1457b: "No es nasçido quil pueda la color *terminar.*"

Id. en 2142b: *"tremjnado"*, 'librado, satisfecho'.

TERMINO. De tĕrmĭnus.

'termino, límite':

Documentos lingüísticos, de 1210 (M. Pidal, 4): "...al rio de Penero, Sancta Olaia dentro sediendo con sos *términos.*"

Fazienda de Ultramar, 66.3: "e sinon lo quisiere dexar, yo mataré todo so *término* con altanoch."

F. de Soria, 7.2: "capitulo de la guarda de los montes et del *término* contra llos estrannar."

F. de Sepúlveda, § 109: "Otrossí, mando que si los conceios de las aldeas bariaren sobre los *términos.*"

El Bonium, 296.2: "E desí fuese contra tierra de Cay. E quando fue cerca de su *término* andovieron muchos mensajeros."

'jurisdicción del concejo':

F. de Madrid, 31.6: "non faciant mal in Madrid e in suo *término.*"

F. de Sepúlveda, § 4: "en *término* de Sepúlveda."

Berceo, Sto. Domingo, 34b: "Andando con so grey por *término* de Cannas."

P. de Fernán González, 31d: "Commo fuessen los *términos* a ellos sojuzgados."

Alexandre (P), 1.713b: "fasta que en el *termjno* do fue presso vjnjeron."

'límite de tiempo':

Berceo, Signos, 20c: "Mas a poco de *término* serán resuçitados."

Apolonio, 268a: "Quando vino el *término* que houo ha parir."

Alexandre (P), 593d: "Que el *término* puesto non era aplegado."

'final, conclusión':

Apolonio, 113d: "Echar a *término*."

'tamaño':

Alexandre (P), 2636d: "que non pudo de *termjno* de doze pies tener."

TERRITORIO. De terrĭtorĭum.

Berceo, S. Millán, 186c: "Pregar al cuerpo sancto, padrón del *territorio*."

Alexandre (P), 222d: "Por que el *territorio* debes tu perdonar."

1.ª documentación: Berceo.

Existió una variante semipopular *terridorio* en docs. del s. x.

TESSICO. V. Tósico.

TESTAMENTO. De testamĕntum.

F. de Soria, 107.4: "XXXI. Titulo de los *testamentos*."

F. de Sepúlveda, § 66: "Todo marido a su muger, o muger a su marido, que su *testamento* fiziere..."

Fazienda de Ultramar, 144.39: "E aplego todos los vicios de Israel, los cabdales de las tribus, (por) adoçir el arca del *testament* de la cibdat de David, essa es Syon."

Apolonio, 288d: "Mas de su *testamento* non podien saber nada."

Berceo, Sacrificio, 2a: "*testamiento* viejo." 'Antiguo Testamento'.

Alexandre (P), 2601d: "...meta en escripto todo mj *testamento*."

Docs. posteriores: J. Ruiz.

TESTES. De testis.

'testigo':

Documentos lingüísticos de 1232 (M. Pidal, 7).

Berceo, S. Millán, 487c: "Muchos *testes* podría pora esto aver, personas coronadas que son bien de creer."

En la Glosas Silenses: *tieste*.

Alexandre (P), 1885c: "provogela por *testes* que fasia locura."

TESTIFICANTE. De testificare.

Documentos lingüísticos de 1127, (M. Pidal, 109): "Concilio de Sancto Petro, audiente e *testificante*."

TESTIGO. Derivado de testificare, por vía semiculta (V. Corominas DCELC).

Documentos lingüísticos de 1230 (M. Pidal, 51): "*Testigos* que lo oyeron e qui lo vieron..."

Id. del s. XII (M. Pidal, 18): *testegos*.

F. de Soria, 25.12: "Et los yuyzios que dieren... denlos ante omnes buenos que sean y por *testigos*."

F. de Sepúlveda, § 60: "e sil 'y fallare, fagol' *testigos* quel' dé fiador..."

El Bonium, 284.13: "Seremos tus *testigos*."

Nobleza y Lealtad, L: "nin valgan por *testigos* nin ayan otro beneficio." (En el ms. C *testimonio*).

Berceo, Sacrificio, 172d: "Yo esto bien lo creo, e so ende *testigo*."

Alexandre (P), 351d: "Desto puedo sy mandas muchos *testigos* dar."

P. de Fernán González, 537c: "en cabo de la carta los *testigos* pusieron."

Docs. posteriores: P. de Alfonso XIº, 147; D. Juan Manuel, Libro de la Caza, 81.2.

TESTIGUAR. De testificare.

atestiguar':

Documentos lingüísticos de 1215 (M. Pidal, 165): "Don Migael de Ribilla e don Peidro de Ribilla *testiguaron* que vieron a Martin Cardenna..."

F. de Soria, 219.17: "Si aquel que oviere perdido alguna cosa la fallare en poder de otro, *testigueiela* ante omnes buenos, si despues que fuere *testiguada*..."

F. de Sepúlveda, § 50: *testigar;* Id., § 20: *testiguado.*

TESTIMONIA. V. TESTIMONIO.

Fazienda de Ultramar, 161.17: "Fablo de fijos de Israel que

non conocian a Nuestro Sennor, e puso *testimonias* los cielos e las tierras."

TESTIMONIAR. V. Testimonio.

Fazienda de Ultramar, 46.10: "assy como Sant Jheronimo lo *testimonia*."

El Bonium, 334.2: "e quando *testemoniare, testimoniara* testimonios buenos."

Berceo, Mil., 796a: "A mal-omne e suçio e mal *testimoniado*."

TESTIMONIO. De testimonium.

F. de Madrid, 29.7: "cum II *testimonios*."

Buenos Proverbios, 2.16: "que seades *testimonios* e demandadores de la mi sangre."

F. de Soria, 34.15: "Toda carta que fuere fecha entre algunos omnes e sea puesto y seello de rey o de arçobispo o de obispo o de abat benjto o de conceio por *testimonio*..."

Diez Mandamientos, 380.21: "Non dirás falso *testimonio*."

El Bonium, 334.2: "testimoniara *testimonio* verdadero."

Nobleza y Lealtad, VII: "e en otros reyes, e principes, e sabidores, que serie luengo de contar, de que las estorias dan *testimonio*."

Berceo, Sto. Dom., 472c: "En falso *testimonio* non uos entremetades."

Fazienda de Ultramar, 76.17: "Non testimonies a to vezino *testimonio* de falsedad."

'opinión, fama, reputación':

Berceo, Mil., 271d: "Avié mal *testimonio* entre su vecindat."

En documentos lingüísticos, de 1206 (M. Pidal, 255): *testemunias.*

Docs. posteriores: Rim. de Palacio, 471a; Conde Lucanor, 163.21.

TESTO. De textum.

'el texto de una obra';

Alexandre (P), 1935d: "Descobrir vos he el *testo,* enpeçar vos la glosa." Falta en O.

TETRARCA.

'Tetrarca de Jerusalén, Herodes':

Fazienda de Ultramar, 104.3: "Delant Jerico es el castiello

de Macheronta o *Herodes Tetrarca* descabeço a Sant Johannes Baptista."

THEODOSIO.

Fazienda de Ultramar, 46.9: "*Theodosio* el Enperador."

THEOLOGAL.

Adj. 'ciencias teologales':

El Bonium, 245.5: "Quiso saber otrosi las ciencias éticas e las quadriviales e las naturales e las *theologales*."

THEOLOGIA.

El Bonium, 247.12: "el libro de metafísica que es dicho *theología*."

TINIEBRA. De tenebrae.

'tiniebla, oscuridad':

Fazienda de Ultr., 196.29: "En es dia non será luz, *tiniebra* obscura."

Berceo, Sta. Oria, 10d: "Escribir en *tiniebra* es un mester pesado."

Alexandre (P), 2316a: "Nunca syntran *tynjebra,* njn frio, njn calentura."

'anochecer':

Berceo, San Millán, 212b: "La *tiniebra* cadiendo."

'ceguera':

Berceo, San Millán, 328c: "Fue por la vertut sancta la *tiniebra* foida."

TITOLAR. V. Título.

'titular, llamar':

Apolonio, 3c: "De su nombre mismo fizola *titolar.*"

TITULO. De titŭlum.

'título de un libro o de un capítulo':

Fuero de Soria, 107.4: "XXXI *título* de los testamentos."

Apolonio, 401a: "Esto dize el *título.*"

'denominación':

Alexandre (P), 95d: "Los regnos e las villas... cascuno con sus *títulos* por mellor deuisar."

TOBIAS.

Fazienda de Ultramar, 114.1.

TOLOMEO.

El Bonium, 316.5: "De los dichos e de los castigos de *To-lomeo.*"

Buenos Proverbios, 5.14: "En el seello de *Tolomeus* avie escripto."

TORMENTA.   De tormĕnta.

'tormenta, tempestad':

Buenos Proverbios, 37.3: "quando entran los omnes en el mar en la razon que esta queda e non les faze *tormenta* ninguna." (Para Corominas, DCELC, procede del plural neutro latino, que aparece ya con el valor de singular en Lactancio y en mss. de San Ciprian; la falta de diptongación se explica por influjo del cultismo *tormento,* o más bien por un préstamo naútico, quizás del portugués, más bien del francés, donde aparece desde el siglo XII. En Fr. antiguo y en port. antiguo significa también 'tormento', mientras que en italiano antiguo *tormento* significa 'tormenta de nieve').

Docs. posteriores: Partidas; Rim. de Palacio, 794a.

TORMENTO.   De tormĕntum.

'pecado' (?):

Berceo, Sto. Dom., 101b: "Por vevir en *tormento,* morir en penitençia."

Docs. posts.: Partidas, V. IX.

TOSICO.   De toxicum.

'veneno':

El Bonium, 159.3: "¿Qual muerte quieres morir? Escogela. E dixole Socrates: Con *tosico.*"

Buenos Proverbios, 40.5: "Este es el avenimiento de Alexandre quando sopo que morrie del *tessico* quel'dieron a beber." En otro ms. *toxico.*

Poridat de las poridades, 73.4: "et saca el *tosico* con sudor del cuerpo et cumamento."

THOXICO.

(V. Simonet, Glosario, s. v.).

Docs. posteriores: Calila (ed. Allen) 56.1204; APal.

TRACIA.

El Bonium, 70.2.

TRACTADO.   V. Tratado.

TRAICION. De traditionem.

Sta. M.ª Egipciaca, 565: "por *traycion* le busco muerte."

F. de Soria, 189.13: "Todo omne que matare a otro a *tray-çion* o a aleff ssea rrastrado e enfforcado por ello."

Poridat de las poridades, 32.10: "...me yo faria gran *traycion* en descobrir poridat que Dios me mostro."

Nobleza y Lealtad, XIV: "non espera dél *traición* nin mal."

Liber Regum, 15.4: "matolo... a *traicion.*"

Apolonio, 403b: "Que me quiso el cuerpo a *trayçion* matar."

Berceo, Loores, 58b: "La *trayçión* fue fecha, el pueblo fué movido."

Alexandre (P), 740b: "Retrayen les los griegos las muytas *traiçiones.*"

P. de Fernán González, 41b: "Que es(s)os començaron *tray-çion* a fazer."

Docs. posteriores: J. Ruiz, 176d; P. de Yuçuf, 7d; Conde Lucanor, 92.20.

TRAYDOR. De traditore.

Sta. M.ª Egipciaca, 573: "...e finco el ffalso por *traydor.*"

Documentos lingüísticos de 1186 (M. Pidal, 15): "con Iuda *traditor* haia part."

Id. de 1246 (M. Pidal, 119): *traditore.*

Id. de 1222 (M. Pidal, 170): *traidor.*

F. de Sepúlveda, § 254 (V. Alvar, *Vocabulario*).

F. de Madrid, 32.14: "e exat por *traditor* e por alevoso de Madrid."

Nobleza y Lealtad, XIV: "Et al que su sennor encubre la verdat non dudará de le seer *traidor.*"

TRANSFIGURAR. De transfigurare.

Fazienda de Ultramar, 112.2: "Alli se *transfiguró* Christus a sus discipulos."

TRANSFORMARSE.

Reflexivo, 'transformarse, transfigurarse':

Berceo, Mil., 118a: "*Transformose* el falso en angel verdadero."

TRANSIDO. De transire.

'muerto':

Sta. M.ª Egipciaca, 1187: "fasta que sia *transida.*"

Apolonio, 271d: "Todos eran creyentes que era *transida*."
Berceo, Sta. Oria, 165b: "Padre era de Oria, bien ante fue *transido*."
P. de Fernán González, 371c: "dezir non pudo nada ca fue luego *transido*."
'desvanecido':
Alexandre (P), 173b: "contendió con el alma que *transido* jasja." (V. Keller).

TRANSITO. De transire.
'muerte':
Berceo, Sto. Dom., 487a: "Quiero passar el *transsido*, dexar todo lo ál."
Alexandre (O), 167b: "Contendie con el alma ca en *tránsito* iazia."

TRANSITORIA. V. Tránsito.
'perecedera':
Berceo, S. Millán, 123d: "...que no lo engannase la vida *transitoria*."

TRATADO. De tractatum.
'obra':
El Bonium, 352.5: "e fizo muchos *tratados*."
Poridat de las poridades. 32.18: "En este mio libro a VIII *tractados*."
Berceo, Sto. Domingo, 72c: "Commo diz el *tratado*."
Alexandre (P), 2267a: "Dizen las escripturas, yo ley el tratado." En O., 2125a: *tractado*.
Docs. posteriores: Nebrija.

TRACTAR, TRATAR. De tractare.
'tratar, ocuparse':
Berceo, Sto. Domingo, 115a: "Aplegó su conviento, *tractaron* esta cosa."
1.ª documentación: Berceo.

TRASLACION. De traslationem.
'traslado':
Berceo, Sto. Domingo, 275a: "En essa *traslaçion* destos tres ermanos."
1.ª documentación: Berceo.

TREBUNA. De tribuna.

El Bonium, 78.23: "E el moço subio a la *trebuna* muy mal arropado."

Corominas documenta *tribuna* en Aut., con el sentido de 'púlpito del tribuno'.

TREMINAR. V. TERMINAR.

TRENTANARIO. Deriv. de treinta.

'de treinta días':

Berceo, Milagros, 107c: "Dilis que non lo dexen y otro *trentanario.*" En la ed. de Dutton, *trentario.*

1.ª documentación: Berceo.

TRIBU. De tribum.

Fazienda de Ultramar, 43.37: "las XII *tribus* de Israel."

Alexandre (P), 2550c: "los *tribus* e los ljnajes los tiempos e las heredades."

En 1222b: *tribo.*

TRIBULACION. De tribulationem.

'desgracia, infortunio':

Apolonio, 334c: "Dixole la estoria e la *tribulaçion.*"

Berceo, Milagros, 163a: "Vivie en esta vida en grant *tribulaçion.*"

Alexandre (P), 1646b: "Los varones que eran espantados de las *tribulaçiones.*"

Docs. posteriores: J. Ruiz, 149d (También su derivado empleado por primera vez: *atribular*); Rim. de Palacio, 26b; P. de Alfonso XI, 1123b.

TRIBULITANIA, TRIBUTANIA.

Debe de ser 'Tripolitania':

El Bonium, 69.12.

TRIBUTARIO. V. TRIBUTO.

Apolonio, 646b: "a ti es *tributario.*"

Alexandre (O), 22b: "Vassallos *tributarios* del rey Babilon."

En P., *trebutados.*

TRIBUTO. De tributum.

El Bonium, 278.19: "E Felipo solia dar *trebuto* a Dario."

Berceo, Loores, 50d: "Non negó su *tributo* al sennor terrenal."

Alexandre (P), 1124a: "Soltólos de *tributos* e de todas las pechas."

Docs. posteriores: Rim. de Palacio, 241d; P. de Alfonso XIº, 2247d.

TRINIDAD. De trinitatem.

P. del Cid, 319: "La missa de santa *Trinidad.*"

Documentos lingüísticos de 1195 (M. Pidal, 77): "In nomine Sancte *Trinitatis.*"

Id. en 1184 (M. Pidal, 305): "En el nombre de la sancta *Trinidat.*"

F. de Soria, 15.18: "...fastal domingo de *Trinjdat.*"

Fazienda de Ultramar, 203.11: "Un poco adelant, a par(te) de orient, es el altar de santa *Trinidat.*"

Berceo, Sto. Domingo, 411a: "Valasme Rey de gloria, que eres *Trinidat.*"

Docs. posteriores: Rim. de Palacio, la; D. Juan Manuel, Libro de los Estados, 569.14.

TRIPLE. De trĭplex.

Alexandre (P), 260c: "*Triple* partiçion." En O., 254c: *treb.*

TRISTICIA. De tristitĭa.

'tristeza, desgracia':

Buenos Proverbios, 21.18: "Yo he grant cuydado e grant *tristencia* porque te veo pobre." En 36.17: *tristiçia.*

Sta. M.ª Egipciaca, 1289: "que el gozo desta vida / todo torna en gran *tristiçia.*"

Apolonio, 326b: "Siempre fue en *tristiçia* hi en vida lazrada."

Berceo, S. Millán, 479d: "Non seríemos commo somos de *tristiçia* menguados."

Alexandre (P), 2329c: "Mas si veye algunos que cahen en *tristiçia...*"

TRONIDO. De tŏnĭtrus.

'trueno':

P. de Fernán González, (A.Z.) 749c: "el que oydo fue(s)e sería con gran *tronido.*"

En Alexandre (O), 138b: *tonidro*: "la uoz como *tonidro.*"

TRONO. De thrŏnus, del gr. θρόνος.

'trono':

Berceo, Milagros, 37c: "Ella es dicho *trono* del rey Salomón."

'jerarquía angelical':

Berceo, Loores, 219a: "Angeles e archangeles, *tronos* e seniores."

TUMBA. De tŭmba, gr. τυμβός.

'sepultura':

Berceo, Sac. 273a: "Vidieron de la *tumba* la lápida redrada."
Alexandre (P), 1771b: "La *tumba* de primero, después la cobertura."

Nombre propio:

Berceo, Mil., 317a: "San Miguel de la *Tumba* es un grand monasterio."

Documentaciones posteriores: Juan Ruiz: *tumbal.*

TUMULO. De tŭmŭlum.

'túmulo, sepulcro':

Berceo, Sac., 270b: "El *túmulo* significa do Christo fue echado". En San Millán, 333d: "Pesával que el *túmulo* non era alumnado."

La evolución semántica sería: 'elevación de terreno', 'amontonamiento de tierra que señala la existencia de una tumba'. 'tumba'.

Documentaciones posteriores: Quijote, Góngora.

TURBAR. De tŭrbare.

'perturbar, revolver, agitar':

El Bonium, 315.6: "E dixo: quitate del rrey mientra están sus fechos *turbados,* ca pocos estuercen de los que entran en la mar, estando queda, quanto más quando sus ondas son *turbadas* por la diversidad de los vientos."
Alexandre (P), 527b: "Dona Venus sabie encantamientos que *turbaua* las nuues." En O., 515b: "*tornaua.*"

'enturbiar, cegar':

Berceo, Sto. Dom., 292c: "Los oios (t)an *turbados* que non podie ueer."
Alexandre (P), 2334c: "La visión *turbada.*"

'turbado, confuso':

Berceo, San Millán, 329c: "Tovieron un grant dia la memoria *turbada.*"

'eclipsar':

Berceo, San Millán, 404c: "Quando (la luna) se *turba* nos non fincamos sanos."

Docs. posts.: Don J. Manuel, Libro de los Estados, 590.28; En Rimado de Palacio, *turbación*.

TURBIO.   De tŭrbĭdus.

'turbio, sucio':

El Bonium, 187.2: "Si non porque eres espejo *turbio* parescería en ti la mi fermosura."

Berceo, Milagros, 471b: "El çeio mucho *turbio* los ojos remellados". En S. Mil., 174c. "...en el *turbio* asseo."

TURQUESA.

'piedra preciosa':

Poridat de las poridades: "La piedra *turquesa* precian la mucho todavia los reyes e los grandes omnes et avien muchos dellos."

TUS.

'incienso':

Cid, 338: "Oro e *tus* e mirra te offreçieron de voluntade."

U

UFANIA. V. Eufania.

ULISES.

Alexandre (O), 303a: *Ulises.*

ULTRAMAR.

'Tierra Santa, Palestina':

Sta. M.ª Egipciaca, 351: "conbusco me hire a *ultra mar.*"

En 426: "pelegrinos de *ultra mar.*"

Fazienda de Ultramar, 43.6: "La Fazienda de *Ultra mar.*"

Berceo, Mil., 588a: "Cruzáronse romeros por ir en *Ultra-mar.*"

Alex. (O), 1108b: "Yxte de Europa, passa *ultramar.*"

Docs. posteriores: P. de Alfonso XI, 415d; Conde Lucanor, 19.28.

UMANAL.

'humano':

Berceo, S. Mill., 112b: "Priso forma de carne e *umanal* figura."

Docs. posts.: Juan Ruiz, 1553d; P. de Alfonso XI, 120d.

UMANIDAD. De humanĭtatem.

'Humanidad, el mundo, los hombres':

Sta. M.ª Egipciaca. V. Humanidat.

Berceo, Mil., 68a: "Todos somos eguales en la *umanidat.*"

Alex. (P), 1233d: "que tu non ly faries mayor *umanidat.*"

Documentaciones posteriores: Juan Ruiz, 1557c; D. Juan Manuel, Libro de los Estados, 560,42.

UMILDOSA MIENTRE. V. Humilde.

'humildemente':

Berceo, S. Mill., 15d: "Plus *umildosamientre* que un monge claustrero."

UMILITAT, UMILIDAT. V. Humildad.

'humildad':

Apolonio, 128b: "Trobamos buenas gentes llenas de caridat / fazien contra nos toda *umilidat*."

Alexandre (P), 200a: "Quando los ujo el rey con tal *umilltat*."

UMILDOSO. V. Homildoso.

UMILLAR. V. Homillar, Humillar.

UNCION. De únctionem.

Berceo, Loores, 15b: "Perdríen los judios çeptro e *unçión*."

Apolonio, 300a: "Su cosa aguisada por fer la *hunçión*."

UNGIR. De úngĕre.

Berceo, Sto. Dom., 534d: "La materia *ungada*, la sinple Deidad." V. Unguento.

UNGUENTO. De únguĕntum.

Santa María Egipciaca, 1313: "Que non balsamo, que es *unguento* natural."

Poridad de las poridades, 71.4: "...et unte el cuerpo con *unguientos* que perteneçen a cada tiempo."

Berceo, Duelo, 154c: "Con *ungüento* preçioso la carne li ungieron."

Apolonio, 308b: "Aguisó hun *hungüente* caliente e lexativo."

Alexandre (P), 634b: "Balsamaron el cuerpo de un fermoso *ynguento*." Falta en O.

UXOR. De úxorem.

'esposa':

Documento de 1.144 (M. Pidal, 38): "Ego Iohan Moriellez et *uxor* mea..." Comun en todos los documentos.

Fuero L. de Sepúlveda, 47.8 (V. Alvar, Vocabulario).

Santa María Egipciaca, 252: "Que un fijo de emperador / la prendrja por *uxor*."

Berceo, Sacrificio, 44c: "...del que nos heredaron Adam e su *uxor*."

Alexandre (P), 350d: "Sy el oujese fallada mas jenta o mejor / a mj non escogiera por ser su *vxor*."

V

VALENCIA.
  'Valencia':
  Poema del Cid, 1099: "Pesa a los de *Valençia,* sabet, non les plaze."
  Cultismo, véase M. Pidal, Cid, Gram., p. 187.

VALERIANO.
  'Valeriano, emperador romano':
  Berceo, S. Lor., 89a.

VALERIO.
  'San Valerio':
  Berceo, S. Lor., 3a.

VANAGLORIA. De vanam -gloriam.
  'vanagloria, orgullo, soberbia':
  Berceo, S. Mill., 123b: "Non dio en si entrada a nulla *vanagloria.*"
  Docs. posts.: Juan Ruiz, 304a; Rimado de Palacio, 1549d; Don Juan Manuel, Libro del Cavallero e del Escudero, XXXVIII, 167.

VANIDAT. De vanĭtatem.
  'vanidad', 'banalidad':
  Poema del Cid, 960: "El conde es muy fallón e dixo una *vanidad*", 'palabra vana'. V. M. Pidal, Cid, Gram. p. 156.
  Diez Mandamientos, 380.35: "non deviese bolber sos ollos a la *vanidat.*"

El Bonium, 108.11: "que non trabaje en *vanidad*."

Buenos Proverbios, 44.12: "ca todo es *vanidat*."

Fazienda de Ultramar, 149.16: "...e *Cohelet,* ço es Eclesiastés, e fablo de la *vanidat*."

Berceo, Sto. Dom., 249d: "A otras *vanidades* cabeza non tornaua."

Alexandre (P), 2442b: "Que lo que ome asma todo es *vanidat*."

Apolonio, 278a: "Dixo el marinero: en *vanidat* contiendes", 'palabra vana'.

Docs. posts.: Rimado de Palacio, 1230d; P. de Alfonso XI, 132b; Sem Tob, 61.15; Conde Lucanor, 8.9.; Nebrija.

VAUTISMO.   V. Bautismo.

VAUTIZADO.   V. Bautizado.

VEGILIA.   V. Vigilia.

VENIA.   De vĕnĭa.

'perdón':

Sto. Dom., 513d: "Los que ante dubdaron, todos *uenia* pidieron."

Cultismo exótico, no se documenta hasta principios del XVII. Falta en Nebrija y Covarrubias y APal. lo define sólo como palabra latina.

VENUS.

Alexandre (P), 309c.

VERBA, VIERBA.   De verba.

'locuacidad':

Berceo, S. Lor., 92c: "Veremos qué pro yaze en la su *vierba* sana."

Alexandre, 1919d. "Dixole que por *verba* nos serie espantado". En O., 1778d: "*paraula*."

VERBERO.   V. Vierbo.

'locuaz, fanfarrón, jactancioso':

Alexandre (P), 143b: "Dixo yo nunca dubdo de ome muy *verbero*."

VERBO, VIERBO.

'palabra':

El Bonium, 77.24: "que non podría rretener un *verbo* solo."

Fazienda de Ultramar, 155.4: "Callaron estos otros e non respondieron *vierbo* que el rey lo (a)vie comendado."

Fazienda de Ultramar, 162.6: "Que de Syon estos la ley e *vierbo* del Sennor de Jherusalem."

Buenos Proverbios, 9.22: "quanto aprendía el un dia olvidáralo el otro e non podía rretener un *vierbo.*"

Berceo, Mil., 60d: "Fablóli pocos *vierbos,* razón buena, complida."

Alexandre (P), 1734c: "que commo eran ellos de *verbo* abondados." En 2186d: *vierbo.*

'discurso':

Alexandre (P), 1982a: "Aun non auje Sinacus el *vierbo* acabado."

Neutro: Alexandre (P), 1919a: 'dixoles que por *verba* non serie espantado'. En O., 1778d: "paraula."

Docs. posts.: Juan Ruiz, 960d.

VERGILIO.

'Virgilio':

Nobleza y Lealtad, VII: "...e *Vergilio.*"

VERSIFICADOR. V. Versificar.

'versificador':

El Bonium, 114.7: "Omirus fue el más anciano *versificador* que hovo en los griegos."

Buenos Proverbios, 2.2: "Anchos, el profeta, el *versificador.*"

Berceo, Sta. Oria, 184a: "Gonzalo li dixeron al *versificador.*"

VERSIFICAR. De versificare.

'versificar':

Berceo, Sta. Oria, 1d: "De una Sancta Virgen quiero *versificar.*"

Alexandre (O), 225c: "Cuemo diz Galente en el su *versificar.*"

Alexandre (P), 39b: "bien dicto e *versifico* conosco bien figura."

VERSO. De věrsus.

El Bonium, 114.9: "E fizo muchas sapiencias e muy nobles *versos.*"

V. Vierso.

VERTUT. V. Virtud.

VESITAR. V. Visitar.

VESPERADA. V. Víspera.

'atardecer, oscurecer':

Berceo, Sacrificio, 138d: "Non tornarie a casa fasta la *vesperada.*"

VESTIMENTA. De vestimentam.

'ropas litúrgicas':

Fuero de Sepúlveda, § 205: "Et de quanto fuese demandado, la terçera parte sea de la iglesia, para las *vestimientas* e para las otras cosas quel'pertenecen."

Berceo, Sacrificio, 31a: "Las *vestimenias* limpias que visten los perlados."

VESTIA. V. Bestia.

VESTIARIO, VESTUARIO.

'vestuario, lugar donde uno se viste':

Documento de 1239 (M. Pidal, 190): "...e falle que auien a auer en las salinas de Rusio dozientos morabedis pora *vestiario.*"

Berceo, Sto. Dom., 220c: "El rey e los pueblos dauan les adiutorio, / Vnos en la eglesia, otros en refictorio, / otros en *vestuario,* otros en dormitorio..." En la edición del P. Andrés y de Labarta, *bestiario.* Ed. de Orduna, *vestuario.*

Documentaciones posteriores: En Juan Ruiz, 714c, *vestuario,* 'ropas, vestidos': "Mandóme por *vestuario...*" También aparece en Nebrija.

VIA. De vĭa.

'camino':

Poema del Cid, 380: "pensemos de yr nuestra *via.*"

Aparece en la frase "ve tu *via*", 'márchate'.

Sta. M.ª Egipciaca, 711: "Tanto anda noche e dias, e tanto ffallo asperas *vias.*"

Fuero de Sepúlveda, Pr. p. 60.16.

Nobleza y Lealtad, I: "Lealtanza es camino de paraiso, e *via* de los nobles."

Fazienda de Ultramar, 79.31: "Ve e decent, que ya pecco to pueblo que adoxiste de Egypt, e redráronse ayna de la *vya* que les comendest."

Apolonio, 525d: "*Vete luego tu via,* mas non me digas nada." *Ir la via,* 'marcharse'.

Berceo, S. Lor., 3c: "Nudrió estos criados, demostrolis la *via.*"

Alexandre (P), 579b: "...e yrsien estos su *via.*"

Poema de Fernán González (A.Z.), 607d: "por ir a Santiago metyo se por su *vya.*"

'¡ea!':

Alexandre (O), 473c: "¡*via*!, dixieron todos, más val que morramos."

'la cuaderna vía':

Alexandre (O), 2c: "Fablar curso rimado por la *quaderna uja.*"

VIBORA. De vípĕra.

'víbora':

El Bonium, 385.11: "mejor es estar con *vibora* sorda que con mala muger."

Corominas lo documenta por primera vez en Calila, 38.658; Conde Lucanor (ed. Knust, 259.20).

V. VIPERA.

VICARIA. De vĭcariam. V. VICARIO.

'vicaría':

Berceo, Mil., 706b: "De su sennor el bispo tenié la *Vicaría.*"

1.ª documentación: Berceo.

Docs. posts.: D. Juan Manuel, Libro de los Estados, 587.23.

VICARIO. De vicarium.

'vicario, el que tiene poder y facultades de otro y actúa por él':

Berceo, Sac., 131a: "*Vicario* es el clérigo del Sennor espiritual."

Berceo, Mil., 78a: "El enemigo malo de Belçebud *vicario.*"

'sucesor':

Apolonio, 646c: "Ordeneste en Pentapolin a tu fijo por *vicario.*"

1.ª documentación: Berceo.

Docs. post.: Juan Ruiz, 1160b; Rimado de Palacio, 192b; D. Juan Manuel, Libro de los Estados, 470.44.

VICIO.   De vitium.

'regalo, deleite'; 'descanso'; 'vicio':

El Bonium, 85.12: "E nescio es el que la cuyda haver con mucho *vicio*." Tiene como variante 'mantenimiento delicado' en la p. 221, nota 7: "*bocados*."

Poridat de las poridades, 49.1: "La quinta décima (manera) es que non beua uino et que non se trabage en los *uiçios* ni en los sabores seglares."

Buenos Proverbios, 44.6: "E sus *vicios* a camiar."

Fazienda de Ultramar, 82.5: "...e a millarias perdona(n)t *vicios* e yerros e peccados", 'vicio, pecado'.

Apolonio, 35c: "A gran *viçio*", 'regaladamente'.

Berceo, Sta. Oria, 13a: "Nunca querien sus carnes mantener a grant *viçio*."

Alex. (O), 33b: "Davan-lle grant *viçio*, fué ayna criado." 'deleite', 'pecado':

Sta. M.ª Egipciaca, 40: "El pecado non es criatura / mas es *viçio* que viene de natura."

Alexandre (P), 1684c: "so mucho pecador lleno de mucho *vjçio*."

Poema de Fernán González, 11c: "De los *vyçios* del mundo non ovyeron talento."

'pecados capitales':

Alex. (P), 2328a: "Estos son los siete *viçios* que dizen principales."

Docs. post.: Juan Ruiz; P. de Alfonso XI, 521a; Sem Tob 62.34; Conde Lucanor, 57.7.

VICIOSO.   V. Vicio.

Adj. 'regalado, a gusto':

Berceo, Mil., 6c: "Descargué mi ropiella por yazer más *vicioso*."

Apolonio, 125a: "Biuia en mi reyno *vicioso* e onrrado."

Alexandre (P), 2461c: "Tóvolos muy *viçiosos* de carnes conujnjentes."

Sust., 'holgazán':

Poema de Fernán González, 349a: "El *vicioso* e el lazrado amos han de moryr."

1.ª documentación: Berceo.

Documentaciones posteriores: P. de Alfonso XI, 927a; Sem Tob., 35.3; Conde Lucanor, 56.22.

VICTO. V. Vito.

VICTORIA. De victoriam.

'victoria, triunfo':

Liber Regum, 11.8: "Leuolos (Tito) todos catiuos a Roma por mostrar so *victoria.*"

Berceo, Sac. 64b: "Quando de la fazienda tornaba con *victoria.*"

Apolonio, 589d: "Car auieles Dios dado grant graçia e gran *victoria.*"

Alexandre (P), 2633b: "*Que bjue* e rregna su conplida *victoria.*"

Personificado en Alex. (P), 948a: "Lo que dona *Vitoria* nos ovo prometido."

VIDRIO. De vĭtrium.

Fuero de Sepúlveda, § 223: "De la carga del *vidrio,* I sueldo."

El Bonium, 205.19: "e otros cambiendo (el oro) por aranbre e por *vidrio.*"

Berceo, Sto. Dom., 231c: "De *vidrio* era toda, non de otra madera."

Alexandre (P): 1510b: "más claras son que *vjdrio* njn que finos cristales."

VIERBA. V. Verba.

VIERBO. V. Verbo.

VIERSO. De vĕrsus.

'verso':

Alexandre (P), 311c: "do escrivjo Cenodes dos *viersos,* un buen par."

'proverbio':

Alexandre (P), 1728 (V. Keller, Vocabulario): "...mas commo dize *vierso* cuydar non es saber." En O., 1586b: *viesso.* V. Verso.

VIESPERA, VESPERA.

'víspera':

Docs. lings. (1191), 1: "Fegga fue esta pesquisda in era M.ª CCª XXª VIIIIª in *vespera* apostolorum Philippi e Jacobi."

Docs. lings. de 1237 (M. P., 56): "...*viespera* de Sant Pero..."

Fuero de Soria, 17.4: "e estos (los deheseros) que yuren cadannos en sus conceios el sabbado salida de *biespera.*"

Fazienda de Ultramar, 60.15: "...a la *viespera* partira el poluo."

'oración de vísperas':

Berceo, Duelo, 50d: "Cantando malas *viesperas* e peores matines."

'atardecer':

Fazienda de Ultramar, 130.5: "e assi murio Acob, ora de *viesperas* e soterraronlo en Samaria."

Berceo Mil., 464a: "Bien a ora de *visperas* el sol bien enflaquido."

Alexandre (P), 1394b: "Çerca era de *bisperas* todo el sol tornado." En O., 1253b: *uiespras.*

VIGILIA, VEGILIA. De vĭgĭliam.

'vigilia, vela':

Poema del Cid, 3049: "terné *vigilia.*" (V. M. Pidal, Cid, Vocabulario).

F. L. Sepúlveda, 46.16.

Diez Mandamientos, 390.3: "si cantó cantares luxuriosos en *vigilias.*"

Berceo, Mil., 185b: "En lugar de *vigilia,* iogo con su amiga."

Alex. (P), 551c: "Mandó por las iglesias *vegilias* tener." En P., 1163a, *vegillas.*

Poema de Fernán González, 402a: "Teniendo su *vegilia* con Dios se rrazonando."

Docs. posts.: Juan Ruiz, 1044c; D. Juan Manuel, Libro de los Estados, 493.7.

VIGOR. De vĭgore.

Poema del Cid, 1671: "cavalgan a *vigor*", 'con presteza'. Sólo aparece en esta frase adverbial. (V. M. Pidal, Cid, Gramática, p. 151).

VILTANZA. De vilĭtantia. V. AVILTAR.

'deshonra, desprecio, humillación, afrenta':

Poema del Cid, 3705: "Grant es la *biltança* de ifantes de Carrión."

Berceo, Sto. Dom., 29a: "Offiçio es de preçio, non caye en *viltanza.*"

Alexandre (P), 1711d: "Caher nos has a nos todos si muriere en *viltança*."

VILTAR. V. AVILTAR.

'insultar':

Fazienda de Ultramar, 140.18: "E denostava al Dios vivo e *viltava* al rey e a toda la huest de Israel."

VILTEZA.

'afrenta':

Buenos Proverbios, 13.3; "...e en descender a la *vilteza* es rrefez."

VINZE-THOXICOX.

Ibn Chólchol, como n. lat. del polycnemos Diosc., pero Simonet cree que se refiere al latín fam. *vincetoxicum* (por vincit-toxicum), cuya hierba se llamó así porque, según Diosc. y Pl sus raíces curan las mordeduras de fieras y serpientes (Diosc. trad. por el doctor Laguna).

VIOLA. De vĭŏla.

'violeta':

Razón de Amor, 46: "y el lyrio y las *violas*."

VIOLAMIENTO. V. VIOLAR.

'violación':

Fuero de Sepúlveda, § 163: "Como por *violamiento* de casa."

VIOLAR. De vĭŏlare.

'violar, profanar':

Berceo, Mil., 384b: "Porque la su eglesia fincava *violada*."

Apolonio, 12a: "Mas quando al non puedo, desque so *violada*."

Alex. (P), 2346c: "Esta faze las iglesias sagradas *violar*."

VIOLENCIA. De violentĭa.

Berceo, Mil., 782: "e lavó a Longino de muy grand *violencia*."

VIOLENTO. De violĕntus.

Berceo, Sto. Dom., 262c: "Murieron de *violenta* mano."

Documentaciones posteriores: APal., 58b.

VIPERA. De vĭpĕram.

'víbora'; en sentido figurado, 'el demonio':

Berceo, Sto. Dom., 693a: "Cató al Leedor essa *vipera* mala."

V. VÍBORA.

VIRGEN, VIRGIN. De vĭrginem.

'doncella':

Fuero de Sepúlveda, § 55: "Toda muger *virgen* que a casar oviere, assi case." En § 186: *virginem.* En § 186: *virginis* Diez Mandamientos, 382.7: "si jaçe el pecador con su hermana o con *virgen.*"

Fazienda de Ultramar, 201.32: "E al[1]i fueron soter(r)adas dos *virgenes* Paulla e Ustochium."

Apolonio, 492d: "Por que muchas de *virgenes* en mal fado cayeron."

Alexandre (P), 1843a: "Traya trezientas *virgines* en cavallos ligeros."

Berceo, Loores, 220a: *Virgines.*

Berceo, Sta. Oria, 66b: *Virgenes.*

Poema de Fernán González, 11a: "Fueron las santas *virgines* en est(e) afyrmamiento." En 106c: "e del dragon libraste a la *virgen* Maryna."

'la Virgen':

Berceo, Loores, 26b: "*Virgo* fuiste ante del parto, *virgo* remaneçiste."

Alexandre (P), 269c: "El fi de la *Virgen.*"

De uso muy frecuente en todas las épocas referido a la Madre de Dios.

Docs. posts.: Juan Ruiz, 231d, 'doncella'; 33a, 'Virgen'. Rimado de Palacio, 155c 'doncella'; 727a 'Virgen'. Tratado de la Asunción, p. 89, 'Virgen'. Conde Lucanor, 215, 18, 'doncella'.

VIRGINIDAT. De virginitatem.

'virginidad':

Sta. M.ª Egipciaca, 516: "Tu non perdiste *virginjdat.*"

Apolonio, 404c: "Que le diese el preçio de la *virginidat.*"

Berceo, Mil., 51d: "Fiz della un libro... de su *virginidat* contra tres renegados."

Docs. post.: Juan Ruiz, 1675h; Rimado de Palacio, 90c; Don Juan Manuel, Libro de los Estados, 480,27.

VIRGO. Latinismo puro.

Sta. M.ª Egipciaca, 531: "*Virgo* en post partum *virgo.*"

En 529: "*Virgo* por quien tantas maravjllas son."

Liber Regum, 4.15: "e dixo (Dios): ecce *virgo* concipiet et pariet filium."

Berceo, Loor., 26b.

VIRTOS. De vĭrtus.

'compañía de gente armada, hueste':

Poema del Cid, 1625: "aiuntava sus *virtos*."

Poema del Cid, 1498: "*virtos* del Campeador."

M. Pidal se inclina hacia las opiniones de Meyer Lübke y Cornu, en el sentido de que la significación de *virtos* es la eclesiástica, no la vulgar y que apareciendo sólo, fuera del Cid, en la literatura jurídica, debe tenerse por puro latinismo. Historia completa de la palabra en P. Cid, Voc. p. 900.

'fuerza, violencia':

Alexandre (P), 571d: "que dava atal *ujrto* commo una algarrada."

VIRTUT, VERTUT. De vĭrtutem.

'virtud, gracia divina':

Poema del Cid, 48: "El Criador uos uala con todas sus *uertudes* sanctas."

'milagro':

Poema del Cid, 351: "*uertud* feçist." (V. M. Pidal, Cid, Vocabulario, s. v.).

'virtud, cualidad':

Razón de Amor, 39: "tan grant *uirtud* en si auia."

'favor, hecho':

R. de Amor, 219: "...que uos me fagades agora una *uirtud*, ffartad bien un uillano."

Reys d'Orient, 179: "la *vertut* fue fecha man a mano, metiol'gafo e sacól'sano."

'cualidad':

El Bonium, 66.6: "...del omne e de sus *virtudes*."

Poridat de poridades, 44.17: "Et del salio otra cosa non tan noble quel dizen alma, et pusolos Dios con su *uirtud* en el cuerpo del omne." Alterna con *vertud*.

Nobleza y Lealtad, IV: "Fortaleza es de sí mesma queja de atender la *virtud* de su nombre."

'favor':

Alexandre (P), 2079c: "Quiso Dios por su ruego tal *virtud* demostrar."

'poder, fuerza':

Poema de Fernán González, 464d: "Que y les ayudas(s)e la (su) *virtud* sagrada."

'inteligencias angélicas':

Berceo, Mil., 167a: "Rogó a las *vertutes* Sant Peydro celestiales."

'juicio':

Berceo, Mil., 293a: "Estando de tal guissa fuera de las *vertudes.*"

'maleficio':

Berceo, Mil., 387b: "Las *virtudes* sannosas que ellas los majavan."

'prodigio':

Berceo, Sto. Dom., 395a: "la *virtud* de los çielos fo-luego y uenida."

'cualidades extraordinarias':

Berceo, Mil., 434c: "Cunthien grandes *virtudes* siempre en essa ciella." V. Gariano, ob. cit., p. 114.

Alex. (P), 93c: "La espada... auje grandes *virtudes* que era encantada."

1.ª doc.: *bertut,* 1090 (doc. de Oelschl.); *vertut* en el Cid; 'reliquia' en 1090 y en los Fueros de Aragon (Thilander, 609). Docs. posts.: Rimado de Palacio, 1506; Juan Ruiz, 1613b; Conde Lucanor, 215.21.

La *e* por *i* se encuentra también en Cid, Berceo, Alfonso XI. El mismo sentido tiene la voz en Cid y Berceo, según estaba ya en latín en la Vulgata.

VISION. De vīsĭonem.

'visión, aparición':

Poema del Cid, 406: "El ángel Gabriel a él vino en *visión.*"

Disputa, 4: "Vi una grant *visión* en mio leio dormiente."

Sta. M.ª Egipciaca, 1323: "Vio huna *visión.*"

Fazienda de Ultramar, 57.36: "Dixo el Nuestro Sennor (a) Jsrael en la *vision* de la noch."

Berceo, Sto. Dom., 226c: "Una *visión* vido por ond fué confortado."

Apolonio, 577b: "Vinol en *visión* un omne blanqueando."
Poema de Fernán González, 408a: "Otros vernán (a)y muchos commo en *vision*."
Alexandre (P), 2448a: "Non podremos contar todas las *viosiones*." En O., 2306a: *uisiones*.
'sentido de la vista':
Berceo, S. Lor., 60c: "Que allumes al çiego nado sin *visión*."
También en Sto. Dom., 388c: "perdió la *uisión*."
Alexandre (P), 2334c: "Rodiendo los estancos la *visión* turbada."
'cara, rostro':
Alexandre (P), 96d: "bermella e ruuja tenja su *ujsión*."
'aspecto, vista':
Alexandre (P), 2004d: "era sol de veyerlo una fuerte *vision*."
Docs. posts.: Nebrija, 'aparición, ensueño'.

VISITA.   De visĭta.
Fazienda de Ultramar, 193.14: "Quien estara al dia de so venir, a (quien) estara a su *visita*."

VISITACION.   De visitationem.
'visitación, visita':
Berceo, Sto. Dom., 719b: "Con tal *visitaçión* déueste confortar."

VISITAR.   Frecuentativo sobre visum.
'visitar':
Sta. M.ª Egipciaca, 192: "non eran della *visitados*."
El Bonium, 159.8: "E sus companneros *visitavanle* en la cárcel en todo aquel tiempo."
Fazienda de Ultramar, 189.6: "E (conosci) a vos meior de todas generaciones de la tier(r)a; por esso *visitaré* sobre vos todos vuestros yeros."
Berceo, Loor., 227c: "Conseia los mesquinos, *visita* los cuitados."
Alexandre (P), 1329c: "A poder de cauallo fuelos a *vesitar*."
En O., 1189c: *visitar*.
'administrar la Extremaunción':
Berceo, Mil., 857c: "Murio enna eglesia do fuera *vesitada*."

Docs. posts.: Juan Ruiz, 373b; P. de Alfonso XI, 118b; Don
Juan Manuel, Libro de los Estados, 591.40.

VISPERA.   V. Viespera.

VITA.

'vida':   „
Reyes Magos, 76: "Dios te dé longa *vita;* te curie de mal."
Latinización de *vida.*

VITIO.   V. Vicio.

VITO.   De victum.

'alimento, comida':
Berceo, Sto. Dom., 727d: "Dióli por la carrera guionaje, e
vito." En Sto. Dom., 105b: *victo.*
Alexandre (P), 1911a: "De la tierra sacamos nuestro *vjtio*
cutiano."

VITORIA.

'la ciudad de Vitoria':
Berceo, S. Mill., 463.

VITORIA.   V. Victoria.

VITHRIAIRA o *VITHRIERA.*   De vitriaria.
Ibn Búclarix. Nombre usado en la aljamía de Zaragoza. En
cast. *vidreria.* V. Simonet, Glosario, s. v.

VITHRICO, VITHRIO, VIDRIO.

En Ibn Búclarix, Ibn Chólchol. V. Simonet, Glosario, s. v.

VIVIFICAR.   De vĭvĭficare.

'vivificar, recibir la vida':
Berceo, Sig. 23b: "Quantos almas ovieron e fueron *vivifi-
cados.*"
Milagros, 789d: "El mata, él *vivifica* ca es de tal potencia."

VOCACION.   De vŏcatĭonem.

'voto, promesa':
Poema del Cid, 1669: *"Vocaçion* es que fizo el Cid Campeador."
'advocación':
Berceo, Sto. Dom., 195a: "Sennor San Sebastián del logar
vocaçión." En la ed. del P. Andrés: *bocation.*

VOLUNTAD, VELUNTAD.   De voluntatem.

'voluntad, gana, deseo, intención':

Poema del Cid, 2349: "Por la su *voluntad* non seríen alli llegados."

Poema del Cid, 1418: "Diziendo Minaya: esto faré de *voluntad.*" En 338: *veluntade.*

Sta. M.ª Egipciaca, 128: "Faze su *voluntat.*"

Docs. lings de 1220 (M. P., 5): "...con *voluntad* de mios figgos Martin Gonçalvez..." En 1219, 23: *voluntad;* en 1242, 94: *voluntat;* en 1207, 158: *voluntade.* En 1184, 305: "...que uos el conceio de Cuenca... todos aviente una *voluntad* agora e siempre, damos aqueste dado por fuero." En 1212, 270: *volontad.* En 1228, 276: "otorgo de mi bona *veluntad.*"

Poridat de las poridades, 30.7: "et con ellas cunplió todas sus *uoluntades.*"

Nobleza y Lealtad, I: "Lealtanza es espacio de coraçon e nobleza de *voluntat.*"

Buenos Proverbios, 3.17: "Teniendo en su *voluntad* al sennor que fizo las gruas."

Flores de Filosofía, 17.1-2: "al omne de mala *voluntad* non lo desdennes."

Diez Mandamientos, 38.13: "qui mata de feito o de *voluntat.*"

El Bonium, 68.4-5: "...e la *voluntad* fue siempre puesta en pugnar de saber los grandes fechos."

Liber Regum, 2.18: "por *voluntat* del Criador." En 11.21: "auer *uoluntat*", 'demostrar celo'.

Apolonio, 353b: "Aver *voluntat.*"

Berceo, Loores, 60c: "Consintióles en cabo complir sus *voluntades.*" En Mil., 814a: *"De toda voluntad"* 'con todo interés'.

Alexandre (P), 1737a: "Como todos avíen *voluntat* de finar."

Poema de Fernán González, 369c: "Fué ferir al [buen] conde d'yra e *voluntat.*"

'arbitrio':

Fazienda de Ultramar, 59.25: "...ca en su fellonya mataron varon e en su *voluntad* destruxieron muro."

Fuero de Soria, 79.9: "...que sean puestas las vendimias a *uoluntad* del conçeio."

'decreto o disposición de Dios':

Poema del Cid, 334: "en Belleem aparesçit commo fo tu *voluntade."*

'valor':

Alexandre (P), 245c: "Esforçaduos, amigos, en vuestras *voluntades."*

1.ª doc.: Glosas Silenses y doc. de 1097 (Oelschl.).

VOTO.

'los votos de San Millán':

Berceo, S. Mill., 362d: "quando ganó los *votos* como ovo lidiado."

VULPE. De vŭlpem.

'zorra, raposa':

Alexandre (P), 2145c: "Tamaños como *vulpes* los dientes regañados."

VULPINA. De vŭlpem.

'piel de zorra':

Fuero de Sepúlveda, § 223, 141-12: "De la dozena de *vulpinas*, e lobunas e gatunas, I dinero."

VULTO. De vŭltum.

'rostro, cara':

Alexandre (O), 1104d: "...ca non aurie tal *vulto* ningun ombre naçido."

En P., 1133d: *cara.*

X

XACRARIO.
  En CC. Esc. (1049), Simonet, Glosario, c. v. V. Sagrario.
XACRIXTHERIA. B. lat. sacristeria.
  'sagrario':
  En CC. Esc., Simonet, Glosario, s. v. V. Sacristania.
XACRO.
  V. Simonet, Glosario, s. v. V. Sagrado.
XALARIO, XALLARIO, SALAIRO.
  'salario':
  Escr. árabe de Almería, Simonet, Glosario, s. v.
  V. Salario.
XALMIXTHE.
  'psalmista':
  En CC. Esc., Simonet, Glosario, s. v. V. Psalmista.
XALTHERIO, XALTHERIUX.
  'el Salterio de David':
  En CC. Esc., Simonet, Glosario, s. v.
XANTUARIO.
  En CC. Esc., Simonet, Glosario, s. v. V. Sanctuario.
XECRETARIO.
  En CC. Esc., Simonet, Glosario, s. v. V. Secretario.
XIMBOLO. De symbolum.
  En CC. Esc. y escritores moz. de Toledo de 1125.

'el credo o sumario de los artículos de nuestra fe':

V. Simonet, Glosario, s. v.

XINODO.   De sĭnŏdum.

'sínodo':

En CC. Esc. (1049), Simonet, Glosario, s. v.

XIMPITHO o *XEMPHITU*.

Ibn Tharif, que traduce el symphyton petrerum Diosc. En cast. *sinfito,* y por otro n. *consueldra;* Simonet, Glosario, s. v.

XUBDIACONO.

En CC. Esc., Glosario de Leiden y escr. moz. de Toledo, Simonet, Glosario, s. v.

V. Diácono.

Y

YBERNIA.
'Irlanda':
El Bonium, 70.3.

YDOLO. V. Idolo.

YFANTE. V. Infante.

YGLESIA. V. Eglesia.

YMAGEN. V. Imagen.

YMAGINACION. V. Imaginación.

YMNO. V. Himno.

YNGENIO. V. Ingenio.

YPOCRAS.
'Hipócrates':
Buenos Proverbios, 5.3: "Es en el seelo de *Ypocras* avie escripto."

YPOCRISIA. V. Ipocrisia.
'hipocresía':
Berceo, S. Mill., 264d: "Que quebraría en esto la tu *ypocrisia*". En la ed. de Dutton: *ipocrisia*.

YPOLITO.
'Hipólito':
Berceo, S. Lor., 90a.

YSOPO. De hysopum, gr. ὕσσωπος.
'hisopo':
Berceo, Sac., 87d: "El sacerdote con *ysopo* de yerba todo lo

ruçiaua". En Sto. Dom., 348a: "Echol con el *ysopo* del agua salada."

Docs. posts.: Gral. Est.; P. de Yuçuf y Nebrija, 'mata olorosa de la familia de las labiadas'.

La ac. 'aspersorio' que figura en Berceo se explica por la costumbre de purificarse con sangre de cordero rociándose con hacecillos de hisopo, de la cual cuenta S. Isidoro. (Corominas, DCELC).

Z

ZACARIAS.
   'Zacarías, profeta, padre de San Juan Bautista':
   Fazienda de Ultramar, 136.1.
   Berceo, Loores, 18a: "*Zacharias* el padre que fue del precussor."

ZEBEDEO.
   'Zebedeo, padre de Santiago el Mayor y de S. Juan Apóstol y evangelista':
   Berceo, Duelo, 43d: "E en el Iuan fiio de *Zebedeo*."

BIBLIOGRAFIA

ALARCOS LLORACH, E., *Investigaciones sobre el libro de Alexandre*, Anejo XLV de la R.F.E., Madrid, 1948.

ALONSO, Dámaso. *La lengua poética de Góngora*, Anejo de la R.F.E., 2.ª edición, Madrid, 1950.

— *La epopeya castellana a través de la literatura española, por Menéndez Pidal*, en *De los siglos oscuros al de Oro*, Gredos. Madrid, 1958.

— *Estilo y creación en el Poema del Cid. Ensayos sobre poesía española*, Buenos Aires, 1944.

— *Berceo y los "topoi"*, en *De los siglos oscuros al de Oro*, Gredos, Madrid, 1958.

ALVAR, M., *Variedad y unidad del español. Estudios lingüísticos desde la historia*, Prensa Española, Madrid, 1969.

— *Poemas hagiográficos de carácter juglaresco*, Ed. Alcalá, Madrid, 1967.

— *Libro de la Infancia y muerte de Jesús (Libre dels tres reys d'Orient)*, Clásicos Hispánicos, C.S.I.C., Madrid, 1965.

— *Vida de Santa María Egipciaca, Estudios. Vocabulario. Edición de los textos*, I, Clás. Hisp., Madrid, 1970.

ALVAR, M. y MARINER. S., *Elementos constitutivos del español. Latinismos*. Enciclopedia Lingüística Hispánica, II, C.S.I.C., Madrid, 1967.

AMADOR DE LOS RÍOS, J., *Historia crítica de la Literatura española*, 7 vols. Madrid, 1861-65.

ANDRÉS, Fray Alfonso, *Vida de Santo Domingo de Silos. Edición crítico-paleográfica del códice del siglo XIII*, Madrid, 1958.

ANDRÉS CASTELLANOS, M.ª S., *La vida de Santa María Egipciaca, traducida por un juglar anónimo hacia 1215*, Anejo XI, Boletín de la Real Academia Española, Madrid, 1964.

ARTILES; J., *Los recursos literarios de Berceo*, Gredos, Madrid, 1964.

ASÍN, M., *Glosario de voces romances registradas por un botánico hispanomusulmán*, Madrid-Granada, 1943.

BADIA, A., *Dos tipos de lengua cara a cara*, Studia Philológica, Homenaje a Dámaso Alonso, I, 1960, págs. 115-139.

47

BALLY, Ch., *Lingüistique générale et lingüistique française*, 2.ª edición, Berna, 1944.

— *El lenguaje y la vida,* trad. de Amado Alonso, Losada, Buenos Aires, 1941.

BASTARDAS PARERA, J., *El latín medieval,* en Enciclopedia Lingüística Hispánica, I, págs., 251-290.

BECHTOLDT, H., *Der französische Wortschaft im Sinnbezirk des Verstandes.* Die geistliche und leherhfte Literatur von ihren Aufägen bis zum Ende des 12 Jahrhunderts, «Romanische Forschungen» XLIX, 1935.

BENÍTEZ CLAROS, R., *Problemas del cultismo,* en Estudios dedicados a Menéndez Pidal, VII, vol. I, Madrid, 1957.

— *La integración del cultismo,* en Archivum, VI, págs. 235 y ss.

— *Clasificación de cultismos,* en Archivum, IX, págs. 216 y ss.

BOGGS, R. S. KASTEN, Ll. KENISTON, H., and RICHARDSON, H. B., *Tentative Dictionary of Medieval Spanish,* Chapel Hill, Nueva Carolina, 1946.

BREAL, M., *Essai de Sémantique* 5.ª edición, París, 1925.

BRITTAIN, F., *The medieval latin and romance lyric to A.D. 1300,* Cambridge, 1937.

BUCETA, E., *La tendencia a identificar el español con el latín,* en Homenaje a Menéndez Pidal, 1926, I, 85-108.

— *Composiciones hispano-latinas en el s. XVII,* R.F.E., XIX, 1932.

CASARES, J., *Introducción a la lexicografía moderna,* C.S.I.C., Madrid, 1969 (3) Reimpresión.

CASTRO, A., *Glosarios latino-españoles de la Edad Media,* Centro de Estudios Históricos, Madrid, 1936.

— *La realidad histórica de España,* Porrúa, México, 3.ª ed. 1962.

— *Poesía y realidad en el Poema del Cid,* «Tierra Firme», I, Madrid, 1955.

— *Unos aranceles de aduanas del siglo XIII,* R.F.E., VIII, 1921.

CILLERO, R., *Sobre el «libro de Alexandre»,* en BRAE, Madrid, III, 1916.

CINTRA, L.F., Lindley., *O Liber Regum fonte comun do Poema do Fernao Gonçalves e do Laberinto de Juan de Mena.* Boletim de Filología, Lisboa, XIII, 1952, págs., 283-315.

CIROT, G., *Sur le «mester de clerecía»,* Bulletin Hispanique, 1942.

— *L'expression dans Gonzalo de Berceo,* R. F. E., 1922.

— *Citola,* Bull. Hisp,, XLV, 1943, págs. 77-80.

COOPER, L., *El «Liber Regum».* Estudio lingüístico, Institución Fernando el Católico, Zaragoza, 1960.

COROMINAS, J., *Diccionario Crítico-Etimológico de la Lengua Castellana,* Gredos, Madrid, 1959.

COSERIU, E., *Pour une sémantique diachronique structurale,* en «Travaux du centre de Philologie et Littérature romanes», I, 1964.

CURTIUS, E. R., *Literatura europea y Edad Media latina,* trad. de M. F. Alatorre y A. Alatorre, Fondo de Cultura Económica, México, 1955.

— *Antike Rhetorik und vergleichende Literaturuissenchaft,* «Comparative Literature», I, 1949, págs. 27-31.

CHASCA, E. de, *El arte juglaresco en el Cantar de Mio Cid*, Ed. Gredos, Madrid, 1967.

DAUZAT, A., *La filosofía del lenguaje*, El Ateneo, Buenos Aires, 1947.

DEVOTO, G., *Storia della lingua di Roma*, Bolonia, 1928.

— *Notas al texto de los «Milagros de Nuestra Señora» de Berceo*, Bull. Hispanique, LIX, 1957.

DÍAZ Y DÍAZ, M., *Rasgos lingüísticos del latín hispánico*, en E.L.H., I, Madrid, 1959, págs., 153-197.

— *Index scriptorum latinorum medii aevi hispanorum*, Madrid, 1959.

DÍAZ-PLAJA, G., *Historia general de las Literaturas hispánicas*, I, Barcelona, 1949.

DONOVAN, R. B., *The liturgical Drama in Medieval Spain*, Pontifical Institute of Medieval Studies, Toronto, 1958.

DUTTON, B., *Some latinism in the Spanish mester de clerecía*, Kentucky Romance Quarterly, XIV, 1967, págs., 45-60.

— *Los Milagros de Nuestra Señora de G. de Berceo. Estudio y edición crítica*. Tamesis Books Limited. Londres, 1971.

— *La vida de San Millán de la Cogolla de G. de Berceo, Estudio y edición crítica*. Tamesis Books Limited, Londres, 1967.

— *The profession of G. de Berceo and the París manuscript of the Libro de Alexandre*, B.H.S., XXXVII, 1960.

ERRANDONEA, I., *Los elementos helénicos del lenguaje culto*. Razón y Fe, 1943, CXXVIII, págs., 316-321.

ESEVERRI HUALDE, C., *Diccionario etimológico de helenismos españoles*. Imp. Aldecoa, Burgos, 1945.

FERNÁNDEZ-GALIANO, M., *Los helenismos del español*, en E.L.H., II, Madrid, 1967, págs., 51-67.

FERRER, J., *Milagros de Nuestra Señora. Aspectos de su estilo*. Hispania, XXXIII, 1950.

FITZ-GERALD, J. D., *La vida de Santo Domingo de Silos, de Gonzalo de Berceo. edition critique*, París, 1904.

GARCÍA SOLALINDE, A., *Estudio sobre la disputa del Alma y el Cuerpo*, Hispanic Review, I, 1933, págs., 196-207.

— *G. de Berceo, Milagros de Nuestra Señora*, Prólogo, edición y notas. Espasa Calpe, Madrid, 1922.

— *El sacrificio de la Misa. Edición y estudio*, Madrid, 1913.

GARGOLINE, P., *The «Milagros de Nuestra Señora» of Gonzalo de Berceo. Versificación, lenguaje, and Berceo's traeatment of his Latin source*, Columbia, 1959.

GARIANO, C., *Análisis estilístico de los Milagros de Nuestra Señora de Berceo*, Gredos, Madrid, 1965.

GAYANGOS, P., *Introducción: Escritores en prosa anteriores al siglo XV*, B.A.E., Reimpresión, Madrid, 1967.

GENNEP, A., *La formation des légendes*. París, 1910.

GILI Y GAYA, S., *Cultismo y semicultismo en los nombres de plantas*, RFE., XXXI, 1947.

Gómez Moreno, M., *Introducción a la Historia Silense con versión castellana*, Madrid, 1921.

Hatzfeld, V., *Linguistic Investigation of Old French High Spirituality*, P.M.L.A., LXI, 1964, págs. 331-78.

Henriquez Ureña, P., *La versificación española irregular*, 2.ª ed., Madrid, 1933.

Hinojosa, E. de, *El derecho en el Poema del Cid, en Estudios sobre el Derecho español*, Madrid, 1903.

Horrent, J., *La Chanson de Roland dans les littératures française et espagnole au Moyen Age*, París, 1951.

Janer, F., *Poetas castellanos anteriores al siglo XV*. B.A.E., Madrid, 1966, vol. 57.

Kasten, Lloyd A., *Poridat de las poridades*, Madrid, 1957.

Knust, H., *Secretum secretorum*, en *Jahrbuch für Romanische un englische Literatur*, X, Leipzig, 1869, pp. 153-72 y 303-17.

— *Mitteilungen aus dem Eskurial*, Bibl. Litt. Vereins in Stuttgart. CXLI. Tübingen, 1870.

— *Dos obras didácticas y dos leyendas*, Sociedad de Bibliófilos Españoles, XVII, Madrid, 1878.

Lapesa Melgar, R., *Historia de la lengua española*, Escelicer, Madrid, 1970.

— *Ideas y palabras: del vocabulario de la Ilustración al de los primeros liberales*, en Asclepio, vols. XVIII-XIX, 1966-67.

— *La lengua de la poesía épica*, en *De la Edad Media a nuestros días*, Gredos, Madrid, 1967.

— *Sobre el Auto de los Reyes Magos: sus rimas anómalas y el posible origen de su autor*, Homenaje a Fritz Krüger, II, Mendoza, 1954, páginas 591-99.

— *La apócope de la vocal en castellano antiguo*, en Estudios dedicados a Menéndez Pidal, II, 1951.

— *Fuero de Madrid, Estudio lingüístico*, Ayuntamiento de Madrid, Madrid, 1962.

— *Notas para el léxico del siglo XIII*, R.F.E., XVIII, 1931.

Lazar, M., *La Fazienda de Ultramar, Biblia romanceada et Itinéraire Biblique en prose castillane du XIIe siècle*. Acta Salmanticensia, Salamanca, 1965.

Lázaro Carreter, F., *Diccionario de términos filológicos*, Gredos, Madrid, 1953.

— *Las ideas lingüísticas en España durante el siglo XVIII*, Anejo de la R.F.E., Madrid, 1949.

— *Teatro medieval. Edición y estudio*, Castalia, Odres Nuevos, 2.ª ed., Madrid, 1965.

— *Sobre el «modus interpretandi» alfonsí*, en Iberida, VI, (1961), págs. 97-114.

Lida, M. R., *Juan de Mena, poeta del prerrenacimiento español*, N.R.F.H, México, 1950.

— *Literatura española y comparada*, Eudeba, Buenos Aires, 1964.

— *Notas para el texto de Alexandre y para las fuentes de Fernán González*, R.F.H., VII, Buenos Aires, 1945.

López Morales, H., *Tradición y creación en los orígenes del teatro castellano*, Ed., Alcalá, Madrid, 1968.

Loveluk, J., *En torno a los «Milagros»*, en Atenea, Concepción de Chile, CVIII, 1952.

Llamas, P. J., *Muestrario inédito de prosa bíblica castellana*, en La Ciudad de Dios, CLXI, 1949.

— *Biblia medieval romanceada judeo-cristiana. Versión del Antiguo Testamento sobre los textos hebreo y latino*, 2 vols., C.S.I.C., Madrid, 1950.

Malkiel, J., *Wear Phonetik Change Spontaenous Sound Shift Lexical Contamination*, en Lingua, XI, 1962, págs., 263-75.

— *The interlocking of narrow sound change, broad phonological pattern, level of transmission, areal configuration, sound symbolism*, en Archivum linguisticum, vol. XV. fasc. 2 and vol. XVI, fasc. 1.

— *Préstamos y cultismos*, Rev. de Linguistique Romane, XXI, 1957, págs., 1-61.

Maravall, J. A., *El concepto de España en la Edad Media*, Madrid, 1954.

Marden, C. C., *Poema de Fernán González*. Texto crítico con introducción, notas y glosario. The Johns Hopkins Press, Baltimore, 1904.

— *Berceo's «Martirio de San Lorenzo» from ein Unpublished Manuscript*, en P.M.L.A., Baltimore, XLV, 1930.

— *Berceo: Veintitrés milagros*, Anejo de la R.F.E., Madrid, 1929.

— *Cuatro poemas de Berceo*, Anejo de la F.F.E., Madrid, 1928.

— *Libro de Apolonio. An old spanish poem. Part. I, Text and Introduction* The Johns Hopkins Press, 1917. Part. II, Princeton University Press, Princeton, 1922.

Marjner, S., *El latín de la Península Ibérica*, en Enciclopedia Lingüística Hispánica, I, C.S.I.C., Madrid, 1959, págs. 199-236.

Martínez Otero. R., *Cultismos*, en Archivum, IX, 1959; págs., 189-215.

Martínez Ruiz. J. («Azorín»), *Gonzalo de Berceo. Al margen de los clásicos*, Madrid, 1915.

Meillet, A., *Esquisse d'une histoire de la langue latine*, París, 1928.

Menéndez Pelayo, M., *Antología de poetas líricos castellanos*, XI, Madrid, 1913.

Menéndez Pidal, R., *Fórmulas épicas en el Poema del Cid. Cuestión metódica*, en Romance Philology, VII, 1953-54, págs. 261-67.

— *Poesía árabe y poesía europea*, Espasa Calpe, 4.ª ed., Madrid, 1955.

— *Manual de Gramática Histórica*, Espasa-Calpe, 9.ª ed., Madrid, 1952.

— *Orígenes del español*, Espasa-Calpe, 5.ª ed., Madrid, 1964.

— *Poema del Cid, Texto, Gramática y Vocabulario*, 3 vols., Espasa-Calpe, Madrid, 1946.

— *La lengua en tiempos de los Reyes Católicos*, (Del retoricismo al humanismo), Cuadernos Hispanoamericanos, V., 1950.

— *Poesía juglaresca y orígenes de las literaturas románicas,* Instituto de Estudios Políticos, Madrid, 1957.

— *Historia de España,* Espasa-Calpe, Madrid, 1955.

— *La España del Cid,* 2 vols., Ed. Plutarco, Madrid, 1929.

— *La Chanson de Roland y el Neotradicionalismo.* Espasa-Calpe. Madrid. 1959.

— *En torno al Poema del Cid,* E.D.H.A.S.A., Barcelona, 1963.

— *Disputa del Alma y el Cuerpo y Auto de los Reyes Magos,* Rev. de Arch., Bibl. y Museos, IV, 1902, págs., 453-62.

— *Razón de Amor con los Denuestos del Agua y el Vino,* Revue Hispanique, XIII, 1905.

— *Roncesvalles, un nuevo cantar de gesta español del siglo XIII,* R.F.E., IV, 1917.

— *Documentos lingüísticos de España, I. Reino de Castilla,* Centro de Estudios Históricos, Madrid, 1919.

— *El dialecto leonés,* Rev. de Arch., Bibl. y Museos, LVII, 1906, págs., 133 y sgs.

MENÉNDEZ PIDAL, R., LAPESA, R. y ANDRÉS, M. S., *Crestomatía del español medieval,* I, Madrid, 1965.

MEYER-LÜBKE, V., *Introducción a la lingüística románica.* Trad. de A. Castro. Anejo de la R.F.E., I, Madrid, 1926.

MICHAEL, Ian, *The treatment of classical Material in the Libro de Alexandre.* Manchester University Press, 1970.

MONTGOMERY, T. Thomas, *Fórmulas tradicionales y originalidad en los Milagros de Nuestra Señora,* N.R.F.H., XI, 1962, págs. 424-430.

MOREL-FATIO, A., *Textes castillans inédits du XIIIº siècle.* Romania, XVI, 1905.

— *El Libro de Alexandre.* Dresden, 1905.

— *Recherches sur le texte et les sources du Libro de Alexandre.* Romania, IV, 1875.

— *Los Diez Mandamientos.* Romania, XVI, París, 1887.

MORREALE, M., *Apuntes bibliográficos para la iniciación al estudio de las traducciones bíblicas medievales en castellano.* Sefarad, 1960, pgs. 66-109.

— *El Canon de la Misa en lengua vernácula y la Biblia romanceada del siglo XIII.* Hispania Sacra, 1962, XV, págs. 203-219.

— *Las antiguas biblias hebreo-españolas comparadas en el pasaje del cántico de Moisés.* Sefarad, 1963, págs., 3-21.

— *Biblia romanceada y Diccionario Histórico.* En Studia Philológica Hom. a D. Alonso, Madrid, 1961, II, págs., 509-536.

MÜLLER, H. F., *L'epoque mérovingienne. Essai de synthèse de philologie et d'histoire.* New York, 1945.

MÜLLER, E., *Sprachliche und Text Kritische Untersuchungen zum Altspanischen, Libro de Alexandre,* Strasbourg, 1910.

NAVARRO TOMÁS, T., *El perfecto de los verbos en -ar en aragonés antiguo,* R.D.R., I, 1909.

Oelschlager, V.R.B., *A medieval spanish word-list, a preliminary dated vocabulary of first appearances up to Berceo.* Univ. de Wisconsin, Madison, 1940.

Orduña, G., *G. de Berceo, vida de Santo Domingo de Silos,* Ed. de... Anaya, Salamanca, 1968.

Pabst, W., *La creación gongorina en los poemas «Polifemo» y «Soledades»* Trad. de N. Marín, Anejo de la RFE., Madrid, 1966.

Pérez de Urbel, J., *Los monjes españoles en la Edad Media.* Ed., Maestre, 2 vols., Madrid, 1933-34.

— *El monasterio en la vida española de la Edad Media,* Labor, Barcelona, 1942.

— *Manuscritos de Berceo en el Archivo de Silos,* B.H., XXXII, (19-30), 515.

Perry, T. A., *Art and meaning in Berceo's vida de Santa Oria,* New Haven and London, Yale Univ. Press, 1968.

Polidori, E., *Poema de Fernán González,* a cura di... G. Someanno, Taranto, 1961.

Real Academia Española, *Diccionario histórico de la lengua española,* fasc. 1-9, Madrid, 1960 y sigs.

Reyes, A., *La experiencia literaria,* Buenos Aires, 1942.

Rheinfelder, H., *Kultsprache und Profansprache in den Romanischen lärden,* Florencia, 1953.

Rico, F., *Las letras latinas del siglo XII en Galicia, León y Castilla,* Abaco, 2, págs., 9-93.

Rodríguez Adrados, F., *Estructura del vocabulario y estructura de la lengua,* en *Problemas y métodos del estructuralismo lingüístico,* C.S.I.C., Madrid, 1967.

Rosenblat, A., *Cultismos masculinos con -a antietimológica,* Filología, 1959, V. págs., 35-46.

Saez, E.; Gibert, R., Alvar, M.; Ruiz-Zorrilla, A., *Los Fueros de Sepúlveda. Edición y Estudio.* Publicaciones Históricas de la Excma. Diputación Provincial de Segovia, Segovia, 1953.

Salcedo, E., *Berceo en el Paraíso,* Insula, Madrid, XVII, 1961.

Sánchez Albornoz, C., *Berceo, horro del impacto de lo islámico, en España, un enigma histórico,* Buenos Aires, 1962, I, págs., 423-438.

— *España, un enigma histórico,* Ed. Sud., Buenos Aires, 1962.

Sánchez, G., *Fueros castellanos de Soria y Alcalá de Henares. Edición y estudio.* Centro de Estudios Históricos, Madrid, 1919.

Sánchez, G.; Millares, A.; Gómez Iglesias, A.; Lapesa, R., *El Fuero de Madrid. Edición y Estudio,* Ayuntamiento de Madrid, 2.ª edición, Madrid, 1963.

Serrano y Sanz, M., *Cronicón Villarense: Liber Regum,* B.R.A.E., VI, 1919 y VIII, 1921.

Simonet, F., *Glosario de voces ibéricas y latinas usadas entre los mozárabes,* Oriental Press, Amsterdam, 1967.

Spitzer, L., *Essays in historical Semantics,* New York, 1948.

— *Razón de Amor,* Romania, LXXI, París, 1950.

STEELS, R., *Secretum secretorum, Opera hactenus inedita Rogeri Baconum,* fasc. V, Oxford, 1920.

SMITH, C. C., *Los cultismos literarios del Renacimiento. Breve adición al Diccionario crítico-etimológico de Corominas,* Bull. Hisp., 1959, LXI, páginas 236-72.

STRECKER, K., *Introduction à l'étude du latin mediéval,* trad. de P. van de Woestijne, Lille-Génève, 1948.

TAPPOLETT, E., *Phonetik und Semantik in der etymologischen Forschung,* Archiv für das Studium der Neueren Sprachen, CXV, 1905.

TERLINGEN, J., *Uso profano del lenguaje cultural cristiano en el Poema del Cid,* Estudios dedicados a Menéndez Pidal, IV, págs. 265-294.

TILANDER, G., *Los Fueros del Aragón según el manuscrito 458 de la Biblioteca Nacional de Madrid,* Lund. C.N., K. Gleeruk, 1937.

TRIER. V., *Der deutsche Worschaft im Sinnbezirk des Verstandes. Die Geschichte eines sprachlichen Feldes.* Heidelberg, 1931.

ULLMAN, S., *Introducción a la Semántica francesa.* Trad. de E. Bustos, Anexo de la R.F.E., Madrid, 1965.

VALDEAVELLANO, L., *Historia de las instituciones españolas.* Rev. de Occidente, Madrid, 1968.

VICÉNS VIVES, J., *Historia social de España y América,* Ed. Vicéns Vives, Barcelona, 1957.

VIDOS, B. E., *Manual de lingüística románica,* trad. de la edición italiana de F. B. Moll, Aguilar, Madrid, 1963.

VILANOVA, A., *Las fuentes y los temas del Polifemo,* 2 vols. Anejo de la R.F.E., Madrid, 1957.

VOSSLER, K., *Cultura y Lengua de Francia.* Trad. de E. Tabernig y R. Lida, Losada, Buenos Aires, 1955.

WARTBURG, W. von, *Problemas y métodos de la lingüística,* Trad. de D. Alonso y E. Lorenzo, C.S.I.C., Madrid, 1951.

WEBER DE KURLAT. F., *Notas para la cronología y composición literaria de las Vidas de Santos de Berceo,* N.R.F.H., XV, 1961, págs. 113-130.

WILLBERN. G., *Elementos del vocabulario castellano del siglo XIII.* México, 1953.

WILLIS, R. S., *El Libro de Alexandre. Texts of the París and the Madrid, Manuscripts prepared with an introduction by ...,* Princeton, 1934.

— *The relationship of the Spanish Libro de Alexandre to the Alexandreis of Gauthier de Chatillon,* Princeton, 1934.

— *The Debt of the Spanish Libro de Alexandre to the French Roman d'Alexandre,* Princeton, 1935.

ZARDOYA, C., *Lo religioso y lo humano en el arte de Berceo,* en Atenea, Concepción, XXXVII, 1937.

ZAMORA VICENTE, A., *Reflexiones sobre la nivelación artística del idioma,* en *Lengua, literatura, intimidad,* Taurus, Madrid, 1966.

— *Poema de Fernán González. Edición, prólogo y notas de...* Clásicos Castellanos, Madrid, 1954.

INDICE